中国中药资源大典

资源大典

吉林卷

③

黄璐琦 / 总主编

曲晓波　姜大成　于俊林 / 主　编

北京科学技术出版社

图书在版编目（CIP）数据

中国中药资源大典 . 吉林卷 . 3 / 曲晓波，姜大成，于俊林主编 . — 北京：北京科学技术出版社，2022.1
ISBN 978-7-5714-1810-6

Ⅰ . ①中… Ⅱ . ①曲… ②姜… ③于… Ⅲ . ①中药资源－资源调查－吉林 Ⅳ . ①R281.4

中国版本图书馆 CIP 数据核字（2021）第 218180 号

策划编辑：	李兆弟　侍　伟
责任编辑：	侍　伟　王治华　李兆弟　陈媞颖
责任校对：	贾　荣
图文制作：	樊润琴
责任印制：	李　茗
出 版 人：	曾庆宇
出版发行：	北京科学技术出版社
社　　址：	北京西直门南大街16号
邮政编码：	100035
电　　话：	0086-10-66135495（总编室）　0086-10-66113227（发行部）
网　　址：	www.bkydw.cn
印　　刷：	北京捷迅佳彩印刷有限公司
开　　本：	889 mm × 1194 mm　　1/16
字　　数：	1023千字
印　　张：	46.25
版　　次：	2022年1月第1版
印　　次：	2022年1月第1次印刷
审 图 号：	GS（2021）8727号

ISBN 978-7-5714-1810-6

定　　价：490.00元

《中国中药资源大典·吉林卷3》

编写人员

主　　编　曲晓波　姜大成　于俊林

副 主 编　孙云龙　肖井雷　翁丽丽　蔡广知　张　强　王　哲

编　　委　（按姓氏笔画排序）

于　波　于　澎　于俊林　于智莘　马　全　王　哲　王子刚　王兆武

王英平　王英哲　车环宇　牛志多　尹春梅　石铁源　白　洋　包海鹰

朴明杰　毕　博　曲同宝　曲晓波　吕惠子　朱键勋　仲　锐　刘　战

刘　霞　齐伟辰　闫　妍　安海成　许天阳　孙　金　孙云龙　孙仁爽

孙紫薇　李　光　李　波　李　剑　李　翟　李天生　李文英　李成华

李克秀　李宜平　李剑男　李湘兰　李福子　杨　莉　杨世海　杨利民

肖井雷　肖春萍　吴　媛　吴晓燕　吴望蕊　汪　娟　宋利捷　迟丽华

张　涛　张　辉　张　强　张天柱　张凤瑞　张立秋　张永刚　张景龙

陈　丽　陈新连　武艳雪　林　喆　林红梅　国　坤　周　繇　庞　博

郑永春　郑春哲　孟芳芳　赵　磊　胡权德　胡彦武　侯晓琳　姜大成

姜雨昕　祝洪艳　秦汝兰　秦佳梅　贾纪元　徐可进　翁丽丽　高　雅

高晨光　容路生　宿　莹　董方言　韩　冬　韩忠明　雷钧涛　路　静

褚　颖　蔡广知　薛长松　鞠贵春

被子植物

小檗科 Berberidaceae 小檗属 Berberis

黄芦木

Berberis amurensis Rupr.

| **植物别名** | 大叶小檗、卵叶小檗、东北小檗。

| **药 材 名** | 黄芦木（药用部位：根、叶。别名：狗奶根、黄连、刺黄檗）。

| **形态特征** | 落叶灌木，高 2 ~ 3.5m。老枝淡黄色或灰色，稍具棱槽，无疣点；节间 2.5 ~ 7cm；茎刺三分叉，稀单一，长 1 ~ 2cm。叶纸质，倒卵状椭圆形、椭圆形或卵形，长 5 ~ 10cm，宽 2.5 ~ 5cm，先端急尖或圆形，基部楔形，上面暗绿色，中脉和侧脉凹陷，网脉不显，背面淡绿色，无光泽，中脉和侧脉微隆起，网脉微显，叶缘平展，每边具 40 ~ 60 细刺齿；叶柄长 5 ~ 15mm。总状花序具 10 ~ 25 花，长 4 ~ 10cm，无毛，总梗长 1 ~ 3cm；花梗长 5 ~ 10mm；花黄色；萼片 2 轮，外萼片倒卵形，长约 3mm，宽约 2mm，内萼片与外萼片同形，长 5.5 ~ 6mm，宽 3 ~ 3.4mm；花瓣椭圆形，长 4.5 ~ 5mm，

黄芦木

宽 2.5 ～ 3mm，先端浅缺裂，基部稍呈爪，具 2 分离腺体；雄蕊长约 2.5mm，药隔先端不延伸，平截；胚珠 2。浆果长圆形，长约 10mm，直径约 6mm，红色，先端不具宿存花柱，不被白粉或仅基部微被霜粉。花期 4 ～ 5 月，果期 8 ～ 9 月。

| 生境分布 | 生于海拔 1100 ～ 2850m 的山坡、山地灌丛中、山沟、山区地埂上、疏林中、溪旁或岩石旁。以长白山区为主要分布区域，分布于吉林延边、白山、通化、吉林、辽源（东丰）等。

| 资源情况 | 野生资源较少。药材主要来源于野生。

| 采收加工 | 春、秋季采挖根，除去杂质和须根，晒干或切片晒干。春、夏季采收叶，除杂质，晒干。

| 功能主治 | 根，苦，寒。清热燥湿，泻火解毒。用于泄泻，痢疾，咳嗽，口疮，黄疸，热痹，肺炎，湿疹疮疖，丹毒，烫火伤，目赤。叶，用于妇科止血。

| 用法用量 | 内服煎汤，5 ～ 20g。外用适量，研粉撒布或调敷；或煎汤洗；或点眼。

| 附　　注 | 本种为吉林省Ⅲ级重点保护野生植物。

小檗科 Berberidaceae 小檗属 Berberis

细叶小檗
Berberis poiretii Schneid.

| **植物别名** | 刺黄连、狗奶子。

| **药 材 名** | 三颗针（药用部位：根。别名：铜针刺）。

| **形态特征** | 落叶灌木，高 1 ~ 2m。老枝灰黄色，幼枝紫褐色，生黑色疣点，具条棱；茎刺缺如或单一，有时三分叉，长 4 ~ 9mm。叶纸质，倒披针形至狭倒披针形，偶披针状匙形，长 1.5 ~ 4cm，宽 5 ~ 10mm，先端渐尖或急尖，具小尖头，基部渐狭，上面深绿色，中脉凹陷，背面淡绿色或灰绿色，中脉隆起，侧脉和网脉明显，两面无毛，叶缘平展，全缘，偶中上部边缘具数枚细小刺齿；近无柄。穗状总状花序具 8 ~ 15 花，长 3 ~ 6cm，包括总梗长 1 ~ 2cm，常下垂；花梗长 3 ~ 6mm，无毛；花黄色；苞片条形，长 2 ~ 3mm；小苞片 2，披针形，长 1.8 ~ 2mm；萼片 2 轮，外萼片椭圆形或长圆状卵形，

细叶小檗

长约 2mm，宽 1.3 ~ 1.5mm，内萼片长圆状椭圆形，长约 3mm，宽约 2mm；花瓣倒卵形或椭圆形，长约 3mm，宽约 1.5mm，先端锐裂，基部微部缩，略呈爪状，具 2 分离腺体；雄蕊长约 2mm，药隔先端不延伸，平截；胚珠通常单生，有时 2。浆果长圆形，红色，长约 9mm，直径 4 ~ 5mm，先端无宿存花柱，不被白粉。花期 5 ~ 6 月，果期 7 ~ 9 月。

| 生境分布 | 生于山地灌丛、砾质地、草原化荒漠、山沟河岸或林下。以长白山区为主要分布区域，分布于吉林延边、白山、通化、吉林、辽源（东丰）等。

| 资源情况 | 野生资源较少。药材主要来源于野生。

| 采收加工 | 春、秋季采挖，除去杂质和须根，晒干或切片晒干。

| 药材性状 | 本品呈类圆柱形，稍扭曲，有少数分枝，长 10 ~ 15cm，直径 1 ~ 3cm。根头粗大，向下渐细。表面灰棕色，有细皱纹，易剥落。质坚硬，不易折断，切面不平坦，鲜黄色，稍显放射状纹理，髓部棕黄色。气微，味苦。

| 功能主治 | 苦，寒；有毒。归肺、肝、脾经。清热燥湿，泻火解毒。用于湿热泻痢，黄疸，湿疹，咽痛目赤，聤耳流脓，痈肿疮毒，高血压，烫火伤，胆囊炎，急性咽炎。

| 用法用量 | 内服煎汤，3 ~ 9g；或研末。外用适量，煎汤滴眼或洗患处。

| 附　　注 | （1）本种的形态与匙叶小檗 *Berberis vernae* Schneid. 十分相似，惟一的不同在于本种花瓣先端锐裂，而后者花瓣先端全缘。

（2）吉林民间称本种为"狗奶子根"，将其根以水煎服，用于牙痛。

小檗科 Berberidaceae 小檗属 Berberis

日本小檗 *Berberis thunbergii* DC.

| **植物别名** | 紫叶小檗。

| **药材名** | 一颗针（药用部位：根、茎枝。别名：黄连、刺榴根、刺檗）。

| **形态特征** | 落叶灌木，高可达 2 ~ 3m。分枝多，枝条开展，节间长 1 ~ 1.5cm，幼枝淡红带绿色，老枝暗红色。刺通常单一，很少为三分叉，刺长 5 ~ 18mm。叶通常 8 簇生，柄长 2 ~ 10mm，叶片变化较大，倒卵形至匙状长圆形，长 0.5 ~ 3cm，宽 3 ~ 15mm，先端钝尖或圆形，基部下延成短柄一缘，上面暗绿色，下面带灰绿色，网脉不明显。花 2 ~ 5 簇生状排列成伞形花序，稀有单花，萼片 6，呈花瓣状，花瓣 6，倒卵形，先端钝圆或微缺，基部有 1 对长圆形腺体；雄蕊 6，花药瓣裂，药隔先端平截；子房长圆形，柱头头状扁平，无花柱，内含胚珠 2。浆果长圆形，熟时鲜红色或紫红色；种子 2，倒卵形，

日本小檗

表面紫褐色。花期 4 ~ 5 月，果期 7 ~ 10 月。

| 生境分布 | 生于路旁或沟边。吉林无野生资源分布。吉林部分地区有栽培，通常种植于路旁或沟边作绿篱用。

| 资源情况 | 吉林有栽培。药材主要来源于栽培。

| 采收加工 | 根，秋季采挖，洗净，晒干。茎枝，夏季采收。

| 药材性状 | 本品根呈圆锥形或圆柱形，稍扭曲，直径 0.2 ~ 1.5cm，根头部稍粗大，有分枝；表面棕色至灰棕色，粗糙，具纵皱纹，老根外皮部分开裂或剥落；质硬，老根较难折断，折断面纤维性，横切面可见明显年轮环，皮部棕色至黄棕色，木质部黄色，中央呈枯朽状。茎枝呈圆柱形，长短不一，老枝暗红色，嫩枝淡红带绿色，有纵棱和刺，针刺单一，长 0.5 ~ 1.8cm；质脆；气微，味苦。

| 功能主治 | 苦，大寒。归肺、肝、肾经。清热燥湿，泻火解毒。用于急性肠炎，痢疾，黄疸，热痹，瘰疬，肺炎，结膜炎，痈肿疮疖，血崩。

| 用法用量 | 内服煎汤，3 ~ 9g；或研末。外用适量，煎汤滴眼；或洗患处。

小檗科 Berberidaceae 红毛七属 *Caulophyllum*

红毛七
Caulophyllum robustum Maxim.

| 植物别名 | 类叶牡丹、葳严仙。

| 药 材 名 | 红毛七（药用部位：根及根茎。别名：葳严仙、海椒七、鸡骨升麻）。

| 形态特征 | 多年生草本，植株高达 80cm。根茎粗短。茎生叶 2，互生，二至三回三出复叶，下部叶具长柄；小叶卵形、长圆形或阔披针形，长 4 ~ 8cm，宽 1.5 ~ 5cm，先端渐尖，基部宽楔形，全缘，有时 2 ~ 3 裂，上面绿色，背面淡绿色或带灰白色，两面无毛；顶生小叶具柄，侧生小叶近无柄。圆锥花序顶生；花淡黄色，直径 7 ~ 8mm；苞片 3 ~ 6；萼片 6，倒卵形，花瓣状，长 5 ~ 6mm，宽 2.5 ~ 3mm，先端圆形；花瓣 6，远较萼片小，蜜腺状，扇形，基部缢缩成爪；雄蕊 6，长约 2mm，花丝稍长于花药；雌蕊单一，子房 1 室，具 2 基生胚珠，花后子房开裂，露出 2 球形种子。果实成熟时柄增粗，长 7 ~ 8mm；

红毛七

种子浆果状，直径 6 ~ 8mm，微被白粉，成熟后蓝黑色，外被肉质假种皮。花期 5 ~ 6 月，果期 7 ~ 9 月。

| **生境分布** | 生于林缘、林下、林间草甸、山沟阴湿处或竹林下，亦生于银杉林下。以长白山区为主要区域，分布于吉林延边、白山、通化、吉林、辽源（东丰）等。

| **资源情况** | 野生资源较丰富。药材主要来源于野生。

| **采收加工** | 秋季茎叶枯萎时采挖，除去泥土及须根，干燥。

| **药材性状** | 本品呈圆柱形，多分枝，节明显，上端有圆形茎痕，下端及侧面着生多数须状根，直径 1 ~ 2mm。表面紫棕色。质较软，断面红色。气微，味苦。

| **功能主治** | 苦、辛，温。归肝、胃经。祛风通络，活血调经，散瘀止痛。用于关节炎，风湿筋骨痛，跌打损伤，劳伤，月经不调，产后瘀血疼痛。

| **用法用量** | 内服煎汤，3 ~ 15g；或浸酒；或研末。

牡丹草

牡丹草

Gymnospermium microrrhynchum (S. Moore) Takht.

| 药 材 名 |

牡丹草（药用部位：根）。

| 形态特征 |

多年生草本，高约30cm。根茎块根状，直径约2cm；地上茎直立，草质多汁，禾秆黄色，顶生1叶。叶为三出或二回三出羽状复叶，草质，小叶具柄，长约2cm，叶片3深裂至基部，裂片长圆形至长圆状披针形，长3～4cm，全缘，先端钝圆，上面绿色，背面淡绿色；托叶大，2片，先端2～3浅裂。总状花序顶生，单一，具花5～10，花序梗长约8cm；花梗纤细，下部花梗长2～2.5cm，上部花梗较短；苞片宽卵形，长约5mm，宽约6mm；花淡黄色；萼片5～6，倒卵形，长约5mm，宽约3mm，先端钝圆；花瓣6，蜜腺状，长约3mm，先端平截；雄蕊6，长约4mm；雌蕊基部具短柄或近无柄，子房卵形，胚珠2～3，花柱极短，柱头平截。蒴果扁球形，直径约6mm，5瓣裂至中部；种子通常2，压扁。花期4～5月，果期5～6月。

| 生境分布 |

生于林中、林缘。分布于吉林白山、通化、

吉林（桦甸）等。

│资源情况│

野生资源较少。药材主要来源于野生。

│采收加工│

秋季茎叶枯萎时采挖，除去泥土及须根，干燥。

│功能主治│

安神宁心，活血消肿。用于心慌烦闷，头晕目眩。

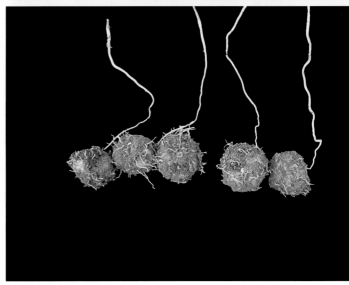

小檗科 Berberidaceae 鲜黄连属 Plagiorhegma

鲜黄连 *Plagiorhegma dubia* Maxim.

| 植物别名 |　常黄连、细辛幌子、假细辛。

| 药 材 名 |　鲜黄连（药用部位：根及根茎。别名：毛黄连、细辛幌子、假细辛）。

| 形态特征 |　多年生草本，植株高 10 ～ 30cm，光滑无毛。根茎细瘦，密生细而有分枝的须根，横切面鲜黄色，生叶 4 ～ 6；地上茎缺如。单叶，膜质，叶片近圆形，长 6 ～ 8cm，宽 9 ～ 10cm，先端凹陷，具 1 针刺状凸尖，基部深心形，边缘微波状或全缘，掌状脉 9 ～ 11，背面灰绿色；叶柄长 10 ～ 30cm，无毛。花葶长 15 ～ 20cm；花单生，淡紫色；萼片 6，花瓣状，紫红色，长圆状披针形，长约 6mm，具条纹，无毛，早落；花瓣 6，倒卵形，基部渐狭，长约 1cm，宽约 0.6cm；雄蕊 6，长约 6mm，花丝扁平，长约 2mm，花药长约 4mm；雌蕊长约 4mm，无毛，花柱长约 2mm，柱头浅杯状，边缘皱波状，胚珠多数。

鲜黄连

蒴果纺锤形，长约 1.5cm，黄褐色，自顶部往下纵斜开裂，宿存花柱长约 3mm；种子多数，黑色。花期 5 ~ 6 月，果期 9 ~ 10 月。

| 生境分布 | 生于林中、林缘、山路边、针叶林下、杂木林下、灌丛中或山坡阴湿处。以长白山区为主要分布区域，分布于吉林延边、白山、通化、吉林、辽源（东丰）等。

| 资源情况 | 野生资源较多。药材主要来源于野生。

| 采收加工 | 春、秋季采挖，除去泥沙等杂质，洗净，晒干。

| 药材性状 | 本品呈不规则圆柱形或扁圆柱形，稍弯曲，长 5 ~ 9cm，直径 0.3 ~ 0.4cm；表面棕褐色，粗糙，有明显不规则的凹陷纵沟；先端具残存的茎基，密被黄褐色鳞片；下端及周围密生粗细不等的根，表面棕黄色至棕褐色，搓之易碎。质脆易折断，断面不整齐，韧皮部灰白色，木质部鲜黄色，有的中空。气微，味苦。

| 功能主治 | 苦，寒。归大肠、心、肝经。平肝明目，清热燥湿，凉血止血，止泻痢，健胃，杀虫。用于泻痢，惊悸，烦躁，目赤肿痛，衄血，吐血，口疮，外伤出血，小儿疳虫。

| 附　注 | （1）鲜黄连已被列入 2019 年版《吉林省中药材标准》第一册。

（2）本种为吉林省Ⅲ级重点保护野生植物。

（3）在 FOC 中，本种的拉丁学名被修订为 *Plagiorhegma dubium* Maxim.。

防己科 Menispermaceae 蝙蝠葛属 *Menispermum*

蝙蝠葛
Menispermum dauricum DC.

| **植物别名** | 北山豆根、山豆根、山地瓜秧。

| **药 材 名** | 北豆根（药用部位：根茎。别名：黄条香、黄根、汉防己）、蝙蝠葛（药用部位：藤茎。别名：防己葛）。

| **形态特征** | 草质、落叶藤本。根茎褐色，垂直生，茎自位于近顶部的侧芽生出，一年生茎纤细，有条纹，无毛。叶纸质或近膜质，轮廓通常为心状扁圆形，长和宽均为 3 ～ 12cm，边缘有 3 ～ 9 角或 3 ～ 9 裂，很少近全缘，基部心形至近截平，两面无毛，下面有白粉；掌状脉 9 ～ 12 条，其中向基部伸展的 3 ～ 5 条很纤细，均在背面凸起；叶柄长 3 ～ 10cm 或稍长，有条纹。圆锥花序单生或有时双生，有细长的总梗，有花数朵至 20 余朵，花密集，稍疏散，花梗纤细，长 5 ～ 10mm；雄花萼片 4 ～ 8，膜质，绿黄色，倒披针形至倒卵状椭

蝙蝠葛

圆形，长 1.4 ~ 3.5mm，自外至内渐大；花瓣 6 ~ 8 或多至 9 ~ 12，肉质，凹成兜状，有短爪，长 1.5 ~ 2.5mm；雄蕊通常 12，有时稍多或较少，长 1.5 ~ 3mm；雌花退化雄蕊 6 ~ 12，长约 1mm，雌蕊群具长 0.5 ~ 1mm 的柄。核果紫黑色；果核宽约 10mm，高约 8mm，基部弯缺深约 3mm。花期 6 ~ 7 月，果期 8 ~ 9 月。

| 生境分布 | 生于路边灌丛、疏林、林下、林缘、荒坡、山区耕地的田埂地头。吉林各地均有分布。

| 资源情况 | 野生资源丰富。药材主要来源于野生。

| 采收加工 | 北豆根：春、秋季采挖，晒至七八成干，去净泥土，用火燎去须毛，晒干。
蝙蝠葛：秋季采割，去枝叶，洗净，切段，晒干。

| 药材性状 | 北豆根：本品呈细长圆柱形，弯曲，有分枝，长可达 50cm，直径 0.3 ~ 0.8cm。表面黄棕色至暗棕色，外皮易脱落，内部呈淡黄色，有皱纹及根痕。质韧，难折断，折断面纤维状，可见放射状纹理，木质部黄色，髓部类白色。气微，味苦。
蝙蝠葛：本品呈圆柱形，直径 2 ~ 10mm。表面黄棕色至黑棕色，有明显纵沟，节上有叶痕、侧枝痕或芽痕。质坚硬，折断面纤维性，皮部易剥落，木质部导管呈孔洞状，中央有白色髓。有时基部稍带有圆柱状的根茎，直径 12 ~ 24mm，表面灰棕色或棕色，粗糙，具纵纹及支根痕。质坚硬，断面粉性，类白色，木质部导管孔洞明显。气微，味淡。以干燥、青棕色、枝条均匀、粗如小指者为佳。

| 功能主治 | 北豆根：苦，寒；有小毒。归肺、胃、大肠经。清热解毒，祛风止痛，理气化湿。用于扁桃体炎，喉炎，齿龈肿痛，咽喉肿痛，腮腺炎，肺炎，瘰疬，热毒泻痢，风湿痹痛。
蝙蝠葛：苦，寒。归肝、肺、肠经。清热解毒，消肿止痛。用于腰痛，瘰疬。

| 用法用量 | 北豆根：内服煎汤，3 ~ 9g。用于咽喉肿痛，宜含于口中缓缓咽下。外用适量，研末调敷；或煎汤泡洗。
蝙蝠葛：内服煎汤，9 ~ 15g。外用适量，捣敷。

| 附　　注 | 北豆根除药用外，还可用来提取山豆根碱，用量较大。

睡莲科 Nymphaeaceae 芡属 Euryale

芡实
Euryale ferox Salisb. ex Konig & Sims

| 植物别名 | 鸡头蓬、鸡头米、鸡头莲。

| 药 材 名 | 芡实（药用部位：种仁。别名：鸡头米、鸡头）。

| 形态特征 | 一年生大型水生草本。沉水叶箭形或椭圆肾形，长 4 ~ 10cm，两面无刺；叶柄无刺；浮水叶革质，椭圆肾形至圆形，直径 10 ~ 130cm，盾状，有或无弯缺，全缘，下面带紫色，有短柔毛，两面在叶脉分枝处有锐刺；叶柄及花梗粗壮，长可达 25cm，皆有硬刺。花长约 5cm；萼片披针形，长 1 ~ 1.5cm，内面紫色，外面密生稍弯硬刺；花瓣矩圆状披针形或披针形，长 1.5 ~ 2cm，紫红色，成数轮排列，向内渐变成雄蕊；无花柱，柱头红色，成凹入的柱头盘。浆果球形，直径 3 ~ 5cm，污紫红色，外面密生硬刺；种子球形，直径大于 10mm，黑色。花期 7 ~ 8 月，果期 8 ~ 9 月。

芡实

| 生境分布 | 生于池塘、湖沼中。分布于吉林白城（通榆、镇赉、大安）、松原（前郭尔罗斯、宁江）、通化、延边（敦化）等。

| 资源情况 | 野生资源较少。药材主要来源于野生。

| 采收加工 | 芡实花果期较长，果实成熟期不一致。一般于 8 月下旬至 9 月，当果实呈红褐色时采收成熟果实，除去果皮，取出种子，洗净，再除去硬壳（外种皮），晒干。

| 药材性状 | 本品呈类球形，多为破碎粒，完整者直径 5 ~ 8mm。表面有棕红色或红褐色内种皮，一端黄白色，约占全体的 1/3，有凹点状的种脐痕，除去内种皮显白色。质较硬，断面白色，粉性。气微，味淡。

| 功能主治 | 甘、涩，平。归脾、肾经。益肾固精，补脾止泻，祛湿止带。用于梦遗，滑精，遗尿，尿频，脾虚久泻，白浊，带下。

| 用法用量 | 内服煎汤，9 ~ 15g；或入丸、散；亦可适量煮粥食。

| 附　　注 | （1）芡实在吉林药用历史较久。在《吉林志书·吉林分巡道造送会典馆清册》（1902）、《辑安县志》（1931）、《通化县志》（1935）等多部地方志中均有关于"芡实"的记载。

（2）芡实既是传统常用中药材，又是优良的天然保健食品，用量较大。吉林省野生芡实资源主要分布在湖泊、河流较多的北部嫩江平原和东部敦化等地，年产带壳芡实 50t 左右。芡实作为功能型食品原料，未来可开发空间巨大。

睡莲科 Nymphaeaceae 莲属 *Nelumbo*

莲 *Nelumbo nucifera* Gaertn.

| 植物别名 | 荷花、莲花、荷。

| 药 材 名 | 荷叶（药用部位：叶）、莲花（药用部位：花蕾。别名：菡萏、水花、芙蓉）、莲子（药用部位：成熟种子。别名：莲肉、莲米）、莲子心（药用部位：成熟种子中间的绿色胚根）、莲房（药用部位：花托。别名：莲蓬）、荷梗（药用部位：叶柄或花柄。别名：藕杆、莲蓬杆、荷叶梗）、藕节（药用部位：根茎节部。别名：藕节巴）。

| 形态特征 | 多年生水生草本。根茎横生，肥厚，节间膨大，内有多数纵行通气孔道，节部缢缩，上生黑色鳞叶，下生须状不定根。叶圆形，盾状，直径 25 ~ 90cm，全缘稍呈波状；叶柄粗壮，长 1 ~ 2m，中空，外面散生小刺。花梗和叶柄等长或稍长，也散生小刺；花直径 10 ~ 20cm，美丽，芳香；花瓣红色、粉红色或白色，长 5 ~ 10cm，

莲

宽 3 ~ 5cm，花药条形，花丝细长，着生在花托之下；花柱极短，柱头顶生；
花托（莲房）直径 5 ~ 10cm。坚果椭圆形或卵形，长 1.8 ~ 2.5cm，果皮革质，
坚硬，熟时黑褐色；种子（莲子）卵形或椭圆形，长 1.2 ~ 1.7cm，种皮红色或
白色。花期 7 ~ 8 月，果期 9 ~ 10 月。

| **生境分布** | 生于水泡子或池塘中，常成片生长。分布于吉林延边、白山、通化等，东部山
区部分地区有栽培。

| **资源情况** | 野生资源较丰富。药材主要来源于栽培。

| **采收加工** | 荷叶：夏、秋季采收叶，晒至七八成干时除去叶柄，折成半圆形或扇形，干燥。
莲花：6 ~ 7 月采收含苞未放的大花蕾或开放的花，阴干。
莲子：秋季种子成熟时采收，取出种子，晒干。
莲子心：秋季种子成熟时采收，取出胚根，晒干。
莲房：秋季采收莲的花托，干燥。
荷梗：夏、秋季采收荷梗，去叶及莲蓬，晒干或鲜用。
藕节：秋、冬季采挖根茎（藕），切取节部，洗净，晒干，除去须根。

| **药材性状** | 荷叶：本品呈半圆形或折扇形，展开后呈类圆形，全缘或稍呈波状，直径
20 ~ 50cm。上表面深绿色或黄绿色，较粗糙；下表面淡灰棕色，较光滑，有粗
脉 21 ~ 22，自中心向四周射出；中心有凸起的叶柄残基。质脆，易破碎。气清

香，味微苦。

莲花：本品呈圆锥形，长 2.5 ~ 4cm，直径约 2cm。表面灰棕色。花瓣多层，呈螺旋状排列，散落的花瓣呈卵圆形或椭圆形，略皱缩或折叠，表面有多数细筋脉，基部略厚。质光滑柔软。去掉花瓣，中心为幼小的莲蓬，先端圆而平坦，上有小孔 10 余个，基部渐窄，周围着生多数花蕊。花柄呈细圆柱状，上有皱沟或顺纹，表面紫黑色，具刺状突起，断面有大型孔隙。气微香，味苦、涩。

莲子：本品略呈椭圆形或类球形，长 1.2 ~ 1.8cm，直径 0.8 ~ 1.4cm。表面浅黄棕色至红棕色，有细纵纹和较宽的脉纹。一端中心呈乳头状突起，深棕色，多有裂口，其周边略下陷。质硬，种皮薄，不易剥离。子叶 2，黄白色，肥厚，中有空隙，具绿色莲子心。无臭，味甘、微涩；莲子心味苦。

莲子心：本品略呈细棒状，长 1 ~ 1.4cm，直径约 0.2cm。幼叶绿色，一长一短，卷成箭形，先端向下反折，两幼叶间可见细小胚芽。胚根圆柱形，长约 3mm，黄白色。质脆，易折断，断面有数个小孔。气微，味苦。以个大、色青绿、未经煮者为佳。

莲房：本品呈倒圆锥状或漏斗状，多撕裂，直径 5 ~ 8cm，高 4.5 ~ 6cm。表面灰棕色至紫棕色，具细纵纹及皱纹，顶面有多数圆形孔穴，基部有花梗残基。质疏松，破碎面海绵样，棕色。气微，味微涩。

荷梗：本品近圆柱形，长 20 ~ 60cm，直径 8 ~ 15cm，表面淡棕黄色，具深浅不等的纵沟及多数刺状突起。折断面淡粉白色，可见数个大小不等的孔道，质轻，易折断，折断时有粉尘飞出。气微，味淡。

藕节：本品呈短圆柱形，中部稍膨大，长 2 ~ 4cm，直径约 2cm。表面灰黄色至灰棕色，有残存的须根及须根痕，偶见暗红棕色的鳞叶残基。两端有残留的藕，表面皱缩有纵纹。质硬，断面有多数类圆形的孔。气微，味微甘、涩。

| **功能主治** | 荷叶：苦，平。归肝、脾、胃经。清暑化湿，升发清阳，凉血止血。用于暑热烦渴，暑湿泄泻，脾虚泄泻，血热吐衄，便血崩漏。荷叶炭：收涩化瘀止血。用于出血症和产后血晕。

莲花：散瘀止血，祛湿消风。用于损伤呕血，血淋，崩漏下血，湿疮，疥疮瘙痒。

莲子：甘、涩，平。归脾、肾、心经。补脾止泻，益肾涩精，养心安神。用于脾虚久泻，遗精带下，心悸失眠。

莲子心：苦，寒。归心、肾经。清心安神，交通心肾，涩精止血。用于热入心包，神昏谵语，心肾不交，失眠遗精，血热吐血。

莲房：苦、涩，温。归肝经。化瘀止血。用于崩漏，尿血，痔疮出血，产后瘀阻，恶露不尽。

荷梗：微苦，平。归脾、膀胱经。解暑清热，理气化湿。用于暑湿胸闷不舒，泄泻，痢疾，淋证，带下。

藕节：甘、涩，平。归肝、肺、胃经。止血，消瘀。用于吐血，咯血，尿血，崩漏。

| 用法用量 | 荷叶：内服煎汤，3 ～ 9g，鲜品 15 ～ 30g，荷叶炭 3 ～ 6g；或入丸、散。外用适量，捣敷；或煎汤洗。

莲花：内服煎汤，3 ～ 5g。外用适量，捣敷。

莲子：内服煎汤，6 ～ 15g。

莲子心：内服煎汤，2 ～ 5g；或入散剂。

莲房：内服煎汤，4.5 ～ 9g；或研末。外用适量，研末搽；或煎汤熏洗。

荷梗：内服煎汤，9 ～ 15g。

藕节：内服煎汤，9 ～ 15g；鲜品捣汁，可取 60g 左右取汁冲服；或入散剂。

| 附　注 | 本种为国家 Ⅱ 级重点保护野生植物。

睡莲科 Nymphaeaceae 萍蓬草属 Nuphar

萍蓬草 *Nuphar pumilum* (Hoffm.) DC.

| 植物别名 | 黄金莲、萍蓬莲、水栗子。

| 药 材 名 | 萍蓬草（药用部位：根茎）、萍蓬草子（药用部位：种子。别名：水粟包、水粟子、萍蓬子）。

| 形态特征 | 多年水生草本。根茎直径 2 ～ 3cm。叶纸质，宽卵形或卵形，少数椭圆形，长 6 ～ 17cm，宽 6 ～ 12cm，先端圆钝，基部具弯缺，心形，裂片远离，圆钝，上面光亮，无毛，下面密生柔毛，侧脉羽状，几次二歧分枝；叶柄长 20 ～ 50cm，有柔毛。花直径 3 ～ 4cm；花梗长 40 ～ 50cm，有柔毛；萼片黄色，外面中央绿色，矩圆形或椭圆形，长 1 ～ 2cm；花瓣窄楔形，长 5 ～ 7mm，先端微凹；柱头盘常 10 浅裂，淡黄色或带红色。浆果卵形，长约 3cm；种子矩圆形，长 5mm，褐色。花期 5 ～ 7 月，果期 7 ～ 9 月。

萍蓬草

| **生境分布** | 生于池塘、湖沼中广阔水域，常成片生长。分布于吉林延边、通化、吉林（蛟河）、长春（德惠、九台、榆树）、松原（扶余）等。

| **资源情况** | 野生资源较少。药材主要来源于野生。

| **采收加工** | 萍蓬草：秋季茎叶枯萎时采挖，除去泥土及须根，干燥。
萍蓬草子：秋季种子成熟时采收，干燥。

| **功能主治** | 萍蓬草：甘、涩，平。归脾、胃、肝、肾经。清虚热，补虚健胃，止汗，止咳，止血，祛瘀调经。用于劳热，骨蒸，肺痨咳嗽，月经不调，刀伤。
萍蓬草子：甘，平。归脾、胃、肾经。滋补强壮，助脾厚肠，健胃调经。用于体虚，月经不调。

| **用法用量** | 萍蓬草：内服煎汤，9～15g。
萍蓬草子：内服煎汤，9～15g。

| **附　注** | （1）在 FOC 中，本种的拉丁学名被修订为 *Nuphar pumila* (Timm) de Candolle。
（2）本种为国家 II 级重点保护野生植物。

睡莲科 Nymphaeaceae 睡莲属 Nymphaea

睡莲
Nymphaea tetragona Georgi

| 植物别名 | 莲蓬花、子午莲、小莲花。

| 药 材 名 | 睡莲（药用部位：花。别名：睡莲菜、子午莲、茈碧花）。

| 形态特征 | 多年水生草本。根茎短粗。叶纸质，心状卵形或卵状椭圆形，长 5 ~ 12cm，宽 3.5 ~ 9cm，基部具深弯缺，约占叶片全长的 1/3，裂片急尖，稍开展或几重合，全缘，上面光亮，下面带红色或紫色，两面皆无毛，具小点；叶柄长达 60cm。花直径 3 ~ 5cm；花梗细长；花萼基部四棱形，萼片革质，宽披针形或窄卵形，长 2 ~ 3.5cm，宿存；花瓣白色，宽披针形、长圆形或倒卵形，长 2 ~ 2.5cm，内轮不变成雄蕊；雄蕊比花瓣短，花药条形，长 3 ~ 5mm；柱头具 5 ~ 8 辐射线。浆果球形，直径 2 ~ 2.5cm，被宿存萼包裹；种子椭圆形，长 2 ~ 3mm，黑色。花期 6 ~ 8 月，果期 8 ~ 10 月。

睡莲

生境分布	生于池沼中。分布于吉林延边、通化、白山、吉林（蛟河）、长春（德惠、九台、榆树）、松原（扶余）等。
资源情况	野生资源较丰富。药材主要来源于野生。
采收加工	花盛开时采收花，阴干或鲜用。
功能主治	甘、苦，平。归肝、脾经。消暑，解酒，定惊。用于中暑，醉酒，烦渴，肾炎，小儿急慢惊风。
用法用量	内服煎汤，6 ~ 9g。
附　　注	本种为吉林省Ⅱ级重点保护野生植物。

金鱼藻科 Ceratophyllaceae 金鱼藻属 Ceratophyllum

东北金鱼藻 *Ceratophyllum manschuricum* (Miki) Kitag.

| 植物别名 | 粗糙金鱼藻。

| 药材名 | 东北金鱼藻（药用部位：全草）。

| 形态特征 | 多年生沉水草本。茎长约30cm，节间5～15mm，稍分枝。叶6～8轮生，1回及2回裂叶条形，宽约1mm，末回裂片丝状，长10～12mm，花未见。坚果椭圆形，长4～5mm，宽1～2mm，灰褐色，初有细绒毛，后脱落无毛，具少数疣状突起，边缘有窄翅，宿存花柱长10～15mm，先端钩状，基部扁平；基部2刺向下斜伸，长12～15mm；果柄长1mm。果期10月。

| 生境分布 | 生于浅水莲池。吉林各地均有分布。吉林东部地区有栽培。

东北金鱼藻

| **资源情况** | 野生资源一般，偶见栽培。药材主要来源于栽培。

| **采收加工** | 夏、秋季采收，除去杂质，晒干。

| **功能主治** | 止血。用于吐血，咳嗽。

金鱼藻科 Ceratophyllaceae 金鱼藻属 Ceratophyllum

五刺金鱼藻 *Ceratophyllum oryzetorum* Kom.

| **药 材 名** | 五刺金鱼藻（药用部位：全草）。

| **形态特征** | 多年生沉水草本。茎平滑，多分枝，节间 1 ~ 2.5cm，枝先端者较短。叶常 10 轮生，2 次二叉状分歧，裂片条形，长 1 ~ 2cm，宽 0.3 ~ 0.5mm。未见花标本。坚果椭圆形，长 4 ~ 5mm，直径 1 ~ 1.5mm，褐色，平滑，边缘无翅，有 5 尖刺：顶生刺长 7 ~ 10mm；2 刺生果实近先端 1/3 处，且和果实垂直，长 2 ~ 4mm，直生或少见弯曲；2 刺斜生果实基部，长 6 ~ 8mm。果期 9 ~ 11 月。

| **生境分布** | 生于池塘、河沟。分布于吉林延边、通化等。

| **资源情况** | 野生资源较少。药材主要来源于野生。

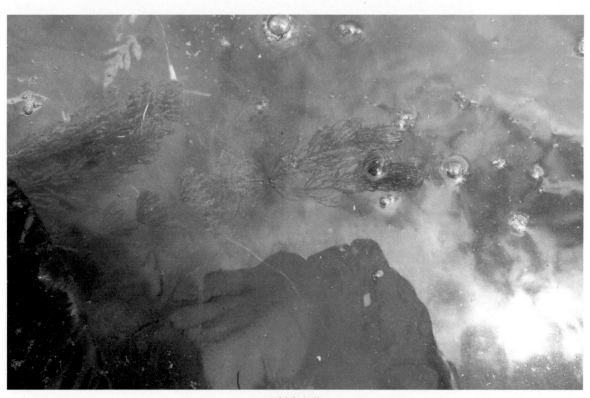

五刺金鱼藻

| **采收加工** | 夏、秋季采收，晒干。

| **功能主治** | 清热。用于腮腺炎。

| **附　　注** | （1）在FOC中，本种的拉丁学名被修订为 *Ceratophyllum platyacanthum* Chamisso subsp. *oryzetorum* Chamisso。

（2）本种和金鱼藻 *Ceratophyllum demersum* L. 形态的区别在于本种叶为2次二叉状分歧，果实有5刺。

金粟兰科 Chloranthaceae 金粟兰属 Chloranthus

银线草
Chloranthus japonicus Sieb.

| 植物别名 | 假金粟兰、灯笼花、四块瓦。

| 药 材 名 | 银线草（药用部位：全草。别名：四叶草、天王七、拐拐细辛）、
四块瓦（药用部位：根及根茎。别名：土细辛、四叶七、白毛七）。

| 形态特征 | 多年生草本，高20～49cm。根茎多节，横走，分枝，生多数细长须根，
有香气；茎直立，单生或数个丛生，不分枝，下部节上对生2鳞状叶。
叶对生，通常4片生于茎顶，成假轮生，纸质，宽椭圆形或倒卵形，
长8～14cm，宽5～8cm，先端急尖，基部宽楔形，边缘有牙齿状
锐锯齿，齿尖有1腺体，近基部或1/4以下全缘，腹面有光泽，两
面无毛，侧脉6～8对，网脉明显；叶柄长8～18mm；鳞状叶膜质，
三角形或宽卵形，长4～5mm。穗状花序单一，顶生，连总花梗长
3～5cm；苞片三角形或近半圆形；花白色；雄蕊3，药隔基部联合，

银线草

着生于子房上部外侧；中央药隔无花药，两侧药隔各有 1 个 1 室的花药；药隔延伸成线形，长约 5mm，水平伸展或向上弯，药室在药隔的基部；子房卵形，无花柱，柱头截平。核果近球形或倒卵形，长 2.5 ～ 3mm，具长 1 ～ 1.5mm 的柄，绿色。花期 4 ～ 5 月，果期 5 ～ 7 月。

| 生境分布 | 生于山坡、山谷杂木林下阴湿处或沟边草丛中。以长白山区为主要分布区域，分布于吉林延边、白山、通化、吉林、辽源（东丰）、松原（扶余）等。

| 资源情况 | 野生资源较丰富。药材主要来源于野生。

| 采收加工 | 银线草：春、秋季采挖，洗净，晒干。
四块瓦：春、秋季采挖，洗净，晒干。

| 药材性状 | 银线草：本品全株稍坚挺，长 20 ～ 45cm，多折弯。根茎横生，生有多数须根。茎挺直，光滑无毛，中、下部茎生叶呈小三角形鳞片状，抱茎对生；茎先端近轮生 4 片大形叶，叶柄短，0.5 ～ 1.2cm，叶片广倒卵形或长圆形，长 4 ～ 10cm，宽 1.5 ～ 7cm，叶缘细齿状，叶脉网状，明显，叶多皱缩，或脱落 1 ～ 2 片，上表面黄绿色，下表面灰绿色。于顶部轮生叶中央直生一花穗，长 3 ～ 5cm，花白色，有的花穗脱落。质轻。气微，味淡。
四块瓦：本品根茎多节横生，具分枝，长 5 ～ 10cm，直径 2 ～ 4cm。节微隆起，上有多数细长的灰白色须根，直径 1 ～ 2mm。质脆，易折断，断面略平坦，皮部发达易与木质部分离。气微香，味微苦。

| 功能主治 | 银线草：苦、辛，温；有毒。归肺、心、肝经。活血行瘀，祛风除湿，解毒。用于跌打损伤，风湿痹痛，风寒感冒，肿毒疮疡，毒蛇咬伤。
四块瓦：苦、辛，温；有毒。散寒止咳，活血止痛，散瘀解毒。用于风寒咳嗽，风湿骨痛，闭经；外用于跌打损伤，瘀血肿痛，毒蛇咬伤。

| 用法用量 | 银线草：内服煎汤，3 ～ 6g；或浸酒。外用适量，捣敷。
四块瓦：内服煎汤，15 ～ 30g。外用适量，煎汤洗；或捣敷。

马兜铃科 Aristolochiaceae 马兜铃属 Aristolochia

北马兜铃
Aristolochia contorta Bunge

| 植物别名 | 马兜铃、后老婆罐根、臭铃铛。

| 药 材 名 | 马兜铃（药用部位：成熟果实。别名：马兜苓、兜铃、蛇参果）。

| 形态特征 | 草质藤本。茎长达 2m 以上，无毛，干后有纵槽纹。叶纸质，卵状心形或三角状心形，长 3 ~ 13cm，宽 3 ~ 10cm，先端短尖或钝，基部心形，两侧裂片圆形，下垂或扩展，长约 1.5cm，边全缘，上面绿色，下面浅绿色，两面均无毛；基出脉 5 ~ 7，邻近中脉的 2 侧脉平行向上，略叉开，各级叶脉在两面均明显且稍凸起；叶柄柔弱，长 2 ~ 7cm。总状花序有花 2 ~ 8 或有时仅 1 花生于叶腋；花序梗和花序轴极短或近无；花梗长 1 ~ 2cm，无毛，基部有小苞片；小苞片卵形，长约 1.5cm，宽约 1cm，具长柄；花被长 2 ~ 3cm，基部膨大呈球形，直径达 6mm，向上收狭成一长管，管长约 1.4cm，

北马兜铃

绿色，外面无毛，内面具腺体状毛，管口扩大成漏斗状；檐部一侧极短，有时边缘下翻或稍 2 裂，另一侧渐扩大成舌片；舌片卵状披针形，先端长渐尖，具延伸成 1 ~ 3cm、线形而弯扭的尾尖，黄绿色，常具紫色纵脉和网纹；花药长圆形，贴生于合蕊柱近基部，并单个与其裂片对生；子房圆柱形，长 6 ~ 8mm，6 棱；合蕊柱先端 6 裂，裂片渐尖，向下延伸成波状圆环。蒴果宽倒卵形或椭圆状倒卵形，长 3 ~ 6.5cm，直径 2.5 ~ 4cm，先端圆形而微凹，6 棱，平滑无毛，成熟时黄绿色，由基部向上 6 瓣开裂；果柄下垂，长 2.5cm，随果开裂；种子三角状心形，灰褐色，长、宽均 3 ~ 5mm，扁平，具小疣点，具宽 2 ~ 4mm、浅褐色膜质翅。花期 5 ~ 7 月，果期 8 ~ 10 月。

| 生境分布 | 生于海拔 500 ~ 1200m 的山坡灌丛、沟谷两旁或林缘，喜较温暖气候和湿润、肥沃、腐殖质丰富的砂壤土。以长白山区为主要分布区域，分布于吉林延边、白山、通化、吉林、辽源（东丰）等。

| 资源情况 | 野生资源较少。药材主要来源于野生。

| 采收加工 | 秋季果实由绿变黄时采收，干燥。

| 药材性状 | 本品呈卵圆形，长 3 ~ 7cm，直径 2 ~ 4cm。表面黄绿色、灰绿色或棕褐色，

有纵棱线 12，由棱线分出多数横向平行的细脉纹。先端平钝，基部有细长果柄。果皮轻而脆，易裂为 6 瓣，果柄也分裂为 6 条。果皮内表面平滑而带光泽，有较密的横向脉纹。果实分 6 室，每室种子多数，平叠整齐排列。种子扁平而薄，钝三角形或扇形，长 6 ~ 10mm，宽 8 ~ 12mm，边缘有翅，淡棕色。气特异，味微苦。以个大、完整、灰绿色者为佳。

| 功能主治 | 苦，微寒。归肺、大肠经。清肺降气，止咳平喘，清肠消痔。用于肺热咳喘，痰中带血，肠热痔血，痔疮肿痛。

| 用法用量 | 内服煎汤，3 ~ 9g；或入丸、散。

| 附　注 | （1）马兜铃用量较大，销全国。吉林马兜铃的年产量不足 10t，主产于东部和东南部山区。
（2）本种为吉林省Ⅲ级重点保护野生植物。

马兜铃科 Aristolochiaceae 马兜铃属 Aristolochia

木通马兜铃 *Aristolochia manshuriensis* Kom.

木通马兜铃

| 植物别名 |

东北木通、马木通、木通藤。

| 药 材 名 |

关木通（药用部位：藤茎。别名：东北木通、马木通、万年藤）。

| 形态特征 |

木质藤本，长达 10 余米。嫩枝深紫色，密生白色长柔毛；茎皮灰色，老茎基部直径 2 ~ 8cm，表面散生淡褐色长圆形皮孔，具纵皱纹或老茎具增厚又呈长条状纵裂的木栓层。叶革质，心形或卵状心形，长 15 ~ 29cm，宽 13 ~ 28cm，先端钝圆或短尖，基部心形至深心形，弯缺深 1 ~ 4.5cm，边全缘，嫩叶上面疏生白色长柔毛，以后毛渐脱落，下面密被白色长柔毛，亦渐脱落而变稀疏；基出脉 5 ~ 7，侧脉每边 2 ~ 3，第三级小脉近横出，彼此平行而明显；叶柄长 6 ~ 8cm，略扁。花单朵，稀 2 朵聚生于叶腋；花梗长 1.5 ~ 3cm，常向下弯垂，初被白色长柔毛，以后无毛，中部具小苞片；小苞片卵状心形或心形，长约 1cm，绿色，近无柄；花被管中部马蹄形弯曲，下部管状，长 5 ~ 7cm，直径 1.5 ~ 2.5cm，弯曲之处至檐

部与下部近相等，外面粉红色，具绿色纵脉纹；檐部圆盘状，直径 4 ~ 6cm 或更大，内面暗紫色而有稀疏乳头状小点，外面绿色，有紫色条纹，边缘浅 3 裂，裂片平展，阔三角形，先端钝而稍尖；喉部圆形并具领状环；花药长圆形，成对贴生于合蕊柱基部，并与其裂片对生；子房圆柱形，长 1 ~ 2cm，具 6 棱，被白色长柔毛；合蕊柱先端 3 裂；裂片先端尖，边缘向下延伸并向上翻卷，皱波状。蒴果长圆柱形，暗褐色，有 6 棱，长 9 ~ 11cm，直径 3 ~ 4cm，成熟时 6 瓣开裂；种子三角状心形，长、宽均 6 ~ 7mm，干时灰褐色，背面平凸状，具小疣点。花期 6 ~ 7 月，果期 8 ~ 9 月。

| 生境分布 | 生于海拔 100 ~ 2200m 且阴湿的阔叶和针叶混交林中。喜凉爽气候，耐严寒，喜疏阴、微潮偏干的土壤环境。以长白山区为主要分布区域，分布于吉林延边、白山、通化、吉林、辽源（东丰）等。

| 资源情况 | 野生资源较少。药材主要来源于野生。

| 采收加工 | 9 月至翌年 3 月采收，割取茎部，切段，去掉外面糙皮，晒干或烤干，理直，扎捆。

| 药材性状 | 本品呈长圆柱状，两端平截，直径 1 ~ 6cm，稍扭曲。表面灰黄色或浅棕黄色，稍平滑，有浅纵沟及斑状浅棕色栓皮残痕或枝痕，节部稍膨大。体轻，质硬，不易折断，断面黄白色或黄色，皮部狭窄，木部较宽，导管多数呈针孔状，呈多层同心环状排列，与类白色射线相间，呈蜘蛛网状，髓部小，狭条状。气微，味苦。

| 功能主治 | 苦，寒；有毒。归心、小肠、膀胱经。清心火，利小便，通经下乳。用于口舌生疮，心烦尿赤，水肿，热淋涩痛，带下，经闭乳少，湿热痹痛。

| 用法用量 | 内服煎汤，3 ~ 6g。外用适量，煎汤熏洗。

| 附　　注 | 本种为吉林省 Ⅲ 级重点保护野生植物。

软枣狝猴桃 *Actinidia arguta* (Sieb. & Zucc.) Planch. ex Miq.

| **植物别名** | 狝猴桃、狝猴梨、圆枣子。

| **药 材 名** | 软枣子（药用部位：果实。别名：软枣、猿枣、圆枣）、狝猴梨叶（药用部位：叶）、狝猴梨根（药用部位：根。别名：藤梨根）。

| **形态特征** | 大型落叶藤本。小枝基本无毛或幼嫩时星散地薄被柔软绒毛或茸毛，长 7 ~ 15cm，隔年枝灰褐色，直径约 4mm，洁净无毛或部分表皮呈污灰色皮屑状，皮孔长圆形至短条形，不显著至很不显著；髓白色至淡褐色，片层状。叶膜质或纸质，卵形、长圆形、阔卵形至近圆形，长 6 ~ 12cm，宽 5 ~ 10cm，先端急短尖，基部圆形至浅心形，等侧或稍不等侧，边缘具繁密的锐锯齿，腹面深绿色，无毛，背面绿色，侧脉腋上有髯毛或连中脉和侧脉下段的两侧沿生少量卷曲柔毛，个别较普遍地被卷曲柔毛，横脉和网状小脉细，不发达，可见

软枣狝猴桃

或不可见，侧脉稀疏，6 ~ 7 对，分叉或不分叉；叶柄长 3 ~ 6（~ 10）cm，无毛或略被微弱的卷曲柔毛。花序腋生或腋外生，为 1 ~ 2 回分枝，1 ~ 7 花，或厚或薄地被淡褐色短绒毛，花序柄长 7 ~ 10mm，花柄 8 ~ 14mm，苞片线形，长 1 ~ 4mm。花绿白色或黄绿色，芳香，直径 1.2 ~ 2cm；萼片 4 ~ 6；卵圆形至长圆形，长 3.5 ~ 5mm，边缘较薄，有不甚显著的缘毛，两面薄被粉末状短茸毛，或外面毛较少或近无毛；花瓣 4 ~ 6，楔状倒卵形或瓢状倒阔卵形，长 7 ~ 9mm，1 花 4 瓣，其中 1 片 2 裂至半；花丝丝状，长 1.5 ~ 3mm，花药黑色或暗紫色，长圆形箭头状，长 1.5 ~ 2mm；子房瓶状，长 6 ~ 7mm，洁净无毛，花柱长 3.5 ~ 4mm。果实圆球形至柱状长圆形，长 2 ~ 3cm，有喙或喙不显著，无毛，无斑点，不具宿存萼，成熟时绿黄色或紫红色。种子纵径约 2.5mm。

| **生境分布** | 生于混交林、水分充足的杂木林中，喜阴坡的针阔叶混交林和杂木林中的肥沃土壤，有的生于阳坡水分充足的地方。以长白山区为主要分布区域，分布于吉林延边、白山、通化、吉林、辽源（东丰）等。东部山区有栽培。

| **资源情况** | 野生资源较少。药材主要来源于野生。

| **采收加工** | 软枣子：8 ~ 9 月果实成熟时采摘，鲜用或晒干。
软枣猕猴梨叶：夏、秋季采收，晒干或阴干。
猕猴梨根：秋季茎叶枯萎时采挖，除去残茎、须根及泥沙，晒干。

| **药材性状** | 软枣子：本品呈椭圆形或柱状长圆形，长 1 ~ 2cm，直径 0.5 ~ 1.2cm。表面黄

棕色至棕褐色或紫黑色，略有光泽，皱缩明显，有的具纵棱，先端略尖，基部

有明显的果柄痕。果肉红棕色；种子细小，近卵形，表面棕褐色，具疣状突起；

种仁黄白色，油性。质柔韧。气微，味酸、甘、微涩。

猕猴梨叶：本品呈卵圆形、椭圆形或长圆形，长 16 ~ 13cm，宽 5 ~ 9cm。先

端突尖或短尾尖，基部圆形或心形，少有近楔形，边缘有锐锯齿，下面脉腋有

淡棕色或灰白色柔毛。叶片近纸质。气微，味微甘。

猕猴梨根：本品呈长圆柱形，多弯曲，少分枝，直径 1 ~ 5cm。表面红棕色或棕

褐色，外皮膜质，脱落后现棕色。体轻，质坚硬，不易折断，断面不平坦，可见多数发亮细小的结晶，水浸后更明显，皮部较窄，黄棕色，木部宽广，黄白色。气微，味苦、涩。

| 功能主治 | 软枣子：甘，微寒。归胃经。滋阴清热，除烦止渴，补肝和胃，通淋。用于热病津伤，阴血不足，烦渴引饮，淋证，牙龈出血，寒热反胃，呃逆。

软枣猕猴桃叶、猕猴梨根：淡、微涩，凉。清热解毒，活血止血，健胃，利湿。用于风湿关节痛，跌打损伤，丝虫病，肝炎，痢疾，瘰疬，痈疖肿毒，恶性肿瘤。

| 用法用量 | 软枣子：内服煎汤，3～15g。

猕猴梨叶、猕猴梨根：内服煎汤，15～60g；或捣汁饮。

| 附　注 | （1）本种果实营养价值很高，含大量维生素C、淀粉、果胶质等，可加工成果酱、果汁、果脯、罐头或用于制作糕点、糖果等多种食品。吉林年产软枣猕猴桃干果约40t，出口韩国和日本等国，被用来制作保健食品。

（2）本种为吉林省Ⅱ级重点保护野生植物。

狝猴桃科 Actinidiaceae 狝猴桃属 Actinidia

狗枣狝猴桃
Actinidia kolomikta (Maxim. & Rupr.) Maxim.

| 植物别名 | 深山木天蓼、狗枣子。

| 药材名 | 狗枣子（药用部位：果实。别名：猫人参）。

| 形态特征 | 大型落叶藤本。小枝紫褐色，直径约 3mm，短花枝基本无毛，有较显著的带黄色的皮孔；长花枝幼嫩时顶部薄被短茸毛，有不甚显著的皮孔，隔年枝褐色，直径约 5mm，有光泽，皮孔相当显著，稍凸起；髓褐色，片层状。叶膜质或薄纸质，阔卵形、长方卵形至长方倒卵形，长 6 ~ 15cm，宽 5 ~ 10cm，先端急尖至短渐尖，基部心形，少数圆形至截形，两侧不对称，边缘有单锯齿或重锯齿，两面近同色，上部往往变为白色，后渐变为紫红色，两面近洁净或沿中脉及侧脉略被一些尘埃状柔毛，腹面散生软弱的小刺毛，背面侧脉腋上髯毛有或无，叶脉不发达，近扁平状，侧脉 6 ~ 8 对；叶柄长 2.5 ~ 5cm，

狗枣狝猴桃

初时略被少量尘埃状柔毛，后秃净。聚伞花序，雄性的有花 3，雌性的通常 1 花单生，花序柄和花柄纤弱，或多或少地被黄褐色微绒毛，花序柄长 8 ～ 12mm，花柄长 4 ～ 8mm，苞片小，钻形，不及 1mm；花白色或粉红色，芳香，直径 15 ～ 20mm；萼片 5，长方状卵形，长 4 ～ 6mm，两面被有极微弱的短绒毛，边缘有睫状毛；花瓣 5，长方状倒卵形，长 6 ～ 10mm；花丝丝状，长 5 ～ 6mm，花药黄色，长方形箭头状，长约 2mm；子房圆柱状，长约 3mm，无毛，花柱长 3 ～ 5mm。果实柱状长圆形、卵形或球形，有时为扁体长圆形，长达 2.5cm，果皮洁净无毛，无斑点，未熟时暗绿色，成熟时淡橘红色，并有深色的纵纹；果熟时花萼脱落；种子长约 2mm。花期 5 月下旬（四川）或 7 月初（东北），果熟期 9 ～ 10 月。

| 生境分布 | 生于海拔 800 ～ 1500m 的土壤肥沃的半阴坡、针阔叶混交林或灌木林中。以长白山区为主要分布区域，分布于吉林延边、白山、通化、吉林、辽源（东丰）等。吉林东部山区有栽培。

| 资源情况 | 野生资源较少。本种因常年被采摘，资源受到破坏，资源量逐年减少。药材主要来源于野生。

| 采收加工 | 8 ～ 9 月果实成熟时采摘，鲜用或晒干。

| **药材性状** | 本品呈柱状长圆形、卵形、近球形或扁长圆形，长达 2.5cm。表面暗绿色或淡橙红色，后者有深色纵纹，皱缩，洁净无毛；花萼脱落或残存。种子细小，暗褐色，长约 2mm。气微，味酸、甘。 |

| **功能主治** | 酸、甘，平。滋补强壮。用于维生素 C 缺乏症。 |

| **用法用量** | 内服煎汤，9 ~ 15g。 |

| **附　注** | （1）本种叶片两侧不对称，基部收窄，并呈浅心形，侧脉中的最下两对基端相靠很近，几近基出，叶面散生若干软弱的小刺毛，可以以此与本属其他种相区别。
（2）狗枣子富含维生素 C，具有滋养强壮的功效，多被开发成功能保健食品。吉林年产狗枣子鲜果约 30t，腌制品出口韩国。
（3）本种成熟果实可食。 |

狝猴桃科 Actinidiaceae 狝猴桃属 Actinidia

葛枣狝猴桃 *Actinidia polygama* (Sieb. & Zucc.) Maxim.

| **植物别名** | 木天蓼、葛枣子、马枣子。

| **药 材 名** | 木天蓼（药用部位：枝叶。别名：天蓼、藤天蓼、天蓼木）、葛枣子（药用部位：带虫瘿的果实）。

| **形态特征** | 大型落叶藤本。着花小枝细长，一般长 20cm 以上，直径约 2.5mm，基本无毛，最多幼枝顶部略被微柔毛，皮孔不很显著；髓白色，实心。叶膜质（花期）至薄纸质，卵形或椭圆卵形，长 7 ~ 14cm，宽 4.5 ~ 8cm，先端急渐尖至渐尖，基部圆形或阔楔形，边缘有细锯齿，腹面绿色，散生少数小刺毛，有时前端部变为白色或淡黄色，背面浅绿色，沿中脉和侧脉多少有一些卷曲的微柔毛，有时中脉上着生少数小刺毛，叶脉比较发达，在背面呈圆线形，侧脉约 7 对，其上段常分叉，横脉颇显著，网状小脉不明显；叶柄近无毛，长

葛枣狝猴桃

1.5～3.5cm。花序 1～3 花，花序柄长 2～3mm，花柄长 6～8mm，均薄被微绒毛；苞片小，长约 1mm；花白色，芳香，直径 2～2.5cm；萼片 5 片，卵形至长方状卵形，长 5～7mm，两面薄被微茸毛或近无毛；花瓣 5，倒卵形至长方状倒卵形，长 8～13mm，最外 2～3 枚的背面有时略被微茸毛；花丝线形，长 5～6mm，花药黄色，卵形箭头状，长 1～1.5mm；子房瓶状，长 4～6mm，洁净无毛，花柱长 3～4mm。果成熟时淡橘色，卵珠形或柱状卵珠形，长 2.5～3cm，无毛，无斑点，先端有喙，基部有宿存萼；种子长 1.5～2mm。花期 6 月中旬至 7 月上旬，果熟期 9～10 月。

| 生境分布 | 生于海拔 500～1900m 的山林中，常见于河边灌丛中、林缘、林中、路边、山谷杂木林缘，以及山脚、山坡灌丛、山坡灌木林、山坡杂木林中。分布于吉林延边、白山、通化等。

| 资源情况 | 野生资源较少。药材主要来源于野生。

| 采收加工 | 木天蓼：夏、秋季枝叶茂盛之时采收枝叶，晒干。
葛枣子：秋季采收带虫瘿的果实，晒干。

| 药材性状 | 木天蓼：本品小枝细长，直径 2.5mm，表面无毛，白色小皮孔不明显；断面髓大，

白色，实心。叶薄纸质，完整叶片卵形或椭圆状卵形，长 7 ~ 14cm，宽 4.5 ~ 8cm；先端急尖至渐尖，基部圆形或阔楔形，边缘有细锯齿；上面散生少数小刺毛，下面沿脉有卷曲的柔毛，有时中脉有少数小刺毛，两面均枯绿色；叶柄近无毛，长 1.5 ~ 3.5cm。气微，味淡、涩。

葛枣子：本品呈卵圆形或长卵圆形，长 2.5 ~ 3cm。表面皱缩，黄白色或淡棕色，先端有喙，基部有宿存萼片。种子细小，多数，黑褐色，长 1.5 ~ 2mm。气微，味辛、涩。

| 功能主治 | 木天蓼：辛，温；有小毒。消食化积，止痛。用于麻风，食积，腰痛，疝痛。
葛枣子：辛，温。理气止痛。用于中风，口眼歪斜，疝气，疟癖。

| 附　注 | （1）本种枝条髓白实心，易与分布区大致相同，但髓褐色、片层状的近缘种软枣猕猴桃 *Actinidia arguta* (Sieb. & Zucc.) Planch. ex Miq. 和狗枣猕猴桃 *Actinidia kolomikta* (Maxim. & Rupr.) Maxim. 等相区别。本种与净果组实心髓的种类如对萼猕猴桃 *Actinidia valvata* Dunn 等的区别是萼片非 2 ~ 3 片，而是 5 片。

（2）本种为吉林省Ⅲ级重点保护野生植物。

（3）成熟果实可酿酒。熟透者也可生食。

山茶科 Theaceae 山茶属 Camellia

山茶 *Camellia japonica* Linn.

| **植物别名** | 花露珍。

| **药 材 名** | 山茶花（药用部位：花。别名：茶花）。

| **形态特征** | 灌木或小乔木，高9m，嫩枝无毛。叶革质，椭圆形，长5～10cm，宽2.5～5cm，先端略尖，或急短尖而有钝尖头，基部阔楔形，上面深绿色，干后发亮，无毛，下面浅绿色，无毛，侧脉7～8对，在上下两面均能见，边缘有相隔2～3.5cm的细锯齿；叶柄长8～15mm，无毛。花顶生，红色，无柄；苞片及萼片约10，组成长2.5～3cm的杯状包被，半圆形至圆形，长4～20mm，外面有绢毛，脱落；花瓣6～7，外侧2片近圆形，几离生，长2cm，外面有毛，内侧5片基部连生约8mm，倒卵圆形，长3～4.5cm，无毛；雄蕊3轮，长2.5～3cm，外轮花丝基部连生，花丝管长1.5cm，无毛；内轮雄

山茶

蕊离生，稍短，子房无毛，花柱长2.5cm，先端3裂。蒴果圆球形，直径2.5～3cm，2～3室，每室有种子1～2，3爿裂开，果爿厚木质。花期1～4月。

| **生境分布** | 生于庭院、房前屋后等。吉林无野生分布。吉林东部山区有栽培。

| **资源情况** | 吉林偶见栽培。药材主要来源于栽培。

| **采收加工** | 春分至谷雨为采收期。一般在含苞待放时采摘，晒干或烘干，用纸包封，置干燥通风处。

| **药材性状** | 本品卷缩成块状或不规则形，长 2 ～ 3.8cm，宽 1.8 ～ 3.5cm。表面黄褐色至棕褐色，花萼背面密布灰白色细绒毛，有丝样光泽，花瓣 5 ～ 7，基部合生，上端倒卵形，先端微凹，具脉纹；雄蕊多数，2 轮，外轮花丝连合成一体。质柔软，有香气，味甘、淡。以干燥、色红、不霉、花蕾长大尚未开放者（称宝珠山茶）为佳。

| **功能主治** | 甘、苦、辛、涩，凉。归肝、肺经。凉血止血，散瘀，消瘀肿。用于吐血，衄血，咯血，便血，痔血，赤白痢，血淋，血崩，带下，烫火伤，跌扑损伤。

| **用法用量** | 内服煎汤，5 ～ 10g；或研末。外用适量，研末麻油调涂。

藤黄科 Guttiferae 金丝桃属 Hypericum

黄海棠 *Hypericum ascyron* Linn.

| 植物别名 | 长柱金丝桃、红旱莲、牛心菜。

| 药 材 名 | 红旱莲（药用部位：全草。别名：牛心菜、大金雀、金丝蝴蝶）。

| 形态特征 | 多年生草本，高 0.5 ~ 1.3m。茎直立或在基部上升，单一或数茎丛生，不分枝或上部具分枝，有时于叶腋抽出小枝条，茎及枝条幼时具 4 棱，后明显具 4 纵线棱。叶无柄，叶片披针形、长圆状披针形、长圆状卵形至椭圆形、狭长圆形，长（2 ~ ）4 ~ 10cm，宽（0.4 ~ ）1 ~ 2.7（ ~ 3.5）cm，先端渐尖、锐尖或钝形，基部楔形或心形而抱茎，全缘，坚纸质，上面绿色，下面通常淡绿色且散布淡色腺点，中脉、侧脉及近边缘脉下面明显，脉网较密。花序具 1 ~ 35 花，顶生，近伞房状至狭圆锥状，后者包括多数分枝；花直径（2.5 ~ ）3 ~ 8cm，平展或外反；花蕾卵珠形，先端圆形或钝形；花梗长 0.5 ~ 3cm；萼

黄海棠

片卵形或披针形至椭圆形或长圆形，长（3～）5～15（～25）mm，宽1.5～7mm，先端锐尖至钝形，全缘，结果时直立；花瓣金黄色，倒披针形，长1.5～4cm，宽0.5～2cm，十分弯曲，具腺斑或无腺斑，宿存；雄蕊极多数，5束，每束有雄蕊约30，花药金黄色，具松脂状腺点；子房宽卵珠形至狭卵珠状三角形，长4～7（～9）mm，5室，具中央空腔；花柱5，长为子房的1/2至其2倍，自基部或至上部4/5处分离。蒴果为或宽或狭的卵珠形或卵珠状三角形，长0.9～2.2cm，宽0.5～1.2cm，棕褐色，成熟后先端5裂，柱头常折落；种子棕色或黄褐色，圆柱形，微弯，长1～1.5mm，有明显的龙骨状突起或狭翅和细的蜂窝纹。花期7～8月，果期8～9月。

| 生境分布 | 生于山坡林下、林缘、灌丛、草丛、草甸、溪旁或河岸湿地等处。以长白山区为主要分布区域，分布于吉林延边、白山、通化、吉林、辽源（东丰）等。

| 资源情况 | 野生资源丰富。药材主要来源于野生。

| 采收加工 | 7～8月果实成熟时采收，晒干。

| 药材性状 | 本品茎呈四棱形，下部近圆形，长短不一；表面红棕色或棕绿色，节明显；质脆，易折断，断面中空，纤维性。叶片广披针形，对生，无柄，多破碎或脱落；偶见花果，宿存萼卵圆形，先端开裂成5瓣，内有多数红棕色圆柱状的细小种子。气微，味甘而后苦、涩。

| 功能主治 | 微苦，寒。归肝、胃经。清热解毒，凉血止血，活血调经。用于肝经火热之胸胁疼痛，心烦易怒，各种血热出血证，月经不调，崩漏，跌打损伤，外伤出血，痛经，乳汁不下，肝火头痛，黄疸，疟疾，烫火伤，湿疹，黄水疮，毒蛇咬伤。

| 用法用量 | 内服煎汤，5～15g。外用适量，捣敷；或研末调涂。

| 附　　注 | （1）本种变异很大，特别是花的大小和排列方式、萼片的大小和形状，以及花柱的长短和分离的程度在不同的居群中或在同一居群中变异幅度都比较大，但这些变异都表现出连续的性质和没有任何地理上的依赖性，因此难于以此作为区分种或种下等级的依据。

（2）红旱莲已被列入2019年版《吉林省中药材标准》第二册。

藤黄科 Guttiferae 金丝桃属 *Hypericum*

赶山鞭

Hypericum attenuatum Choisy

赶山鞭

|植物别名|

乌腺金丝桃、小金丝桃、小叶牛心菜。

|药材名|

赶山鞭（药用部位：全草。别名：小金丝桃、小茶叶、刘寄奴）。

|形态特征|

多年生草本，高（15～）30～74cm。根茎具发达的侧根及须根。茎数个丛生，直立，圆柱形，常有2纵线棱，且全面散生黑色腺点。叶无柄；叶片卵状长圆形或卵状披针形至长圆状倒卵形，长（0.8～）1.5～2.5（～3.8）cm，宽（0.3～）0.5～1.2cm，先端圆钝或渐尖，基部渐狭或微心形，略抱茎，全缘，两面通常光滑，下面散生黑腺点，侧脉2对，与中脉在上面凹陷，在下面凸起，边缘脉及脉网不明显。花序顶生，多花或有时少花，为近伞房状或圆锥花序；苞片长圆形，长约0.5cm；花直径1.3～1.5cm，平展；花蕾卵珠形；花梗长3～4mm；萼片卵状披针形，长约5mm，宽2mm，先端锐尖，表面及边缘散生黑腺点；花瓣淡黄色，长圆状倒卵形，长1cm，宽约0.4cm，先端钝形，表面及边缘有稀疏的黑腺点，宿存；雄蕊3

束，每束有雄蕊约 30，花药具黑腺点；子房卵珠形，长约 3.5mm，3 室；花柱 3，自基部离生，与子房等长或稍长于子房。蒴果卵珠形或长圆状卵珠形，长 0.6 ～ 10mm，宽约 4mm，具长短不等的条状腺斑；种子黄绿、浅灰黄或浅棕色，圆柱形，微弯，长 1.2 ～ 1.3mm，宽约 0.5mm，两端钝形且具小突尖，两侧有龙骨状突起，表面有细蜂窝纹。花期 7 ～ 8 月，果期 8 ～ 9 月。

| **生境分布** | 生于草原区山地、林缘、灌丛、草甸、石砾地、草丛、林内等。以长白山区为主要区域，分布于吉林延边、白山、通化、长春、吉林、辽源（东丰）等。

| **资源情况** | 野生资源较少。药材主要来源于野生。

| **采收加工** | 夏、秋季采收，除去泥土及杂质，晒干。

| **药材性状** | 本品茎呈圆柱形，长 30 ～ 60cm；表面棕褐色，散生黑色腺点，有 2 明显凸起的纵肋；质稍硬，断面不平坦，中空。叶对生，无柄，稍抱茎，卵状长圆形，散生黑色腺点，近革质，易破碎或脱落。气微，味微苦。

| **功能主治** | 苦，平。清热解毒，止血止痛，止咳祛痰，通乳。用于乳痈，疔疮肿毒，咯血，吐血，血崩，乳汁不足，跌打损伤，风湿痹痛。

藤黄科 Guttiferae 三腺金丝桃属 Triadenum

红花金丝桃

Triadenum japonicum (Bl.) Makino

| **植物别名** | 地耳草、田基黄。

| **药材名** | 红花金丝桃（药用部位：全草）。

| **形态特征** | 多年生草本，高 15 ~ 50（~ 90）cm。茎直立，圆柱形，通常红色，不分枝或少分枝。叶无柄，叶片长圆状披针形、卵状长圆形至长圆形，长（1 ~）2 ~ 5（~ 8）cm，宽（0.5 ~）1 ~ 1.7（~ 3）cm，先端钝圆或微缺，基部略呈心形，稍抱茎，全缘而内卷，上面绿色，下面淡绿色，全面散布透明腺点，中脉在下面明显，侧脉每边约4。聚伞花序小，具 1 ~ 3 花，比叶短，顶生及腋生，具梗；总梗长 0.5 ~ 1cm；苞片小，线状披针形；花开放时直径约 1cm；花梗长 1 ~ 3mm；萼片卵状披针形，长 3 ~ 4mm，宽约 2mm，先端钝形，全面有透明腺条，直立；花瓣粉红色，狭倒卵形，长 6 ~ 7mm，先

红花金丝桃

端圆形，基部渐狭，仅先端有少数透明腺点；雄蕊束3，长约4mm，花丝连合至1/2，花药呈"丁"字着生，先端有一个囊状透明腺体；下位腺体3，鳞片状，卵形至圆形，长约1mm，橙黄色，不分裂；子房卵珠形，长约2mm，3室；花柱3，分离，比子房短，直伸。蒴果长圆锥形，长0.8～1cm，先端急尖，3片裂；种子黑褐色，短圆柱形，长约1mm，宽约0.5mm，表面有细蜂窝纹。花期7～8月，果期8～9月。

| 生境分布 |

生于丘陵、草甸湿地或沼泽地。分布于吉林通化、延边、白山、吉林（磐石）等。

| 资源情况 |

野生资源较少。药材主要来源于野生。

| 采收加工 |

夏、秋季采收，除去泥土及杂质，晒干。

| 功能主治 |

苦、甘，凉。清热解毒，渗湿利尿，消肿止痛，通乳。用于急、慢性肝炎，早期肝硬化，阑尾炎，痈肿疔疮，急性结膜炎，口腔炎，跌打扭伤，小儿惊风，乳痈，烫火伤，毒蛇咬伤。

茅膏菜科 Droseraceae 茅膏菜属 Drosera

圆叶茅膏菜 *Drosera rotundifolia* L.

| 植物别名 | 茅膏菜、毛毡草。

| 药 材 名 | 圆叶茅膏菜（药用部位：全草或球茎。别名：毛毡苔、捕虫草）。

| 形态特征 | 多年生草本。茎短。叶基生，密集，具长柄；叶片圆形或扁圆形，长 3 ~ 9mm，宽 5 ~ 12mm，叶缘具长头状黏腺毛，上面腺毛较短，背面常无毛；叶柄扁平，长 1 ~ 6cm；托叶膜质，长约 6mm，下半部紧贴叶柄，上半部开展，5 ~ 7 裂，裂片渐尖。螺状聚伞花序 1 ~ 2，腋生，花葶状，纤细，直立，长 8.5 ~ 21cm，不分叉，具花 3 ~ 8，花序梗和花轴被柔毛状腺毛或近无毛，苞片小，钻形；花梗长 1 ~ 3mm，与萼同被粉状毛；花萼长约 4mm，下部合生，上部 5 裂，裂片卵形或狭卵形，边缘疏具小腺齿；花瓣 5，白色，长 5 ~ 6mm，匙形；雄蕊 5，长 4 ~ 5mm；子房椭圆球形，长约 3mm，1 室，侧

圆叶茅膏菜

膜胎座 3，胚球多数，花柱 3，每个 2 深裂至基部，棒状，先端稍扩大。蒴果，熟后开裂为 3 果片；种子多数，椭圆球形，微具网状脉纹，外面包以囊状、疏松、两端延伸渐尖的外种皮。花期 7 ~ 8 月，果期 8 ~ 9 月。

| 生境分布 | 生于潮湿的山坡草丛、灌丛或沟边，常成片生长。分布于吉林白山、通化（柳河）、延边（安图、和龙）等。

| 资源情况 | 野生资源稀少。药材主要来源于野生。

| 采收加工 | 5 ~ 6 月采收，洗净泥土，鲜用或晒干。

| 功能主治 | 甘，平。归肺经。镇咳祛痰，止痢，祛风通络，活血止痛，解痉。用于跌打损伤，外伤出血，胃痛，赤白痢，小儿疳积；外用于瘰疬。

| 用法用量 | 内服煎汤，10 ~ 15g。

| 附　　注 | 本种为吉林省Ⅲ级重点保护野生植物。

罂粟科 Papaveraceae 荷包藤属 Adlumia

荷包藤 *Adlumia asiatica* Ohwi

荷包藤

植物别名

合瓣花、藤荷包牡丹。

药材名

荷包藤（药用部位：全草）。

形态特征

多年生草质藤本，全体无毛。茎细，长达3m，具分枝。基生叶多数，具长6～9cm的柄，开花期枯死；茎生叶多，卵形或三角形，2～3回近羽状全裂，第1回裂片具长1～2cm的柄，第2回裂片具短柄，先端小叶柄常呈卷须状，小裂片狭卵形、椭圆形或近菱形，长5～20mm，宽2～6mm，先端钝，基部楔形，常不对称，全缘或2～3浅裂，表面绿色，背面具白粉，叶脉纤细，近二叉状分枝。圆锥花序腋生，总花梗长1～15cm，有5～11（～20）花；苞片狭披针形，长1.5～2.5mm，膜质；花梗细，长6～8mm。花纵轴两侧对称，下垂，长1.5～1.7cm，宽7～8mm；萼片卵形，长2～3mm，早落；花瓣4，外面2枚先端分离部分披针形，长约5mm，淡紫红色，背部具龙骨状突起，喉部以下合生部分心状卵形，长1～1.2cm，白色，具4纵翅，基部两侧囊状，里面2枚分离部分圆匙形，长约 4mm，花瓣片近圆形，爪近条形；雄蕊束长约 1.2cm，宽扁，膜质，大部合生，先端分离，花药椭圆形，长不足 0.5mm，黄色；子房线状椭圆形，长约 7mm，花柱向上渐狭，长约 5mm，柱头 2 裂，裂片倒三角形，具 4 乳突。蒴果线状椭圆形，长 1.5 ~ 2cm，直径约 4mm，扁平，成熟时 2 瓣裂，基部悬挂着干枯、海绵质的花冠；种子多数，肾形，长约 1.5mm。花果期 7 ~ 9 月。

| 生境分布 | 生于针叶林下或林缘。分布于吉林白山（长白、抚松）、延边（安图、珲春）等。

| 资源情况 | 野生资源较少。药材主要来源于野生。

| 采收加工 | 夏、秋季采收，除去杂质及泥土，晒干。

| 功能主治 | 苦，寒。止痛。用于头痛，腰痛，腹痛等各种疼痛。

| 附　　注 | 本种为吉林省 II 级重点保护野生植物。

罂粟科 Papaveraceae 白屈菜属 Chelidonium

白屈菜 *Chelidonium majus* L.

| 植物别名 | 土黄连、山黄连、地黄连。

| 药 材 名 | 白屈菜（药用部位：全草。别名：山黄连、土黄连、八步紧）。

| 形态特征 | 多年生草本，高 30 ~ 60（~ 100）cm。主根粗壮，圆锥形，侧根多，暗褐色。茎聚伞状多分枝，分枝常被短柔毛，节上较密，后变无毛。基生叶少，早凋落，叶片倒卵状长圆形或宽倒卵形，长 8 ~ 20cm，羽状全裂，全裂片 2 ~ 4 对，倒卵状长圆形，具不规则的深裂或浅裂，裂片边缘圆齿状，表面绿色，无毛，背面具白粉，疏被短柔毛，叶柄长 2 ~ 5cm，被柔毛或无毛，基部扩大成鞘；茎生叶叶片长 2 ~ 8cm，宽 1 ~ 5cm，叶柄长 0.5 ~ 1.5cm，其他同基生叶。伞形花序多花；花梗纤细，长 2 ~ 8cm，幼时被长柔毛，后变无毛；苞片小，卵形，长 1 ~ 2mm；花芽卵圆形，直径 5 ~ 8mm；萼片卵圆形，舟

白屈菜

状，长 5 ~ 8mm，无毛或疏生柔毛，早落；花瓣倒卵形，长约 1cm，全缘，黄色；雄蕊长约 8mm，花丝丝状，黄色，花药长圆形，长约 1mm；子房线形，长约 8mm，绿色，无毛，花柱长约 1mm，柱头 2 裂。蒴果狭圆柱形，长 2 ~ 5cm，直径 2 ~ 3mm，具通常比果短的柄；种子卵形，长约 1mm 或更小，暗褐色，具光泽及蜂窝状小格。花果期 4 ~ 9 月。

| **生境分布** | 生于路边、林缘、林下、山坡、山谷、草地。群落植物种类多，除农耕种植生产的农药危害及开荒影响外，基本保有原生状态。吉林各地均有分布。

| **资源情况** | 野生资源丰富。药材主要来源于野生。

| **采收加工** | 5 ~ 7 月盛花期采收，割取地上部分，晒干，贮放于通风干燥处。

| **药材性状** | 本品根呈圆锥状，多有分枝，密生须根。茎干瘪中空，表面黄绿色或绿褐色，有的可见白粉。叶互生，多皱缩、破碎，完整者为 1 ~ 2 回羽状分裂，裂片近对生，先端钝，边缘具不整齐的缺刻；上表面黄绿色，下表面绿灰色，具白色柔毛，脉上尤多。花瓣 4，卵圆形，黄色，雄蕊多数，雌蕊 1。蒴果细圆柱形；种子多数，卵形，细小，黑色。气微，味微苦。

| **功能主治** | 苦，凉；有毒。归肺、心、肾经。清热解毒，消肿疗疮，解痉止痛，止咳平喘。用于胃脘挛痛，咳嗽气喘，百日咳。

| **用法用量** | 内服煎汤，3 ~ 6g。外用适量，捣汁涂；或研粉调涂。

| **附　注** | 吉林的白屈菜年产量在 100t 左右，购销缓慢，故应把握市场，谨慎发展。

多裂堇叶延胡索

| 罂粟科 Papaveraceae | 紫堇属 Corydalis |

多裂堇叶延胡索 *Corydalis ambigua* Cham. et Schltd. f. *multifida* Y. H. Chou

| 植物别名 |

延胡索、蓝花菜。

| 药 材 名 |

多裂堇叶延胡索（药用部位：块茎）。

| 形态特征 |

多年生草本，高 8 ~ 20（~ 28）cm。块茎圆球形，直径约 1cm。茎直立或上升，基部以上具 1 鳞片，不分枝或鳞片腋内具 1 分枝，有时具乳突状毛，上部具 2（~ 3）叶。叶为 3 ~ 4 回三出全裂或近全裂，终裂片线形，绿色无毛，有时叶脉和叶缘呈乳突状粗糙，小叶多变，全缘至深裂，末回裂片线形、披针形、椭圆形或卵圆形，全缘，有时具锯齿或圆齿。总状花序具 5 ~ 12（~ 15）花。苞片宽披针形、卵圆形或倒卵形，全缘，有时蓖齿状或扇形分裂。花梗纤细，直立伸展，长 5 ~ 14mm（栽培条件下可长达 25mm），果期不下弯或稍弧形弯曲。萼片小，不明显。花淡蓝色或蓝紫色，稀紫色或白色；内花瓣色淡或近白色。外花瓣较宽展，全缘，稀具齿，先端下凹。上花瓣长 1.8 ~ 2.5cm，瓣片多少上弯，两侧常反折；距直或末端稍下弯，长 7 ~ 12mm，常呈三角形；蜜腺体约贯穿距长的 1/3，末端具折曲状短尖。下花瓣直或浅囊状，但常具明显变狭的基部，瓣片基部较宽（6～10mm），向上渐变狭。内花瓣长 8～11（～13）mm。柱头近四方形，先端具 4 短柱状乳突，基部具 2 下延的紧邻花柱的尾状突起。蒴果通常线形或狭线形，常呈红棕色，长（15～）20～25（～30）mm，宽 2.5～3mm，背腹扁平，侧面常具龙骨状突起，具 1 列种子；种子直径约 2mm，平滑，具倒卵形的种阜。

| 生境分布 |

生于海拔 600m 左右的林缘或灌丛中。分布于吉林通化、白山等。

| 资源情况 |

野生资源较少。药材主要来源于野生。

| 采收加工 |

夏初茎叶枯萎时采挖，除去须根，洗净，用沸水煮至内部无白心时取出，晒干。

| 功能主治 |

活血散瘀，理气止痛。用于血瘀气滞诸痛。

罂粟科 Papaveraceae 紫堇属 Corydalis

线叶东北延胡索 *Corydalis ambigua* Cham. et Schltd. f. *lineariloba* Maxim.

| 药 材 名 | 东北延胡索（药用部位：块茎。别名：延胡索、蓝花菜、蓝花豆）。

| 形态特征 | 多年生草本，无毛，高 15 ～ 25cm。块茎球状，单一，直径 8 ～ 15mm，断面白色至淡黄色。茎软弱，单一，近基部具鳞片 1；自鳞片腋常 3 ～ 4 分枝，叶具细柄，叶片灰绿色，2 回三出全裂，1 回裂片有明显的柄，叶末回裂片条形或条状长圆形，长 1 ～ 3cm，有时分裂，先端钝圆。总状花序顶生，疏生花 8 ～ 20；苞片披针形至椭圆形，长 5 ～ 15mm，全缘或下部者略有栉齿状分裂；花梗长 15 ～ 20mm；萼片不明显；花冠长 15 ～ 35mm，淡蓝色至蓝紫色，外轮瓣片全缘，无突尖，距粗而直，蜜腺体贯穿距长的 1/2。蒴果条形，长 18 ～ 25mm，宽 2 ～ 3mm，干后略呈串珠状；种子多数，卵形至椭圆形，直径约 1.5mm，深褐色。花期 4 ～ 5 月，果期 4 ～ 6 月。

线叶东北延胡索

| 生境分布 |

生于海拔 700 ～ 1000m 的杂木疏林下、林缘或阴湿沟边。分布于吉林延边、白山、通化等。

| 资源情况 |

野生资源较少。药材主要来源于野生。

| 采收加工 |

夏初茎叶枯萎时采挖，除去须根，洗净，用沸水煮至内部无白心时取出，晒干。

| 药材性状 |

本品呈球形、扁球形或长球形，直径 5 ～ 10mm。表面黄色或黄棕色，无明显皱纹；上端微凹处有茎痕，底部可见不定根痕。质较硬，断面白色或黄白色。气微，味苦。

| 功能主治 |

苦、辛，温。行气止痛，镇静，止血，活血散瘀。用于血瘀气滞诸痛，血瘀出血。

罂粟科 Papaveraceae 紫堇属 *Corydalis*

地丁草

Corydalis bungeana Turcz.

| 植物别名 |　紫堇、彭氏紫堇、布氏地丁。

| 药 材 名 |　苦地丁（药用部位：全草。别名：地丁、小根地丁、紫堇）。

| 形态特征 |　二年生灰绿色草本，高 10 ~ 50cm，具主根。茎自基部铺散分枝，灰绿色，具棱。基生叶多数，长 4 ~ 8cm，叶柄约与叶片等长，基部多少具鞘，边缘膜质；叶片上面绿色，下面苍白色，2 ~ 3 回羽状全裂，1 回羽片 3 ~ 5 对，具短柄，2 回羽片 2 ~ 3 对，先端分裂成短小的裂片，裂片先端圆钝。茎生叶与基生叶同形。总状花序长 1 ~ 6cm，多花，先密集，后疏离，果期伸长；苞片叶状，具柄至近无柄，明显长于长梗；花梗短，长 2 ~ 5mm；萼片宽卵圆形至三角形，长 0.7 ~ 1.5mm，具齿，常早落；花粉红色至淡紫色，平展；外花瓣先端多少下凹，具浅鸡冠状突起，边缘具浅圆齿；上花瓣长

地丁草

1.1 ～ 1.4cm；距长 4 ～ 5mm，稍向上斜伸，末端多少囊状膨大，蜜腺体约占距长的 2/3，末端稍增粗；下花瓣稍向前伸出，爪向后渐狭，稍长于瓣片；内花瓣先端深紫色；柱头小，圆肾形，先端稍下凹，两侧基部稍下延，无乳突而具膜质的边缘。蒴果椭圆形，下垂，长 1.5 ～ 2cm，宽 4 ～ 5mm，具 2 列种子。种子直径 2 ～ 2.5mm，边缘具 4 ～ 5 列小凹点，种阜鳞片状，长 1.5 ～ 1.8cm，远离。

| **生境分布** | 生于多石坡地、山沟、溪流、平原、丘陵草地、路边、林下、林缘或河水泛滥地段。分布于吉林延边、白山、通化等。

| **资源情况** | 野生资源丰富。药材主要来源于野生。

| **采收加工** | 夏季采收，除去杂质，晒干。

| **药材性状** | 本品皱缩成团，长 10 ～ 30cm。主根圆锥形，表面棕黄色。茎细，多分枝，表面灰绿色或黄绿色，具 5 纵棱，质软，断面中空。叶多皱缩破碎，暗绿色或灰绿色，完整叶片 2 ～ 3 回羽状全裂。花少见，花冠唇形，有距，淡紫色。蒴果扁长椭圆形，呈荚果状。种子扁心形，黑色，有光泽。气微，味苦。

| **功能主治** | 苦，寒。归心、脾经。清热解毒，活血消肿。用于疔疮痈疽，化脓性炎症，瘰疬，感冒，腮腺炎，咳嗽，目赤，肝炎，肾炎，水肿，肠痈，泄泻，结膜炎，角膜溃疡。

| **用法用量** | 内服煎汤，9 ～ 15g，鲜品 30 ～ 60g；或捣汁。外用适量，捣敷。

罂粟科 Papaveraceae 紫堇属 Corydalis

东紫堇 *Corydalis buschii* Nakai.

| 药 材 名 | 东紫堇（药用部位：全草）。

| 形态特征 | 多年生草本，高 10 ~ 25cm，无毛。块茎小，长圆形或近三角形，直径约 5mm，常具角状突起，有时几个并生在一起；新块茎由老块茎生出的匍匐茎末端膨大而成。茎高 10 ~ 20（~ 30）cm，直立，纤细，基部具 1 ~ 3 鳞片，具 2 ~ 4 叶，分枝。叶具长柄，下部叶柄基部具薄膜质鞘，叶片二回三出，小叶深裂，边缘和叶脉上具粗糙的乳突状突起，裂片披针形。总状花序短而密集，具 5 ~ 10（~ 15）花；苞片宽卵形至倒卵形，长 5 ~ 7mm，先端具不整齐的齿，有时下部的分裂；花梗长 3 ~ 5（~ 7）mm，细而直；萼片早落；花紫红色；外花瓣较宽展，先端微凹；上花瓣长（1.5 ~）1.8 ~ 2cm，距稍短于瓣片，蜜腺体短，约占距长的 1/3；下花瓣直，向前伸出；

东紫堇

内花瓣具狭鸡冠状突起。蒴果线形，长 1.4 ~ 1.8cm，宽约 2mm，多少弯曲或稍呈串珠状，具种子 5 ~ 12。

| **生境分布** | 生于林缘湿地、山地沟谷或湿地。分布于吉林通化、白山等。

| **资源情况** | 野生资源较丰富。药材主要来源于野生。

| **采收加工** | 春、夏季采收，除去杂质及泥沙，晒干。

| **功能主治** | 苦，温。归肝经。镇痛，解痉。用于头痛，痛经，腹痛，结膜炎，无名肿毒，中耳炎，胃肠挛缩痛。

| **用法用量** | 内服煎汤，3 ~ 9g。

罂粟科 Papaveraceae　紫堇属 Corydalis

堇叶延胡索 *Corydalis fumariifolia* Maxim.

| 植物别名 | 东北延胡索、延胡索、蓝花菜。

| 药 材 名 | 堇叶延胡索（药用部位：块茎）。

| 形态特征 | 多年生草本，高 8 ~ 20（~ 28）cm。块茎圆球形，直径约 1cm。茎直立或上升，基部以上具 1 鳞片，不分枝或鳞片腋内具 1 分枝，有时具乳突状毛，上部具 2（~ 3）叶。叶 2 ~ 3 回三出，绿色无毛，有时叶脉和叶缘呈乳突状粗糙，小叶多变，全缘至深裂，末回裂片线形、披针形、椭圆形或卵圆形，全缘，有时具锯齿或圆齿。总状花序具 5 ~ 12（~ 15）花；苞片宽披针形，卵圆形或倒卵形，全缘，有时蓖齿状或扇形分裂；花梗纤细，直立伸展，长 5 ~ 14mm（栽培条件下可长达 25mm），果期不下弯或稍弧形弯曲；萼片小，不明显；花淡蓝色或蓝紫色，稀紫色或白色；内花瓣色淡或近白色；

堇叶延胡索

外花瓣较宽展，全缘，稀具齿，先端下凹；上花瓣长 1.8 ~ 2.5cm，瓣片多少上弯，两侧常反折，距直或末端稍下弯，长 7 ~ 12mm，常呈三角形，蜜腺体约贯穿距长的 1/3，末端具折曲状短尖；下花瓣直或浅囊状，但常具明显变狭的基部，瓣片基部较宽（6 ~ 10mm），向上渐变狭；内花瓣长 8 ~ 11（~ 13）mm；柱头近四方形，先端具 4 短柱状乳突，基部具 2 下延的紧邻花柱的尾状突起。蒴果线形，常呈红棕色，长（15 ~）20 ~ 25（~ 30）mm，宽 2.5 ~ 3mm，背腹扁平，侧面常具龙骨状突起，具 1 列种子；种子直径约 2mm，平滑，具倒卵形的种阜。

| 生境分布 | 生于林缘或灌丛中。以长白山区为主要分布区域，分布于吉林延边、白山、通化、吉林、辽源（东丰）等。

| 资源情况 | 野生资源较丰富。药材主要来源于野生。

| 采收加工 | 夏初茎叶枯萎时采挖，除去须根，洗净，置沸水中煮至无白心时取出，晒干。

| 药材性状 | 本品呈球形、扁球形或长球形，直径 5 ~ 10mm。表面黄色或黄棕色，无明显皱纹；上端微凹处有茎痕，底部可见不定根痕。质较硬，断面白色或黄白色。气微，味较苦。

| 功能主治 | 苦、微辛，温。活血散瘀，行气止痛。用于脘腹疼痛，血滞痛经，头痛，小儿非嵌顿性疝。

| 附　注 | 本种因具有下凹的外花瓣、短而渐尖的蜜腺体、线形的蒴果而有别于邻近的其他种。

| 罂粟科 | Papaveraceae | 紫堇属 | *Corydalis* |

巨紫堇 *Corydalis gigantea* Trautv. et Mey.

巨紫堇

| 植物别名 |

黑水巨紫堇。

| 药 材 名 |

巨紫堇（药用部位：全草）。

| 形态特征 |

多年生草本，高 80 ~ 120cm。根茎粗短，近直角状弯曲，直径约 2.5cm，具皮层状褐色鳞片和纤维状须根，颈部鳞片常增厚。茎黄褐色，平滑，中空，下部裸露，中部以上具叶和分枝，生叶部位实心，具干膜质假托叶。茎生叶具柄至无柄，叶片近三角形，质薄，上面暗绿色，下面灰白色，2 回羽状全裂，末回羽片 2 ~ 3 深裂，裂片椭圆形至长圆形，长 5 ~ 10cm，宽 2cm。总状花序多数，组成复总状圆锥花序，宽 15 ~ 70cm，多花（约 100 或更多）；苞片线形，约与花梗等长；花梗长约 5mm，先端增粗；花淡紫红色至淡蓝色，俯垂至近平展，芽期花距上弯，花开时变直；萼片膜质，椭圆形，具渐尖或近圆的先端，长（2.5 ~ ）3 ~ 3.5mm，多少具齿；上花瓣长（1.25 ~ ）1.5 ~ 2.5cm，距圆锥形至圆筒形，约比瓣片长 2 倍，蜜腺体约占距长的 2/3；柱头三角状长圆形，先端具 3 乳

突，中央的较大，基部稍下延，具2枚并生乳突。蒴果小，近长圆形或狭卵圆形，长8～10mm，宽约3mm。

| 生境分布 |

生于红松林下或溪水边。分布于吉林白山（临江、抚松）、通化、延边（安图）等。

| 资源情况 |

野生资源较少。药材主要来源于野生。

| 采收加工 |

春、夏季采收，除去杂质及泥沙，晒干。

| 功能主治 |

苦，寒。归肺、心、肝经。镇痛镇静，清热解毒。用于胃痛，胸痛，腹痛，风湿痹痛。

| 用法用量 |

内服煎汤，3～6g；或研末，1～2g。

罂粟科 Papaveraceae 紫堇属 *Corydalis*

临江延胡索
Corydalis linjiangensis Z. Y. Su ex Liden

| **植物别名** | 蓝花菜、蓝雀花。

| **药 材 名** | 临江延胡索（药用部位：块茎）。

| **形态特征** | 多年生草本，高 10 ~ 22cm，近直立。块茎圆球形，直径约 1cm。茎基部较纤细，微弯曲，基部以上具 1 鳞片，鳞片上部茎较粗，具锈色毛，具 2 叶；鳞片腋内常具极退化的小枝。叶三出，变异较大；小叶楔状圆形或 3 深裂，具锯齿状圆齿，有时裂片呈狭披针形，全缘。总状花序具 4 ~ 7 花，密集；苞片卵圆形或近楔形，轻微栉裂状分裂或近全缘，下部的长约 1.5cm；花梗花期长 5 ~ 6mm，果期长约 10mm；花蓝色；萼片早落；外花瓣宽展，全缘，先端微凹；上花瓣长 2.2 ~ 2.5cm，瓣片稍上弯，距圆筒形，近直，基部稍膨大，约占花瓣全长的 3/5，蜜腺体约贯穿距长的 2/3，先端膝曲，渐尖；下花

临江延胡索

瓣直；内花瓣长 1.1 ～ 1.3cm，鸡冠状突起近圆，不或稍伸出先端；柱头近四方形，具 8 乳突，基部稍下延。未成熟蒴果线形，长 1.5 ～ 1.8cm，具 1 列种子。

| **生境分布** | 生于海拔 990 ～ 1120m 的林下。分布于吉林延边、白山、通化等。

| **资源情况** | 野生资源较少。药材主要来源于野生。

| **采收加工** | 春、夏季采收，除去杂质，晒干。

| **功能主治** | 祛风除湿，活血散瘀。用于风湿疼痛，肾炎水肿。

罂粟科 Papaveraceae 紫堇属 *Corydalis*

黄紫堇 *Corydalis ochotensis* Turcz.

| 植物别名 | 黄龙脱壳、气草。

| 药 材 名 | 黄紫堇（药用部位：全草）。

| 形态特征 | 一年生或二年生草本，无毛，高 50 ～ 90cm。主根长达 13cm，具少数侧根，干时褐色；根茎极短，盖以稀疏的残枯叶基。茎柔弱，通常多曲折，四棱状，常自下部分枝。基生叶少数，具长柄，叶片宽卵形或三角形，3 回三出分裂，第 1 回全裂片具较长的柄，第 2 回具较短柄，羽状深裂或浅裂，小裂片倒卵形、菱状倒卵形或卵形，先端圆或钝，具短尖，背面具白粉，二歧状细脉明显；茎生叶多数，下部者具长柄，上部者具短柄，其他与基生叶相同。总状花序生于茎和分枝先端，长 3 ～ 5cm，果时达 9cm，有 4 ～ 6 花，排列稀疏；苞片宽卵形至卵形，长 0.5 ～ 1cm，全缘；花梗劲直，纤细，远短

黄紫堇

于苞片；萼片鳞片状，近肾形，边缘具缺刻状齿；花瓣黄色，上花瓣长 1.8 ~ 2cm，花瓣片舟状卵形，先端渐尖，背部鸡冠状突起高 1 ~ 1.5mm，超出瓣片先端并延伸至其中部，距圆筒形，与花瓣片近等长或稍长，末端略下弯，下花瓣长 1 ~ 1.2cm，鸡冠同上瓣，中部稍缢缩，下部呈浅囊状，内花瓣长 8 ~ 9mm，花瓣片倒卵形，具 1 侧生囊，爪线形，略长于花瓣片；雄蕊束长 7 ~ 8mm，花药极小，花丝披针形，蜜腺体贯穿距的 2/5 ~ 1/2；子房狭倒卵形，长 4 ~ 5mm，具 2 列胚珠，花柱细，比子房短，柱头扁长方形，上端具 4 乳突。蒴果狭倒卵形，长 1 ~ 1.4cm，直径约 3mm，有 6 ~ 10 种子，排成 2 列；种子近圆形，直径约 1.5mm，黑色，具光泽。花果期 6 ~ 9 月。

| **生境分布** | 生于杂木林下或水沟边。以长白山区为主要分布区域，分布于吉林延边、白山、通化、吉林、辽源（东丰）等。

| **资源情况** | 野生资源较丰富。药材主要来源于野生。

| **采收加工** | 夏、秋季采收，除去杂质和泥沙，鲜用或晒干。

| **功能主治** | 苦，凉。归肺、心、膀胱经。清热解毒，止痢止血，疗疮，利尿。用于痈肿疮毒，痢疾腹泻，小便不利，肺痨咯血。

| **用法用量** | 内服煎汤，3 ~ 9g。外用适量，捣敷。

罂粟科 Papaveraceae 紫堇属 *Corydalis*

黄堇
Corydalis pallida (Thunb.) Pers.

| 植物别名 | 珠果紫堇。

| 药 材 名 | 深山黄堇（药用部位：全草）。

| 形态特征 | 二年生灰绿色丛生草本，高 20 ～ 60cm。具主根，少数侧根发达，呈须根状。茎 1 至多条，发自基生叶腋，具棱，常上部分枝。基生叶多数，莲座状，花期枯萎；茎生叶稍密集，下部的具柄，上部的近无柄，上面绿色，下面苍白色，2 回羽状全裂，1 回羽片 4 ～ 6 对，具短柄至无柄，2 回羽片无柄，卵圆形至长圆形，顶生的较大，长 1.5 ～ 2cm，宽 1.2 ～ 1.5cm，3 深裂，裂片边缘具圆齿状裂片，裂片先端圆钝，近具短尖，侧生的较小，常具 4 ～ 5 圆齿。总状花顶生和腋生，有时对叶生，长约 5cm，疏具多花和或长或短的花序轴；苞片披针形至长圆形，具短尖，约与花梗等长；花梗长 4 ～ 7mm；

黄堇

花黄色至淡黄色，较粗大，平展；萼片近圆形，中央着生，直径约 1mm，边缘具齿；外花瓣先端勺状，具短尖，无鸡冠状突起，或有时仅上花瓣具浅鸡冠状突起；上花瓣长 1.7 ~ 2.3cm，距约占花瓣全长的 1/3，背部平直，腹部下垂，稍下弯，蜜腺体约占距长的 2/3，末端钩状弯曲。下花瓣长约 1.4cm；内花瓣长约 1.3cm，具鸡冠状突起，爪约与瓣片等长；雄蕊束披针形；子房线形，柱头具横向伸出的 2 臂，各枝先端具 3 乳突。蒴果线形，念珠状，长 2 ~ 4cm，宽约 2mm，斜伸至下垂，具 1 列种子；种子黑亮，直径约 2mm，表面密具圆锥状突起，中部较低平，种阜帽状，约包裹种子的 1/2。

| **生境分布** | 生于林间空地、火烧迹地、林缘、河岸或多石坡地。以长白山区为主要分布区域，分布于吉林延边、白山、通化、吉林、辽源（东丰）、松原（前郭尔罗斯）、白城（大安）等。

| **资源情况** | 野生资源较丰富。药材主要来源于野生。

| **采收加工** | 夏季采收，除去杂质和泥沙，晒干。

| **功能主治** | 苦，凉；有毒。归肝、肺、大肠经。清热利湿，解毒。用于湿热泄泻，赤白痢，带下，痈疮热疖，丹毒，风火赤眼。

罂粟科 Papaveraceae 紫堇属 Corydalis

小黄紫堇 *Corydalis raddeana* Regel

| **药 材 名** | 小黄紫堇（药用部位：全草）。

| **形态特征** | 无毛草本，高 60 ~ 90cm。主根粗壮，长达 13cm，上部直径达 7mm，向下渐狭，具侧根和纤维状细根。茎直立，基部直径达 1cm，具棱，通常自下部分枝。基生叶少数，具长柄，叶片三角形 或宽卵形，长 4 ~ 9（~ 13）cm，宽 2 ~ 6（~ 9）cm，2 ~ 3 回羽 状分裂，第 1 回全裂片具长 1 ~ 2.5cm 的柄，第 2 回具 2 ~ 5mm 的柄， 2 ~ 3 深裂或浅裂，小裂片倒卵形、菱状倒卵形或卵形，先端圆或 钝，具尖头，背面具白粉；茎生叶多数，下部者具长柄，上部者具 短柄，其他与基生叶相同。总状花序顶生和腋生，长 5 ~ 9cm，果 时达 15cm，有（5 ~）13 ~ 20 花，排列稀疏；苞片狭卵形至披针形， 全缘，有时基部者 3 浅裂；花梗劲直，长约为苞片的 1/2；萼片鳞

小黄紫堇

片状，近肾形，长约 1mm，边缘具缺刻状齿；花瓣黄色，上花瓣长 1.8 ~ 2cm，花瓣片舟状卵形，先端渐尖，背部鸡冠状突起，高 1 ~ 1.5mm，超出瓣片先端并延伸至其中部，距圆筒形，与花瓣片近等长或稍长，末端略下弯；下花瓣长 1 ~ 1.2cm，鸡冠同上瓣，中部稍缢缩，下部呈浅囊状，内花瓣长 8 ~ 9cm，花瓣片倒卵形，具 1 侧生囊，爪线形，略长于花瓣片；雄蕊束长 7 ~ 8mm，花药小，长圆形，花丝披针形，蜜腺体贯穿距的 2/5 ~ 1/2；子房狭椭圆形，长 4 ~ 5mm，具 1 列胚珠，花柱细，与子房近等长，柱头扁长方形，上端具 4 乳突。蒴果圆柱形，长 1.5 ~ 2（~ 2.5）cm，直径约 2mm，具 4 ~ 12 种子，排成 1 列；种子近圆形，直径 1.5 ~ 2mm，黑色，具光泽。花果期 6 ~ 10 月。

| 生境分布 | 生于海拔（200 ~ ）850 ~ 1400（~ 2500）m 的杂木林下或水沟边。分布于吉林延边、白山、通化等。

| 资源情况 | 野生资源较少。药材主要来源于野生。

| 采收加工 | 夏、秋季采收，除去杂质，切段，晒干。

| 功能主治 | 清热解毒，利尿，止痢。用于疮毒，肿痛，痢疾，肺结核咯血。

罂粟科 Papaveraceae 紫堇属 Corydalis

全叶延胡索 *Corydalis repens* Mandl et Muehld.

| 植物别名 | 匍匐延胡索、土延胡索、蓝花菜。

| 药 材 名 | 东北延胡索（药用部位：块茎。别名：延胡索、蓝花菜、蓝花豆）。

| 形态特征 | 多年生草本，高 8 ~ 14（~ 20）cm。块茎球形，直径 1 ~ 1.5cm，有时瓣裂，内质近白色，微苦。茎细长，基部以上具 1 鳞片，枝条发自鳞片腋内。叶 2 回三出，小叶披针形至倒卵形，全缘，有时分裂，长 6 ~ 25（~ 40）mm，宽 5 ~ 16（~ 20）mm，常具浅白色的条纹或斑点，光滑或边缘具粗糙的小乳突。总状花序具（3 ~）6 ~ 14 花；苞片披针形至卵圆形，全缘或先端稍分裂，下部的长约 1cm，宽 4 ~ 6mm；花梗纤细，长 6 ~ 14mm，有时果期长达 20cm，多少具乳突状毛；花浅蓝色、蓝紫色或紫红色；外花瓣宽展，具平滑的边缘，先端下凹；上花瓣长 1.5 ~ 1.9cm，瓣片常上弯，距圆筒形，

全叶延胡索

直或末端稍下弯，长 7～9mm，蜜腺体约贯穿距长的 1/2，渐尖；下花瓣略向前伸，长 6～8mm；内花瓣长 5～7mm，具半圆形、伸出先端的鸡冠状突起；柱头小，扁圆形，具不明显的 6～8 乳突。蒴果宽椭圆形或卵圆形，长 8～10mm，具 4～6 种子，2 列；种子直径约 1.5mm，光滑，种阜鳞片状，白色。

生境分布

生于杂木疏林下、林缘、阴湿沟边。分布于吉林通化（集安）、白山（长白、抚松）、延边（安图）、吉林（蛟河）等。

资源情况

野生资源较丰富。药材主要来源于野生。

采收加工

夏初茎叶枯萎时采挖，除去须根，洗净，置沸水中煮至无白心时取出，晒干。

功能主治

同"线叶东北延胡索"。

罂粟科 Papaveraceae 紫堇属 Corydalis

角瓣延胡索

Corydalis repens Mandl et Muehld. var. *watanabei* (Kitag.) Y. H. Zhou

| 植物别名 | 尖瓣延胡索。

| 药 材 名 | 角瓣延胡索（药用部位：块茎）。

| 形态特征 | 多年生草本，高 8 ~ 14（~ 20）cm。块茎球形，直径 1 ~ 1.5cm，有时瓣裂，内质近白色，微苦。茎细长，基部以上具 1 鳞片，枝条发自鳞片腋内。叶 2 回三出，小叶披针形至倒卵形，全缘，有时分裂，长 6 ~ 25（~ 40）mm，宽 5 ~ 16（~ 20）mm，常具浅白色的条纹或斑点，光滑或边缘具粗糙的小乳突。总状花序具（3 ~）6 ~ 14 花；苞片披针形至卵圆形，全缘或先端稍分裂，下部的长约 1cm，宽 4 ~ 6mm；花梗纤细，长 6 ~ 14mm，有时果期长达 20cm，多少具乳突状毛；花蓝白色、白色或淡紫红色；外花瓣宽展，具平滑的边缘，先端下凹。上花瓣长 1.5 ~ 1.9cm，瓣片常上弯；距圆筒形，

角瓣延胡索

直或末端稍下弯，长 7 ～ 9mm；蜜腺体约贯穿距长的 1/2，渐尖。下花瓣略向前伸，长 6 ～ 8mm。内花瓣长 5 ～ 7mm，具角状的、伸出先端的鸡冠状突起。柱头小，扁圆形，具不明显的 6 ～ 8 乳突。蒴果宽椭圆形或卵圆形，长 8 ～ 10mm，具 4 ～ 6 种子，2 列；种子直径约 1.5mm，光滑，种阜鳞片状，白色。

| 生境分布 | 生于林下、林缘。早春季节为优势物种。分布于吉林通化（集安、柳河、通化）、白山（临江）等。

| 资源情况 | 野生资源较丰富。药材主要来源于野生。

| 采收加工 | 夏初茎叶枯萎时采挖，除去须根，洗净，置沸水中煮至无白心时取出，晒干。

| 功能主治 | 苦、微辛，温。行气止痛，活血散瘀。用于气滞心腹作痛，痛经，产后瘀血作痛，外伤瘀血，疝痛，四肢血滞疼痛，冠心病，心区疼痛。

| 罂粟科 | Papaveraceae | 紫堇属 | *Corydalis*

珠果黄堇 *Corydalis speciosa* Maxim.

| **植物别名** | 狭裂珠果黄堇、念珠紫。

| **药 材 名** | 珠果黄紫堇（药用部位：全草。别名：念珠黄堇、念珠紫堇、胡黄堇）。

| **形态特征** | 多年生灰绿色草本，高 40 ～ 60cm，具主根。当年生和第二年生的茎常不分枝，三年以上的茎多分枝。下部茎生叶具柄，上部的近无柄，叶片长约 15cm，狭长圆形，2 回羽状全裂，1 回羽片 5 ～ 7 对，下部的较疏离，上部的较密集，2 回羽片 2 ～ 4 对，卵状椭圆形，上面绿色，下面苍白色，长 1 ～ 1.5cm，宽 5 ～ 8mm，羽状深裂，裂片线形至披针形，具短尖。总状花序生茎和腋生枝的先端，密具多花，长 5 ～ 10cm，待下部的花结果时，上部的花渐疏离，长可达 19cm；苞片披针形至菱状披针形，具细长的先端，约与花梗等长或比花梗稍长，有时从中部至先端疏具锯齿；花梗长约 7mm，果期

珠果黄堇

下弯；花金黄色，近平展或稍俯垂；萼片小，近圆形，中央着生，直径约 1mm，具疏齿；外花瓣较宽展，通常渐尖，近具短尖，有时先端近于微凹，无鸡冠状突起；上花瓣长 2 ~ 2.2cm，距约占花瓣全长的 1/3，背部平直，腹部下垂，末端囊状，蜜腺体约占距长的 1/2，末端钩状弯曲；下花瓣长约 1.5cm，基部多少具小瘤状突起；内花瓣长约 1.3cm，先端微凹，具短尖和粗厚的鸡冠状突起；雄蕊束披针形，较狭；柱头呈二臂状横向伸出，各枝先端具 3 乳突。蒴果线形，长约 3cm，俯垂，念珠状，具 1 列种子；种子黑亮，扁压，直径约 2mm，边缘具密集的小点状印痕，种阜杯状，紧贴种子。

| 生境分布 | 生于林缘、路边或水边多石地。以长白山区为主要分布区域，分布于吉林延边、白山、通化、吉林、辽源（东丰）等。

| 资源情况 | 野生资源较丰富。药材主要来源于野生。

| 采收加工 | 春季采挖，除去泥土及杂质，鲜用或晒干。

| 功能主治 | 苦、涩，寒。清热解毒，敛疮止血，消肿止痛。用于痈疮热疖，无名肿毒，角膜充血。

| 用法用量 | 内服煎汤，3 ~ 9g。外用适量，捣敷。

罂粟科 Papaveraceae 紫堇属 Corydalis

齿瓣延胡索
Corydalis turtschaninovii Bess.

| **植物别名** | 延胡索、蓝花菜。

| **药 材 名** | 齿瓣延胡索（药用部位：块茎。别名：蓝雀花、元胡）。

| **形态特征** | 多年生草本，高 10 ~ 30cm。块茎圆球形，直径 1 ~ 3cm，质色黄，有时瓣裂。茎多少直立或斜伸，通常不分枝，基部以上具 1 大而反卷的鳞片；鳞片腋内有时具 1 腋生的块茎或枝条；茎生叶腋通常无枝条，但有时常见于栽培条件下的个体。茎生叶通常 2，2 回或近 3 回三出，末回小叶变异极大，有全缘的，有具粗齿和深裂的，有篦齿分裂的，裂片宽椭圆形、倒披针形或线形，钝或具短尖。总状花序花期密集，具 6 ~ 20（~ 30）花；苞片楔形，篦齿状多裂，稀分裂较少，约与花梗等长；花梗花期长 5 ~ 10mm，果期长 10 ~ 20mm；萼片小，不明显；花蓝色、白色或紫蓝色；外花瓣宽

齿瓣延胡索

展，边缘常具浅齿，先端下凹，具短尖；上花瓣长 2 ~ 2.5cm，距直或先端稍下弯，长 1 ~ 1.4cm，蜜腺体占距长的 1/3 ~ 1/2，末端钝；内花瓣长 9 ~ 12mm；柱头扁四方形，先端具 4 乳突，基部下延成 2 尾状突起。蒴果线形，长 1.6 ~ 2.6cm，具 1 列种子，多少扭曲；种子平滑，直径约 1.5mm，种阜远离。

| 生境分布 | 生于林缘和林间空地，多长于排水良好、土层疏松、腐殖质多的林下阴处。以长白山区为主要分布区域，分布于吉林延边、白山、通化、吉林、辽源（东丰）等。

| 资源情况 | 野生资源较丰富。药材主要来源于野生。

| 采收加工 | 夏初茎叶枯萎时采挖，除去须根，洗净，置沸水中煮至无白心时取出，晒干。

| 药材性状 | 本品呈扁球形、宽锥形或细锥状，直径 0.5 ~ 2.5cm。表面鲜黄色或黄色。上端有少数疙瘩状侧块茎，底部可见不定根痕。质坚硬，断面鲜黄色，角质，有蜡样光泽。气微，味苦。

| 功能主治 | 苦、辛，温。归肝、胃经。活血散瘀，行气止痛。用于心腹腰膝诸痛，痛经，产后瘀阻腹痛，跌打肿痛。

| 用法用量 | 内服煎汤，3 ~ 10g；或研末，1.5 ~ 3g；或入丸、散。

罂粟科 Papaveraceae 紫堇属 Corydalis

线裂齿瓣延胡索 *Corydalis turtschaninovii* Bess. f. *lineariloba* (Maxim.) Kitag.

| 植物别名 | 延胡索、蓝花菜。

| 药 材 名 | 齿瓣延胡索（药用部位：块茎。别名：蓝雀花、元胡）。

| 形态特征 | 多年生草本，高 10 ~ 30cm。地下块茎单一，球形，外被栓皮，易剥落。茎自鳞片叶腋中伸出，叶互生，叶片不完全 2 回三出全裂，小裂片狭倒卵形或狭卵状长圆形。总状花序顶生，小花蓝色或蓝紫色，密集，苞片先端具栉齿状裂片，花冠二唇形，上唇有距，与下唇对生。蒴果梭形，短柱状。花期 4 ~ 5 月，果期 6 ~ 7 月。

| 生境分布 | 生于杂木林下、林缘、山谷等潮湿地。以长白山区为主要分布区域，分布于吉林延边、白山、通化、吉林、辽源（东丰）等。

线裂齿瓣延胡索

| **资源情况** | 野生资源较丰富。药材主要来源于野生。

| **采收加工** | 同"齿瓣延胡索"。

| **功能主治** | 同"齿瓣延胡索"。

| **用法用量** | 同"齿瓣延胡索"。

罂粟科 Papaveraceae 紫堇属 Corydalis

栉裂齿瓣延胡索 Corydalis turtschaninovii Bess. f. pectinata (Kom.) Y. H. Chou

| 植物别名 | 蓝花菜、延胡索。

| 药 材 名 | 齿瓣延胡索（药用部位：块茎。别名：蓝雀花、元胡）。

| 形态特征 | 多年生草本，高10～30cm。块茎圆球形，质色黄。茎多少直立或斜伸，通常不分枝，基部以上具1大而反卷的鳞片；鳞片腋内有时具1腋生的块茎或枝条；茎生叶腋通常无枝条，但有时常见于栽培条件下的个体。茎生叶通常2，2回或近3回三出，末回小叶楔形，先端栉齿状裂，裂片尖或稍钝。总状花序具花6～10；萼片小，不明显；花蓝色、白色或紫蓝色；上花瓣长2～2.5cm，距直或先端稍下弯，蜜腺体占距长的1/3～1/2；内花瓣长9～12mm；柱头扁四方形，先端具4乳突，基部下延成2尾状突起。蒴果线形，具1列种子，多少扭曲；种子平滑。

栉裂齿瓣延胡索

| 生境分布 |

生于林下、林缘、灌丛等处。分布于吉林省白山、通化。

| 资源情况 |

野生资源稀少。药材主要来源于野生。

| 采收加工 |

同"齿瓣延胡索"。

| 功能主治 |

同"齿瓣延胡索"。

| 用法用量 |

同"齿瓣延胡索"。

罂粟科 Papaveraceae 荷包牡丹属 Dicentra

荷包牡丹 *Dicentra spectabilis* (L.) Lem.

| 植物别名 | 活血草、土当归。

| 药 材 名 | 荷包牡丹根（药用部位：根）、荷包牡丹（药用部位：全草）。

| 形态特征 | 多年生直立草本，高 30 ~ 60cm 或更高。茎圆柱形，带紫红色。叶片三角形，长（15 ~）20 ~ 30（~ 40）cm，宽（10 ~）14 ~ 17（~ 20）cm，2 回三出全裂，第 1 回裂片具长柄，中裂片的柄较侧裂片的长，第 2 回裂片近无柄，2 裂或 3 裂，小裂片通常全缘，表面绿色，背面具白粉，两面叶脉明显；叶柄长约 10cm。总状花序长约 15cm，有（5 ~）8 ~ 11（~ 15）花，于花序轴的一侧下垂；花梗长 1 ~ 1.5cm；苞片钻形或线状长圆形，长 3 ~ 5（~ 10）mm，宽约 1mm；花优美，长 2.5 ~ 3cm，宽约 2cm，长为宽的 1.25 ~ 1.5 倍，基部心形；萼片披针形，长 3 ~ 4mm，玫瑰色，于花开前脱落；外

荷包牡丹

花瓣紫红色至粉红色，稀白色，下部囊状，囊长约 1.5cm，宽约 1cm，具数条脉纹，上部变狭并向下反曲，长约 1cm，宽约 2mm；内花瓣长约 2.2cm，花瓣片略呈匙形，长 1 ~ 1.5cm，先端圆形部分紫色，背部鸡冠状突起自先端延伸至瓣片基部，高达 3mm，爪长圆形至倒卵形，长约 1.5cm，宽 2 ~ 5mm，白色；雄蕊束弧曲上升，花药长圆形；子房狭长圆形，长 1 ~ 1.2cm，直径 1 ~ 1.5mm，胚珠数枚，2 行排列于子房的下半部，花柱细，长 0.5 ~ 1.1cm，每边具 1 沟槽，柱头狭长方形，长约 1mm，宽约 0.5mm，先端 2 裂，基部近箭形。果实未见。花期 4 ~ 6 月。

| 生境分布 | 生于湿润草地和山坡。以长白山区为主要分布区域，分布于吉林延边、白山、通化、吉林、辽源（东丰）等，吉林部分地区有栽培。

| 资源情况 | 野生资源较少。药材主要来源于野生。

| 采收加工 | 荷包牡丹根：夏季采挖，洗净，晒干或鲜用。
荷包牡丹：秋季采收，晒干。

| 功能主治 | 荷包牡丹根：辛、苦，温。归肝经。消肿散血，除风和血，解毒调经。用于疮毒，月经不调。
荷包牡丹：辛、苦，温。镇痛，解痉。用于胃痛。

| 用法用量 | 荷包牡丹根、荷包牡丹：内服酒煎服；或捣汁，酒冲服。

| 附 注 | 在 FOC 中，本种的拉丁学名被修订为 *Lamprocapnos spectabilis* (L.) Fukuhara。

罂粟科 Papaveraceae 荷青花属 Hylomecon

荷青花 *Hylomecon japonica* (Thunb.) Prantl

| 植物别名 | 刀豆三七、林中罂粟、大叶芹幌子。

| 药 材 名 | 拐枣七（药用部位：根及根茎。别名：荷青花根、乌筋七）。

| 形态特征 | 多年生草本，高 15 ～ 40cm。具黄色液汁，疏生柔毛，老时无毛。根茎斜生，长 2 ～ 5cm，白色，果时橙黄色，肉质，盖以褐色、膜质的鳞片，鳞片圆形，直径 4 ～ 8mm。茎直立，不分枝，具条纹，无毛，草质，绿色转红色至紫色。基生叶少数，叶片长 10 ～ 15（～ 20）cm，羽状全裂，裂片 2 ～ 3 对，宽披针状菱形、倒卵状菱形或近椭圆形，长 3 ～ 7（～ 10）cm，宽 1 ～ 5cm，先端渐尖，基部楔形，边缘具不规则的圆齿状锯齿或重锯齿，表面深绿色，背面淡绿色，两面无毛，具长柄；茎生叶通常 2，稀 3，叶片同基生叶，具短柄。花 1 ～ 2（～ 3）排列成伞房状，顶生，有时也腋生；花梗

荷青花

直立，纤细，长 3.5 ~ 7cm；花芽卵圆形，长 8 ~ 10mm，无毛或疏被毛；萼片卵形，长 1 ~ 1.5cm，外面散生卷毛或无毛，芽时覆瓦状排列，花期脱落；花瓣倒卵圆形或近圆形，长 1.5 ~ 2cm，芽时覆瓦状排列，花期突然增大，基部具短爪；雄蕊黄色，长约 6mm，花丝丝状，花药圆形或长圆形；子房长约 7mm，花柱极短，柱头 2 裂。蒴果长 5 ~ 8cm，直径约 3mm，无毛，2 瓣裂，具长达 1cm 的宿存花柱；种子卵形，长约 1.5mm。花期 4 ~ 7 月，果期 5 ~ 8 月。

| 生境分布 | 生于腐殖质丰富的针阔混交林，阔叶林，河岸柳林林下或沟谷斜坡稍阴处。以长白山区为主要分布区域，分布于吉林延边、白山、通化、吉林、辽源（东丰）等。

| 资源情况 | 野生资源较丰富。药材主要来源于野生。

| 采收加工 | 夏、秋季采挖，除去泥土及杂质，干燥。

| 药材性状 | 本品呈不规则结节状，具分枝，弯曲，长 2 ~ 5cm。表面棕褐色至黑棕色，残留少数须根，有的根茎上具地上残茎，并附有褐色膜质鳞叶。质硬，断面棕褐色，角质样。气微，味苦。

| 功能主治 | 苦，平。祛风除湿，舒筋通络，散瘀消肿，止血镇痛。用于风寒湿痹，风湿关节痛，跌打损伤，劳伤，四肢乏力，胃脘痛，痢疾。

| 用法用量 | 内服煎汤，3 ~ 10g；或泡酒。

罂粟科 Papaveraceae 罂粟属 Papaver

野罂粟 *Papaver nudicaule* L.

| 植物别名 | 山大烟、野大烟、岩罂粟。

| 药 材 名 | 野罂粟（药用部位：全草或果壳）。

| 形态特征 | 多年生草本，高 20 ~ 60cm。主根圆柱形，延长，上部直径 2 ~ 5mm，向下渐狭，或为纺锤状；根茎短，增粗，通常不分枝，密盖麦秆色、覆瓦状排列的残枯叶鞘。茎极缩短。叶全部基生，叶片卵形至披针形，长 3 ~ 8cm，羽状浅裂、深裂或全裂，裂片 2 ~ 4 对，全缘或再次羽状浅裂或深裂，小裂片狭卵形、狭披针形或长圆形，先端急尖、钝或圆，两面稍具白粉，密被或疏被刚毛，极稀近无毛；叶柄长（1 ~）5 ~ 12cm，基部扩大成鞘，被斜展的刚毛。花葶 1 至数枚，圆柱形，直立，密被或疏被斜展的刚毛；花单生于花葶先端；花蕾宽卵形至近球形，长 1.5 ~ 2cm，密被褐色刚毛，通常下垂；萼片 2，

野罂粟

舟状椭圆形，早落；花瓣 4，宽楔形或倒卵形，长（1.5 ~）2 ~ 3cm，边缘具浅波状圆齿，基部具短爪，淡黄色、黄色或橙黄色，稀红色；雄蕊多数，花丝钻形，长 0.6 ~ 1cm，黄色或黄绿色，花药长圆形，长 1 ~ 2mm，黄白色、黄色或稀带红色；子房倒卵形至狭倒卵形，长 0.5 ~ 1cm，密被紧贴的刚毛，柱头 4 ~ 8，辐射状。蒴果狭倒卵形、倒卵形或倒卵状长圆形，长 1 ~ 1.7cm，密被紧贴的刚毛，具 4 ~ 8 淡色的宽肋；柱头盘平扁，具疏离、缺刻状的圆齿；种子多数，近肾形，小，褐色，表面具条纹和蜂窝小孔穴。花果期 5 ~ 9 月。

| 生境分布 | 生于红松林下或溪边。分布于吉林延边、白山、通化等。

| 资源情况 | 野生资源较少。药材主要来源于野生。

| 采收加工 | 春、夏季采收全草，鲜用或晒干。秋季将成熟果实摘下，破开，除去种子和枝梗，剥取果壳，干燥。

| 功能主治 | 全草，酸、微苦、涩，凉；有毒。归肺、肾、胃、大肠经。镇痛，止咳，定喘，止泻。用于偏头痛，咳喘，泻痢，便血，痛经。果壳，酸、微苦，寒。敛肺，固涩，镇痛。用于慢性肠炎，慢性痢疾，久咳，喘息，胃痛，偏头痛，痛经，带下，遗精，脱肛。

| 用法用量 | 内服煎汤，3 ~ 6g。

黑水罂粟 Papaver nudicaule L. var. aquilegioides Fedde f. amurense (Busch) H. Chuang

| 植物别名 | 黑水野罂粟。

| 药 材 名 | 野罂粟壳（药用部位：未成熟果实。别名：野大烟、山米壳、山大烟）。

| 形态特征 | 一年生草本，高约40cm。全株密生硬毛，富含乳汁，折断有白浆。叶全部基生；有短柄，具伸展的硬毛；叶卵形或长卵形，羽状深裂，裂片卵形、长卵形或披针形，边缘具同等深度缺刻，两面有硬毛，质稍肥厚。花大而美丽，白色，单生于一长花葶上；花瓣4，广倒卵形，长2.5 ~ 3.2cm，先端具波状缺刻；子房倒卵形，柱头分裂呈辐射状，8 ~ 16裂。蒴果卵形，孔裂。花期6 ~ 8月，果期7 ~ 8月。

| 生境分布 | 生于林下、林缘、山坡草地或砾石坡，田边、路旁也有。分布于吉

黑水罂粟

林延边、白山、通化等。

| **资源情况** | 野生资源较少。药材主要来源于野生。

| **采收加工** | 夏、秋季将未成熟果实摘下，除去种子及枝梗，晒干。

| **功能主治** | 酸、微苦、涩，凉；有毒。敛肺止咳，镇痛，固涩止泻。用于久咳喘息，头痛，痛经，泄泻，痢疾，肠炎，腹痛。

| **附　注** | 本种为吉林省Ⅲ级重点保护野生植物。

罂粟科 Papaveraceae 罂粟属 Papaver

长白山罂粟 *Papaver radicatum* Rottb. var. *pseudo-radicatum* (Kitag.) Kitag.

| **植物别名** | 高山罂粟、白山罂粟、山大烟。

| **药材名** | 长白山罂粟（药用部位：全草或果壳）。

| **形态特征** | 多年生草本，植株矮小，高 5 ～ 15cm，全株被糙毛。主根圆柱形，长达 15cm，上部直径 2.5 ～ 3mm，向下渐细，具少数侧根和纤维状细根；根茎不分枝或 2 ～ 10 分枝，延长或缩短，密盖覆瓦状排列的残枯叶鞘。叶全部基生，叶片卵形至宽卵形，长 1 ～ 2（～ 4）cm，宽 0.8 ～ 1.2cm，1 ～ 2 回羽状分裂，第 1 回全裂片 2 ～ 3 对，狭椭圆形或长圆形，或者卵形并再次 2 ～ 4 深裂，两面灰绿色，被紧贴的糙毛；叶柄长 2 ～ 4cm，扁平，被紧贴的糙毛，基部扩大成鞘。花葶 1 至数枚，出自每个根茎先端的莲座叶丛中，密被紧贴或斜展的糙毛；花单生于花葶先端，直径 2 ～ 3cm；花蕾近圆形至宽椭圆形，

长白山罂粟

密被紧贴或斜展的糙毛；萼片 2，舟状宽卵形，长 1 ~ 1.2cm；花瓣 4，宽倒卵形，长 1.8 ~ 2.3cm，淡黄绿色或淡黄色；雄蕊多数，花丝丝状，长 4 ~ 7mm，花药长圆形，长 1 ~ 1.5mm，黄色；子房长圆形，长 4 ~ 5mm，直径 2.5 ~ 3mm，密被紧贴的糙毛，柱头约 6，辐射状。蒴果倒卵形，长约 1cm，密被紧贴或斜展的糙毛；柱头盘平扁。花果期 6 ~ 8 月。

| **生境分布** | 生于长白山砾石地、沙地、岩石坡或海拔 1600m 以上的高山苔原带地区。分布于吉林白山（抚松、靖宇、长白）等。

| **资源情况** | 野生资源稀少。药材主要来源于野生。

| **采收加工** | 春、夏季采收全草，鲜用或晒干。秋季将成熟果实摘下，破开，除去种子和枝梗，剥取果壳，干燥。

| **功能主治** | 酸、微苦、涩，凉；有毒。止泻，镇痛，敛肺，定喘。用于久泻，肺虚喘嗽，各种疼痛。

| **附　　注** | 本种为吉林省 II 级重点保护野生植物。

罂粟科 Papaveraceae 罂粟属 Papaver

虞美人 *Papaver rhoeas* L.

| 植物别名 | 丽春花、赛牡丹、锦被花。

| 药 材 名 | 丽春花（药用部位：全草或花、果实。别名：虞美人草）。

| 形态特征 | 一年生草本，全体被伸展的刚毛，稀无毛。茎直立，高 25 ~ 90cm，具分枝，被淡黄色刚毛。叶互生，叶片披针形或狭卵形，长 3 ~ 15cm，宽 1 ~ 6cm，羽状分裂，下部全裂，全裂片披针形和 2 回羽状浅裂，上部深裂或浅裂，裂片披针形，顶生裂片通常较大，小裂片先端均渐尖，两面被淡黄色刚毛，叶脉在背面凸起，在表面略凹；下部叶具柄，上部叶无柄。花单生于茎和分枝先端；花梗长 10 ~ 15cm，被淡黄色平展的刚毛；花蕾长圆状倒卵形，下垂；萼片 2，宽椭圆形，长 1 ~ 1.8cm，绿色，外面被刚毛；花瓣 4，圆形、横向宽椭圆形或宽倒卵形，长 2.5 ~ 4.5cm，全缘，稀圆齿状或先端缺刻状，

虞美人

紫红色，基部通常具深紫色斑点；雄蕊多数，花丝丝状，长约 8mm，深紫红色，花药长圆形，长约 1mm，黄色；子房倒卵形，长 7 ～ 10mm，无毛，柱头 5 ～ 18，辐射状，连合成扁平、边缘圆齿状的盘状体。蒴果宽倒卵形，长 1 ～ 2.2cm，无毛，具不明显的肋；种子多数，肾状长圆形，长约 1mm。花果期 3 ～ 8 月。

| 生境分布 | 生于湿润、阳光充足的沟旁、路边等地。吉林无野生分布。吉林各地均有栽培。

| 资源情况 | 吉林广泛栽培。药材主要来源于栽培。

| 采收加工 | 夏、秋季采集全草，晒干。花初开放时及果实成熟时采收花，分别晒干贮藏，亦可鲜用。果实待蒴果干枯、种子呈褐色时采摘，因成熟期不一致，可分批采收。

| 功能主治 | 苦、涩，微寒；有毒。归大肠经。镇痛，镇咳，止泻。用于咳嗽，痢疾，腹痛。

| 用法用量 | 内服煎汤。花，1.5 ～ 3g；全草，3 ～ 6g。

十字花科 Cruciferae 南芥属 Arabis

圆叶南芥 *Arabis halleri* L.

| 植物别名 | 叶芽鼠耳芥。

| 药 材 名 | 圆叶南芥（药用部位：全草）。

| 形态特征 | 多年生草本，高 10 ~ 30cm。主根圆锥状，须根多数，细小。茎自
基部分枝，纤细，被单毛及二叉毛。基生叶簇生，卵状椭圆形，长
1 ~ 2.5cm，宽约 6mm，全缘或具疏钝齿，有时两侧具小裂片 1 ~ 2 对，
形较小，两面均被单毛和二叉毛，叶柄细长；茎生叶倒卵形、披针
形至线形，长 1.2 ~ 2.5mm，宽 3 ~ 9mm，全缘或具疏齿，上面无毛，
下面疏生毛，具短柄。总状花序顶生，排列疏松，有花 10 余朵；萼
片卵状椭圆形，长 1.5 ~ 2.5mm，背面略被毛；花瓣白色，倒卵形，
长 3 ~ 4.5mm，宽约 2mm，基部具短爪，柱头头状。长角果线形，
长 10 ~ 17mm，宽 1 ~ 1.2mm，果瓣具中脉；果柄斜上伸展，弧曲，

圆叶南芥

长约 12mm；种子每室 1 行，扁平，长圆形，淡褐色，无翅。花期 6 ～ 7 月。

| **生境分布** | 生于海拔 1700 ～ 2500m 的高山砂砾质土壤的林下或草丛中。分布于吉林延边、白山、通化等。

| **资源情况** | 野生资源较少。药材主要来源于野生。

| **采收加工** | 秋季采收，除去杂质，干燥。

| **功能主治** | 清热解毒。用于疮痈肿毒。

十字花科 Cruciferae 南芥属 Arabis

硬毛南芥 *Arabis hirsuta* (L.) Scop.

硬毛南芥

| 植物别名 |

毛南芥、南芥菜、毛筷子芥。

| 药 材 名 |

硬毛南芥（药用部位：全草或种子）。

| 形态特征 |

一年生或二年生草本，高 30 ～ 90cm。全株被有硬单毛、二至三叉毛、星状毛及分枝毛。茎常中部分枝，直立。基生叶长椭圆形或匙形，长 2 ～ 6cm，宽 6 ～ 14mm，先端钝圆，全缘或呈浅疏齿，基部楔形，叶柄长 1 ～ 2cm；茎生叶多数，常贴茎，叶片长椭圆形或卵状披针形，长 2 ～ 5cm，宽 7 ～ 13mm，先端钝圆，边缘具浅疏齿，基部心形或呈钝形叶耳，抱茎或半抱茎。总状花序顶生或腋生，花多数；萼片长椭圆形，长约 4mm，先端锐尖，背面无毛；花瓣白色，长椭圆形，长 4 ～ 6mm，宽 0.8 ～ 1.5mm，先端钝圆，基部呈爪状；花柱短，柱头扁平。长角果线形，长 3.5 ～ 6.5cm，直立，紧贴果序轴，果瓣具纤细中脉，宿存花柱长约 0.3mm，果柄直立，长 8 ～ 15mm；种子每室 1 行，约 25，卵形，长 1 ～ 1.2mm，表面有不明显颗粒状突起，边缘具窄翅，褐色。花期 5 ～ 7 月，

果期 6～7 月。

| **生境分布** | 生于草原、干燥山坡或路边草丛中。以长白山区为主要分布区域，分布于吉林延边、白山、通化、长春、吉林、辽源等。

| **资源情况** | 野生资源较少。药材主要来源于野生。

| **采收加工** | 秋季采收全草，除去杂质，干燥。秋季将成熟果实摘下，破开，除去种子和枝梗，取出种子，干燥。

| **药材性状** | 本品全株被有硬单毛或分枝毛。茎有分枝，直立，易折断，表面紫褐色或浅绿色。基生叶抱茎或半抱茎，绿色，易碎。总状花序顶生或腋生，花多数。种子褐色，每室 1 行，约 25，卵形，长 1～1.2mm，表面有不明显颗粒状突起。气微，味淡。

| **功能主治** | 辛，平。清热，消肿。用于疮疡肿毒。

琴叶南芥 Arabis lyrata L. var. kamtschatica Fisch. ex DC.

| 植物别名 | 深山南芥。

| 药材名 | 琴叶南芥（药用部位：全草）。

| 形态特征 | 多年生草本，高 10 ~ 30cm。主根圆锥状，具须根。茎自基部分枝或不分枝，直立。基生叶卵形或倒披针形，基部两侧具小裂片 2 ~ 4 对，先端裂片最大，长 5 ~ 15mm，宽 6 ~ 12mm，全缘或有不规则的羽状分裂，两面与叶柄均被长单毛，二叉毛较少，叶柄长约 5mm；茎生叶长圆形或披针形，长约 2cm，宽约 7mm，先端急尖，全缘或具钝齿，表面近光滑，背面沿叶脉被单毛。总状花序顶生或腋生；萼片长椭圆形，长 2 ~ 3.5mm，背面近无毛；花瓣白色，倒卵形，长 6mm，下部呈短爪；花柱短，柱头头状。长角果线形，长 2 ~ 3.7cm，宽约 1.5mm，果柄稍弯曲，斜伸展；种子每室 1 行，长圆形，无翅。

琴叶南芥

花期 6 ~ 7 月，果期 7 ~ 8 月。

| **生境分布** | 生于海拔 1700m 的高山干燥砂砾质山坡。分布于吉林白山等。

| **资源情况** | 野生资源较少。药材主要来源于野生。

| **采收加工** | 秋季采收，除去杂质，干燥。

| **功能主治** | 清热解毒，消肿止痛。用于疮痈肿毒，咽喉肿痛。

十字花科 Cruciferae 南芥属 Arabis

垂果南芥 *Arabis pendula* L.

| 植物别名 | 山芥菜、野白菜、山菠菜。

| 药 材 名 | 垂果南芥（药用部位：果实。别名：山芥菜）。

| 形态特征 | 二年生草本，高 30 ～ 150cm。全株被硬单毛，杂有二至三叉毛。主根圆锥状，黄白色。茎直立，上部有分枝。茎下部的叶长椭圆形至倒卵形，长 3 ～ 10cm，宽 1.5 ～ 3cm，先端渐尖，边缘有浅锯齿，基部渐狭而成叶柄，长达 1cm；茎上部的叶狭长椭圆形至披针形，较下部的叶略小，基部呈心形或箭形，抱茎，上面黄绿色至绿色。总状花序顶生或腋生，有花 10 余朵；萼片椭圆形，长 2 ～ 3mm，背面被有单毛、二至三叉毛及星状毛，花蕾期更密；花瓣白色、匙形，长 3.5 ～ 4.5mm，宽约 3mm。长角果线形，长 4 ～ 10cm，宽 1 ～ 2mm，弧曲，下垂；种子每室 1 行，椭圆形，褐色，长 1.5 ～ 2mm，边缘

垂果南芥

有环状的翅。花期 6 ～ 9 月，果期 7 ～ 10 月。

| **生境分布** | 生于林缘、林下、山坡草甸、河岸路、河边草丛中、高山灌木林下和荒漠地区。吉林各地均有分布。

| **资源情况** | 野生资源较丰富。药材主要来源于野生。

| **采收加工** | 夏末秋初果实成熟时采收，除去杂质，晒干。

| **功能主治** | 辛，平。清热解毒，消肿。用于疮痈肿毒，阴道炎。

| **用法用量** | 内服煎汤，3 ～ 9g。

| **附　　注** | 幼苗为山野菜，可食用。

十字花科 Cruciferae 山芥属 Barbarea

山芥

Barbarea orthoceras Ledeb.

| **植物别名** | 山芥菜。

| **药 材 名** | 山芥（药用部位：果实）。

| **形态特征** | 二年生草本，高 25 ~ 60cm，全株无毛。茎直立，下部常带紫色，单一或具少数分枝。基生叶及茎下部叶大头羽状分裂，先端裂片大，长 2 ~ 5.5cm，宽 1 ~ 3cm，宽椭圆形或近圆形，先端钝圆，基部圆形、楔形或心形，边缘呈微波状或具圆齿，侧裂片小，1 ~ 5 对，具叶柄，基部耳状抱茎；茎上部叶较小，宽披针形或长卵形，边缘具疏齿，无柄，基部耳状抱茎。总状花序顶生，初密集，花后延长；萼片椭圆状披针形，内轮 2，先端隆起成兜状，长 2.5 ~ 3mm，宽 0.5 ~ 1mm；花瓣黄色，长倒卵形，长 3 ~ 4.5mm，宽 0.7 ~ 1.2mm，基部具爪。长角果线状四棱形，长 2 ~ 3.5cm，紧贴果轴而密集着生，果熟时

山芥

稍开展，果瓣隆起，中脉显著；种子椭圆形，长约 1.5mm，宽约 0.5mm，深褐色，表面具细网纹，子叶缘倚胚根。花果期 5 ～ 8 月。

| 生境分布 | 生于草甸、河岸、溪谷、河滩、湿草地或山地潮湿处。吉林各地均有分布。

| 资源情况 | 野生资源较丰富。药材主要来源于野生。

| 采收加工 | 夏末秋初果实成熟时摘果，除去杂质，晒干。

| 功能主治 | 辛，温。祛痰散寒，消肿止痛。用于水肿，咳嗽咳痰，风寒表证。

十字花科 Cruciferae 芸苔属 Brassica

芸苔
Brassica campestris L.

| 植物别名 | 油菜。

| 药 材 名 | 芸苔(药用部位:嫩茎叶)、芸苔子(药用部位:种子。别名:油菜子)。

| 形态特征 | 二年生草本,高 30 ~ 90cm。茎粗壮,直立,分枝或不分枝,无毛或近无毛,稍带粉霜。基生叶大头羽裂,顶裂片圆形或卵形,边缘有不整齐弯缺牙齿,侧裂片 1 至数对,卵形,叶柄宽,长 2 ~ 6cm,基部抱茎;下部茎生叶羽状半裂,长 6 ~ 10cm,基部扩展且抱茎,两面有硬毛及缘毛;上部茎生叶长圆状倒卵形、长圆形或长圆状披针形,长 2.5 ~ 8(~ 15)cm,宽 0.5 ~ 4(~ 5)cm,基部心形,抱茎,两侧有垂耳,全缘或有波状细齿。总状花序在花期呈伞房状,以后伸长;花鲜黄色,直径 7 ~ 10mm;萼片长圆形,长 3 ~ 5mm,直立开展,先端圆形,边缘透明,稍有毛;花瓣倒卵形,长 7 ~ 9mm,

芸苔

先端近微缺，基部有爪。长角果线形，长 3 ～ 8cm，宽 2 ～ 4mm，果瓣有中脉及网纹，萼直立，长 9 ～ 24mm，果柄长 5 ～ 15mm；种子球形，直径约 1.5mm，紫褐色。花期 3 ～ 4 月，果期 5 月。

| **生境分布** | 生于农田、菜园等。吉林无野生分布。本种为常见蔬菜品种，吉林各地均有栽培。

| **资源情况** | 吉林广泛栽培。药材主要来源于栽培。

| **采收加工** | 芸苔：夏季采收，除去杂质，晒干。

芸苔子：种子成熟时，将地上部分割下，晒干，打落种子，除去杂质，晒干。

| **功能主治** | 芸苔：辛，凉。归肺、肝、脾经。散血消肿。用于劳伤吐血，血痢，丹毒，热毒疮，乳痈。

芸苔子：甘、辛，温。行气祛瘀，消肿散结。用于痛经，产后瘀血腹痛，恶露不净；外用于痈疖肿痛。

| **用法用量** | 芸苔：内服适量，煮熟食。外用适量，煎汤洗。

芸苔子：内服煎汤，4.5 ～ 9g；或入丸、散。外用适量，研末调敷；或榨油涂。

十字花科 Cruciferae 芸苔属 Brassica

青菜
Brassica chinensis L.

青菜

| 植物别名 |

油菜。

| 药 材 名 |

菘菜（药用部位：幼株、叶。别名：青菜、白菜、夏菘）、菘菜子（药用部位：种子。别名：青菜子）。

| 形态特征 |

一年生或二年生草本，高 25 ~ 70cm。无毛，带粉霜。根粗，坚硬，常为纺锤形块根，先端常有短根颈。茎直立，有分枝。基生叶倒卵形或宽倒卵形，长 20 ~ 30cm，坚实，深绿色，有光泽，基部渐狭成宽柄，全缘或有不明显圆齿或波状齿，中脉白色，宽达 1.5cm，有多条纵脉，叶柄长 3 ~ 5cm，有或无窄边；下部茎生叶和基生叶相似，基部渐狭成叶柄；上部茎生叶倒卵形或椭圆形，长 3 ~ 7cm，宽 1 ~ 3.5cm，基部抱茎，宽展，两侧有垂耳，全缘，微带粉霜。总状花序顶生，呈圆锥状；花浅黄色，长约 1cm，授粉后长达 1.5cm；花梗细，和花等长或较短；萼片长圆形，长 3 ~ 4mm，直立开展，白色或黄色；花瓣长圆形，长约 5mm，先端圆钝，有脉纹，具宽爪。长角果线形，长 2 ~ 6cm，宽 3 ~ 4mm，坚硬，无毛，果瓣有明显中脉及网结侧脉，喙先端细，基部宽，长 8 ~ 12mm，果柄长 8 ~ 30mm；种子球形，直径 1 ~ 1.5mm，紫褐色，有蜂窝纹。花期 4 月，果期 5 月。

| 生境分布 | 生于山坡、山谷、路旁或村旁荒地。本种为常见蔬菜品种。吉林各地均有栽培。

| 资源情况 | 吉林广泛栽培。药材主要来源于栽培。

| 采收加工 | 菘菜：夏、秋季采收，除去杂质，晒干。
菘菜子：夏末秋初果实成熟时采割植株，晒干，搓出种子，除去杂质，晒干。

| 功能主治 | 菘菜：甘，凉。归大肠、胃经。解热除烦，生津止渴，清肺消痰，通利肠胃。用于肺热痰咳，小便淋痛，便秘，消渴，食积，丹毒，漆疮。
菘菜子：甘，平。归肺、胃经。清肺化痰，消食醒酒。用于痰热咳嗽，食积，醉酒。

| 用法用量 | 菘菜：内服适量，煮食或捣汁饮。外用适量，捣敷。
菘菜子：内服煎汤，5 ~ 10g；或入丸、散。

| 附　　注 | 在 FOC 中，本种的拉丁学名被修订为 *Brassica rapa* L. var. *chinensis* (Linnaeus) Kitamura。

十字花科 Cruciferae 芸苔属 Brassica

芥菜疙瘩 *Brassica napiformis* L. H. Bailey

| **植物别名** | 大头菜。

| **药材名** | 芥菜疙瘩（药用部位：块根）。

| **形态特征** | 二年生草本，高 60 ～ 150cm。全株无毛，稍有粉霜。块根圆锥形，直径 7 ～ 10cm，一半在地上，外皮白色，根肉质，白色或黄色，有辣味，一半在地下，两侧各有 1 纵沟，在纵沟内生须根。茎直立，从基部分枝。基生叶少数，大头羽状浅裂，长 10 ～ 20cm，至少在幼时下面脉上及边缘有少数刺毛，顶裂片宽卵形，长达 9cm，先端圆钝，边缘有不整齐尖齿，基部有 2 明显侧裂片及数个小裂片，疏生，叶柄长 3 ～ 4.5cm；茎生叶似基生叶，长 5 ～ 12cm，上部茎生叶长圆状披针形，近全缘或全缘，无柄或稍抱茎。花浅黄色，直径 7 ～ 8mm；萼片披针形或长圆状卵形，长约 6mm；花瓣倒卵形，长

芥菜疙瘩

8 ～ 10mm，先端微凹，有细爪。长角果线形，长 3 ～ 5cm，稍侧扁，喙圆锥形，长 5 ～ 7mm，果柄长 5 ～ 8mm；种子球形，直径约 1.5mm，黑褐色，有细网纹。花期 4 ～ 5 月，果期 5 ～ 6 月。

| 生境分布 | 生于田间。吉林无野生分布。本种为蔬菜品种。吉林各地均有栽培。

| 资源情况 | 吉林有栽培。药材主要来源于栽培。

| 采收加工 | 秋季采挖，除去地上部分，洗去泥土，切片，晒干。

| 功能主治 | 健胃消食。用于饮食积滞。

| 附　　注 | 在 FOC 中，本种的拉丁学名被修订为 *Brassica juncea* L. var. *napiformis* Pailleux et Bois。

十字花科 Cruciferae 芸苔属 *Brassica*

花椰菜
Brassica oleracea var. *botrytis* L.

| **药 材 名** | 花椰菜（药用部位：茎、叶）。

| **形态特征** | 二年生草本，高 60 ~ 90cm，被粉霜。茎直立，粗壮，有分枝。基生叶及茎下部叶长圆形至椭圆形，长 2 ~ 3.5cm，灰绿色，先端圆形，开展，不卷心，全缘或具细牙齿，有时叶片下延，具数个小裂片，并成翅状，叶柄长 2 ~ 3cm；茎中上部叶较小且无柄，长圆形至披针形，抱茎。茎先端有 1 个由总花梗、花梗和未发育的花芽密集成的乳白色肉质头状体；总状花序顶生或腋生；花先呈淡黄色，后变成白色。长角果圆柱形，长 3 ~ 4cm，有 1 中脉，喙下部粗上部细，长 10 ~ 12mm；种子宽椭圆形，长近 2mm，棕色。花期 4 月，果期 5 月。

| **生境分布** | 生于田间地里、菜园等处。吉林无野生分布。吉林各地均有栽培。

花椰菜

| **资源情况** | 吉林有栽培。药材主要来源于栽培。

| **采收加工** | 夏、秋季采收茎、叶，分别晒干。

| **功能主治** | 补肾填精，健脑壮骨，补脾和胃。用于久病体虚，肢体痿软，耳鸣健忘，脾胃虚弱，小儿发育迟缓。

十字花科 Cruciferae 芸苔属 Brassica

白菜
Brassica pekinensis (Lour.) Rupr.

| **植物别名** | 小白菜、大白菜。

| **药 材 名** | 白菜（药用部位：地上部分。别名：结球白菜、包心白菜）。

| **形态特征** | 二年生草本，高 40 ~ 60cm。常全株无毛，有时叶下面中脉上有少数刺毛。基生叶多数，大型，倒卵状长圆形至宽倒卵形，长 30 ~ 60cm，宽不及长的一半，先端圆钝，边缘皱缩，波状，有时具不明显牙齿，中脉白色，很宽，有多数粗壮侧脉，叶柄白色，扁平，长 5 ~ 9cm，宽 2 ~ 8cm，边缘有具缺刻的宽薄翅；上部茎生叶长圆状卵形、长圆状披针形至长披针形，长 2.5 ~ 7cm，先端圆钝至短急尖，全缘或有裂齿，有柄或抱茎，有粉霜。花鲜黄色，直径 1.2 ~ 1.5cm；花梗长 4 ~ 6mm；萼片长圆形或卵状披针形，长 4 ~ 5mm，直立，淡绿色至黄色；花瓣倒卵形，长 7 ~ 8mm，基部

白菜

渐窄成爪。长角果较粗短，长 3 ~ 6cm，宽约 3mm，两侧压扁，直立，喙长 4 ~ 10mm，宽约 1mm，先端圆，果柄开展或上升，长 2.5 ~ 3cm，较粗；种子球形，直径 1 ~ 1.5mm，棕色。花期 5 月，果期 6 月。

| **生境分布** | 生于菜园、农田等。吉林无野生分布。吉林各地均有栽培。

| **资源情况** | 吉林有栽培。药材主要来源于栽培。

| **采收加工** | 夏、秋季采摘，鲜用或晒干。

| **药材性状** | 本品叶球呈圆球形、椭圆形或长圆锥形。茎缩短，肉质，类白色，被层层包叠的基生叶包裹。基生叶宽倒卵形、长圆形，长 30 ~ 60cm，宽约为长的一半。外层叶片绿色，内层叶片淡黄白色至白色，先端钝圆且具波状线或细齿，中脉宽，细脉明显，呈凹凸不平的网状，叶片上端较薄，下部较厚，肉质，折断有筋脉。干燥叶黄棕色。气微，味淡。

| **功能主治** | 甘，平。归胃、膀胱经。消食下气，利肠胃，利尿。用于食积，淋证；外用于腮腺炎，漆疮。

| **用法用量** | 内服适量，煮食；或捣汁饮。

| **附　注** | 在 FOC 中，本种的拉丁学名被修订为 *Brassica rapa* L. var. *glabra* Regel。

十字花科 Cruciferae 荠属 Capsella

荠
Capsella bursa-pastoris (L.) Medic.

| 植物别名 | 荠菜。

| 药 材 名 | 荠菜（药用部位：全草。别名：枕头草、粽子菜、三角草）、荠菜子（药用部位：种子）。

| 形态特征 | 一年生或二年生草本，高 20 ~ 50cm。茎直立，有分枝，稍有分枝毛或单毛。基生叶丛生，呈莲座状，具长叶柄，达 5 ~ 40mm，叶片大头羽状分裂，长可达 12cm，宽可达 2.5cm，顶生裂片较大，卵形至长卵形，长 5 ~ 30mm，侧生者宽 2 ~ 20mm，裂片 3 ~ 8 对，较小，狭长，呈圆形至卵形，先端渐尖，浅裂或具有不规则粗锯齿；茎生叶狭被针形，长 1 ~ 2cm，宽 2 ~ 15mm，基部箭形抱茎，边缘有缺刻或锯齿，两面有细毛或无毛。总状花序顶生或腋生，果期延长达 20cm；萼片长圆形，花瓣白色，匙形或卵形，长 2 ~ 3mm，有短爪；果实倒卵状三角形或倒心状三角形，长 5 ~ 8mm，宽

荠

4 ~ 7mm，扁平，无毛，先端稍凹，裂瓣具网脉，花柱长约 0.5mm；种子 2 行，呈椭圆形，浅褐色。花果期 4 ~ 6 月。

| **生境分布** | 生于田野、路边或庭园。吉林各地均有分布。

| **资源情况** | 野生资源丰富。药材主要来源于野生。

| **采收加工** | 荠菜：3 ~ 5 月采收，洗净，鲜用或晒干。
荠菜子：6 月果实成熟时，采摘果枝，晒干，揉出种子。

| **药材性状** | 荠菜：本品根呈须状分枝，弯曲或部分折断；表面淡褐色或乳白色。茎纤细，具分枝，弯曲或部分折断；表面黄绿色；叶羽状分类，卷缩；表面灰绿色或枯黄色；质脆易碎。茎先端疏生三角形果实，有细柄；表面淡绿色。气微，味淡。
荠菜子：本品呈小圆球形或卵圆形，直径约 2mm。表面黄棕色或棕褐色，一端可见类白色小脐点。种皮薄，易压碎。气微香，味淡。

| **功能主治** | 荠菜：甘，平。归心、肝、肺经。凉血止血，清热利尿，明目，降血压，解毒。用于痢疾，高血压，水肿，各种出血，肾结石，淋证，目赤肿痛。
荠菜子：甘，平。归肝经。祛风明目。用于目痛青盲，翳障。

| **用法用量** | 荠菜：内服煎汤，15 ~ 30g，鲜品 60 ~ 120g；或入丸、散。外用适量，鲜品捣汁点眼。
荠菜子：内服煎汤，10 ~ 30g。

| **附　注** | （1）《吉林通志》（1891）记载的本地物产中有荠。
（2）荠为药食兼用品种，药用量较小，未抽茎的幼苗为春季常见山野菜。

十字花科 Cruciferae 碎米荠属 Cardamine

弯曲碎米荠 *Cardamine flexuosa* With.

弯曲碎米荠

| 植物别名 |

葶菜、碎米荠。

| 药 材 名 |

白带草（药用部位：全草。别名：雀儿菜、野养菜、米花香荠菜）。

| 形态特征 |

一年生或二年生草本，高达 30cm。茎自基部多分枝，斜升呈铺散状，表面疏生柔毛。基生叶有叶柄，小叶 3 ~ 7 对，顶生小叶卵形、倒卵形或长圆形，长与宽均为 2 ~ 5mm，先端 3 齿裂，基部宽楔形，有小叶柄，侧生小叶卵形，较顶生的形小，1 ~ 3 齿裂，有小叶柄；茎生叶有小叶 3 ~ 5 对，小叶多为长卵形或线形，1 ~ 3 裂或全缘，小叶柄有或无，全部小叶近无毛。总状花序多数，生于枝顶，花小，花梗纤细，长 2 ~ 4mm；萼片长椭圆形，长约 2.5mm，边缘膜质；花瓣白色，倒卵状楔形，长约 3.5mm；花丝不扩大；雌蕊柱状，花柱极短，柱头扁球状。长角果线形，扁平，长 12 ~ 20mm，宽约 1mm，与果序轴近于平行排列，果序轴左右弯曲，果柄直立开展，长 3 ~ 9mm；种子长圆形而扁，长约 1mm，黄绿色，先端有

极窄的翅。花期 3 ～ 5 月，果期 4 ～ 6 月。

| **生境分布** | 生于草甸、耕地、河边向阳地、河谷林下、荒地、林中潮湿地、路边潮湿地、平地、山谷林下、山谷荒地、山坡草丛中、山坡沟边、山坡路边、湿草地、田边沟旁、溪边、宅边。以长白山区为主要分布区域，分布于吉林延边、白山、通化、吉林、辽源（东丰）等。

| **资源情况** | 野生资源丰富。药材主要来源于野生。

| **采收加工** | 夏季采收，鲜用或晒干。

| **药材性状** | 本品主根不明显而呈须根状。茎由基部分枝，多且近等长，表面有细沟棱。奇数羽状复叶，小叶 3 ～ 7 对，长卵形，边缘 1 ～ 3 齿裂。长角果长 12 ～ 20mm，宽约 1mm。种子长圆形而扁，长约 1mm，边缘或先端有极狭的翅，黄褐色。气微清香，味微甘。

| **功能主治** | 甘、淡，凉。清热利湿，养心安神，收敛，止带。用于痢疾，淋证，小便涩痛，心悸，失眠，带下；外用于疔疮。

| **用法用量** | 内服煎汤，15 ～ 30g。外用适量，捣敷。

弹裂碎米荠

十字花科 Cruciferae 碎米荠属 Cardamine

弹裂碎米荠 *Cardamine impatiens* L.

| 植物别名 |

水菜花。

| 药材名 |

弹裂碎米荠（药用部位：全草）。

| 形态特征 |

一年生或二年生草本，高 20 ～ 60cm。茎直立，不分枝或有时上部分枝，表面有沟棱，有少数短柔毛或无毛，着生多数羽状复叶。基生叶叶柄长 1 ～ 3cm，两缘通常有短柔毛，基部稍扩大，有 1 对托叶状耳，小叶 2 ～ 8 对，顶生小叶卵形，长 6 ～ 13mm，宽 4 ～ 8mm，边缘有不整齐钝齿状浅裂，基部楔形，小叶柄显著，侧生小叶与顶生的相似，自上而下渐小，通常生于最下的 1 ～ 2 对近于披针形，全缘，都有显著的小叶柄；茎生叶有柄，基部也有抱茎且线形弯曲的耳，长 3 ～ 8mm，先端渐尖，缘毛显著，小叶 5 ～ 8 对，顶生小叶卵形或卵状披针形，侧生小叶与之相似，但较小；最上部的茎生叶小叶片较狭，边缘少齿裂或近于全缘；全部小叶散生短柔毛，有时无毛，边缘均有缘毛。总状花序顶生或腋生，花多数，形小，直径约 2mm，果期花序极延长，花梗纤细，长 2 ～ 6mm；萼

片长椭圆形，长约 2mm；花瓣白色，狭长椭圆形，长 2 ~ 3mm，基部稍狭；雌蕊柱状，无毛，花柱极短，柱头较花柱稍宽。长角果狭条形而扁，长20 ~ 28mm；果瓣无毛，成熟时自下而上弹性开裂，果柄直立开展或水平开展，长 10 ~ 15mm，无毛。种子椭圆形，长约 1.3mm，边缘有极狭的翅。花期 4 ~ 6月，果期 5 ~ 7 月。

| **生境分布** | 生于海拔 150 ~ 3500m 的路旁、山坡、沟谷、水边或阴湿地。分布于吉林延边、白山、通化、长春、吉林、辽源等。

| **资源情况** | 野生资源较少。药材主要来源于野生。

| **采收加工** | 夏季采收，晒干。

| **药材性状** | 本品根细长。茎单一或上部分枝，长 20 ~ 50cm，表面黄绿色，具细沟棱，质脆易断。奇数羽状复叶多皱缩，展平后基生叶叶柄基部稍扩大，两侧呈狭披针形耳状抱茎，小叶 2 ~ 8 对，小叶椭圆形，边缘有不整齐的钝齿裂，先端锐尖，基部楔形；茎生叶叶柄基部两侧有具缘毛的线形裂片抱茎，先端渐尖，小叶 5 ~ 8 对，卵状披针形，具钝齿裂。总状花序，有淡黄白色的小花或长角果，长角果线形而稍扁，长 2 ~ 2.8cm，宽约 1mm，果实成熟时，果爿自下而上弹性旋裂，每室种子 1 行；种子椭圆形，长 1 ~ 3mm，棕黄色，边缘有极狭的翅。气微清香，味淡。

| **功能主治** | 淡，平。清热利湿，利尿解毒，活血调经。用于淋浊，带下，月经不调，痢疾，胃痛，疔毒。

| **用法用量** | 内服煎汤，15 ~ 30g。外用适量，捣敷。

十字花科 Cruciferae 碎米荠属 *Cardamine*

翼柄碎米荠 *Cardamine komarovii* Nakai

翼柄碎米荠

| 药 材 名 |

翼柄碎米荠（药用部位：全草）。

| 形态特征 |

多年生草本，高 40 ~ 75cm。根茎短，粗壮，着生多数须根。茎不分枝，表面有细条纹或沟棱，自下至上有柔毛或近无毛。茎生叶为单叶，心形或卵形，长 3.8 ~ 7cm，宽 3.3 ~ 5.5cm，先端渐尖或尾尖，或钝圆，边缘有大而不整齐的锯齿，锯齿钝圆或有时呈锐裂状，两面及边缘散生少数短柔毛，毛以叶脉上较多，或有时无毛；叶柄有翼，柄长 1 ~ 4cm，基部翅扩大，呈圆耳状或披针状抱茎；生于匍匐茎上的叶片较小。总状花序分枝或不分枝，顶生或腋生，花未见。长角果疏生于开展的果序上，线形而扁，长 2.8 ~ 4cm，两端渐尖，花柱短，柱头不明显，果柄直立开展，长 1.6 ~ 3cm；种子长圆形，长约 2mm，宽约 1mm。果期 6 月。

| 生境分布 |

生于海拔 750 ~ 830m 的地带，多生于林区河边、林下溪边阴湿地。以长白山区为主要分布区域，分布于吉林延边、白山、通化、吉林、辽源（东丰）等。

| **资源情况** | 野生资源较少。药材主要来源于野生。

| **采收加工** | 夏季采收，晒干。

| **功能主治** | 止血，敛疮，消肿。用于出血，水肿。

白花碎米荠 *Cardamine leucantha* (Tausch) O. E. Schulz

| 植物别名 | 白花石芥菜、菜子七、山芥菜。

| 药 材 名 | 菜子七（药用部位：根茎。别名：山芥菜、角蒿、白花石芥菜）。

| 形态特征 | 多年生草本，高 30 ~ 75cm。根茎短而匍匐，着生多数粗线状、长短不一的匍匐茎，其上生有须根。茎单一，不分枝，有时上部有少数分枝，表面有沟棱，密被短绵毛或柔毛。基生叶有长叶柄，小叶2 ~ 3 对，顶生小叶卵形至长卵状披针形，长 3.5 ~ 5cm，宽 1 ~ 2cm，先端渐尖，边缘有不整齐的钝齿或锯齿，基部楔形或阔楔形，小叶柄长 5 ~ 13mm，侧生小叶的大小、形态和顶生叶相似，但基部不等，有或无小叶柄；茎中部叶有较长的叶柄，通常有小叶 2 对；茎上部叶有小叶 1 ~ 2 对，小叶阔披针形，较小；全部小叶干后带膜质而半透明，两面均有柔毛，尤以下面较多。总状花序顶生，分枝或不

白花碎米荠

分枝，花后伸长；花梗细弱，长约 6mm；萼片长椭圆形，长 2.5 ~ 3.5mm，边缘膜质，外面有毛；花瓣白色，长圆状楔形，长 5 ~ 8mm；花丝稍扩大；雌蕊细长；子房有长柔毛，柱头扁球形。长角果线形，长 1 ~ 2cm，宽约 1mm，花柱长约 5mm，果瓣散生柔毛，毛易脱落，果柄直立开展，长 1 ~ 2cm；种子长圆形，长约 2mm，栗褐色，边缘具窄翅或无窄翅。花期 4 ~ 7 月，果期 6 ~ 8 月。

| 生境分布 | 生于山坡湿草地、路边、杂木林下或山谷沟边阴湿处。以长白山区为主要分布区域，分布于吉林延边、白山、通化、吉林、辽源（东丰）等。

| 资源情况 | 野生资源较丰富。药材主要来源于野生。

| 采收加工 | 夏、秋季采挖，除去杂质，晒干。

| 药材性状 | 本品呈细长圆柱形，略弯曲，中间膨大，两端较细。长 2 ~ 4cm，直径 2 ~ 4mm。表面黄白色或淡黄棕色，有细纵皱纹及多数交互排列的叶（芽）痕突起；叶（芽）痕周围具较多细小的细根痕。质脆，易折断，断面平坦，粉性。气微，味淡。

| 功能主治 | 辛，温。归肺、肝经。清热解毒，解痉，化痰止咳，活血止痛。用于咳嗽痰喘，顿咳，月经不调，跌打损伤。

| 用法用量 | 内服煎汤，6 ~ 15g。

十字花科 Cruciferae 碎米荠属 Cardamine

水田碎米荠 *Cardamine lyrata* Bunge

| **植物别名** | 小水田荠、水田荠。

| **药 材 名** | 水田碎米荠（药用部位：全草。别名：水田荠、水芥菜）。

| **形态特征** | 多年生草本，高 30 ~ 70cm，无毛。根茎较短，丛生多数须根。茎直立，不分枝，表面有沟棱，通常从近根茎处的叶腋或茎下部叶腋生出细长柔软的匍匐茎。生于匍匐茎上的叶为单叶，心形或圆肾形，长 1 ~ 3cm，宽 7 ~ 23mm，先端圆或微凹，基部心形，边缘具波状圆齿或近全缘，有叶柄，柄长 3 ~ 12mm，有时有小叶 1 ~ 2 对；茎生叶无柄，羽状复叶，小叶 2 ~ 9 对，顶生小叶大，圆形或卵形，长 12 ~ 25mm，宽 7 ~ 23mm，先端圆或微凹，基部心形、截形或宽楔形，边缘有波状圆齿或近全缘，侧生小叶比顶生小叶小，卵形、近圆形或菱状卵形，长 5 ~ 13mm，宽 4 ~ 10mm，边缘具有少数粗

水田碎米荠

大钝齿或近于全裂，基部两侧不对称，楔形而无柄或有极短的柄，着生于最下的 1 对小叶全缘，向下弯曲成耳状抱茎。总状花序顶生，花梗长 5 ～ 20mm；萼片长卵形，长约 4.5mm，边缘膜质，内轮萼片基部呈囊状；花瓣白色，倒卵形，长约 8mm，先端截平或微凹，基部楔形渐狭；雌蕊圆柱形，花柱长约为子房之半，柱头球形，比花柱宽。长角果线形，长 2 ～ 3cm，宽约 2mm，果瓣平，自基部有 1 不明显的中脉，果柄水平开展，长 12 ～ 22mm；种子椭圆形，长约 1.6mm，宽约 1mm，边缘有显著的膜质宽翅。花期 4 ～ 6 月，果期 5 ～ 7 月。

| **生境分布** | 生于水田边、溪边或浅水处。吉林各地均有分布。

| **资源情况** | 野生资源较丰富。药材主要来源于野生。

| **采收加工** | 夏季采收，晒干。

| **药材性状** | 本品常缠结成团。须根纤细，类白色。根茎短，茎黄绿色，有沟棱；匍匐茎细长，节处有类白色细根。奇数羽状复叶多皱缩，小叶 3 ～ 9 对，先端小叶圆形或卵圆形，长 12 ～ 25mm，宽 7 ～ 23mm，全缘或有波状圆齿，侧生小叶较小，基部不对称；匍匐茎上的叶多为单叶，互生，圆肾形，宽 0.5 ～ 2cm。总状花序顶生。长角果长 2 ～ 3cm，宽约 2mm，绿褐色，每室有数枚种子，1 列。种子椭圆形，长约 1.6mm，宽约 1mm，边缘有膜质宽翅。气微，味微甘。

| **功能主治** | 甘，平。归肝、肾经。清热解毒，凉血，明目祛翳，调经。用于痢疾，吐血，目翳，目赤，月经不调。

| **用法用量** | 内服煎汤，15 ～ 30g。

伏水碎米荠 *Cardamine prorepens* Fisch. ex DC.

| 药 材 名 | 伏水碎米荠（药用部位：全草）。

| 形 态 特 征 | 多年生草本，植株高 20 ～ 55cm。根茎匍匐状延伸，着生有多数须根或细长的匍匐茎。茎较粗壮，单一，有时有分枝，基部匍匐，并生多数须根，上部直立，表面有浅沟棱，无毛或疏生短柔毛。基生叶有叶柄，长 3 ～ 9.5cm，有小叶 3 ～ 4 对；茎上部小叶较短，有小叶 2 ～ 4 对，叶形多变化；顶生小叶椭圆形或略呈菱形，长 1.5 ～ 4cm，宽 0.7 ～ 3cm，先端钝，基部楔形，边缘有几个粗钝齿或稍呈波状，两面无毛，小叶柄长 2 ～ 10mm；侧生小叶成对着生，歪卵形，较顶生的渐次略小，先端钝，基部歪斜呈楔形，边缘也有几个钝齿，上侧边缘有时近于全缘，两面无毛，无小叶柄。花序总状或复总状，顶生或腋生，花多数，花梗长 5 ～ 10mm；萼片长卵形，长 3 ～ 4mm，

伏水碎米荠

边缘膜质；花瓣白色，倒卵形，长 7 ～ 8mm，先端圆或近于截平，基部楔形；短雄蕊长约 3.5mm，长雄蕊长 4.5 ～ 5mm；雌蕊长约 4mm，子房有白色柔毛，花柱很短，柱头比花柱稍宽。长角果线形，长 2.5 ～ 3.5cm，宽约 2mm，果瓣扁平，无毛，果柄直立开展，长 1 ～ 2.5cm；种子近圆形或椭圆形，长 2 ～ 2.5mm，暗褐色。花期 6 ～ 7 月，果期 7 ～ 8 月。

| 生境分布 |　生于海拔 200 ～ 1710m 的林内河边、山沟、溪边、湿地或山顶草原。以长白山区为主要分布区域，分布于吉林延边、白山、通化、吉林、辽源（东丰）等。

| 资源情况 |　野生资源较丰富。药材主要来源于野生。

| 采收加工 |　夏季采收，晒干。

| 功能主治 |　止血，敛疮，消肿。用于疮疡，出血，水肿。

十字花科 Cruciferae 碎米荠属 Cardamine

细叶碎米荠 *Cardamine schulziana* Baehni

| 植物别名 |

细叶石芥花。

| 药 材 名 |

细叶碎米荠（药用部位：全草）。

| 形态特征 |

多年生草本，高 20 ~ 30cm。根茎短，向下生有多数白色、丝状的匐枝，匐枝先端往往具有扁压状近圆形的小块茎，鲜时白色，宽约 3mm。茎直立，不分枝，表面有沟棱、无毛。茎生叶着生于茎中部以上，有短叶柄或近于无柄；小叶 1 ~ 5 对，全部小叶均呈线状披针形，长 1 ~ 5cm，先端短尖，基部渐狭成短柄或无柄，大多全缘，有时有 1 钝齿或 1 ~ 2 深裂，全部小叶近于无毛或有时上面和边缘有短柔毛。总状花序顶生，花较密集，果时花序轴伸长，花梗长 7 ~ 12mm；萼片长椭圆形，长 3.5 ~ 4.5mm，外面带紫色；花瓣紫色或粉红色，少有白色，倒卵状楔形，长 7 ~ 10mm，先端圆，基部渐窄成爪；长雄蕊花丝稍扩大；子房柱状，花柱细长，比子房短，柱头球形。长角果线形，长约 2cm，宽约 1mm，淡褐色，无毛，花柱短，柱头微凹，果柄细，长 1 ~ 2cm；种子尚未成熟。花期

细叶碎米荠

5～6月，果期6～7月。

| 生境分布 |

生于湿润草原或山坡林下。以长白山区为主要分布区域，分布于吉林延边、白山、通化、吉林、辽源（东丰）等。

| 资源情况 |

野生资源较丰富。药材主要来源于野生。

| 采收加工 |

夏季采收，晒干。

| 功能主治 |

攻毒，敛疮。用于祛痰消积，逐水通便。

| 附　注 |

在 FOC 中，本种的拉丁学名被修订为 *Cardamine trifida* (Lamarck ex Poiret) B. M. G. Jones。

十字花科 Cruciferae 播娘蒿属 Descurainia

播娘蒿 *Descurainia sophia* (L.) Webb. ex Prantl

播娘蒿

| 植物别名 |

大蒜芥、米米蒿、腺毛播娘蒿。

| 药 材 名 |

葶苈子（药用部位：种子。别名：南葶苈子）。

| 形态特征 |

一年生草本，高 20 ～ 80cm。有毛或无毛，毛为叉状毛，以下部茎生叶为多，向上渐少。茎直立，分枝多，常于下部成淡紫色。叶为 3 回羽状深裂，长 2 ～ 12（～ 15）cm，末端裂片条形或长圆形，裂片长（2 ～）3 ～ 5（～ 10）mm，宽 0.8 ～ 1.5（～ 2）mm，下部叶具柄，上部叶无柄。花序伞房状，果期伸长；萼片直立，早落，长圆条形，背面有分叉细柔毛；花瓣黄色，长圆状倒卵形，长 2 ～ 2.5mm，或稍短于萼片，具爪；雄蕊 6，比花瓣长 1/3。长角果圆筒状，长 2.5 ～ 3cm，宽约 1mm，无毛，稍内曲，与果柄不成 1 条直线，果瓣中脉明显，果柄长 1 ～ 2cm；种子每室 1 行，种子形小，多数，长圆形，长约 1mm，稍扁，淡红褐色，表面有细网纹。花期 4 ～ 5 月。

| 生境分布 | 生于山地草甸、沟谷、村旁、山坡、田野。以长白山区为主要分布区域，分布于吉林延边、白山、通化、吉林、辽源（东丰）等。

| 资源情况 | 野生资源丰富。药材主要来源于野生。

| 采收加工 | 6～7月种子成熟时，采割植株，晒干，搓出种子，除去杂质。

| 药材性状 | 本品呈长圆形，略扁，长0.8～1.2mm，宽约0.5mm。表面棕色或红棕色，微有光泽，具纵沟2，其中1条较明显。一端钝圆，另一端微凹或较平截，种脐类白色，位于凹入端或平截处。气微，味微辛、苦，略带黏性。

| 功能主治 | 辛、苦，大寒。归肺、膀胱经。泻肺平喘，行水消肿。用于痰涎壅肺，喘咳痰多，胸胁胀满，胸腹水肿，小便不利。

| 用法用量 | 内服煎汤（包煎），3～10g；或入丸、散。外用适量，煎汤洗；或研末调敷。利水消肿宜生用，治痰饮喘咳宜炒用，治肺阴虚喘咳宜蜜炙用。

十字花科 Cruciferae 花旗杆属 *Dontostemon*

花旗杆 *Dontostemon dentatus* (Bunge) Ledeb.

| **植物别名** | 花旗竿、齿叶花旗杆。

| **药材名** | 花旗杆（药用部位：全草或种子）。

| **形态特征** | 二年生草本，高 15 ~ 50cm。植株散生白色弯曲柔毛。茎单一或分枝，基部常带紫色。叶椭圆状披针形，长 3 ~ 6cm，宽 3 ~ 12mm，两面稍具毛。总状花序生枝顶，结果时长 10 ~ 20cm；萼片椭圆形，长 3 ~ 4.5mm，宽 1 ~ 1.5mm，具白色膜质边缘，背面稍被毛；花瓣淡紫色，倒卵形，长 6 ~ 10mm，宽约 3mm，先端钝，基部具爪。长角果长圆柱形，光滑无毛，长 2.5 ~ 6cm，宿存花柱短，先端微凹；种子棕色，长椭圆形，长 1 ~ 1.3mm，宽 0.5 ~ 0.8mm，具膜质边缘，子叶斜缘倚胚根。花期 5 ~ 7 月，果期 7 ~ 8 月。

花旗杆

| 生境分布 |

生于草原带沙地、石砾质山地、岩石隙间、山坡、林边或路旁。以长白山区为主要分布区域，分布于吉林延边、白山、通化、吉林、辽源（东丰）。

| 资源情况 |

野生资源较丰富。药材主要来源于野生。

| 采收加工 |

夏季采收全草，晒干。夏、秋季种子成熟时割取植株，晒干，打下种子，除去杂质。

| 功能主治 |

清热解毒，利水消肿，养肝明目。用于小便不利，目昏，视物昏花，胸腹水肿。

十字花科 Cruciferae 葶苈属 Draba

葶苈
Draba nemorosa L.

| 植物别名 | 猫耳朵菜。

| 药 材 名 | 葶苈（药用部位：种子）。

| 形态特征 | 一年生或二年生草本。茎直立，高 5 ~ 45cm，单一或分枝，疏生叶片或无叶，但分枝茎有叶片；下部密生单毛、叉状毛和星状毛，上部渐稀至无毛。基生叶莲座状，长倒卵形，先端稍钝，边缘有疏细齿或近全缘；茎生叶长卵形或卵形，先端尖，基部楔形或渐圆，边缘有细齿，无柄，上面被单毛和叉状毛，下面以星状毛为多。总状花序有花 25 ~ 90，密集成伞房状，花后显著伸长，疏松，小花梗细，长 5 ~ 10mm；萼片椭圆形，背面略有毛；花瓣黄色，花期后成白色，倒楔形，长约 2mm，先端凹；雄蕊长 1.8 ~ 2mm；花药短心形；雌蕊椭圆形，密生短单毛，花柱几乎不发育，柱头小。短角果长圆形

葶苈

或长椭圆形，长 4 ~ 10mm，宽 1.1 ~ 2.5mm，被短单毛，果柄长 8 ~ 25mm，
与果序轴成直角开展，或近直角向上开展；种子椭圆形，褐色，种皮有小疣。
花期 3 月至 4 月上旬，果期 5 ~ 6 月。

| **生境分布** | 生于田边路旁、山坡草地或河谷湿地。分布于吉林延边、白山、通化、长春、吉林、
辽源等。

| **资源情况** | 野生资源较少。药材主要来源于野生。

| **采收加工** | 夏末秋初果实成熟时采割植株，晒干，打下种子，除去杂质，晒干。

| **功能主治** | 辛、苦，寒。泻肺平喘，行水消肿。用于痰涎壅肺，喘咳痰多，胸胁胀满，不得平卧，
胸腹水肿，小便不利。

十字花科 Cruciferae 葶苈属 *Draba*

光果葶苈 *Draba nemorosa* L. var. *leiocarpa* Lindbl.

| 药 材 名 | 光果葶苈（药用部位：种子）。

| 形态特征 | 一年生或二年生草本。茎直立，高 5 ~ 45cm，单一或分枝，疏生叶片或无叶，但分枝茎有叶片；下部密生单毛、叉状毛和星状毛，上部渐稀至无毛。基生叶莲座状，长倒卵形，先端稍钝，边缘有疏细齿或近全缘；茎生叶长卵形或卵形，先端尖，基部楔形或渐圆，边缘有细齿，无柄，上面被单毛和叉状毛，下面以星状毛为多。总状花序有花 25 ~ 90，密集成伞房状，花后显著伸长，疏松，小花梗细，长 5 ~ 10mm；萼片椭圆形，背面略有毛；花瓣黄色，花期后成白色，倒楔形，长约 2mm，先端凹；雄蕊长 1.8 ~ 2mm；花药短心形；雌蕊椭圆形，密生短单毛，花柱几乎不发育，柱头小。短角果长圆形或长椭圆形，长 4 ~ 10mm，宽 1.1 ~ 2.5mm，无毛，果柄长 8 ~ 25mm，

光果葶苈

与果序轴成直角开展，或近直角向上开展；种子椭圆形，褐色，种皮有小疣。花期 3 月至 4 月上旬，果期 5 ~ 6 月。

| 生境分布 | 生于山坡草丛、田边路旁、山坡草地及河谷湿地。分布于吉林延边、白山、通化、长春、吉林、辽源等。

| 资源情况 | 野生资源较少。药材主要来源于野生。

| 采收加工 | 夏末秋初果实成熟时采割植株，晒干，打下种子，除去杂质，晒干。

| 功能主治 | 清热，祛痰，定喘，利尿。用于浮肿，咳逆，喘鸣，胸膜炎。

十字花科 Cruciferae 葶苈属 Draba

扭果葶苈 *Draba torticarpa* L.

| **药 材 名** | 扭果葶苈（药用部位：全草）。

| **形态特征** | 多年生丛生草本，高 9 ~ 15cm（果枝）。根茎分枝多，具纤维状鳞片的枯叶，禾秆色，上部着生莲座状叶。茎柔细，被单毛和星状毛，疏生 2 ~ 6 叶。莲座状基生叶披针形，长 10 ~ 24mm，宽 2 ~ 3mm，基部缩窄成柄，全缘或有 1 ~ 2 细齿，被星状毛、分枝毛，混生叉状毛、单毛；茎生叶薄，卵形或长卵形，长 8 ~ 10mm，宽 2 ~ 5mm，全缘或有 1 ~ 2 细齿，先端渐尖，基部楔形，无柄，被有与基生叶相同的毛。总状花序有花 6 ~ 20，下面数花有叶状苞片，结实时伸长；小花梗丝状；萼片椭圆形，背面有毛；花瓣白色，倒长卵状楔形，长 3 ~ 3.5mm。短角果条形，长 10 ~ 12mm，宽约 1mm（未成熟），果瓣薄，扭转，无毛，先端渐尖，柱头长约 0.3mm，果柄丝状，长

扭果葶苈

2 ~ 7mm，与果序轴成直角或斜向上开展。花果期 6 ~ 7 月。

| 生境分布 |

生于山坡密林下、疏林岩石上。分布于吉林白山（抚松、靖宇、长白）等。

| 资源情况 |

野生资源较少。药材主要来源于野生。

| 采收加工 |

夏季采收，晒干。

| 功能主治 |

清热解毒，利水消肿，养肝明目。用于胸腹水肿，目昏不明，小便不利。

| 附　注 |

（1）本种与毛叶葶苈 *Draba lasiophylla* Royle 的形态相近，区别在于本种茎柔细，角果条形、扭转，果柄丝状。

（2）本种为吉林省 II 级重点保护野生植物。

十字花科 Cruciferae 芝麻菜属 Eruca

芝麻菜 *Eruca sativa* Mill.

| **植物别名** | 臭芸芥、芸芥、绵果芝麻菜。

| **药 材 名** | 芝麻菜（药用部位：种子。别名：金堂葶苈、苦葶苈）。

| **形态特征** | 一年生草本，高 20 ~ 90cm。茎直立，上部常分枝，疏生硬长毛或
近无毛。基生叶及下部叶大头羽状分裂或不裂，长 4 ~ 7cm，宽
2 ~ 3cm，顶裂片近圆形或短卵形，有细齿，侧裂片卵形或三角状
卵形，全缘，仅下面脉上疏生柔毛，叶柄长 2 ~ 4cm；上部叶无柄，
具 1 ~ 3 对裂片，顶裂片卵形，侧裂片长圆形。总状花序有多数疏
生花；花直径 1 ~ 1.5cm；花梗长 2 ~ 3mm，具长柔毛；萼片长圆
形，长 8 ~ 10mm，带棕紫色，外面有蛛丝状长柔毛；花瓣黄色，
后变白色，有紫纹，短倒卵形，长 1.5 ~ 2cm，基部有窄线形长爪。
长角果圆柱形，长 2 ~ 3cm，果瓣无毛，有 1 隆起中脉，喙剑形，

芝麻菜

扁平，长 5 ~ 9mm，先端尖，有 5 纵脉，果柄长 2 ~ 3mm；种子近球形或卵形，直径 1.5 ~ 2mm，棕色，有棱角。花期 5 ~ 6 月，果期 7 ~ 8 月。

| **生境分布** | 生于向阳斜坡、草地、路边、麦田中、水沟边。分布于吉林延边、白山、通化、长春、吉林、辽源等。

| **资源情况** | 野生资源较丰富。药材主要来源于野生。

| **采收加工** | 夏末秋初果实成熟时采割植株，晒干，搓出种子，除去杂质，再晒干。

| **药材性状** | 本品近球形或卵圆形，直径 1.5 ~ 2mm。表面黄棕色，微有光泽，具细密的纹理和 2 纵列的浅槽，除去种皮可见肥厚的子叶 2 片，具油性。气微，味微辛、苦。

| **功能主治** | 辛、苦，寒。归肺、膀胱经。破坚利水，降气利肺，定喘止咳。用于喘急咳逆，陈旧性咳嗽，肺痈，痰饮，浮肿。

| **用法用量** | 内服煎汤，6 ~ 12g；入丸、散时酌减。

十字花科 Cruciferae 糖芥属 *Erysimum*

糖芥

Erysimum bungei (Kitag.) Kitag.

糖芥

| 植物别名 |

桂竹糖芥、桂竹香糖芥。

| 药 材 名 |

糖芥（药用部位：全草或种子）。

| 形态特征 |

一年生或二年生草本，高 30 ～ 60cm。密生伏贴二叉毛。茎直立，不分枝或上部分枝，具棱角。叶披针形或长圆状线形；基生叶长 5 ～ 15cm，宽 0.5 ～ 2cm，先端急尖，基部渐狭，全缘，两面有二叉毛，叶柄长 1.5 ～ 2cm；上部叶有短柄或无柄，基部近抱茎，边缘有波状齿或近全缘。总状花序顶生，有多数花；萼片长圆形，长 5 ～ 7mm，密生二叉毛，边缘白色膜质；花瓣橘黄色，倒披针形，长 10 ～ 14mm，有细脉纹，先端圆形，基部具长爪；雄蕊 6，近等长。长角果线形，长 4.5 ～ 8.5cm，宽约 1mm，稍呈四棱形，花柱长约 1mm，柱头 2 裂，裂瓣具隆起中肋，果柄长 5 ～ 7mm，斜上开展；种子每室 1 行，长圆形，侧扁，长 1 ～ 1.5mm，深红褐色。花期 6 ～ 8 月，果期 7 ～ 9 月。

| 生境分布 | 生于田边、荒地、山坡。分布于吉林延边、白山、通化、长春、吉林、辽源等。

| 资源情况 | 野生资源丰富。药材主要来源于野生。

| 采收加工 | 夏、秋季采收全草，洗净，鲜用或晒干。夏末秋初果实成熟时采割植株，晒干，搓出种子，除去杂质，晒干。

| 药材性状 | 本品茎长达 60cm，不分枝或上部分枝，具棱角，密生伏贴二叉毛。叶多皱缩，展平后叶片披针形或长圆状线形，基生叶长 5 ~ 15cm，宽 0.5 ~ 2cm，全缘，两面有伏贴二叉毛。花直径约 1cm，花瓣橙黄色，类圆形。气微，味微苦。本品种子长圆形，侧扁，长约 1.5mm，深红褐色；气微，味淡。

| 功能主治 | 全草，甘、涩，寒。归肺、胃经。强心利尿，健脾和胃，消积。用于心悸，浮肿，脾胃不和，食积不化。种子，甘、涩，寒。归肺、胃经。清热镇咳，强心。用于久病心力不足，肺结核咳嗽，虚劳发热。

| 用法用量 | 内服煎汤，6 ~ 9g；或研末服，0.3 ~ 1g。

| 附　注 | 在 FOC 中，本种的拉丁学名被修订为 *Erysimum amurense* Kitagawa。

十字花科 Cruciferae 香花芥属 *Hesperis*

香花芥 *Hesperis trichosepala* Turcz.

香花芥

| 植物别名 |

香芥、香花草。

| 药 材 名 |

香花芥（药用部位：全草或种子）。

| 形态特征 |

二年生草本，高 10 ~ 60cm。茎直立，多为一个，有时数个，不分枝或上部分枝，具疏生单硬毛。基生叶在花期枯萎；茎生叶长圆状椭圆形或窄卵形，长 2 ~ 4cm，宽 3 ~ 18mm，先端急尖，基部楔形，边缘有不等尖锯齿，两面及叶柄有极少毛，叶柄长 5 ~ 10mm。总状花序顶生；花直径约 1cm；花梗长 3 ~ 5mm；萼片直立，长 4 ~ 6mm，外轮 2 片条形，内轮 2 片窄椭圆形，二者先端皆有少数白色长硬毛；花瓣倒卵形，长 1 ~ 1.5mm，基部具线形长爪；花柱极短，柱头显著 2 裂。长角果窄线形，长 3.5 ~ 8cm，宽 0.5 ~ 1mm，无毛，果瓣具 1 明显中脉，果柄水平开展，长 5 ~ 7mm；增粗种子卵形，长约 1mm，浅褐色。花果期 5 ~ 8 月。

| **生境分布** | 生于山坡草地。分布于吉林延边等。

| **资源情况** | 野生资源较丰富。药材主要来源于野生。

| **采收加工** | 夏末秋初果实成熟时采割植株，晒干；搓出种子，除去杂质，晒干。

| **功能主治** | 发汗，利尿。用于风寒表证，小便不利。

十字花科 Cruciferae 独行菜属 Lepidium

独行菜 *Lepidium apetalum* Willd.

| 植物别名 | 无瓣独行菜、羊辣。

| 药 材 名 | 葶苈子（药用部位：种子。别名：北葶苈子）。

| 形态特征 | 一年生或二年生草本，高 5 ~ 30cm。茎直立，有分枝，无毛或具微小头状毛。基生叶窄匙形，1 回羽状浅裂或深裂，长 3 ~ 5cm，宽 1 ~ 1.5cm，叶柄长 1 ~ 2cm；茎上部叶线形，有疏齿或全缘。总状花序在果期可延长至 5cm；萼片早落，卵形，长约 0.8mm，外面有柔毛；花瓣不存或退化成丝状，比萼片短；雄蕊 2 或 4。短角果近圆形或宽椭圆形，扁平，长 2 ~ 3mm，宽约 2mm，先端微缺，上部有短翅，隔膜宽不到 1mm，果柄弧形，长约 3mm；种子椭圆形，长约 1mm，平滑，棕红色。花果期 5 ~ 7 月。

独行菜

| 生境分布 |

生于路边、沟边或村庄附近，喜碱性土壤。吉林各地均有分布。

| 资源情况 |

野生资源丰富。药材主要来源于野生。

| 采收加工 |

同"播娘蒿"。

| 药材性状 |

本品呈扁卵形，长 1 ~ 1.5mm，宽 0.5 ~ 1mm。表面黄棕色或红棕色，微有光泽，具多数细微颗粒状突起，并可见 2 纵列的浅槽，其中 1 条较明显，一端钝圆，另一端渐尖而微凹，种脐位于凹下处，但不明显。无臭，味微苦、辛辣，黏性较强。

| 功能主治 |

同"播娘蒿"。

| 用法用量 |

同"播娘蒿"。

十字花科 Cruciferae 独行菜属 *Lepidium*

密花独行菜 *Lepidium densiflorum* Schrad.

| **药 材 名** | 密花独行菜（药用部位：种子）。

| **形态特征** | 一年生草本，高 10 ~ 30cm。茎单一，直立，上部分枝，具疏生柱状短柔毛。基生叶长圆形或椭圆形，长 1.5 ~ 3.5cm，宽 5 ~ 10mm，先端急尖，基部渐狭，羽状分裂，边缘有不规则深锯齿，叶柄长5 ~ 15mm；茎下部及中部叶长圆状披针形或线形，边缘有不规则缺刻状尖锯齿，有短叶柄；茎上部叶线形，边缘疏生锯齿或近全缘，近无柄；所有叶上面无毛，下面有短柔毛。总状花序有多数密生花，果期伸长；萼片卵形，长约 0.5mm；无花瓣或花瓣退化成丝状，远短于萼片；雄蕊 2。短角果圆状倒卵形，长 2 ~ 2.5mm，先端圆钝，微缺，有翅，无毛；种子卵形，长约 1.5mm，黄褐色，有不明显窄翅。花期 5 ~ 6 月，果期 6 ~ 7 月。

密花独行菜

| 生境分布 |

生于海滨、沙地、农田边或路边。分布于吉林白城、松原（乾安）、延边等。

| 资源情况 |

野生资源较少。药材主要来源于野生。

| 采收加工 |

6～7月种子成熟时，采割植株，晒干，搓出种子，除去杂质。

| 功能主治 |

利尿，平喘。用于咳嗽，水肿。

十字花科 Cruciferae 独行菜属 Lepidium

家独行菜 *Lepidium sativum* Linn.

| **药 材 名** | 家独行菜（药用部位：全草）。

| **形态特征** | 一年生草本，高 20 ~ 40cm。茎单一，直立，有分枝，无毛，常具蓝灰色粉霜。基生叶倒卵状椭圆形，1 回或 2 回羽状全裂或浅裂，少数仅有锯齿；茎生叶线形，羽状多裂，长 2 ~ 3cm，先端急尖，上部叶全缘。总状花序果期伸长；萼片椭圆形，长 1 ~ 1.5mm，背部有短柔毛；花瓣白色或蔷薇色，长圆状匙形，长 1.5 ~ 2mm；雄蕊 6。短角果圆卵形或椭圆形，长 4 ~ 6mm，先端微缺，基部圆形，边缘有翅，花柱长不超过缺口，果柄较粗，长 2 ~ 4mm；种子卵形，长约 2.5mm，红棕色，近光滑，无边，子叶 3 裂。花期 6 ~ 7 月，果期 8 ~ 9 月。

| **生境分布** | 生于沙地、水边、农田边或路边。分布于吉林白城、松原等。

家独行菜

| **资源情况** | 野生资源较少。药材主要来源于野生。

| **采收加工** | 春、夏季采集，鲜用或晒干。

| **功能主治** | 辛，温。祛痰止咳，温中利尿。用于咳嗽，喘息，痰多而稠，呃逆，腹泻，痢疾，腹胀，水肿，小便不利，疥癣。

| **用法用量** | 内服煎汤，6 ~ 15g。外用适量，捣敷；或研末调敷。

十字花科 Cruciferae 诸葛菜属 Orychophragmus

诸葛菜 *Orychophragmus violaceus* (L.) O. E. Schulz

诸葛菜

| 植物别名 |

二月兰、紫金菜、菜子花。

| 药 材 名 |

诸葛菜（药用部位：全草。别名：二月蓝）。

| 形态特征 |

一年生或二年生草本，高 10 ~ 50cm，无毛。茎单一，直立，基部或上部稍有分枝，浅绿色或带紫色。基生叶及下部茎生叶大头羽状全裂，顶裂片近圆形或短卵形，长 3 ~ 7cm，宽 2 ~ 3.5cm，先端钝，基部心形，有钝齿，侧裂片 2 ~ 6 对，卵形或三角状卵形，长 3 ~ 10mm，越向下越小，偶在叶轴上杂有极小裂片，全缘或有牙齿，叶柄长 2 ~ 4cm，疏生细柔毛；上部叶长圆形或窄卵形，长 4 ~ 9cm，先端急尖，基部耳状，抱茎，边缘有不整齐牙齿。花紫色、浅红色或褪成白色，直径 2 ~ 4cm；花梗长 5 ~ 10mm；花萼筒状，紫色，萼片长约 3mm；花瓣宽倒卵形，长 1 ~ 1.5cm，宽 7 ~ 15mm，密生细脉纹，爪长 3 ~ 6mm。长角果线形，长 7 ~ 10cm，具 4 棱，裂瓣有 1 凸出中脊，喙长 1.5 ~ 2.5cm，果柄长 8 ~ 15mm；种子卵形至长圆形，长约 2mm，稍扁平，黑棕色，

有纵条纹。花期 4 ~ 5 月，果期 5 ~ 6 月。

| **生境分布** | 生于平原、山地、路旁或地边。分布于吉林白城、松原等。

| **资源情况** | 野生资源较少。药材主要来源于野生。

| **采收加工** | 春、夏季采收，除去杂质，晒干。

| **功能主治** | 消肿止痛，祛湿，清热解毒。用于疮痈肿毒，湿疹热毒。

十字花科 Cruciferae 萝卜属 *Raphanus*

萝卜

Raphanus sativus L.

萝卜

| 植物别名 |

菜头、白萝卜、莱菔。

| 药 材 名 |

莱菔子（药用部位：种子。别名：萝卜子、芦菔子）。

| 形态特征 |

一年生或二年生草本，高 20 ~ 100cm。直根肉质，长圆形、球形或圆锥形，外皮绿色、白色或红色。茎有分枝，无毛，稍具粉霜。基生叶和下部茎生叶大头羽状半裂，长 8 ~ 30cm，宽 3 ~ 5cm，顶裂片卵形，侧裂片 4 ~ 6 对，长圆形，有钝齿，疏生粗毛，上部叶长圆形，有锯齿或近全缘。总状花序顶生或腋生；花白色或粉红色，直径 1.5 ~ 2cm；花梗长 5 ~ 15mm；萼片长圆形，长 5 ~ 7mm；花瓣倒卵形，长 1 ~ 1.5cm，具紫纹，下部有长 5mm 的爪。长角果圆柱形，长 3 ~ 6cm，宽 10 ~ 12mm，在相当于种子间处缢缩，并形成海绵质横隔；先端喙长 1 ~ 1.5cm；果柄长 1 ~ 1.5cm。种子 1 ~ 6，卵形，微扁，长约 3mm，红棕色，有细网纹。花期 4 ~ 5 月，果期 5 ~ 6 月。

| 生境分布 | 生于田间、地头、田埂边等处。吉林无野生分布。吉林各地均有栽培。

| 资源情况 | 吉林广泛栽培。药材主要来源于栽培。

| 采收加工 | 夏季果实成熟时采割植株，晒干，搓出种子，除去杂质，晒干。

| 药材性状 | 本品呈类卵圆形或椭圆形，稍扁，长 2.5 ～ 4mm，宽 2 ～ 3mm。表面黄棕色、红棕色或灰棕色。一侧有深棕色圆形种脐，另一侧有数条纵沟。种皮薄而脆，子叶 2，黄白色，有油性。气微，味淡、微苦、辛。以粒大、饱满、油性大者为佳。

| 功能主治 | 辛、甘，平。归肺、脾、胃经。消食除胀，降气化痰。用于饮食停滞，脘腹胀痛，大便秘结，积滞泻痢，痰壅喘咳。

| 用法用量 | 内服煎汤，4.5 ～ 9g；或入丸、散，宜炒用。外用适量，研末调敷。

| 附　注 | （1）萝卜在吉林的药用历史较久。在《吉林通志》（1891）、《吉林志书·吉林分巡道造送会典馆清册》（1902）、《榆树县志》（1943）等 10 余部地方志中均有关于萝卜的记载。
（2）莱菔子市场价格平稳，走销顺畅。吉林萝卜资源分布虽广，但都是作为蔬菜进行种植，种植时间较晚。吉林无莱菔子药材商品产出。

十字花科 Cruciferae 蔊菜属 Rorippa

风花菜
Rorippa globosa (Turcz.) Hayek

| 植物别名 | 银条菜、圆果蔊菜、球果蔊菜。

| 药 材 名 | 风花菜（药用部位：全草）。

| 形态特征 | 一年生或二年生直立粗壮草本，高 20 ～ 80cm，植株被白色硬毛或近无毛。茎单一，基部木质化，下部被白色长毛，上部近无毛分枝或不分枝；茎下部叶具柄，上部叶无柄，叶片长圆形至倒卵状披针形，长 5 ～ 15cm，宽 1 ～ 2.5cm，基部渐狭，下延成短耳状而半抱茎，边缘具不整齐粗齿，两面被疏毛，尤以叶脉为显。总状花序多数，呈圆锥花序式排列，果期伸长；花小，黄色，具细梗，长 4 ～ 5mm；萼片 4，长卵形，长约 1.5mm，开展，基部等大，边缘膜质；花瓣 4，倒卵形，与萼片等长或稍短于萼片，基部渐狭成短爪；雄蕊 6，四强或近于等长。短角果实近球形，直径约 2mm，果瓣隆起，平滑

风花菜

无毛，有不明显网纹，先端具宿存短花柱，果柄纤细，呈水平开展或稍向下弯，长 4 ~ 6mm；种子多数，淡褐色，极细小，扁卵形，一端微凹，子叶缘倚胚根。花期 4 ~ 6 月，果期 7 ~ 9 月。

| **生境分布** | 生于湿地、排水沟渠、水田埂旁和干涸的水田中，也生于干旱处。具有耐水、抗盐碱、耐污染等特性。在河滩漫水条件下，只要水深未淹没基顶，淹水的茎枝迅速发育并生出水生根，上部枝叶滋生很快；在湿地或季节性积水的陆地生境中长势强，局部能形成优势群落，在污水渠边也能形成群落。分布于吉林延边、通化（集安）、松原（扶余）、长春等。

| **资源情况** | 野生资源丰富。药材主要来源于野生。

| **采收加工** | 夏、秋季采收，除去泥土及杂质，晒干。

| **药材性状** | 本品长 15 ~ 30cm，淡绿色。根长而弯曲，直径 2 ~ 5mm；表面淡黄色，有不规则纵皱纹及须根痕，茎近基部有分枝，淡绿色，有时紫红色。叶多卷曲，皱缩或已破碎脱落；完整叶片展平后呈长椭圆形或宽披针形，先端渐尖，呈大头羽状分裂。总状花序顶生或侧生，花小，黄色，长角果线形，稍弯曲，长 1 ~ 2cm，种子多数，每室 2 列。无臭，味淡。

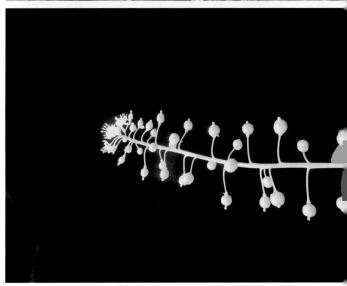

| **功能主治** | 辛，凉。清热解毒，镇咳利尿，利水消肿，活血通经。用于乳痈，月经不调，咳嗽咳痰，小便不利，痛经。

十字花科 | Cruciferae | 葶菜属 | Rorippa

沼生葶菜
Rorippa islandica (Oed.) Borb.

| **植物别名** | 风花菜、黄花荠菜、水荠菜。

| **药 材 名** | 水前草（药用部位：全草。别名：水萝卜、葶菜、叶香）。

| **形态特征** | 一年生或二年生草本，高（10 ~ ）20 ~ 50cm，光滑无毛或稀有单毛。茎直立，单一或分枝，下部常带紫色，具棱。基生叶多数，具柄，叶片羽状深裂或大头羽裂，长圆形至狭长圆形，长 5 ~ 10cm，宽 1 ~ 3cm，裂片 3 ~ 7 对，边缘不规则浅裂或呈深波状，先端裂片较大，基部耳状抱茎，有时有缘毛；茎生叶向上渐小，近无柄，叶片羽状深裂或具齿，基部耳状抱茎。总状花序顶生或腋生，果期伸长，花小，多数，黄色或淡黄色，具纤细花梗，长 3 ~ 5mm；萼片长椭圆形，长 1.2 ~ 2mm，宽约 0.5mm；花瓣长倒卵形至楔形，等于或稍短于萼片；雄蕊 6，近等长，花丝线状。短角果椭圆形或近圆柱形，

沼生葶菜

有时稍弯曲，长 3 ~ 8mm，宽 1 ~ 3mm，果瓣肿胀；种子每室 2 行，多数，褐色，细小，近卵形而扁，一端微凹，表面具细网纹，子叶缘倚胚根。花期 4 ~ 7月，果期 6 ~ 8 月。

| 生境分布 | 生于近水处、溪岸、路旁、田边、山坡草地或草场。吉林各地均有分布。

| 资源情况 | 野生资源丰富。药材主要来源于野生。

| 采收加工 | 夏、秋季采收，除去泥土及杂质，晒干。

| 药材性状 | 本品茎表面黄绿色，基部带紫色，具数条棱线；断面髓部类白色。叶多皱缩破碎，完整的基生叶羽状深裂，侧裂片 3 ~ 7 对，裂片宽披针形或条形，边缘具疏齿，表面黄绿色，有长柄；茎生叶稍小，基部耳状抱茎。短角果圆柱形或椭圆形，稍弯曲，长 4 ~ 6mm，果爿肿胀，绿褐色。种子近卵圆形而扁，长 0.8 ~ 1mm，褐色，具细网纹。气微，味辛。

| 功能主治 | 辛，凉。归肝、膀胱经。清热解毒，镇咳利尿，利水消肿，活血通经。用于咽喉痛，风热感冒，肝炎，水肿，肺热咳喘，肺炎，结膜炎，淋证，膀胱结石，关节痛，痘疹，小儿惊风，痈肿，烫火伤。

| 用法用量 | 内服煎汤，6 ~ 15g。外用适量，捣敷。

| 附　注 | （1）在 FOC 中，本种的拉丁学名被修订为 *Rorippa palustris* (Linnaeus) Besser。
（2）本种幼苗为民间食用的荠菜的一种，习称"大根荠菜""水荠菜"。

十字花科 Cruciferae 白芥属 Sinapis

白芥 *Sinapis alba* L.

白芥

|药材名|

白芥子（药用部位：成熟种子。别名：芥子、芥菜子）、白芥（药用部位：嫩茎叶。别名：胡芥、蜀芥）。

|形态特征|

一年生草本，高达75（~100）cm。茎直立，有分枝，具稍外折硬单毛。下部叶大头羽裂，长5~15cm，宽2~6cm，有2~3对裂片，顶裂片宽卵形，长3.5~6cm，宽3.5~4.5cm，常3裂，侧裂片长1.5~2.5cm，宽5~15mm，顶裂片和侧裂片先端皆圆钝或急尖，基部和叶轴会合，边缘有不规则粗锯齿，两面粗糙，有柔毛或近无毛，叶柄长1~1.5cm；上部叶卵形或长圆卵形，长2~4.5cm，边缘有缺刻状裂齿，叶柄长3~10mm。总状花序有多数花，果期长达30cm，无苞片；花淡黄色，直径约1cm；花梗开展或稍外折，长5~14mm；萼片长圆形或长圆状卵形，长4~5mm，无毛或稍有毛，具白色膜质边缘；花瓣倒卵形，长8~10mm，具短爪。长角果近圆柱形，长2~4cm，宽3~4mm，直立或弯曲，具糙硬毛，果瓣有3~7平行脉；喙稍扁压，剑状，长6~15mm，常弯曲，向先端渐细，有0~1种子；种子每室1~4，球形，直径约 2mm，黄棕色，有细窝穴。花果期 6 ～ 8 月。

| **生境分布** | 生于路旁、田间等排水良好的砂壤土。分布于吉林白山、通化等。吉林部分地区有栽培。

| **资源情况** | 野生资源较少。药材主要来源于栽培。

| **采收加工** | 白芥子：夏末秋初果实成熟时采割植株，晒干，打下种子，除去杂质。
白芥：秋季采收，除去泥土及杂质，晒干。

| **药材性状** | 白芥子：本品呈球形，直径 1.5 ～ 2.5mm。表面灰白色至淡黄色，具细微的网纹，有明显的点状种脐。种皮薄而脆，破开后内有白色折叠的子叶，有油性。气微，味辛辣。以子粒饱满、大小均匀、黄色或红棕色者为佳。
白芥：本品叶片多皱缩破碎，完整叶倒卵形，长 3 ～ 10cm，大头羽裂或近全缘，先端裂片较大，两侧裂片 1 ～ 3 对，边缘波状或具疏齿。表面墨绿色、黄绿色或枯黄色，稍粗糙，有类白色粗毛。质脆易碎，受潮变软。气微，搓之有辛辣气。

| **功能主治** | 白芥子：辛，温。归肺、肝、脾、胃、心包经。温肺豁痰利气，散结通络止痛。用于寒痰咳嗽，胸胁胀痛，痰滞经络，关节麻木、疼痛，痰湿流注，阴疽肿毒。
白芥：辛，温。归肺经。温中散寒，利气化痰。用于脘腹冷痛，咳嗽痰喘。

| **用法用量** | 白芥子：内服煎汤，3 ～ 10g；或入丸、散。外用适量，研末调敷；治喘咳宜敷贴背部肺俞、心俞、膈俞。
白芥：内服适量，煮食。

十字花科 Cruciferae 大蒜芥属 Sisymbrium

钻果大蒜芥
Sisymbrium officinale (L.) Scop.

钻果大蒜芥

| 药 材 名 |

钻果大蒜芥（药用部位：全草）。

| 形态特征 |

一年生或二年生草本，高 20～90cm。茎直立，上部分枝，枝展开。叶具柄，茎下部的叶柄长 1.5～3.5cm，向上渐短或无柄；下部的叶片大头羽状深裂，长 3～9cm，宽 2～5cm，向上渐小，先端裂片下部的宽长圆形，有不规则的大齿，向上渐窄，成条状或披针形，基部常与侧裂片汇合；侧裂片 1～2 对，先端有不规则锯齿，基部全缘；叶下面有长而硬的单毛，尤以叶脉上为多。花序呈伞房状，果期极伸长；花梗长约 2mm，具毛；萼片直立，卵状长圆形，长约 2mm，先端钝；花瓣黄色，倒卵形至窄倒卵状楔形，长 2～4mm。长角果钻形，长 10～15mm，基部宽约 1.5mm，花柱长 2～4mm，果柄长 1.5～2mm，贴近花序轴，长角果与果柄均具短单毛。花期 5～6 月。

| 生境分布 |

生于田间、路旁、杂草地或耕地。吉林各地均有分布。

| **资源情况** | 野生资源较少。药材主要来源于野生。

| **采收加工** | 夏、秋季采收，除去泥土及杂质，晒干。

| **功能主治** | 利尿通淋。用于石淋。

十字花科 Cruciferae 菥蓂属 Thlaspi

菥蓂 *Thlaspi arvense* L.

菥蓂

| 植物别名 |

遏兰菜、败酱、布郎鼓。

| 药材名 |

菥蓂（药用部位：全草。别名：败酱草、苏败酱、遏蓝菜）、菥蓂子（药用部位：种子）。

| 形态特征 |

一年生草本，高 9 ~ 60cm，无毛。茎直立，不分枝或分枝，具棱。基生叶倒卵状长圆形，长 3 ~ 5cm，宽 1 ~ 1.5cm，先端圆钝或急尖，基部抱茎，两侧箭形，边缘具疏齿；叶柄长 1 ~ 3cm。总状花序顶生；花白色，直径约 2mm；花梗细，长 5 ~ 10mm；萼片直立，卵形，长约 2mm，先端圆钝；花瓣长圆状倒卵形，长 2 ~ 4mm，先端圆钝或微凹。短角果倒卵形或近圆形，长 13 ~ 16mm，宽 9 ~ 13mm，扁平，先端凹入，边缘有翅宽约 3mm；种子每室 2 ~ 8，倒卵形，长约 1.5mm，稍扁平，黄褐色，有同心环状条纹。花期 3 ~ 4 月，果期 5 ~ 6 月。

| 生境分布 |

生于林缘、草地、平地路旁、沟边或村落附近。吉林各地均有分布。

| 资源情况 | 野生资源丰富。药材主要来源于野生。

| 采收加工 | 5～6月果实成熟时采收全草，晒干。打下种子，晒干，扬净。

| 药材性状 | 菥蓂：本品根细长圆锥形；表面灰黄色；质硬脆，易折断，折断面不平坦。茎圆柱形，直径1～5mm；表面灰黄色或灰绿色，有细纵棱；质脆易折断，折断面中央有白色疏松的髓。叶多碎落。总状花序生于整枝先端及叶腋。短角果卵圆形而扁平，长0.8～1.5cm，宽0.5～1.3cm；表面灰黄色或灰绿色，中央略隆起，边缘有宽翅，宽1.5～3mm，两面中央各有1纵棱线，先端凹陷，基部有细果柄，长约1cm；假隔膜纵分成2室，每室有种子5～7，果实开裂后，留下1纺锤形的白色膜状中隔。气微，味淡。以果实完整、色黄绿者为佳。

菥蓂子：本品呈扁圆形，长约1.8mm，宽约1.2mm；表面棕黑色，两面各有5～7凸起偏心性环纹，基部尖，并有小凹。种皮薄，无胚乳。气微，味淡。

| 功能主治 | 菥蓂：苦、甘，平。归肝、肾经。清热解毒，利湿消肿，和中开胃。用于阑尾炎，肺脓疡，痈疖肿毒，丹毒，子宫内膜炎，带下，肾炎，肝硬化腹水，小儿消化不良。

菥蓂子：辛，微温。归肝、脾、肾经。祛风除湿，和胃止痛。用于风湿性关节炎，腰痛，急性结膜炎，胃痛，肝炎。

| 用法用量 | 菥蓂：内服煎汤，10～30g，鲜品加倍。

菥蓂子：内服煎汤，5～15g。

| 附　注 | 吉林产少量菥蓂药材商品，多为自产自销。

十字花科 Cruciferae 菥蓂属 Thlaspi

山菥蓂 *Thlaspi thlaspidioides* (Pall.) Kitag.

| 植物别名 | 山遏蓝菜。

| 药 材 名 | 山菥蓂（药用部位：全草）。

| 形态特征 | 多年生草本，高 7 ~ 30cm，无毛。根茎直径 3 ~ 4mm，有残存叶基。茎多数，直立。基生叶莲座状，匙形或长圆状倒卵形，长 1.5 ~ 2cm，宽 5 ~ 8mm，先端圆形，基部渐狭，近全缘或疏生数枚浅锯齿，叶柄长 1 ~ 1.5cm；茎生叶卵状心形，长 1 ~ 1.5cm，抱茎，先端急尖，全缘或有不明显锯齿。总状花序在果期长达 16cm；花白色，直径 4 ~ 5mm；花梗长 3 ~ 5mm；萼片卵形，长 2 ~ 3mm；花瓣倒卵形，长 4mm，先端稍凹缺。短角果长圆状倒卵形，长 7 ~ 10mm，宽 2 ~ 4mm，先端稍凹缺，略有翅，具 1 明显中脉；花柱长 1 ~ 2mm；果柄长约 1cm，水平开展或斜上。种子每室 3 ~ 4，卵形，长 1 ~ 1.5mm，

山菥蓂

棕色。花果期 6 ～ 7 月。

| **生境分布** | 生于湿润草原和坡林下。以长白山区为主要分布区域，分布于吉林延边、白山、通化、吉林、辽源（东丰）等。

| **资源情况** | 野生资源较少。药材主要来源于野生。

| **采收加工** | 5 ～ 8 月果实成熟时采割，除去杂质，干燥。

| **功能主治** | 清肝明目，利水消肿，解毒。用于目赤肿痛，视物昏花，水肿。

| **附　　注** | 在 FOC 中，本种的拉丁学名被修订为 *Thlaspi cochleariforme* de Candolle。

金缕梅科 Hamamelidaceae 檵木属 Loropetalum

红花檵木 *Loropetalum chinense* Oliver var. *rubrum* Yieh

| 植物别名 | 红檵花、红桎木、红檵木。

| 药 材 名 | 檵木（药用部位：根、叶、花）。

| 形态特征 | 灌木，有时为小乔木。多分枝，小枝有星毛。叶革质，卵形，长 2 ~ 5cm，
宽 1.5 ~ 2.5cm，先端尖锐，基部钝，不等侧，上面略有粗毛或秃净，
干后暗绿色，无光泽，下面被星毛，稍带灰白色，侧脉约 5 对，在
上面明显，在下面凸起，全缘；叶柄长 2 ~ 5mm，有星毛；托叶膜质，
三角状披针形，长 3 ~ 4mm，宽 1.5 ~ 2mm，早落。花 3 ~ 8 簇生，
有短花梗，紫红色，长 2cm，比新叶先开放，或与嫩叶同时开放，
花序柄长约 1cm，被毛；苞片线形，长 3mm；萼筒杯状，被星毛，
萼齿卵形，长约 2mm，花后脱落；花瓣 4，带状，长 1 ~ 2mm，先
端圆或钝；雄蕊 4，花丝极短，药隔突出成角状，退化雄蕊 4，鳞片状，

红花檵木

与雄蕊互生；子房完全下位，被星毛；花柱极短，长约 1mm；胚珠 1，垂生于心皮内上角。蒴果卵圆形，长 7 ~ 8mm，宽 6 ~ 7mm，先端圆，被褐色星状绒毛，萼筒长为蒴果的 2/3；种子圆卵形，长 4 ~ 5mm，黑色，发亮。花期 3 ~ 4 月。

| **生境分布** | 生于向阳的丘陵或山地，亦常出现在马尾松林或杉林下。吉林无野生分布。吉林部分地区有栽培。

| **资源情况** | 吉林偶见栽培。药材主要来源于栽培。

| **采收加工** | 全年均可采收根、叶，晒干。清明前后采收花，鲜用或晒干。

| **功能主治** | 甘、涩，平。清热止咳，收敛止血。用于肺热咳嗽，咯血，鼻衄，便血，痢疾，泄泻，崩漏。

| **用法用量** | 内服煎汤，6 ~ 10g。外用适量，研末撒；或鲜品揉团塞鼻。

景天科 Crassulaceae 落地生根属 Bryophyllum

落地生根 *Bryophyllum pinnatum* (L. f.) Oken

落地生根

| 植物别名 |

打不死。

| 药 材 名 |

落地生根（药用部位：全草。别名：打不死、脚目草）。

| 形态特征 |

多年生草本，高 40 ～ 150cm。茎有分枝。羽状复叶，长 10 ～ 30cm，小叶长圆形至椭圆形，长 6 ～ 8cm，宽 3 ～ 5cm，先端钝，边缘有圆齿，圆齿底部容易生芽，芽长大后落地即成一新植物；小叶柄长 2 ～ 4cm。圆锥花序顶生，长 10 ～ 40cm；花下垂，花萼圆柱形，长 2 ～ 4cm；花冠高脚蝶形，长达 5cm，基部稍膨大，向上成管状，裂片 4，卵状披针形，淡红色或紫红色；雄蕊 8，着生花冠基部，花丝长；鳞片近长方形；心皮 4。蓇葖果包在花萼及花冠内；种子小，有条纹。花期 1 ～ 3 月。

| 生境分布 |

生于庭院。吉林无野生分布。吉林部分地区有栽培。

| **资源情况** | 吉林偶见栽培。药材主要来源于栽培。

| **采收加工** | 全年均可采收，多鲜用。

| **功能主治** | 淡、微酸，凉。解毒消肿，活血止痛，拔毒生肌。外用于痈疮肿毒，乳腺炎，丹毒，痈疽，外伤出血，跌打损伤，骨折，烫火伤，中耳炎。

| **用法用量** | 鲜品适量，捣敷患处；或绞汁滴耳。

景天科 Crassulaceae 八宝属 Hylotelephium

八宝 Hylotelephium erythrostictum (Miq.) H. Ohba

| 植物别名 | 对叶景天、八宝景天。

| 药 材 名 | 八宝景天（药用部位：全草）、景天花（药用部位：花）。

| 形态特征 | 多年生草本。块根胡萝卜状。茎直立，高 30 ~ 70cm，不分枝。叶对生，少有互生或 3 叶轮生，长圆形至卵状长圆形，长 4.5 ~ 7cm，宽 2 ~ 3.5cm，先端急尖或钝，基部渐狭，边缘有疏锯齿，无柄。伞房状花序顶生；花密生，直径约 1cm，花梗稍短或同长；萼片 5，卵形，长 1.5mm；花瓣 5，白色或粉红色，宽披针形，长 5 ~ 6mm，渐尖；雄蕊 10，与花瓣等长或稍短于花瓣，花药紫色；鳞片 5，长圆状楔形，长 1mm，先端有微缺；心皮 5，直立，基部几分离。花期 8 ~ 9 月，果期 9 ~ 10 月。

八宝

| **生境分布** | 生于山坡草丛、石缝中或沟边湿地等。分布于吉林延边（安图、珲春、敦化、汪清）、白山（抚松、长白、临江）等。

| **资源情况** | 野生资源较少。药材主要来源于野生。

| **采收加工** | 景天：7～8月采收，除去杂质，鲜用或晒干。
景天花：7～8月花期采摘，晒干。

| **功能主治** | 景天：苦、酸，寒。归心、肝、肾、大肠经。清热解毒，散瘀消肿，止血。用于咽喉痛，吐血，瘾疹；外用于疔疮肿毒，缠腰火丹，脚癣，毒蛇咬伤，烫火伤。
景天花：苦，寒。清热利湿，明目，止痒。用于赤白带下，火眼赤肿，风疹瘙痒。

| **用法用量** | 景天：内服煎汤，15～30g，鲜品50～100g；或捣汁。外用适量，捣敷；或取汁涂、滴眼；或研粉调搽；或煎汤洗。
景天花：慢火焙干，研为细散，3～6g。

景天科 Crassulaceae 八宝属 *Hylotelephium*

白八宝

Hylotelephium pallescens (Freyn) H. Ohba

白八宝

| 植物别名 |

白花景天、长茎景天、白景天。

| 药 材 名 |

白八宝（药用部位：全草）。

| 形态特征 |

多年生草本。根茎短，直立。根束生。茎直立，高 20 ~ 60（~ 100）cm。叶互生，有时对生，长圆状卵形或椭圆状披针形，长 3 ~ 7（~ 10）cm，宽 7 ~ 25（~ 40）mm，先端圆，基部楔形，几无柄，全缘或上部有不整齐的波状疏锯齿，叶面有多数红褐色斑点。复伞房花序，顶生，长达 10cm，宽达 13cm，分枝密；花梗长 2 ~ 4mm；萼片 5，披针状三角形，长 1 ~ 2mm，先端急尖；花瓣 5，白色至浅红色，直立，披针状椭圆形，长 4 ~ 8mm，宽 1.8mm，先端急尖；雄蕊 10，对瓣的稍短，对萼的与花瓣等长或稍长于花瓣；鳞片 5，长方状楔形，长 1mm，先端有微缺。蓇葖果直立，披针状椭圆形，长约 5mm，基部渐狭，分离，喙短，线形；种子狭长圆形，长 1 ~ 1.2mm，褐色。花期 7 ~ 9 月，果期 8 ~ 9 月。

| 生境分布 | 生于林下、林缘、湿甸、草地、河边石砾滩子。以长白山区为主要分布区域，分布于吉林延边、白山、通化、吉林、辽源（东丰）等。

| 资源情况 | 野生资源较少。药材主要来源于野生。

| 采收加工 | 夏、秋季采收，除去泥土及杂质，晒干。

| 功能主治 | 清热解毒，镇静止痛。用于咽喉肿痛，口舌生疮。

景天科 Crassulaceae 八宝属 Hylotelephium

长药八宝 Hylotelephium spectabile (Bor.) H. Ohba

长药八宝

| 植物别名 |

长药景天、石头菜、蝎子掌。

| 药 材 名 |

石头菜（药用部位：全草）。

| 形态特征 |

多年生草本。茎直立，高 30 ~ 70cm。叶对生，或 3 叶轮生，卵形至宽卵形，或长圆状卵形，长 4 ~ 10cm，宽 2 ~ 5cm，先端急尖或钝，基部渐狭，全缘或多少有波状牙齿。花序大型，伞房状，顶生，直径 7 ~ 11cm；花密生，直径约 1cm，萼片 5，线状披针形至宽披针形，长 1mm，渐尖；花瓣 5，淡紫红色至紫红色，披针形至宽披针形，长 4 ~ 5mm，雄蕊 10，长 6 ~ 8mm，花药紫色；鳞片 5，长方形，长 1 ~ 1.2mm，先端有微缺；心皮 5，狭椭圆形，长 4.2mm，花柱长 1.2mm。蓇葖果直立。花期 8 ~ 9 月，果期 9 ~ 10 月。

| 生境分布 |

生于低山多石山坡上、林下、林缘、湿甸、草地。以长白山区为主要分布区域，分布于吉林延边、白山、通化、吉林、辽源（东丰）等。

| **资源情况** | 野生资源较丰富。药材主要来源于野生。

| **采收加工** | 春、夏季采收，鲜用或晒干。

| **功能主治** | 苦，凉。清热解毒，消肿止痛。用于疔疮，痈肿，烫火伤，蜂蜇伤。

| **用法用量** | 内服煎汤，3 ~ 9g。外用适量，鲜嫩叶捣汁敷。

景天科 Crassulaceae 八宝属 *Hylotelephium*

轮叶八宝

Hylotelephium verticillatum (L.) H. Ohba

轮叶八宝

| 植物别名 |

轮叶景天、还魂草、打不死。

| 药 材 名 |

轮叶八宝（药用部位：全草。别名：楼台还阳）。

| 形态特征 |

多年生草本。须根细。茎高 40 ~ 500cm，直立，不分枝。4 叶，少有 5 叶轮生，下部的常为 3 叶轮生或对生，叶比节间长，长圆状披针形至卵状披针形，长 4 ~ 8cm，宽 2.5 ~ 3.5cm，先端急尖或钝，基部楔形，边缘有整齐的疏牙齿，叶下面常带苍白色，叶有柄。聚伞状伞房花序顶生；花密生，顶半圆球形，直径 2 ~ 6cm；苞片卵形；萼片 5，三角状卵形，长 0.5 ~ 1mm，基部稍合生；花瓣 5，淡绿色至黄白色，长圆状椭圆形，长 3.5 ~ 5mm，先端急尖，基部渐狭，分离；雄蕊 10，对萼的较花瓣稍长，对瓣的稍短；鳞片 5，线状楔形，长约 1mm，先端有微缺；心皮 5，倒卵形至长圆形，长 2.5 ~ 5mm，有短柄，花柱短。种子狭长圆形，长 0.7mm，淡褐色。花期 7 ~ 8 月，果期 9 月。

| **生境分布** | 生于山坡草丛中或沟边阴湿处。分布于吉林延边、白山、通化等。 |

| **资源情况** | 野生资源较少。药材主要来源于野生。 |

| **采收加工** | 夏、秋季采收，鲜用或晒干。 |

| **功能主治** | 苦、涩，凉。活血化瘀，解毒消肿，止痛，止血。用于劳伤腰痛，金疮出血，痈肿疔毒，蛇虫咬伤，无名肿毒，蝎螫伤。 |

| **用法用量** | 内服煎汤，6 ~ 12g；或泡酒服。外用适量，捣敷；或绞汁涂。 |

景天科 Crassulaceae 八宝属 *Hylotelephium*

珠芽八宝

Hylotelephium viviparum (Maxim.) H. Ohba

珠芽八宝

| 植物别名 |

珠芽景天、小箭草。

| 药 材 名 |

珠芽半枝（药用部位：全草）。

| 形态特征 |

多年生草本。须根短。茎高 15 ~ 60cm，单
生或数条着生，直立，不分枝。3 ~ 4 叶轮
生，叶比节间短，卵状披针形或卵状长圆形，
长 2 ~ 4cm，宽 7 ~ 12mm，先端渐尖，钝，
基部渐狭，在叶腋有带白色肉质的芽，边缘
有疏浅牙齿，几无柄，细脉明显，叶被面绿
色。聚伞状伞房花序，花密生，顶半圆球形；
苞片似叶而小；萼片 5，卵形，长 1mm；花
瓣 5，黄白色或黄绿色，卵形或长圆形，长
3mm，宽 1.5mm，先端尖；雄蕊 10，对萼
的与花瓣等长或稍长，对瓣的稍短，花药球
形，黄色；鳞片 5，线状楔形，长 0.7mm；
心皮 5，宽卵形，长 2mm，花柱线形，基部
狭，入于短柄。花期 8 ~ 9 月。

| 生境分布 |

生于山坡林下石上、林缘、湿甸、草地。以
长白山区为主要分布区域，分布于吉林延边、

白山、通化、吉林、辽源（东丰）等。

| **资源情况** | 野生资源较少。药材主要来源于野生。

| **采收加工** | 夏、秋季采收，除去泥土及杂质，鲜用或晒干。

| **功能主治** | 辛、涩，温。清热解毒，利水消肿，养肝明目，散寒理气止痛，消肿止血，截疟。用于水肿，小便不利，肝郁气滞，胸胁疼痛，出血，疟疾。

| **用法用量** | 内服煎汤，12 ~ 24g。

景天科 Crassulaceae 瓦松属 Orostachys

狼爪瓦松 *Orostachys cartilagineus* A. Bor.

| **植物别名** | 瓦松。

| **药 材 名** | 辽瓦松（药用部位：地上部分。别名：干滴落、酸塔、酸溜溜）。

| **形态特征** | 二年生或多年生草本。莲座叶长圆状披针形，先端有软骨质附属物，背凸出，白色，全缘，先端中央有白色软骨质的刺。花茎不分枝，高 10 ~ 35cm。茎生叶互生，线形或披针状线形，长 1.5 ~ 3.5cm，宽 2 ~ 4mm，先端渐尖，有白色软骨质的刺，无柄。总状花序圆柱形，紧密多花，高 10 ~ 30cm，苞片线形至线状披针形，与花等长或稍长，先端有刺；花梗与花等长或稍长，萼片 5，狭长圆状披针形，长 2mm，有斑点，先端呈软骨质；花瓣 5，白色，长圆状披针形，长 5 ~ 6mm，宽 2mm，基部稍合生，先端急尖；雄蕊 10，较花瓣稍短，鳞片 5，近四方形，长 6 ~ 7mm，有短梗，喙丝状。种子线

狼爪瓦松

状长圆形，长 0.5mm，褐色。花果期 9 ~ 10 月。

| 生境分布 |

生于低山山坡上、山坡林下、碎石砂岗地。分布于吉林延边、白山、通化、白城（洮南）、松原（乾安）等。

| 资源情况 |

野生资源较少。药材主要来源于野生。

| 采收加工 |

夏、秋季采收，除去泥土及杂质，鲜用或晒干。

| 功能主治 |

酸，平；有毒。归肝、大肠经。凉血止痢，解毒敛疮。用于泻痢，便血，痔疮出血，崩漏，痈肿疮毒，烫火伤。

| 用法用量 |

内服煎汤，1.5 ~ 3g。外用适量，鲜品捣敷；或研末撒。

景天科 Crassulaceae 瓦松属 Orostachys

瓦松
Orostachys fimbriatus (Turcz.) Berger

| 植物别名 | 瓦花、向天草。

| 药 材 名 | 瓦松（药用部位：全草。别名：瓦花、瓦塔、狗指甲）。

| 形态特征 | 二年生草本。一年生莲座丛的叶短；莲座叶线形，先端增大，为白色软骨质，半圆形，有齿。二年生花茎一般高 10 ～ 20cm，小的只高 5cm，高的有时达 40cm。叶互生，疏生，有刺，线形至披针形，长可达 3cm，宽 2 ～ 5mm。花序总状，紧密，或下部分枝，可呈宽 20cm 的金字塔形；苞片线状渐尖；花梗长达 1cm；萼片 5，长圆形，长 1 ～ 3mm；花瓣 5，红色，披针状椭圆形，长 5 ～ 6mm，宽 1.2 ～ 1.5mm，先端渐尖，基部 1mm 合生；雄蕊 10，与花瓣等长或比花瓣稍短，花药紫色；鳞片 5，近四方形，长 0.3 ～ 0.4mm，先端稍凹。蓇葖果 5，长圆形，长 5mm，喙细，长 1mm；种子多数，卵形，

瓦松

细小。花期 8 ~ 9 月，果期 9 ~ 10 月。

| 生境分布 | 生于山坡石上或屋瓦上。分布于吉林白城（洮南）、延边（敦化）、松原（扶余）、白山（抚松、长白、临江）等。

| 资源情况 | 野生资源较少。药材主要来源于野生。

| 采收加工 | 夏、秋季采收，用开水烫后晒干或鲜用。

| 药材性状 | 本品茎呈黄褐色或暗棕褐色，长 12 ~ 20cm，上有多数叶脱落后的疤痕，交互连接成棱形花纹。叶灰绿色或黄褐色，皱缩卷曲，多已脱落，长 12 ~ 15mm，宽约 3mm，茎上部叶间带有小花，呈红褐色，小花柄长短不一。质轻脆，易碎。气微，味酸。

| 功能主治 | 酸、苦，凉；有大毒。归肝、肺经。凉血止血，解毒敛疮。用于血痢，便血，痔血，疮口久不愈合。

| 用法用量 | 内服煎汤，5 ~ 15g；或捣汁；或入丸剂。外用适量，捣敷；或煎汤熏洗；或研末调敷。

景天科 Crassulaceae 瓦松属 Orostachys

钝叶瓦松

Orostachys malacophylla (Pall.) Fisch.

| 药 材 名 | 瓦松（药用部位：全草。别名：瓦花、瓦塔、狗指甲）。

| 形态特征 | 二年生草本。第一年植株有莲座丛；莲座叶先端不具刺，先端钝或短渐尖，长圆状披针形、倒卵形、长椭圆形至椭圆形，全缘。第三年自莲座丛中抽出花茎，花茎高 10 ~ 30cm。茎生叶互生，近生，较莲座叶为大，长达 7cm，钝。花序紧密，总状，有时穗状，有时有分枝；苞片匙状卵形，常啮蚀状，上部的短渐尖；花常无梗；萼片 5，长圆形，长 3 ~ 4mm，急尖；花瓣 5，白色或带绿色，长圆形至卵状长圆形，长 4 ~ 6mm，边缘上部常带啮蚀状，基部 1 ~ 1.4mm 合生；雄蕊 10，较花瓣长，花药黄色；鳞片 5，线状长方形，长 0.3mm，先端有微缺，心皮 5，卵形，长 4.5mm，两端渐尖，花柱长 1mm。种子卵状长圆形，长 0.8mm，有纵条纹。花期 7 月，果期 8 ~ 9 月。

钝叶瓦松

| 生境分布 |

生于山坡林下、碎石砂岗地。分布于吉林延边（安图）、白山（抚松、长白、浑江）等。

| 资源情况 |

野生资源较少。药材主要来源于野生。

| 采收加工 |

同"瓦松"。

| 功能主治 |

同"瓦松"。

| 用法用量 |

同"瓦松"。

| 附　　注 |

本种为吉林省Ⅱ级重点保护野生植物。

景天科 Crassulaceae 瓦松属 Orostachys

黄花瓦松
Orostachys spinosus (L.) C. A. Mey.

| 药 材 名 | 瓦松（药用部位：地上部分。别名：瓦花、瓦塔、狗指甲）。

| 形态特征 | 二年生草本。第一年有莲座丛，密被叶，莲座叶长圆形，先端有半圆形、白色、软骨质的附属物，中央有长 2 ~ 4mm、白色、软骨质的刺。花茎高 10 ~ 30cm；叶互生，宽线形至倒披针形，长 1 ~ 3cm，宽 2 ~ 5mm，先端渐尖，有软骨质的刺，基部无柄。花序顶生，狭长，穗状或呈总状，长 5 ~ 20cm；花梗长 1mm，或无梗；苞片披针形至长圆形，长达 4mm，有刺尖；萼片 5，卵状长圆形，长 2 ~ 3mm，先端渐尖，有刺尖，有红色斑点；花瓣 5，黄绿色，卵状披针形，长 5 ~ 7mm，宽 1.5mm，基部 1mm 处合生，先端渐尖；雄蕊 10，较花瓣稍长，花药黄色；鳞片 5，近正方形，长 0.7mm，先端有微缺。蓇葖果 5，椭圆状披针形，长 5 ~ 6mm，直立，基部狭，喙长 1.5mm；

黄花瓦松

种子长圆状卵形，长 0.8 ~ 1mm。花期 7 ~ 8 月，果期 9 月。

| 生境分布 | 生于山坡石缝中。分布于吉林延边、白山、通化、长春、吉林、辽源等。

| 资源情况 | 野生资源较少。药材主要来源于野生。

| 采收加工 | 同"瓦松"。

| 功能主治 | 同"瓦松"。

| 用法用量 | 同"瓦松"。

| 景天科 | Crassulaceae | 红景天属 | Rhodiola

长白红景天
Rhodiola angusta Nakai

| **植物别名** | 长白景天、乌苏里红景天。

| **药 材 名** | 长白红景天（药用部位：全草）。

| **形态特征** | 多年生草本。主根常不分枝。根颈直立，细长，直径 5 ~ 7mm，残留老枝少数，先端被三角形鳞片。花茎直立，长 3.5 ~ 10cm，稻秆色，密着叶。叶互生，线形，长 1 ~ 2cm，宽 1 ~ 2mm，先端稍钝，基部稍狭，全缘或在上部有 1 ~ 2 牙齿。伞房状花序，多花或少花，雌雄异株；萼片 4，线形，长 2 ~ 4mm，稍不等长，宽 0.8mm，钝；花瓣 4，黄色，长圆状披针形，长 4 ~ 5mm，宽 1mm，先端钝；雄蕊 8，较花瓣稍短或与花瓣等长，对瓣的着生基部上 1.8mm 处；鳞片 4，近四方形，长 0.4 ~ 0.5mm，宽 0.5 ~ 0.6mm，先端稍平或有微缺；心皮在雄花中不育，在雌花中心皮披针形，直立，长 6mm，先

长白红景天

端渐尖，花柱长 1.5mm，柱头头状。蓇葖果 4，紫红色，直立，长达 7 ~ 8mm，先端稍外弯；种子披针形，两端有翅，连翅长 2 ~ 3mm。花期 7 ~ 8 月，果期 8 ~ 9 月。

| **生境分布** | 生于高山草原、山坡石上、长白山高山苔原带。分布于吉林白山、延边（安图）等。

| **资源情况** | 野生资源稀少。药材主要来源于野生。

| **采收加工** | 夏、秋季采挖，除去泥土及杂质，晒干。

| **功能主治** | 酸，寒。滋补强身，清热解毒，芳香化湿，截疟杀虫。用于体虚羸弱，湿浊中阻，疟疾，虫积证。

| **附　注** | 本种为吉林省 I 级重点保护野生植物。

景天科 Crassulaceae 红景天属 Rhodiola

库页红景天

Rhodiola sachalinensis A. Bor.

| 植物别名 | 高山景天、红景天、高山红景天。

| 药 材 名 | 红景天（药用部位：全草）、高山红景天（药用部位：根及根茎。别名：扫罗玛尔布）。

| 形态特征 | 多年生草本。根粗壮，通常直立，少有横生；根颈短粗，先端被多数棕褐色、膜质鳞片状叶。花茎高 6 ~ 30cm，其下部的叶较小，疏生，上部叶较密生，叶长圆状匙形、长圆状菱形或长圆状披针形，长 7 ~ 40mm，宽 4 ~ 9mm，先端急尖至渐尖，基部楔形，边缘上部有粗牙齿，下部近全缘。聚伞花序，密集多花，宽 1.5 ~ 2.5cm，下部托似叶；雌雄异株；萼片 4，少有 5，披针状线形，长 1 ~ 3mm，先端钝；花瓣 4，少有 5，淡黄色，线状倒披针形或长圆形，长 2 ~ 6mm，先端钝；雄花中雄蕊 8，较花瓣长，花药黄色，有不发育的心皮；雌花中心皮 4，花柱外弯，鳞片 4，长圆形，长 1 ~ 1.5mm，

库页红景天

宽 0.6mm，先端微缺。菁葖果披针形或线状披针形，直立，长 6 ～ 8mm，喙长 1mm；种子长圆形至披针形，长 2mm，宽 0.6mm。花期 4 ～ 6 月，果期 7 ～ 9 月。

| 生境分布 | 生于山坡林下、碎石山坡、高山苔原带或高山山坡。分布于吉林白山、延边（安图、敦化）等。

| 资源情况 | 野生资源较少。药材主要来源于野生。

| 采收加工 | 红景天：春、秋季均可采收，以秋季为好，除去地上枯萎茎叶，挖掘全株，除去泥土，晒干。
高山红景天：春、秋季采挖，除去泥土，洗净，晒干。

| 药材性状 | 高山红景天：本品根茎呈圆柱形，粗短，略弯曲，多呈丛生分枝状，分枝根茎直径 1 ～ 5cm，全长 5 ～ 25cm；表面深棕色或棕褐色，根茎先端具有残留的褐色鳞叶及圆形干枯的顶芽；质轻，疏松。主根呈圆柱形，稍扭曲，长 5 ～ 25cm，直径 1 ～ 5cm，有多数侧根，长短不等，多弯曲，表面具有易脱落的栓皮；表面常具有细纵皱纹或裂缝，侧根具有较细的横环纹；质轻而脆，易折断，断面呈黄色、灰黄色或浅褐色。老根中心部常枯朽或中空，枯朽部分呈黑棕色。气香，味涩。

| 功能主治 | 红景天：甘、涩，寒。归肺经。补气清肺，益智养心，收涩止血，散瘀消肿，滋补强壮，降血压，安神。用于气虚体弱，病后畏寒，气短乏力，肺热咳嗽，咯血，腹泻，跌打损伤，烫火伤，阳痿。
高山红景天：甘、涩，平。归心、肺、脾经。益气活血，通脉平喘。用于气虚血瘀，胸痹心痛，中风偏瘫，倦怠气喘。

| 用法用量 | 红景天：内服煎汤，3 ～ 9g。外用适量，捣敷；或研末调敷。
高山红景天：内服煎汤，3 ～ 10g。

| 附　　注 | （1）高山红景天已被列入 2019 年版《吉林省中药材标准》第一册。
（2）高山红景天药用量小，主要作为保健品销售。《现代实用本草》记载高山红景天的保健作用强于人参，且无不良反应，无成瘾性，可增强人体的免疫力，对预防感冒有较好的效果。我国从 20 世纪 80 年代开始对高山红景天进行研究，高山红景天在抗疲劳、抗衰老、抗氧化等方面的作用与人参类似，目前还发现高山红景天有防治癌症和糖尿病等作用。吉林的高山红景天资源量少，无药材商品出售。
（3）本种为吉林省 Ⅱ 级重点保护野生植物。

景天科 Crassulaceae 景天属 Sedum

费菜
Sedum aizoon L.

| **植物别名** | 土三七、景天三七、长生景天。

| **药 材 名** | 费菜（药用部位：全草。别名：养心草、倒山黑豆、白三七）。

| **形态特征** | 多年生草本。根茎短，粗茎高 20 ~ 50cm，有 1 ~ 3 茎，直立，无毛，不分枝。叶互生，狭披针形、椭圆状披针形至卵状倒披针形，长 3.5 ~ 8cm，宽 1.2 ~ 2cm，先端渐尖，基部楔形，边缘有不整齐的锯齿；叶坚实，近革质。聚伞花序有多花，水平分枝，平展，下托以苞叶；萼片 5，线形，肉质，不等长，长 3 ~ 5mm，先端钝；花瓣 5，黄色，长圆形至椭圆状披针形，长 6 ~ 10mm，有短尖；雄蕊 10，较花瓣短；鳞片 5，近正方形，长 0.3mm，心皮 5，卵状长圆形，基部合生，腹面凸出，花柱长钻形。蓇葖果星芒状排列，长 7mm；种子椭圆形，长约 1mm。花期 6 ~ 7 月，果期 8 ~ 9 月。

费菜

| **生境分布** | 生于林下、灌丛、草甸、林缘。吉林各地均有分布。吉林部分地区有栽培，栽培于药用植物园、公园等。 |

| **资源情况** | 野生资源较丰富。药材主要来源于野生。 |

| **采收加工** | 夏、秋季开花时采收，鲜用或晒干。 |

| **药材性状** | 本品根茎短小，略呈块状；表面灰棕色，根数条，粗细不等；质硬，断面暗棕色或类灰白色。茎圆柱形，长 15～40cm，直径 2～5mm；表面暗棕色或紫棕色；质脆，易折断，断面常中空。叶互生或近对生，几无柄，叶片皱缩，展平后呈长披针形至倒披针形，长 3～8cm，宽 1～2cm，灰绿色或棕褐色，先端渐尖，基部楔形，边缘上部有锯齿，下部全缘。聚伞花序顶生，花黄色。气微，味微涩。 |

| **功能主治** | 甘、微酸，平。归心、肝、脾经。散瘀止血，安神镇痛。用于血小板减少性紫癜，衄血，咯血，牙龈出血，消化道出血，子宫出血，心悸，烦躁失眠；外用于跌打损伤，外伤出血，烫火伤。 |

| **用法用量** | 内服煎汤，15～30g；或鲜品绞汁，30～60g。外用适量，鲜品捣敷；或研末撒敷。 |

| **附　　注** | 在 FOC 中，本种的拉丁学名被修订为 *Phedimus aizoon* (Linnaeus) 't Hart。 |

景天科 Crassulaceae 景天属 Sedum

堪察加景天 *Sedum kamtschaticum* Fisch.

堪察加景天

| 植物别名 |

北景天、横根费菜。

| 药 材 名 |

堪察加景天（药用部位：全草）。

| 形态特征 |

多年生草本。根茎木质，粗，分枝。茎斜上，高 15 ～ 40cm，有时被微乳头状突起，常不分枝。叶互生或对生，少有 3 叶轮生，倒披针形、匙形至倒卵形，长 2.5 ～ 7cm，宽 0.5 ～ 3cm，先端圆钝，下部渐狭成狭楔形，上部边缘有疏锯齿至疏圆齿。聚伞花序顶生；萼片 5，披针形，长 3 ～ 4mm，基部宽，下部卵形，上部线形，钝；花瓣 5，黄色，披针形，长 6 ～ 8mm，先端渐尖，有短尖头，背面有龙骨状突起；雄蕊 10，较花瓣稍短，花药橙黄色；鳞片 5，细小，近正方形；心皮 5，与花瓣等长或稍短于花瓣，直立，基部 2mm 合生。蓇葖果上部星芒状水平横展，腹面呈浅囊状突起；种子细小，倒卵形，褐色。花期 6 ～ 7 月，果期 8 ～ 9 月。

| 生境分布 |

生于碎石山坡。分布于吉林通化、延边、吉

林（永吉、蛟河）、长春（九台）等。

| **资源情况** | 野生资源较少。药材主要来源于野生。

| **采收加工** | 夏、秋季采挖，除去泥土及杂质，晒干。

| **功能主治** | 甘、微酸，平。归心、肝、脾经。活血，止血，宁心，利湿，消肿，解毒。用于跌打损伤，咯血，吐血，便血，心悸，痈肿，烫火伤，毒虫咬伤。

| **用法用量** | 内服煎汤，15～30g；或鲜品绞汁，30～60g。外用适量，鲜品捣敷；或研末撒敷。

景天科 Crassulaceae 景天属 Sedum

吉林景天 *Sedum middendorffianum* Maxim.

吉林景天

| 植物别名 |

细叶景天、狗景天、沟繁缕景天。

| 药 材 名 |

岩景天（药用部位：全草。别名：狗景天）。

| 形态特征 |

多年生草本。根茎蔓生，木质，分枝，长。茎多数，丛生，常宿存，直立或上升，基部分枝，无毛，高 10 ～ 30cm。叶线状匙形，长 12 ～ 25mm，宽 2 ～ 5mm，先端钝，基部楔形，上部边缘有锯齿。聚伞花序有多花，常有展开的分枝；萼片 5，线形，长 2 ～ 3mm，宽 0.6 ～ 0.8mm，钝；花瓣 5，黄色，披针形至线状披针形，长 5 ～ 11mm，宽 1.8 ～ 3mm，渐尖，有短尖；雄蕊 10，较花瓣短，花丝黄色，花药紫色；鳞片 5，细小，几全缘；心皮 5，披针形，长 6mm，基部 2mm 合生，花柱长 1mm。蓇葖果星芒状，几成水平排列，喙短；种子卵形，细小。花期 6 ～ 8 月，果期 8 ～ 9 月。

| 生境分布 |

生于海拔 300 ～ 940m 的山地、林下、山石上。以长白山区为主要分布区域，分布于吉林延

边、白山、通化、吉林、辽源（东丰）等。

| **资源情况** | 野生资源较少。药材主要来源于野生。

| **采收加工** | 夏、秋季采挖，除去泥土及杂质，晒干。

| **功能主治** | 酸，平。归心、肺经。散瘀止血，安神镇痛，生津止渴，祛风清热。用于跌打损伤，瘀血肿痛，津伤口渴，咯血，衄血，血崩，湿疹，蛇虫咬伤。

| **用法用量** | 内服煎汤，6 ～ 10g。外用适量，捣敷；或研末，香油调涂。

景天科 Crassulaceae 景天属 Sedum

藓状景天 *Sedum polytrichoides* Hemsl.

藓状景天

| 植物别名 |

柳叶景天。

| 药 材 名 |

藓状景天（药用部位：根）。

| 形态特征 |

多年生草本。茎带木质，细，丛生，斜上，高 5 ~ 10cm；有多数不育枝。叶互生，线形至线状披针形，长 5 ~ 15mm，宽 1 ~ 2mm，先端急尖，基部有距，全缘。花序聚伞状，有 2 ~ 4 分枝，花少数，花梗短；萼片 5，卵形，长 1.5 ~ 2mm，急尖，基部无距；花瓣 5，黄色，狭披针形，长 5 ~ 6mm，先端渐尖；雄蕊 10，稍短于花瓣；鳞片 5，细小，宽圆楔形，基部稍狭；心皮 5，稍直立。蓇葖果星芒状叉开，基部 1.5mm 合生，腹面有浅囊状突起，卵状长圆形，长 4.5 ~ 5mm，喙直立，长 1.5mm；种子长圆形，长不及 1mm。花期 7 ~ 8 月，果期 8 ~ 9 月。

| 生境分布 |

生于山坡石上。分布于吉林通化（通化、集安）、白山（长白、临江）、吉林（蛟河）等。

| **资源情况** | 野生资源较少。药材主要来源于野生。

| **采收加工** | 夏、秋季采挖，除去泥土及杂质，晒干。

| **功能主治** | 清热解毒，止血。用于咯血。

景天科 Crassulaceae 景天属 Sedum

垂盆草
Sedum sarmentosum Bunge

| 植物别名 | 卧茎景天、狗牙草、狗牙。

| 药 材 名 | 垂盆草（药用部位：全草。别名：狗牙半支、石指甲、半支莲）。

| 形态特征 | 多年生草本。不育枝及花茎细，匍匐而节上生根，直到花序之下，长 10 ~ 25cm。3 叶轮生，叶倒披针形至长圆形，长 15 ~ 28mm，宽 3 ~ 7mm，先端近急尖，基部急狭，有距。聚伞花序，有 3 ~ 5 分枝，花少，宽 5 ~ 6cm；花无梗；萼片 5，披针形至长圆形，长 3.5 ~ 5mm，先端钝，基部无距；花瓣 5，黄色，披针形至长圆形，长 5 ~ 8mm，先端有稍长的短尖；雄蕊 10，较花瓣短；鳞片 10，楔状四方形，长 0.5mm，先端稍有微缺；心皮 5，长圆形，长 5 ~ 6mm，略叉开，有长花柱。种子卵形，长 0.5mm。花期 5 ~ 7 月，果期 8 月。

垂盆草

生境分布	生于山坡岩石上。分布于吉林白山（长白）、通化（集安、柳河、通化）、吉林等。
资源情况	野生资源较少。药材主要来源于野生。
采收加工	夏、秋季采收，除去杂质，鲜用或干燥。
药材性状	本品茎纤细，长可达 20cm 以上，部分节上可见纤细的不定根。3 叶轮生，叶片倒披针形至矩圆形，绿色，肉质，长 15 ~ 28mm，宽 3 ~ 7mm，先端近急尖，基部急狭，有距。气微，味微苦。
功能主治	甘、微酸，凉。归肝、胆、小肠经。利湿退黄，清热解毒，消肿排脓。用于湿热黄疸，小便不利，痈肿疮疡。
用法用量	内服煎汤，15 ~ 30g，鲜品 250g；或捣汁。外用适量，捣敷；或研末调搽；或取汁外涂；或煎汤湿敷。

虎耳草科 Saxifragaceae 落新妇属 Astilbe

落新妇 *Astilbe chinensis* (Maxim.) Franch. et Savat.

| 植物别名 | 虎麻、红升麻、山荞麦秧子。

| 药 材 名 | 落新妇（药用部位：全草。别名：小升麻、术活、马尾参）、红升麻（药用部位：根茎。别名：金毛三七、野升麻、阴阳虎）。

| 形态特征 | 多年生草本，高 50 ~ 100cm。根茎暗褐色，粗壮，须根多数。茎无毛。基生叶为二至三回三出羽状复叶；顶生小叶片菱状椭圆形，侧生小叶片卵形至椭圆形，长 1.8 ~ 8cm，宽 1.1 ~ 4cm，先端短渐尖至急尖，边缘有重锯齿，基部楔形、浅心形至圆形，腹面沿脉生硬毛，背面沿脉疏生硬毛和小腺毛；叶轴仅于叶腋部具褐色柔毛；茎生叶 2 ~ 3，较小。圆锥花序长 8 ~ 37cm，宽 3 ~ 4（~ 12）cm；下部第一回分枝长 4 ~ 11.5cm，通常与花序轴成 15 ~ 30° 角斜上；花序轴密被褐色卷曲长柔毛；苞片卵形，几无花梗；花密集；萼片 5，

落新妇

卵形，长 1 ~ 1.5mm，宽约 0.7mm，两面无毛，边缘中部以上生微腺毛；花瓣 5，淡紫色至紫红色，线形，长 4.5 ~ 5mm，宽 0.5 ~ 1mm，单脉；雄蕊 10，长 2 ~ 2.5mm；心皮 2，仅基部合生，长约 1.6mm。蒴果长约 3mm；种子褐色，长约 1.5mm。花果期 6 ~ 9 月。

| **生境分布** | 生于山谷、溪边、林下、林缘、灌丛、湿甸。以长白山区为主要分布区域，分布于吉林延边、白山、通化、吉林、辽源（东丰）等。

| **资源情况** | 野生资源较丰富。药材主要来源于野生。

| **采收加工** | 落新妇：夏、秋季采收，除去杂质，晒干。
红升麻：夏、秋季采挖，除去须根、鳞片、绒毛，鲜用或晒干。

| **药材性状** | 落新妇：本品皱缩。茎圆柱形，直径 1 ~ 4mm，表面棕黄色；基部具有褐色膜质鳞片状毛或长柔毛。基生叶二至三回三出复叶，多破碎，完整小叶呈披针形、卵形、阔椭圆形，长 1.8 ~ 8cm，宽 1 ~ 4cm，先端渐尖，基部多楔形，边缘有齿，两面沿叶脉疏生硬毛；茎生叶较小，棕红色。圆锥花序密被褐色卷曲长柔毛，花密集，几无梗，花萼 5 深裂；花瓣 5，窄条形。有时可见枯黄色果实。气微，味辛、苦。
红升麻：本品呈不规则长块状，长约 7cm，直径 0.5 ~ 1cm。表面棕褐色，凹凸不平，有多数须根痕，有时可见鳞片状苞片。残留茎基生棕黄色长绒毛。质硬，不易折断，断面粉性，黄白色，略带红色或红棕色。气微，味苦、辛。

| **功能主治** | 落新妇：苦，凉。祛风除湿，强筋壮骨，活血祛瘀，止痛，镇咳。用于风热感冒，筋骨痛，头痛，跌打损伤，毒蛇咬伤，咳嗽，小儿惊风，术后痛，胃痛，泄泻。
红升麻：辛、苦，温。活血止痛，祛风除湿，强筋健骨，解毒。用于闭经，癥瘕，跌打损伤，睾丸炎，毒蛇咬伤。

| **用法用量** | 落新妇：内服煎汤：6 ~ 9g。
红升麻：内服煎汤，9 ~ 15g；外用适量，捣敷。

虎耳草科 Saxifragaceae 落新妇属 Astilbe

大落新妇 *Astilbe grandis* Stapf ex Wils.

| **植物别名** | 山荞麦秧子、朝鲜落新妇。

| **药 材 名** | 落新妇（药用部位：全草。别名：小升麻、术活、马尾参）、红升麻（药用部位：根茎。别名：金毛三七、野升麻、阴阳虎）。

| **形态特征** | 多年生草本，高 0.4 ~ 1.2m。根茎粗壮。茎通常不分枝，被褐色长柔毛和腺毛。二至三回三出复叶至羽状复叶；叶轴长 3.5 ~ 32.5cm，与小叶柄均多少被腺毛，叶腋近旁具长柔毛；小叶片卵形、狭卵形至长圆形，顶生者有时为菱状椭圆形，长 1.3 ~ 9.8cm，宽 1 ~ 5cm，先端短渐尖至渐尖，边缘有重锯齿，基部心形、偏斜圆形至楔形，腹面被糙伏腺毛，背面沿脉生短腺毛，有时亦杂有长柔毛；小叶柄长 0.2 ~ 2.2cm。圆锥花序顶生，通常塔形，长 16 ~ 40cm，宽 3 ~ 17cm；下部第一回分枝长 2.5 ~ 14.5cm，与花序轴成 35° ~ 50° 斜上；花序轴与花梗均被腺毛；小苞片狭卵形，长约 2.1mm，宽约

大落新妇

1mm，全缘或具齿；花梗长 1 ~ 1.2mm；萼片 5，卵形、阔卵形至椭圆形，长
1 ~ 2mm，宽 1 ~ 1.2mm，先端钝或微凹且具微腺毛，边缘膜质，两面无毛；
花瓣 5，白色或紫色，线形，长 2 ~ 4.5mm，宽 0.2 ~ 0.5mm，先端急尖，单脉；
雄蕊 10，长 1.3 ~ 5mm；雌蕊长 3.1 ~ 4mm，心皮 2，仅基部合生，子房半下位，
花柱稍叉开。幼果长约 5mm。花果期 6 ~ 9 月。

| 生境分布 | 生于阔叶林下、灌丛、湿甸。以长白山区为主要分布区域，分布于吉林延边、
白山、通化、吉林、辽源（东丰）等。

| 资源情况 | 野生资源较丰富。药材主要来源于野生。

| 采收加工 | 同"落新妇"。

| 药材性状 | 落新妇：本品茎直径 1 ~ 6mm，表面被褐色长柔毛和腺毛。基生叶为复叶，完
整小叶卵形或长圆形，长 2 ~ 10cm，宽 1 ~ 5cm，先端渐尖或长渐尖，基部心
形或楔形，边缘有锐重锯齿，
上面被糙伏腺毛，下面沿脉
生短腺毛；茎生叶较小。圆
锥花序密生短柔毛和腺毛。
有时可见果实，长约 5mm。
气微，味苦。

红升麻：本品块状，长约
6cm，直径 1 ~ 2cm。表面棕
褐色至黑褐色，有多数须根
痕，有时可见鳞片状苞片。
残留茎基有褐色膜质鳞片。
质脆，易折断，断面粉性，
红棕色。气微，味苦

| 功能主治 | 同"落新妇"。

| 用法用量 | 同"落新妇"。

| 附　注 | 本种幼苗可作山野菜食用。

虎耳草科 Saxifragaceae 大叶子属 Astilboides

大叶子
Astilboides tabularis (Hemsl.) Engl.

| 植物别名 | 山荷叶、佛爷伞、大脖梗子。

| 药 材 名 | 大叶子（药用部位：全草或根茎。别名：山荷叶、佛爷伞）。

| 形态特征 | 多年生草本，高1～1.5m。根茎粗壮，暗褐色，长达35cm，直径2～3cm，节上生不定根。茎不分枝，下部疏生短硬腺毛。基生叶1，盾状着生，近圆形，或卵圆形，直径18～60（～100）cm，掌状浅裂，裂片宽卵形，先端急尖或短渐尖，常再浅裂，边缘具齿状缺刻和不规则重锯齿，两面被短硬毛（有的带腺头）；叶柄长30～60cm，具刺状硬腺毛；茎生叶较小，掌状3～5浅裂，基部楔形或截形。圆锥花序顶生，长15～20cm，具多花；花小，白色或微带紫色；萼片4～5，卵形，革质，长约2mm，宽1.7～1.8mm，先端钝或微凹，腹面和边缘无毛，背面疏生近无柄之腺毛，5脉于先端汇合；

大叶子

花瓣 4 ~ 5，倒卵状长圆形；雄蕊 8，花丝长 2.4 ~ 2.5mm；心皮 2，下部合生，子房半下位。蒴果长 6.5 ~ 7mm；种子狭卵形，长约 2.2mm，具翅。花期 6 ~ 7 月，果期 8 ~ 9 月。

| **生境分布** | 生于山坡杂木林下、山谷沟边、阔叶林下。分布于吉林白山、延边（和龙、安图）、通化（通化、浑江）等。

| **资源情况** | 野生资源较少。药材主要来源于野生。

| **采收加工** | 夏、秋季采收全草，除去泥土及杂质，晒干。秋季采挖根茎，洗净，晒干。

| **药材性状** | 本品全草皱缩，浅棕褐色；茎圆柱形，直径 0.5 ~ 2cm，不分枝，中空，下部疏生硬腺毛，易折断。叶片多皱缩破碎，基生叶 1，盾状着生，完整叶片近圆形，直径 18 ~ 60cm，掌状浅裂，边缘具齿状缺刻和不规则重锯齿，叶柄具刺状硬腺毛；茎生叶较小。圆锥花序，花小，白色或微带紫色。气微，味苦。本品根茎呈不规则团块状，直径 2 ~ 3cm。表面黑褐色，节上有多数根痕或残存细根和芽，上面茎基疏生短硬腺毛。质脆，易折断，断面红棕色，显粉性。气微，味淡。

| **功能主治** | 微苦、涩，平。归大肠经。收涩，固肠止泻。用于泄泻。

| **用法用量** | 内服煎汤，1.5 ~ 3g。

| **附　　注** | （1）本种为吉林省Ⅲ级重点保护野生植物。
（2）本种的嫩叶柄可生食、做菜。

蔓金腰

虎耳草科 Saxifragaceae 金腰属 Chrysosplenium

蔓金腰
Chrysosplenium flagelliferum Fr. Schmidt.

| 植物别名 |

蔓金腰子。

| 药 材 名 |

蔓金腰（药用部位：全草）。

| 形态特征 |

多年生草本，高 12 ~ 19cm，丛生。鞭匐枝出自基生叶之腋部，其叶互生，近肾形，长 6 ~ 10mm，宽 10 ~ 19mm，边缘具 5 ~ 8 钝齿，腹面被柔毛，顶生者较大。茎无毛。基生叶具柄，叶片肾形至圆状肾形，长 1.2 ~ 3.8cm，宽 1.5 ~ 5.3cm，边缘具 12 ~ 18 钝齿，基部心形，腹面疏生柔毛，背面无毛，叶柄长 3 ~ 13cm；茎生叶 3 ~ 4，互生，近扁圆形，长 4 ~ 8mm，宽 5 ~ 10mm，边缘具 5 钝齿，无毛，叶柄长 0.6 ~ 1cm。聚伞花序长 3.5 ~ 6.3cm；花序分枝无毛；苞叶阔卵形、倒卵形至扁圆形，长 2 ~ 7mm，宽 1.8 ~ 8.3mm，边缘具 3 ~ 5 钝齿，基部近楔形至偏斜状楔形，柄长 1.6 ~ 3mm，疏生柔毛；花梗无毛；花较疏，直径约 4.6mm；萼片近开展，卵形至近菱形，长 1.9 ~ 2mm，宽 1.2 ~ 2mm，先端钝或急尖，无毛；雄蕊 8，长约 0.9mm；子房半下位，花柱长约 0.7mm；

具花盘。蒴果长约 3mm，先端近平截而微凹，2 果瓣近等大，喙长约 0.7mm；种子黑褐色，椭球形，长 0.7 ~ 0.8mm，具极少微柔毛，有光泽。花果期 5 ~ 7 月。

| 生境分布 | 生于林间、山里阴湿地或溪边。以长白山区为主要区域，分布于吉林延边、白山、通化、吉林、辽源（东丰）等。

| 资源情况 | 野生资源较少。药材主要来源于野生。

| 采收加工 | 夏季采收，除去杂质，晒干。

| 功能主治 | 活血，止痛，止咳，清热解毒。用于瘀血肿痛，咳嗽。

虎耳草科 Saxifragaceae 金腰属 Chrysosplenium

日本金腰 *Chrysosplenium japonicum* (Maxim.) Makino

日本金腰

| 植物别名 |

珠芽金腰。

| 药 材 名 |

日本金腰（药用部位：全草）。

| 形态特征 |

多年生草本，高 8.5 ~ 15.5cm，丛生。茎基具珠芽，茎疏生柔毛。基生叶肾形，长 0.6 ~ 1.6cm，宽 0.9 ~ 2.5cm，边缘约具 15 浅齿（齿先端微凹），基部心形或肾形，腹面疏生柔毛，背面近无毛，叶柄长 1.5 ~ 8cm，疏生柔毛；茎生叶与基生叶同形，长约 1.1cm，宽约 1.3cm，边缘约具 11 浅齿，腹面疏生柔毛，背面近无毛，叶柄长约 2cm，疏生柔毛。聚伞花序长 1.5 ~ 4cm；花序分枝疏生柔毛；苞叶阔卵形至近扇形，长 5 ~ 12mm，宽 5 ~ 14mm，边缘具 3 ~ 9 浅齿，基部宽楔形，无毛，柄长 0.5 ~ 6mm，疏生柔毛；几无花梗；花密集，绿色，直径约 3mm；萼片在花期直立，阔卵形，长 0.6 ~ 1.4mm，宽 1 ~ 1.4mm，先端钝或急尖，无毛；雄蕊通常 4，稀 8 或 2，长 0.3 ~ 0.4mm；子房近下位，花柱长 0.2 ~ 0.3mm；花盘通常 4 裂。蒴果长 4 ~ 5mm，先端近平截

而微凹，2果瓣近等大而水平状叉开，喙长约
0.2mm；种子黑棕色，椭球形，长0.6~0.7mm，
被微柔毛。花果期3~6月。

| 生境分布 |

生于林下、山谷湿地。分布于吉林延边、白山、
通化、长春、吉林、辽源等。

| 资源情况 |

野生资源稀少。药材主要来源于野生。

| 采收加工 |

夏季采收，除去杂质，晒干。

| 功能主治 |

苦，寒。清热解毒，祛风解表。用于疔疮。

虎耳草科 Saxifragaceae 金腰属 Chrysosplenium

林金腰 *Chrysosplenium lectus-cochleae* Kitagawa

| **植物别名** | 林金腰子。

| **药 材 名** | 林金腰（药用部位：全草）。

| **形态特征** | 多年生草本，高11～15cm。不育枝出自茎基部叶腋，被褐色卷曲柔毛，其叶对生，近扇形，长0.3～9mm，宽0.25～10mm，先端钝，边缘具5～8圆齿，基部楔形，两面无毛或多少具褐色柔毛，边缘具褐色睫毛，叶柄长3～6mm，顶生者近阔卵形、近圆形至倒阔卵形，长0.7～2.9cm，宽0.8～2.7cm，边缘具7～11圆齿（不明显），基部圆形至宽楔形，腹面无毛或与边缘具褐色柔毛，背面无毛。花茎疏生褐色柔毛。茎生叶对生，近扇形，长0.4～8mm，宽0.3～11mm，先端钝圆至近截形，边缘具5～9圆齿，基部楔形，两面无毛，但具褐色斑点，边缘具褐色睫毛；叶柄长3～8mm，疏生褐色柔毛。

林金腰

聚伞花序长 1.3 ~ 3.5cm；花序分枝疏生柔毛；苞叶近阔卵形、倒阔卵形至扇形，长 0.6 ~ 2cm，宽 0.4 ~ 1.7cm，边缘具 5 ~ 7 浅齿，基部偏斜形、楔形至圆形，两面无毛，但具褐色斑点，边缘疏生睫毛，柄长 4 ~ 6mm，苞腋具褐色乳头突起；花梗疏生柔毛；花黄绿色；萼片在花期直立，近阔卵形，长 1.1 ~ 2.5mm，宽 1.8 ~ 2.6mm，先端钝；雄蕊 8，花丝长 0.5 ~ 0.8mm；子房近上位，花柱长约 0.5mm；无花盘。蒴果长 2.4 ~ 6mm，2 果瓣明显不等大，喙长 0.8 ~ 1mm；种子黑褐色，近卵球形，长 0.8 ~ 1mm，具微乳头突起。花果期 5 ~ 8 月。

| **生境分布** | 生于林下、林缘阴湿处或石隙。以长白山区为主要分布区域，分布于吉林延边、白山、通化、吉林、辽源（东丰）等。

| **资源情况** | 野生资源较少。药材主要来源于野生。

| **采收加工** | 夏季采收，除去杂质，晒干。

| **功能主治** | 止血敛疮，利水消肿。用于出血，小便不利，水肿。

虎耳草科 Saxifragaceae 金腰属 Chrysosplenium

毛金腰

Chrysosplenium pilosum Maxim.

| 药 材 名 | 毛金腰（药用部位：全草）。

| 形态特征 | 多年生草本，高 14 ~ 16cm。不育枝出自茎基部叶腋，密被褐色柔毛，其叶对生，具褐色斑点，近扇形，长 0.7 ~ 1.6cm，宽 0.7 ~ 2cm，先端钝圆，边缘具不明显的 5 ~ 9 波状圆齿，基部宽楔形，腹面疏生褐色柔毛，背面无毛，边缘具褐色睫毛，叶柄长 4 ~ 8mm，具褐色柔毛，顶生者阔卵形至近圆形，长 5.8 ~ 6mm，宽 6.5 ~ 6.6mm，边缘具不明显的 7 波状圆齿，两面无毛。花茎疏生褐色柔毛。茎生叶对生，扇形，长约 8.5mm，宽约 10.5mm，先端近截形，具不明显的 6 波状圆齿，基部楔形，两面无毛，叶柄长约 3.5mm，具褐色柔毛。聚伞花序长约 2cm；花序分枝无毛；苞叶近扇形，长 0.95 ~ 1.3cm，宽 0.85 ~ 1.1cm，先端钝圆至近截形，边缘具 3 ~ 5 波状圆齿（不

毛金腰

明显），两面无毛，柄长 1 ~ 2mm，疏生褐色柔毛；花梗无毛；萼片具褐色斑点，阔卵形至近阔椭圆形，长 1.8 ~ 2.2mm，宽约 2mm，先端钝；雄蕊 8，长约 1mm；子房半下位，花柱长约 1mm；无花盘。蒴果长约 5.5mm，2 果瓣不等大，喙长 1 ~ 1.1mm；种子黑褐色，阔椭球形，长约 1mm，具纵沟和纵肋，纵沟较深，纵肋 17，肋上具微乳头突起。花期 4 ~ 6 月。

| 生境分布 |

生于林下阴湿处。以长白山区为主要分布区域，分布于吉林延边、白山、通化、吉林、辽源（东丰）等。

| 资源情况 |

野生资源较少。药材主要来源于野生。

| 采收加工 |

夏季采收，除去杂质，晒干。

| 功能主治 |

止血止痛。用于创伤出血疼痛。

多枝金腰

虎耳草科 Saxifragaceae 金腰属 Chrysosplenium

多枝金腰 *Chrysosplenium ramosum* Maxim.

| 植物别名 |

多枝金腰子。

| 药 材 名 |

多枝金腰（药用部位：全草）。

| 形态特征 |

多年生草本，高 12.5 ~ 22cm。不育枝发达，疏生褐色柔毛，其叶对生，叶片阔卵形至扁圆形，长 5.5 ~ 12mm，宽 6 ~ 13mm，边缘具不明显的 8 ~ 12 圆齿，基部宽楔形至近截形，腹面疏生褐色柔毛，背面无毛，叶柄长 4 ~ 6mm，具褐色柔毛，顶生者丛集，呈莲座状，叶腋部具褐色柔毛。花茎纤细，疏生褐色柔毛。茎生叶对生，叶片阔卵形，长约 6mm，宽约 6.5mm，边缘具 12 圆齿（齿先端具 1 褐色睫毛），基部圆形，腹面疏生褐色柔毛，叶柄长约 5mm，腹面和边缘与叶腋部均具褐色柔毛。聚伞花序长约 3.6cm，约具 14 花；花序分枝无毛；苞叶阔卵形至近扁圆形，长 4 ~ 6.7mm，宽 4 ~ 8mm，边缘具不明显的 4 ~ 8 圆齿，基部宽楔形、偏斜形至近截形，无毛，柄长 0.7 ~ 2mm，苞腋具褐色乳头突起；花直径约 3.4mm；萼片在花期开展，阔椭圆形，长 0.9 ~ 1.3mm，宽 1 ~ 1.5mm，先端急尖或钝，弯缺处具褐色乳头突起；雄蕊 8，花丝长约 0.5mm；子房近下位，花柱长约 0.4mm；花盘明显 8 裂，其周围疏生褐色乳头突起。蒴果先端近平截而微凹，2 果瓣近等大且水平状叉开，喙长约 0.4mm；种子黑色，近狭卵球形，长约 1mm，光滑无毛。花果期 5 ~ 8 月。

| 生境分布 |

生于林下阴湿处。以长白山区为主要分布区域，分布于吉林延边、白山、通化、吉林、辽源（东丰）等。

| 资源情况 |

野生资源较少。药材主要来源于野生。

| 采收加工 |

夏、秋季采收，除去杂质，鲜用或晒干。

| 功能主治 |

清热利水，排石退黄。用于湿热黄疸，石淋，热淋。

虎耳草科　Saxifragaceae　金腰属　*Chrysosplenium*

中华金腰 *Chrysosplenium sinicum* Maxim.

中华金腰

| 植物别名 |

华金腰子、中华金腰子。

| 药 材 名 |

金腰子（药用部位：全草）。

| 形态特征 |

多年生草本，高（3～）10～20（～33）cm。不育枝发达，出自茎基部叶腋，无毛，其叶对生，叶片通常阔卵形、近圆形，稀倒卵形，长 0.52～1.7（～7.8）cm，宽 0.85～1.7（～4.5）cm，先端钝，边缘具 11～29 钝齿（稀为锯齿），基部宽楔形至近圆形，两面无毛，有时顶生叶背面疏生褐色乳头突起，叶柄长（0.5～）2～8（～17）mm，顶生叶之腋部具长 0.2～2.5mm 之褐色卷曲髯毛。花茎无毛。叶通常对生，叶片近圆形至阔卵形，长 6～10.5mm，宽 7.5～11.5mm，先端钝圆，边缘具 12～16 钝齿，基部宽楔形，无毛；叶柄长 6～10mm；近叶腋部有时具褐色乳头突起。聚伞花序长 2.2～3.8cm，具 4～10 花；花序分枝无毛；苞叶阔卵形、卵形至近狭卵形，长 4～18mm，宽 9～10mm，边缘具 5～16 钝齿，基部宽楔形至偏斜形，无毛，柄长 1～7mm，近苞腋部具褐

色乳头突起；花梗无毛；花黄绿色；萼片在花期直立，阔卵形至近阔椭圆形，长 0.8 ~ 2.1mm，宽 1 ~ 2.4mm，先端钝；雄蕊 8，长约 1mm；子房半下位，花柱长约 0.4mm；无花盘。蒴果长 7 ~ 10mm，2 果瓣明显不等大，叉开，喙长 0.3 ~ 1.2mm；种子黑褐色，椭球形至阔卵球形，长 0.6 ~ 0.9mm，被微乳头突起，有光泽。花果期 4 ~ 8 月。

| 生境分布 |

生于林间山沟阴湿地。以长白山区为主要分布区域，分布于吉林延边、白山、通化、吉林、辽源（东丰）等。

| 资源情况 |

野生资源较少。药材主要来源于野生。

| 采收加工 |

夏季采收，除去杂质，晒干。

| 功能主治 |

苦，寒。归心、脾、膀胱经。清热解毒，利湿止痒，退黄，利尿，排石。用于咳喘，黄疸性肝炎，胆道和膀胱结石，膀胱炎，石淋，尿路感染，疔疮，痈疽疖毒，疮面溃烂，久不收口，瘙痒无度。

| 用法用量 |

内服煎汤，6 ~ 9g。外用适量，捣敷。

虎耳草科 Saxifragaceae 溲疏属 Deutzia

光萼溲疏 Deutzia glabrata Kom.

| 植物别名 | 无毛溲疏、崂山溲疏。

| 药 材 名 | 光萼溲疏（药用部位：全株）。

| 形态特征 | 灌木，高约 3m。老枝灰褐色，表皮常脱落；花枝长 6 ～ 8cm，常具
4 ～ 6 叶，红褐色，无毛。叶薄纸质，卵形或卵状披针形，长 5 ～ 10cm，
宽 2 ～ 4cm，先端渐尖，基部阔楔形或近圆形，边缘具细锯齿，上
面无毛或疏被 3 ～ 4（～ 5）辐线星状毛，下面无毛；侧脉每边 3 ～ 4；
叶柄长 2 ～ 4mm，花枝上叶近无柄或叶柄长 1 ～ 2mm。伞房花序直
径 3 ～ 8cm，有花 5 ～ 20（～ 30），花序轴无毛；花蕾球形或倒卵形；
花冠直径 1 ～ 1.2cm；花梗长 10 ～ 15mm；萼筒杯状，高约 2.5mm，
直径约 3mm，无毛；裂片卵状三角形，长约 1mm，先端稍钝；花
瓣白色，圆形或阔倒卵形，长约 6mm，宽约 4mm，先端圆，基部

光萼溲疏

收狭，两面被细毛，花蕾时覆瓦状排列；雄蕊长 4 ～ 5mm，花丝钻形，基部宽扁；花柱 3，约与雄蕊等长。蒴果球形，直径 4 ～ 5mm，无毛。花期 6 ～ 7 月，果期 8 ～ 9 月。

| 生境分布 |

生于山地石隙间、阔叶林、山坡灌丛、林缘。分布于吉林通化（通化、集安）、延边（安图）、白山（抚松、长白）、吉林（蛟河）等。

| 资源情况 |

野生资源较丰富。药材主要来源于野生。

| 采收加工 |

夏季采收，除去杂质，晒干。

| 功能主治 |

清热，利尿，下气。用于热淋涩痛，小便不利。

| 虎耳草科 | Saxifragaceae | 溲疏属 | Deutzia |

大花溲疏 *Deutzia grandiflora* Bge.

| 植物别名 | 王八脆、华北溲疏。

| 药 材 名 | 大花溲疏（药用部位：果实）。

| 形态特征 | 灌木，高约2m。老枝紫褐色或灰褐色，无毛，表皮片状脱落；花枝开始极短，以后延长达4cm，具2～4叶，黄褐色，被具中央长辐线星状毛。叶纸质，卵状菱形或椭圆状卵形，长2～5.5cm，宽1～3.5cm，先端急尖，基部楔形或阔楔形，边缘具大小相间或不整齐锯齿，上面被4～6辐线星状毛，下面灰白色，被7～11辐线星状毛，毛稍紧贴，沿叶脉具中央长辐线，侧脉每边5～6；叶柄长1～4mm，被星状毛。聚伞花序长和直径均1～3cm，具花（1～）2～3；花蕾长圆形；花冠直径2～2.5cm；花梗长1～2mm，被星状毛；萼筒浅杯状，高约2.5mm，直径约4mm，密被灰黄色星状毛，

大花溲疏

有时具中央长辐线，裂片线状披针形，较萼筒长，宽 1 ~ 1.5mm，被毛较稀疏；花瓣白色，长圆形或倒卵状长圆形，长约 1.5cm，宽约 7mm，先端圆形，中部以下收狭，外面被星状毛，花蕾时内向镊合状排列；外轮雄蕊长 6 ~ 7mm，花丝先端 2 齿，齿平展或下弯成钩状，花药卵状长圆形，具短柄，内轮雄蕊较短，形状与外轮相同；花柱 3(~ 4)，约与外轮雄蕊等长。蒴果半球形，直径 4 ~ 5mm，被星状毛，具宿存萼裂片外弯。花期 4 ~ 6 月，果期 9 ~ 11 月。

| 生境分布 | 生于山坡、山谷、路旁灌丛、林缘。分布于吉林白山、通化等。

| 资源情况 | 野生资源较丰富。药材主要来源于野生。

| 采收加工 | 7 ~ 10 月采收，晒干。

| 功能主治 | 清热，利尿，下气。用于发热，小便不利，遗尿。

虎耳草科 Saxifragaceae 溲疏属 Deutzia

东北溲疏 *Deutzia parviflora* var. *amurensis* Regel

| 植物别名 | 王八脆。

| 药 材 名 | 东北溲疏（药用部位：树皮）。

| 形态特征 | 灌木，高约2m。老枝灰褐色或灰色，表皮片状脱落；花枝长3～8cm，具4～6叶，褐色，被星状毛。叶纸质，卵形、椭圆状卵形或卵状披针形，长3～6（～10）cm，宽2～4.5cm，先端急尖或短渐尖，基部阔楔形或圆形，边缘具细锯齿，上面疏被5（～6）辐线星状毛，下面被大小不等6～12辐线星状毛，无中央长辐线；叶柄长3～8mm，疏被星状毛。伞房花序直径2～5cm，多花；花序梗被长柔毛和星状毛；花蕾球形或倒卵形；花冠直径10～15cm；花梗长2～12mm；萼筒杯状，高约3.5mm，直径约3mm，密被星状毛，裂片三角形，较萼筒短，先端钝；花瓣白色，阔倒卵形或近圆形，

东北溲疏

长 3 ~ 7mm，宽 3 ~ 5mm，先端圆，基部急收狭，两面均被毛，花蕾时覆瓦状排列；外轮雄蕊长 4 ~ 4.5mm，花丝钻形或近截形，内轮雄蕊长 3 ~ 4mm，花丝钻形或具齿，齿长不达花药，花药球形，具柄；花柱 3，较雄蕊稍短。蒴果球形，直径 2 ~ 3mm。本变种的与原变种的不同点在于叶脉上的星状毛无中央长辐线，与碎花溲疏的不同点在于花较大，花冠直径 10 ~ 15mm，花丝钻形或具齿。花期 6 月，果期 9 月。

| **生境分布** | 生于杂木林下或灌丛中。以长白山区为主要分布区域，分布于吉林延边、白山、通化、吉林、辽源（东丰）等。

| **资源情况** | 野生资源较少。药材主要来源于野生。

| **采收加工** | 夏、秋季将树皮剥下，晒干。

| **功能主治** | 微苦、涩，平。归肺经。解热，祛风解表，宣肺止咳。用于风热感冒，头痛发热，风热咳嗽，支气管炎。

| **用法用量** | 内服煎汤，3 ~ 9g。

虎耳草科 Saxifragaceae 溲疏属 Deutzia

小花溲疏 *Deutzia parviflora* Bge.

| 植物别名 | 王八脆。

| 药 材 名 | 小花溲疏（药用部位：茎皮）。

| 形态特征 | 灌木，高约2m。老枝灰褐色或灰色，表皮片状脱落；花枝长3～8cm，具4～6叶，褐色，被星状毛。叶纸质，卵形、椭圆状卵形或卵状披针形，长3～6（～10）cm，宽2～4.5cm，先端急尖或短渐尖，基部阔楔形或圆形，边缘具细锯齿，上面疏被5（～6）辐线星状毛，下面被大小不等6～12辐线星状毛，有时具中央长辐线或仅中脉两侧有中央长辐线；叶柄长3～8mm，疏被星状毛。伞房花序直径2～5cm，多花；花序梗被长柔毛和星状毛；花蕾球形或倒卵形；花冠直径8～15cm；花梗长2～12mm；萼筒杯状，高约3.5mm，直径约3mm，密被星状毛，裂片三角形，较萼筒短，先端钝；花瓣

小花溲疏

白色，阔倒卵形或近圆形，长 3 ～ 7mm，宽 3 ～ 5mm，先端圆，基部急收狭，两面均被毛，花蕾时覆瓦状排列；外轮雄蕊长 4 ～ 4.5mm，花丝钻形或近截形，内轮雄蕊长 3 ～ 4mm，花丝钻形或具齿，齿长不达花药，花药球形，具柄；花柱 3，较雄蕊稍短。蒴果球形，直径 2 ～ 3mm。花期 5 ～ 6 月，果期 8 ～ 10 月。

| **生境分布** | 生于山坡灌丛、林缘。以长白山区为主要分布区域，分布于吉林延边、白山、通化、吉林、辽源（东丰）等。

| **资源情况** | 野生资源较少。药材主要来源于野生。

| **采收加工** | 春季剥取茎干皮，刮去外面粗皮，晒干。

| **功能主治** | 微苦、涩，平。解热，发汗解表，宣肺止咳。用于感冒咳嗽，支气管炎。

虎耳草科 Saxifragaceae 绣球属 Hydrangea

绣球

Hydrangea macrophylla (Thunb.) Ser.

绣球

| 植物别名 |

八仙花、紫阳花。

| 药 材 名 |

绣球花（药用部位：叶。别名：八仙花）。

| 形态特征 |

灌木，高 1 ~ 4m。茎常于基部发出多数放射枝而形成一圆形灌丛；枝圆柱形，粗壮，紫灰色至淡灰色，无毛，具少数长形皮孔。叶纸质或近革质，倒卵形或阔椭圆形，长 6 ~ 15cm，宽 4 ~ 11.5cm，先端骤尖，具短尖头，基部钝圆或阔楔形，边缘于基部以上具粗齿，两面无毛或仅下面中脉两侧被稀疏卷曲短柔毛，脉腋间常具少许髯毛；侧脉 6 ~ 8 对，直，向上斜举或上部近边缘处微弯拱，上面平坦，下面微凸，小脉网状，两面明显；叶柄粗壮，长 1 ~ 3.5cm，无毛。伞房状聚伞花序近球形，直径 8 ~ 20cm，具短的总花梗，分枝粗壮，近等长，密被紧贴短柔毛，花密集，多数不育；不育花萼片 4，阔倒卵形、近圆形或阔卵形，长 1.4 ~ 2.4cm，宽 1 ~ 2.4cm，粉红色、淡蓝色或白色；孕性花极少数，具 2 ~ 4mm 长的花梗；萼筒倒圆锥状，长 1.5 ~ 2mm，与花梗疏被卷曲

短柔毛，萼齿卵状三角形，长约 1mm；花瓣长圆形，长 3 ~ 3.5mm；雄蕊 10，近等长，不凸出或稍凸出，花药长圆形，长约 1mm；子房大半下位，花柱 3，结果时长约 1.5mm，柱头稍扩大，半环状。蒴果未成熟，长陀螺状，连花柱长约 4.5mm，先端凸出部分长约 1mm，约为蒴果长度的 1/3；种子未熟。花期 6 ~ 8 月。

| **生境分布** | 生于海拔 380 ~ 1700m 的山谷溪旁或山顶疏林中。吉林无野生分布。吉林部分地区有栽培。

| **资源情况** | 吉林偶见栽培。药材主要来源于栽培。

| **采收加工** | 5 ~ 6 月花初开时采摘，晒干。

| **功能主治** | 苦、微辛，寒；有小毒。截疟，清热。用于疟疾，心热惊悸，烦躁。

| **用法用量** | 内服煎汤，9 ~ 12g。

虎耳草科 Saxifragaceae 绣球属 Hydrangea

圆锥绣球 *Hydrangea paniculata* Sieb.

| 植物别名 | 水亚木、栎叶绣球。

| 药材名 | 粉团花（药用部位：花。别名：圆锥八仙花、绿竹杆、白花莲）、粉团花根（药用部位：根。别名：土常山）。

| 形态特征 | 灌木或小乔木，高1～5m，有时达9m，胸径约20cm。枝暗红褐色或灰褐色，初时被疏柔毛，后变无毛，具凹条纹和圆形浅色皮孔。叶纸质，2～3对生或轮生，卵形或椭圆形，长5～14cm，宽2～6.5cm，先端渐尖或急尖，具短尖头，基部圆形或阔楔形，边缘有密集且稍内弯的小锯齿，上面无毛或有稀疏糙伏毛，下面于叶脉和侧脉上被紧贴长柔毛；侧脉6～7对，上部微弯，小脉稠密网状，下面明显；叶柄长1～3cm。圆锥状聚伞花序尖塔形，长达26cm，序轴及分枝密被短柔毛；不育花较多，白色；萼片4，阔椭圆形或近圆形，不等大，

圆锥绣球

结果时长 1 ~ 1.8cm，宽 0.8 ~ 1.4cm，先端圆或微凹，全缘；孕性花萼筒陀螺状，长约 1.1mm，萼齿短三角形，长约 1mm，花瓣白色，卵形或卵状披针形，长 2.5 ~ 3mm，渐尖；雄蕊不等长，长的长达 4.5mm，短的略短于花瓣，花药近圆形，长约 0.5mm；子房半下位，花柱 3，钻状，长约 1mm，直，基部联合，柱头小，头状。蒴果椭圆形，不连花柱长 4 ~ 5.5mm，宽 3 ~ 3.5mm，先端突出部分圆锥形，其长约等于萼筒；种子褐色，扁平，具纵脉纹，纺锤形，两端具翅，连翅长 2.5 ~ 3.5mm，其中翅长 0.8 ~ 1.2mm，先端的翅稍宽。花期 7 ~ 8 月，果期 10 ~ 11 月。

| **生境分布** | 生于山谷、山坡疏林下或山脊灌丛中。吉林无野生分布。吉林部分地区有栽培。

| **资源情况** | 吉林偶见栽培。药材主要来源于栽培。

| **采收加工** | 粉团花：5 ~ 6 月花初开时采摘，晒干。
粉团花根：冬季采挖，除去茎叶、细根，洗净，鲜用，或擦去栓皮，切段，晒干。

| **功能主治** | 粉团花：祛湿，破血。用于肾囊风（阴囊癣症）。
粉团花根：辛、酸，凉；有小毒。归脾经。截疟退热，消积和中，散结解毒，祛邪杀虫。用于咽喉痛，疟疾，食积不化，胸腹胀满，骨折，癣癞，瘿瘤，肿毒。

| **用法用量** | 粉团花：内服煎汤，9 ~ 12g。
粉团花根：内服煎汤，6 ~ 12g。外用适量，捣敷；或研末调擦；或煎汤洗。

虎耳草科 Saxifragaceae 唢呐草属 Mitella

唢呐草
Mitella nuda L.

唢呐草

药材名

唢呐草（药用部位：全草）。

形态特征

多年生草本，高 9 ~ 24cm。根茎细长。茎无叶，或仅具 1 叶，被腺毛。基生叶 1 ~ 4，叶片心形至肾状心形，长 0.8 ~ 3.7cm，宽 0.8 ~ 3.9cm，基部心形，不明显 5 ~ 7 浅裂，边缘具牙齿，两面被硬腺毛，叶柄长 1 ~ 8.3cm，被硬腺毛；茎生叶与基生叶同形，长约 1.6cm，宽约 1.4cm，被硬腺毛，具短柄。总状花序长 2 ~ 11cm，疏生数花；花梗长 3 ~ 5mm，被短腺毛；萼片近卵形，长 1.6 ~ 2mm，先端稍渐尖，单脉；花瓣长约 4mm，羽状 9 深裂，裂片通常线形；雄蕊 10，较萼片短；2 心皮大部合生，子房半下位，阔卵球形，花柱 2，柱头 2 裂。蒴果之 2 果瓣最上部离生，被腺毛；种子黑色而具光泽，狭椭球形，长约 1mm，宽约 0.4mm。花果期 6 ~ 9 月。

生境分布

生于林下、水边。分布于吉林延边（延吉、安图）、白山（长白、抚松）等。

| 资源情况 |

野生资源较少。药材主要来源于野生。

| 采收加工 |

夏季采收，除去杂质，晒干。

| 功能主治 |

清热解毒，芳香化湿，截疟杀虫。用于湿浊中阻，疟疾，虫积证。

虎耳草科 Saxifragaceae 槭叶草属 Mukdenia

槭叶草
Mukdenia rossii (Oliv.) Koidz.

槭叶草

| 植物别名 |

爬山虎、腊八菜。

| 药 材 名 |

槭叶草（药用部位：全草。别名：腊八菜、
爬山虎）。

| 形态特征 |

多年生草本，高 20 ~ 36cm。根茎较粗
壮，具暗褐色鳞片。叶均基生，具长柄；
叶片阔卵形至近圆形，长 10 ~ 14.3cm，宽
12 ~ 14.5cm，掌状 5 ~ 7 (~ 9) 浅裂至深裂，
裂片近卵形，先端急尖，边缘有锯齿，两面
均无毛；叶柄长 7 ~ 15.5cm，无毛。花葶被
黄褐色腺毛。多歧聚伞花序长 9 ~ 13.5cm，
具多花；花序分枝长达 10cm；花梗与托杯
外面均被黄褐色腺毛；托杯内壁仅基部与子
房愈合；萼片狭卵状长圆形，长 3 ~ 5mm，
宽约 2mm，无毛，单脉；花瓣白色，披针形，
长约 2.5mm，宽约 1mm，单脉；雄蕊长约
2mm；心皮 2，长约 4mm，下部合生；子房
半下位。蒴果长约 7.5mm，果瓣先端外弯，
果柄弯垂；种子多数。花果期 5 ~ 7 月。

| 生境分布 | 生于山坡岩石上、山谷石隙。分布于吉林白山、通化、延边（和龙）等。

| 资源情况 | 野生资源较少。药材主要来源于野生。

| 采收加工 | 夏季采收，除去杂质，晒干。

| 药材性状 | 本品根茎呈类圆形或不规则团块状，长 6cm，直径约 1cm；表面黑褐色，有褐色鳞叶残基、须根及须根痕；质硬，不易折断，断面粉性，灰色。叶基生，1 ~ 2，多破碎，完整叶片展平后呈圆卵形，长 4 ~ 7cm，宽 3 ~ 5cm，基部心形，掌状深裂，裂片狭卵形，边缘具锯齿，叶灰色，叶柄长 5 ~ 8.5cm，无毛或疏生毛。有的可见花葶，疏生柔毛；复聚伞花序，花序轴密生短腺毛和微柔毛，花瓣黄白色，披针形。有时可见蒴果，长约 7.5mm。气微，味苦。

| 功能主治 | 微苦、涩，平。归心经。养心安神，减缓心率。用于心脏病，心动过速，心神不宁，失眠。

| 用法用量 | 内服煎汤，9 ~ 15g。

| 附　　注 | （1）本种为吉林省Ⅲ级重点保护野生植物。
（2）吉林省民间使用本种叶片（2 ~ 3枚）泡茶喝，用于小脑萎缩。
（3）本种嫩株可作山野菜食用。

虎耳草科 Saxifragaceae 梅花草属 Parnassia

梅花草 *Parnassia palustris* Linn.

| **植物别名** | 多毛梅花草、苍耳七。

| **药 材 名** | 梅花草（药用部位：全草。别名：乌勒地格、纳木嘎纳）。

| **形态特征** | 多年生草本，高 12 ~ 20（~ 30）cm。根茎短粗，偶见稍长者，其下长出多数细长纤维状和须状根，其上有残存褐色膜质鳞片。基生叶 3 至多数，具柄；叶片卵形至长卵形，偶为三角状卵形，长 1.5 ~ 3cm，宽 1 ~ 2.5cm，先端圆钝或渐尖，常带短尖头，基部近心形，全缘，薄而微向外反卷，上面深绿色，下面淡绿色，常被紫色长圆形斑点，脉近基部 5 ~ 7 条，呈弧形，下面更明显；叶柄长 3 ~ 6（~ 8）cm，两侧有窄翼，具长条形紫色斑点；托叶膜质，大部贴生于叶柄，边有褐色流苏状毛，早落。茎 2 ~ 4，通常近中部具 1 茎生叶，茎生叶与基生叶同形，其基部常有铁锈色的附属物，

梅花草

无柄半抱茎。花单生于茎顶，直径 2.2 ~ 3（~ 3.5）cm；萼片椭圆形或长圆形，先端钝，全缘，具 7 ~ 9 脉，密被紫褐色小斑点；花瓣白色，宽卵形或倒卵形，长 1 ~ 1.5（~ 1.8）cm，宽 7 ~ 10（~ 13）mm，先端圆钝或短渐尖，基部有宽而短爪，全缘，有显著自基部发出 7 ~ 13 脉，常有紫色斑点；雄蕊 5，花丝扁平，长短不等，长者达 7mm，短者仅 2.5mm，向基部逐渐加宽，花药椭圆形，长约 3mm；退化雄蕊 5，长可达 1cm，呈分枝状，有明显主干，干长约 2.5mm，分枝长短不等，中间长者比主干长 3 ~ 4 倍，两侧者则短，通常（7 ~）9 ~ 11（~ 13）枝，每枝先端有球形腺体；子房上位，卵球形，花柱极短，柱头 4 裂。蒴果卵球形，干后有紫褐色斑点，呈 4 瓣开裂；种子多数，长圆形，褐色，有光泽。花期 7 ~ 9 月，果期 10 月。

| 生境分布 | 生于潮湿的山坡草地中、沟边、河谷地阴湿处。以长白山区为主要分布区域，分布于吉林延边、白山、通化、吉林、辽源（东丰）等。

| 资源情况 | 野生资源较少。药材主要来源于野生。

| 采收加工 | 夏季开花时采收，除去杂质，阴干。

| 药材性状 | 本品根茎呈不规则团块状，褐色，有多数须根。茎圆柱形，长 3 ~ 27cm，直径 1 ~ 2mm，有纵棱，质脆，易折断。基生叶褐色，多破碎，完整叶片呈卵圆形或心形，长 1 ~ 3cm，宽 0.5 ~ 2.5cm，全缘，叶柄较长。茎生叶 1，与基生叶同形，无柄。花黄色，单生茎顶。气微，味甘。

| 功能主治 | 苦，凉。归肺、肝、胆经。清热解毒，消肿凉血，化痰止咳。用于黄疸，脱疽，细菌性痢疾，咽喉痛，百日咳，咳嗽痰多，疮痈肿毒。

| 用法用量 | 内服煎汤，3 ~ 9g；或研末，每次 1 ~ 3g。

虎耳草科 Saxifragaceae 扯根菜属 Penthorum

扯根菜 *Penthorum chinense* Pursh

扯根菜

| 植物别名 |

赶黄草、水杨柳、水泽兰。

| 药 材 名 |

水泽兰（药用部位：全草。别名：山黄鳝）。

| 形态特征 |

多年生草本，高 40 ~ 65（~ 90）cm。根茎分枝；茎不分枝，稀基部分枝，具多数叶，中下部无毛，上部疏生黑褐色腺毛。叶互生，无柄或近无柄，披针形至狭披针形，长 4 ~ 10cm，宽 0.4 ~ 1.2cm，先端渐尖，边缘具细重锯齿，无毛。聚伞花序具多花，长 1.5 ~ 4cm；花序分枝与花梗均被褐色腺毛；苞片小，卵形至狭卵形；花梗长 1 ~ 2.2mm；花小型，黄白色；萼片 5，革质，三角形，长约 1.5mm，宽约 1.1mm，无毛，单脉；无花瓣；雄蕊 10，长约 2.5mm；雌蕊长约 3.1mm，心皮 5（~ 6），下部合生；子房 5（~ 6）室，胚珠多数，花柱 5（~ 6），较粗。蒴果红紫色，直径 4 ~ 5mm；种子多数，卵状长圆形，表面具小丘状突起。花果期 7 ~ 10 月。

| **生境分布** | 生于林下、灌丛草甸或水边、沼泽湿甸。吉林各地均有分布。

| **资源情况** | 野生资源较少。药材主要来源于野生。

| **采收加工** | 秋后采收，除去杂质，鲜用或晒干。

| **药材性状** | 本品根茎呈圆柱状，弯曲，具分枝，长约 15cm，直径 3 ~ 8cm；表面呈红褐色，密生不定根。茎圆柱形，直径 1 ~ 6mm，红紫色，不分枝或基部分枝。叶膜质，易碎，完整者呈披针形或狭披针形，绿褐色，长 3 ~ 11.5cm，宽 0.6 ~ 1.2cm，先端长渐尖或渐尖，基部楔形，边缘具细锯齿，无柄或近无柄。有时枝端可见聚伞花序，花黄绿色，无花瓣。偶见紫红色果实，直径达 6mm。气微，味甘。

| **功能主治** | 甘，温。归肝、肾经。通经活血，行水，除湿，消肿，祛瘀止痛。用于经闭，黄疸，水肿，血崩，带下，胃脘痛，跌打损伤。

| **用法用量** | 内服煎汤，15 ~ 30g。外用适量，捣敷。

虎耳草科 Saxifragaceae **山梅花属** *Philadelphus*

薄叶山梅花
Philadelphus tenuifolius Rupr. ex Maxim.

| **药 材 名** | 董叶山梅花（药用部位：根。别名：细叶山梅花）。 |

| **形态特征** | 灌木，高 1 ~ 3m。二年生小枝灰棕色，当年生小枝浅褐色，被毛。叶卵形，长 8 ~ 11cm，宽 5 ~ 6cm，先端急尖，基部近圆形或阔楔形，边缘具疏离锯齿，花枝上叶卵形或卵状椭圆形，长 3 ~ 6cm，宽 2 ~ 3cm，先端急尖或渐尖，基部圆形或钝，近全缘或具疏离锯齿，上面疏被长柔毛，下面沿叶脉疏被长柔毛，常紫董色；叶脉离基出 3 ~ 5；叶柄长 3 ~ 8mm，被毛。总状花序有花 3 ~ 7 (~ 9)；花序轴长 3 ~ 5cm，黄绿色；花梗长 3 ~ 10mm，果期较长，疏被短毛；花萼黄绿色，外面疏被微柔毛；裂片卵形，长约 5mm，先端急尖，干后脉纹明显，无白粉；花冠盘状，直径 2.5 ~ 3.5cm；花瓣白色，卵状长圆形，长 1 ~ 1.5cm，宽 0.6 ~ 1.3cm，先端圆，稍 2 裂， |

薄叶山梅花

无毛；雄蕊 25～30，最长达 10mm；花盘无毛；花柱纤细，先端稍分裂，无毛，柱头槌形，长约 1.5mm，较花药小。蒴果倒圆锥形，长 4～6mm，直径 4～5mm；种子长 2.5～3mm，具短尾。花期 6～7 月，果期 8～9 月。

| 生境分布 | 生于杂木林中。分布于吉林延边（安图、和龙、珲春）、白山（抚松、江源）等。

| 资源情况 | 野生资源较少。药材主要来源于野生。

| 采收加工 | 夏、秋季采挖根，洗净，切片，晒干。

| 药材性状 | 本品呈圆柱形，稍扭曲，有侧根，长短不一，直径 3～5cm。表面浅灰色，有须根痕，外皮易脱落，脱落处露出黄色木部。质较韧，不易折断，断面黄白色，纤维性。气微，味苦、微辛。

| 功能主治 | 甘，平。归肝、肾经。补虚强壮，利尿。用于体虚羸弱，小便不利，痔疮。

| 用法用量 | 内服煎汤，6～15g。

虎耳草科 Saxifragaceae 山梅花属 Philadelphus

东北山梅花 *Philadelphus schrenkii* Rupr.

东北山梅花

| 植物别名 |

辽东山梅花、石氏山梅花。

| 药 材 名 |

东北山梅花（药用部位：根皮。别名：辽东山梅花、石氏山梅花）。

| 形态特征 |

灌木，高 2 ～ 4m。二年生小枝灰棕色或灰色，表皮开裂后脱落，无毛，当年生小枝暗褐色，被长柔毛。叶卵形或椭圆状卵形，生于无花枝上叶较大，长 7 ～ 13cm，宽 4 ～ 7cm，花枝上叶较小，长 2.5 ～ 8cm，宽 1.5 ～ 4cm，先端渐尖，基部楔形或阔楔形，边全缘或具锯齿，上面无毛，下面沿叶脉被长柔毛，叶脉离基出 3 ～ 5，叶柄长 3 ～ 10mm，疏被长柔毛。总状花序有花 5 ～ 7，花序轴长 2 ～ 5cm，黄绿色，疏被微柔毛，花梗长 6 ～ 12mm，疏被毛。花萼黄绿色，萼筒外面疏被短柔毛，裂片卵形，长 4 ～ 7mm，先端急尖，外面无毛，干后脉纹明显。花冠直径 2.5 ～ 3.5（～ 4）cm，花瓣白色，倒卵形或长圆状倒卵形，长 1 ～ 1.5cm，宽 1 ～ 1.2cm，无毛，雄蕊 25 ～ 30，最长达 10mm，花盘无毛，花柱从先端分裂至中部以下，被长

硬毛，柱头槌形，稀棒形，长 1 ~ 1.5mm，常较花药小。蒴果椭圆形，长 8 ~ 9.5mm，直径 3.5 ~ 4.5mm；种子长 2 ~ 2.5mm，具短尾。花期 6 ~ 7 月，果期 8 ~ 9 月。

| 生境分布 |

生于海拔 100 ~ 1500m 的杂木林中。分布于吉林延边、白山、通化等。

| 资源情况 |

野生资源稀少。药材主要来源于野生。

| 采收加工 |

夏、秋季采挖根部，洗净，剥取根皮，晒干。

| 功能主治 |

活血止痛，截疟。用于疟疾，挫伤，腰肋疼痛，胃痛，头痛。

虎耳草科 Saxifragaceae 茶藨子属 Ribes

刺果茶藨子
Ribes burejense Fr. Schmidt

| 植物别名 | 刺梨、刺醋李、刺儿李。

| 药 材 名 | 刺果茶藨子（药用部位：根、茎枝、果实、种子）。

| 形态特征 | 落叶灌木，高 1 ~ 1.5（~ 2）m。老枝较平滑，灰黑色或灰褐色，小枝灰棕色，幼时具柔毛，在叶下部的节上着生 3 ~ 7 枚长达 1cm 的粗刺，节间密生长短不等的细针刺；芽长圆形，先端急尖，具数枚干膜质鳞片。叶宽卵圆形，长 1.5 ~ 4cm，宽 1.5 ~ 5cm，不育枝上的叶较大，基部截形至心形，幼时两面被短柔毛，老时渐脱落，下面沿叶脉有时具少数腺毛，掌状 3 ~ 5 深裂，裂片先端稍钝或急尖，边缘有粗钝锯齿；叶柄长 1.5 ~ 3cm，具柔毛，老时脱落近无毛，常有稀疏腺毛。花两性，单生于叶腋或 2 ~ 3 组成短总状花序；花序轴长 4 ~ 7mm，具疏柔毛或几无毛，或具疏腺毛；花梗长 5 ~ 10mm，

刺果茶藨子

疏生柔毛或近无毛，有时疏生腺毛；苞片宽卵圆形，长 3 ~ 4mm，宽约 3mm，先端急尖或稍钝，被柔毛，具 3 脉；花萼浅褐色至红褐色，疏生柔毛或近无毛；萼筒宽钟形，长 3 ~ 4mm，宽稍大于长，萼片长圆形或匙形，长 6 ~ 7mm，宽 1.5 ~ 3mm，先端圆钝，在花期开展或反折，果期常直立；花瓣匙形或长圆形，长 4 ~ 5mm，宽 1.5 ~ 3mm，先端圆钝，浅红色或白色；雄蕊较花瓣长或与花瓣几等长，花药卵状椭圆形，先端常无密腺；子房梨形，无柔毛，具黄褐色小刺；花柱无毛，几与雄蕊等长，先端 2 浅裂。果实圆球形，直径约 1cm，未熟时浅绿色至浅黄绿色，熟后转变为暗红黑色，具多数黄褐色小刺。花期 5 ~ 6 月，果期 7 ~ 8 月。

| 生境分布 | 生于山地针叶林、阔叶林或针阔叶混交林林下或林缘，也见于山坡灌丛或溪流旁。以长白山区为主要分布区域，分布于吉林延边、白山、通化、吉林、辽源（东丰）等。

| 资源情况 | 野生资源较少。药材主要来源于野生。

| 采收加工 | 秋季采挖根，洗净泥土，晒干。冬季至翌年春季割取带叶茎枝后除去老枝梗，趁鲜切段，阴干或晒干。秋季采收成熟果实，晒干或鲜用。秋季果实成熟时采割植株，晒干，取出种子，除去杂质，再晒干。

| 功能主治 | 甘，温。清热燥湿，利水，调经。用于风湿热痹，小便不利，月经不调。

| 附　　注 | 果实成熟前青果期可生食。

| 虎耳草科 | Saxifragaceae | 茶藨子属 | *Ribes* |

密刺茶藨子
Ribes horridum Rupr. ex Maxim.

密刺茶藨子

| 植物别名 |

黑果茶藨。

| 药 材 名 |

密刺茶藨子（药用部位：果实）。

| 形态特征 |

落叶小灌木，高 0.8 ~ 1.5m。枝松散，老枝深灰褐色或灰棕色，小枝棕色或黄棕色，皮稍呈条状剥落，无柔毛，密被棕黄色针状细刺，叶下部的节上集生多数轮状排列的粗针刺，刺长 7 ~ 10mm；芽小，卵形，先端稍钝，具数枚薄纸质鳞片。叶宽卵形或近圆形，长 2 ~ 4cm，宽几与长相等，基部心形，两面无柔毛，具稀疏平贴针状小刺，掌状 5 裂，稀 3 或 7 裂，裂片先端急尖，稀稍钝，顶生裂片菱形，稍长于侧生裂片，边缘具不整齐或缺刻状粗锯齿或重锯齿；叶柄长 1 ~ 4（~ 5）cm，具刺状刚毛，有时沿槽具疏柔毛。花两性；总状花序下垂，长 5 ~ 6cm，具花 4 ~ 10；花序轴和花梗具柔毛和腺毛；花梗长 5 ~ 7mm；苞片宽披针形或舌形，长 2 ~ 3mm，边缘具腺毛和单脉；花萼外面无毛；萼筒短，盆形，宽 2 ~ 3mm，绿褐色或紫褐色；萼片扇形或近圆形，长、宽均 2 ~ 3mm，先端圆钝，绿白色至黄绿色，开展，稀反折；花瓣扇形，长约 2mm，宽大于长，与萼片同色；雄蕊比花瓣短或与花瓣几等长，花丝苍白色，花药卵圆形；子房梨形，具腺毛；花柱比雄蕊稍长或与雄蕊几等长，先端 2 裂，无毛。果实圆球形，直径 8 ~ 12mm，具腺毛，成熟时黑色，果肉味酸。花期 5 ~ 6 月，果期 7 ~ 8 月。

| **生境分布** | 生于海拔较高的针叶林或岳桦林下、林缘。分布于吉林白山（抚松、长白）、延边（安图）等。

| **资源情况** | 野生资源较少。药材主要来源于野生。

| **采收加工** | 夏季果实成熟时采收，晒干。

| **功能主治** | 解表。用于感冒。

| **附　　注** | 此种和醋栗亚属 *Subgen Grossularia* (Mill.) A. Rich. 的一些种类相似，但后者花序短小，长仅 1 ~ 1.5cm，具花 2 ~ 3，有时花单生，稀花序较长，苞片通常卵圆形或近圆形，具 3 脉，萼筒钟形或圆筒形。

虎耳草科 Saxifragaceae 茶藨子属 Ribes

长白茶藨子
Ribes komarovii Pojark.

| 植物别名 | 灯笼果、狗葡萄、山欧李。

| 药 材 名 | 长白茶藨子（药用部位：果实）。

| 形态特征 | 落叶灌木，高 1.5 ～ 3m。小枝暗灰色或灰色，皮条状剥离，幼枝棕褐色至红褐色，无毛，无刺；芽长卵圆形，长 5 ～ 8mm，先端渐尖，具数枚褐色或红褐色鳞片，外面无毛或仅鳞片边缘微具短柔毛。叶宽卵圆形或近圆形，长 2 ～ 6cm，宽 2 ～ 5cm，基部近圆形至截形，稀浅心形，上面深绿色，下面灰绿色，两面无毛，稀疏生腺毛，常掌状 3 浅裂，顶生裂片比侧生裂片长得多，先端急尖，侧生裂片较小，先端圆钝，具不整齐圆钝粗锯齿；叶柄长 6 ～ 17mm，无毛，有时具稀疏腺毛。花单性，雌雄异株，排成直立短总状花序；雄花序长 2 ～ 5cm，具花 10 余朵；雌花序较短，长 1.5 ～ 2.5cm，具花 5 ～ 10；

长白茶藨子

花序轴和花梗无柔毛，具短腺毛；花梗长 2 ~ 4mm；苞片棕褐色，椭圆形，长
4 ~ 6mm，宽 1.5 ~ 2.5mm，无毛或边缘具不明显稀疏短腺毛；花萼绿色，外
面无毛；萼筒杯形，长 1.5 ~ 2.5mm，宽稍大于长；萼片卵圆形或长卵圆形，
长几与萼筒相似，先端圆钝，直立；花瓣很小，倒卵圆形或近扇形，短于萼片，
基部楔形；雄蕊稍长于花瓣，花丝稍长于花药；雌花的雄蕊短小，几无花丝；
子房无毛，雄花的子房不发育；花柱先端 2 浅裂。果实球形或倒卵球形，直径
7 ~ 8mm，未熟时黄绿色，熟时红色，无毛。花期 5 ~ 6 月，果期 8 ~ 9 月。

| **生境分布** | 生于路边、灌丛中、岩石坡地、阔叶林下、林缘。分布于吉林白山（长白、抚松、临江）、延边（安图、和龙、敦化、汪清、珲春）、吉林（蛟河）、通化（集安）等。

| **资源情况** | 野生资源较丰富。药材主要来源于野生。

| **采收加工** | 夏季果实成熟时采收，晒干。

| **功能主治** | 发汗解毒。用于感冒，发热，头痛。

| **附　　注** | 本种为吉林省Ⅲ级重点保护野生植物。

虎耳草科 Saxifragaceae 茶藨子属 Ribes

东北茶藨子

Ribes mandshuricum (Maxim.) Kom.

| **植物别名** | 东北茶藨、东北醋李。

| **药 材 名** | 灯笼果（药用部位：果实。别名：狗葡萄、醋栗、山麻子）。

| **形态特征** | 落叶灌木，高 1 ~ 3m。小枝灰色或褐灰色，皮纵向或长条状剥落，嫩枝褐色，无刺。叶宽大，长 5 ~ 10cm，宽几与长相等，叶柄长 4 ~ 7cm。花两性，开花时直径 3 ~ 5mm；总状花序长 7 ~ 16cm，初直立后下垂，花多达 40 ~ 50；花梗长 1 ~ 3mm；苞片小，卵圆形；花萼浅绿色或带黄色；萼筒盆形，萼片倒卵状舌形或近舌形，花瓣近匙形，长 1 ~ 1.5mm，宽稍短于长，先端圆钝或截形，浅黄绿色；雄蕊稍长于萼片，花药近圆形，红色；花柱稍短或几与雄蕊等长，先端 2 裂，有时分裂几达中部。果实球形，直径 7 ~ 9mm，红色，味酸可食；种子多数，较大，圆形。花期 5 ~ 6 月，果期 8 ~ 9 月。

东北茶藨子

| 生境分布 |

生于山坡、山谷林下、灌丛中、混交林林缘。以长白山区为主要分布区域,分布于吉林延边、白山、通化、吉林、辽源(东丰)等。

| 资源情况 |

野生资源较丰富。药材主要来源于野生。

| 采收加工 |

夏季果实成熟时采收,晒干。

| 药材性状 |

本品呈扁球形,直径约 6mm。果皮皱缩不平,红褐色至黑红色,显油性,先端有宿存花萼,基部具果柄,有绒毛。果皮薄,易碎,可见棕红色小椭圆球形或小肾形的种子。气微,味甘、辛。

| 功能主治 |

苦,凉。疏风解表,发汗解毒。用于外感表证。

| 用法用量 |

内服煎汤,9 ~ 15g。

虎耳草科 Saxifragaceae 茶藨子属 Ribes

尖叶茶藨子
Ribes maximowiczianum Kom.

尖叶茶藨子

| 植物别名 |

北方茶藨、远东茶藨、山麻子。

| 药 材 名 |

尖叶茶藨子（药用部位：果实）。

| 形态特征 |

落叶小灌木，高约 1m。枝细瘦，小枝灰褐色或灰色，皮纵向剥裂，嫩枝棕褐色，无毛，无刺；芽长卵圆形或长圆形，长 4 ~ 7mm，先端渐尖，具数枚棕褐色鳞片，外面无毛或仅边缘微具短柔毛。叶宽卵圆形或近圆形，长 2.5 ~ 5cm，宽 2 ~ 4cm，基部宽楔形至圆形，稀截形，上面深绿色，散生粗伏柔毛，下面色较浅，常沿叶脉具粗伏柔毛，掌状 3 裂，顶生裂片近菱形，长于侧生裂片，先端渐尖，侧生裂片卵状三角形，先端急尖，边缘具粗钝锯齿；叶柄长 5 ~ 10mm，无毛或具疏腺毛。花单性，雌雄异株，组成短总状花序；雄花序长 2 ~ 4cm，具花 10 余朵；雌花序较短，具花 10 朵以下；花序轴和花梗疏生短腺毛，无柔毛；花梗长 1 ~ 3mm；苞片椭圆状披针形，长 3 ~ 5mm，宽 1 ~ 2mm，外面无毛或边缘具腺毛；花萼黄褐色，外面无毛；萼筒碟形，长 1.5 ~ 2mm，宽大于长；萼片长卵圆形，长 1.5 ~ 2.5mm，先端圆钝，直立；花瓣极小，倒卵圆形；雄蕊比花瓣稍长或与花瓣几等长，花药和花丝近等长；雌花的退化雄蕊棒状；子房无毛，雄花的子房不发育；花柱先端 2 裂。果实近球形，直径 6 ~ 8mm，红色，无毛。花期 5 ~ 6 月，果期 8 ~ 9 月。

| 生境分布 | 生于山坡、山谷林下、灌丛中、混交林林缘。分布于吉林延边（安图、和龙、珲春、汪清）、白山（抚松、临江、长白）、吉林（蛟河）等。

| 资源情况 | 野生资源较丰富。药材主要来源于野生。

| 采收加工 | 夏季采收成熟果实，除去杂质，晒干。

| 功能主治 | 苦，凉。清热解毒，芳香化湿，截疟杀虫。用于湿浊中阻，疟疾。

| 附　　注 | 此种和长白茶藨子 *Ribes komarovii* Pojark. 的形态相近，区别在于后者的叶两面无毛，稀疏生短腺毛，裂片先端急尖或圆钝，花萼绿色，萼筒杯形。

黑茶藨子 *Ribes nigrum* Linn.

| **植物别名** | 兴安茶藨。

| **药 材 名** | 黑茶藨子（药用部位：果实、根皮、叶。别名：兴安茶藨）。

| **形态特征** | 落叶直立灌木，高 1 ～ 2m。小枝暗灰色或灰褐色，无毛，皮通常不裂，幼枝褐色或棕褐色，具疏密不等的短柔毛，被黄色腺体，无刺；芽长卵圆形或椭圆形，长（3 ～）4 ～ 7mm，宽 2 ～ 4mm，先端急尖，具数枚黄褐色或棕色鳞片，被短柔毛和黄色腺体。叶近圆形，长4 ～ 9cm，宽 4.5 ～ 11cm，基部心形，上面暗绿色，幼时微具短柔毛，老时脱落，下面被短柔毛和黄色腺体，掌状 3 ～ 5 浅裂，裂片宽三角形，先端急尖，顶生裂片稍长于侧生裂片，边缘具不规则粗锐锯齿；叶柄长 1 ～ 4cm，具短柔毛，偶尔疏生腺体，有时基部具少数羽状毛。花两性，开花时直径 5 ～ 7mm；总状花序长 3 ～ 5（～ 8）cm，下垂

黑茶藨子

或呈弧形，具花 4 ~ 12；花序轴和花梗具短柔毛，或混生稀疏黄色腺体；花梗长 2 ~ 5mm；苞片小，披针形或卵圆形，长 1 ~ 2mm，先端急尖，具短柔毛；花萼浅黄绿色或浅粉红色，具短柔毛和黄色腺体；萼筒近钟形，长 1.5 ~ 2.5mm，宽 2 ~ 4mm；萼片舌形，长 3 ~ 4mm，宽 1.5 ~ 2mm，先端圆钝，开展或反折；花瓣卵圆形或卵状椭圆形，长 2 ~ 3mm，宽 1 ~ 1.5mm，先端圆钝；雄蕊与花瓣近等长，花药卵圆形，具蜜腺；子房疏生短柔毛和腺体；花柱稍短于雄蕊，先端 2 浅裂，稀几不裂。果实近圆形，直径 8 ~ 10 (~ 14) mm，熟时黑色，疏生腺体。花期 5 ~ 6 月，果期 7 ~ 8 月。

| **生境分布** | 生于湿润谷底、沟边或坡地云杉林、落叶松林或针阔叶混交林林下。吉林无野生分布。吉林部分地区有栽培。

| **资源情况** | 吉林偶见栽培。药材主要来源于栽培。

| **采收加工** | 秋季果实成熟时采摘，晒干或鲜用。春、秋季采挖根部，洗净，剥取根皮，晒干。夏季采剪叶，鲜用或阴干。

| **功能主治** | 果实，滋补强壮。用于体虚羸弱。根皮，舒筋活血。用于风湿痹痛。叶，用于风湿痹痛，痛风，关节炎，腰痛，足痛，小便不利。

镜叶虎耳草
Saxifraga fortunei Hook. f. var. *koraiensis* Nakai

| 药 材 名 | 镜叶虎耳草（药用部位：全草）。

| 形态特征 | 多年生草本，高 24 ～ 40cm。叶均基生，具长柄；叶片肾形至近心形，长 3.3 ～ 16cm，宽 3.8 ～ 20cm，先端钝或急尖，基部心形，7 ～ 11 浅裂，浅裂片近阔卵形，具掌状达缘脉序；叶柄长 5 ～ 18.5cm，被长腺毛。花葶被红褐色卷曲长腺毛；多歧聚伞花序圆锥状，花梗长 5 ～ 16mm；苞片狭三角形，反曲，近卵形。花瓣白色至淡红色，5 枚，其中 3 枚较短，卵形，长 1.3 ～ 4.1mm，1 枚较长，狭卵形，长 7.2 ～ 17.3mm，另 1 枚最长，狭卵形，长 12 ～ 23.5mm，先端渐尖或稍渐尖；雄蕊长 4 ～ 5mm，花丝棒状；子房卵球形，花柱 2。蒴果弯垂，长约 6.7mm，2 果瓣叉开。花期 6 ～ 7 月，果期 8 ～ 9 月。

| 生境分布 | 生于林下、溪边岩隙、高山岩石缝隙中。分布于吉林白山、通化（集

镜叶虎耳草

安）等。

| 资源情况 |

野生资源较少。药材主要来源于野生。

| 采收加工 |

夏季采收，除去杂质，晒干。

| 功能主治 |

祛风，清热，凉血解毒。用于风疹，中耳炎，丹毒，咳嗽吐血，肺痈，崩漏，痔疾。

| 用法用量 |

内服煎汤，6 ~ 15g。外用适量，捣汁滴；或煎汤熏洗。

虎耳草科 Saxifragaceae 虎耳草属 *Saxifraga*

长白虎耳草 *Saxifraga laciniata* Nakai et Takeda

| **植物别名** | 条裂虎耳草、斑瓣虎耳草。

| **药 材 名** | 长白虎耳草（药用部位：全草）。

| **形态特征** | 多年生草本，高 6 ~ 26cm。叶全部基生，稍肉质，通常匙形，长 1.3 ~ 3cm，宽 0.4 ~ 1cm。花葶被腺柔毛。聚伞花序伞房状，长 1.7 ~ 13cm，具 5 ~ 7 花；花序分枝与花梗均被腺柔毛；苞叶披针形或线形，长 2 ~ 12mm；萼片在花期反曲，稍肉质，卵形，长 2.3 ~ 2.5mm，宽约 1.5mm，先端急尖，无毛，3 脉于先端汇合；花瓣白色，基部具 2 黄色斑点，卵形、狭卵形至长圆形，长 3 ~ 4.5mm，宽 1.8 ~ 2mm，先端急尖或稍钝，基部狭缩成长 1 ~ 1.1mm 之爪，3 ~ 5 脉；雄蕊长约 3mm，花丝钻形；子房近上位，卵球形，长约 2.2mm，花柱 2，长约 0.2mm。蒴果长 5 ~ 7mm。花期 7 ~ 8 月，果期 8 ~ 9 月。

长白虎耳草

生境分布	生于高地苔原带、岳桦林下、高山荒漠带上。分布于吉林白山（抚松、长白）、延边（安图）等。
资源情况	野生资源稀少。药材主要来源于野生。
采收加工	夏季采收，除去杂质，晒干。
功能主治	苦，凉。除湿利尿，行血祛瘀，消肿。用于咳嗽，咯血，黄疸，骨折筋伤，带下，疮疖，疔疮肿毒。
附　注	本种为吉林省Ⅱ级重点保护野生植物。

虎耳草科 Saxifragaceae 虎耳草属 *Saxifraga*

斑点虎耳草 *Saxifraga punctata* L.

| 植物别名 | 北方茶藨、远东茶藨、山麻子。

| 药 材 名 | 斑点虎耳草（药用部位：全草）。

| 形态特征 | 多年生草本，高 22.5 ~ 33cm。茎疏生腺柔毛。叶均基生，具长柄；叶片肾形，长 1.6 ~ 5.5cm，宽 1.9 ~ 6.5cm，边缘具 19 ~ 21 阔卵形牙齿，并具腺睫毛，腹面被腺柔毛，背面无毛，具掌状达缘脉序；柄长 4 ~ 10.7cm，疏生腺柔毛。聚伞花序圆锥状，具多花（30 ~ 52花）；花序分枝和花梗均被腺毛；托杯长约 0.6mm，无毛；萼片在花期反曲，阔卵形至卵形，长 0.7 ~ 1.3mm，宽 0.7 ~ 1mm，无毛，单脉；花瓣白色或淡紫红色，卵形，长 2.1 ~ 2.7mm，宽 1.6 ~ 1.8mm，先端微凹，基部狭缩成长 0.5 ~ 0.7mm 之爪，单脉；雄蕊长 2 ~ 3mm，花丝棒状；子房近上位，阔卵球形，花柱长 0.2 ~ 0.5mm。蒴果长

斑点虎耳草

2.8mm，2 果瓣上部叉开，基部合生。花期 7 月，果期 8 月。

| 生境分布 | 生于红松林下、林缘、石隙。分布于吉林白山（抚松、长白）、延边（安图）等。

| 资源情况 | 野生资源较少。药材主要来源于野生。

| 采收加工 | 夏季采收，除去杂质，晒干。

| 药材性状 | 本品根茎圆柱形，多分枝，长约 4cm，粗细不一，具多数须根；表面灰褐色至灰黑色，具毛状小鳞叶。叶基生，叶片卷曲皱缩，完整者展平后呈肾形，暗灰色，长 1 ~ 4cm，宽 2 ~ 6.5cm，先端钝或急尖，基部心形，边缘有锯齿并具睫毛，上面有腺柔毛，叶柄长 3 ~ 10cm，几无毛，花葶长约 30cm，疏生柔毛，圆锥花序疏有短柔毛及腺毛，花多数，白色或带粉红色。有的可见果实，2 果瓣上部叉开，基部合生。气微，味苦、辛。

| 功能主治 | 苦，凉。归心经。解毒消肿，清热凉血。用于湿热留滞肌表，湿疹作痒，痈疡疮疖，无名肿毒。

| 用法用量 | 内服煎汤，9 ~ 15g。

| 附　注 | （1）在 FOC 中，本种的拉丁学名被修订为 *Saxifraga nelsoniana* D. Don。
（2）本种为吉林省 II 级重点保护野生植物。

| 虎耳草科 | Saxifragaceae | 虎耳草属 | *Saxifraga*

虎耳草
Saxifraga stolonifera Curt.

| **植物别名** | 通耳草、耳朵草、丝棉吊梅。

| **药材名** | 虎耳草（药用部位：全草。别名：石荷叶、金线吊芙蓉、老虎耳）。

| **形态特征** | 多年生草本，高 8 ~ 45cm。鞭匐枝细长，密被卷曲长腺毛，具鳞片状叶。茎被长腺毛，具 1 ~ 4 苞片状叶。基生叶具长柄，叶片近心形、肾形至扁圆形，长 1.5 ~ 7.5cm，宽 2 ~ 12cm，先端钝或急尖，基部近截形、圆形至心形，（5 ~ ）7 ~ 11 浅裂（有时不明显），裂片边缘具不规则牙齿和腺睫毛，腹面绿色，被腺毛，背面通常红紫色，被腺毛，有斑点，具掌状达缘脉序，叶柄长 1.5 ~ 21cm，被长腺毛；茎生叶披针形，长约 6mm，宽约 2mm。聚伞花序圆锥状，长 7.3 ~ 26cm，具 7 ~ 61 花；花序分枝长 2.5 ~ 8cm，被腺毛，具 2 ~ 5 花；花梗长 0.5 ~ 1.6cm，细弱，被腺毛；花两侧对称；萼片在花期

虎耳草

开展至反曲，卵形，长 1.5 ～ 3.5mm，宽 1 ～ 1.8mm，先端急尖，边缘具腺睫毛，腹面无毛，背面被褐色腺毛，3 脉于先端汇合成 1 疣点；花瓣白色，中上部具紫红色斑点，基部具黄色斑点，5 枚，其中 3 枚较短，卵形，长 2 ～ 4.4mm，宽 1.3 ～ 2mm，先端急尖，基部具长 0.1 ～ 0.6mm 之爪，羽状脉序，具 2 级脉（2 ～ ）3 ～ 6，另 2 枚较长，披针形至长圆形，长 6.2 ～ 14.5mm，宽 2 ～ 4mm，先端急尖，基部具长 0.2 ～ 0.8mm 之爪，羽状脉序，具 2 级脉 5 ～ 10（～ 11）；雄蕊长 4 ～ 5.2mm，花丝棒状；花盘半环状，围绕于子房一侧，边缘具瘤突；2 心皮下部合生，长 3.8 ～ 6mm；子房卵球形，花柱 2，叉开。花果期 4 ～ 11 月。

| 生境分布 | 生于海拔 400 ～ 4500m 的林下、灌丛、草甸和阴湿岩隙。吉林无野生分布。吉林部分地区有栽培。

| 资源情况 | 吉林偶见栽培。药材主要来源于栽培。

| 采收加工 | 夏季采收，除去杂质，晒干。

| 功能主治 | 苦、辛，寒；有小毒。归肺、脾、大肠经。疏风清热，凉血解毒。用于风热咳嗽，肺痈，吐血，风火牙痛，风疹瘙痒，痈肿丹毒，痔疮肿痛，毒虫咬伤，外伤出血。

| 用法用量 | 内服煎汤，10 ～ 15g。外用适量，捣汁滴；或煎汤熏洗。

蔷薇科 Rosaceae 龙芽草属 Agrimonia

托叶龙芽草 *Agrimonia coreana* Nakai

| **植物别名** | 朝鲜龙芽草、大托叶龙芽草。

| **药 材 名** | 托叶龙芽草（药用部位：地上部分）。

| **形态特征** | 多年生草本植物。主根不发达，侧根较多，纤细，根茎粗短，木质化，常有地下芽。茎高 70 ~ 100cm，被疏柔毛及短柔毛。叶为间断奇数羽状复叶，有小叶 3 ~ 4 对，上部 1 ~ 2 对，叶柄被疏柔毛及短柔毛，小叶无柄，菱状椭圆形或倒卵状椭圆形，长 2 ~ 6cm，宽 1.5 ~ 3cm，先端急尖至圆钝，基部阔楔形或楔形，边缘有粗大圆钝锯齿，上面伏生疏柔毛或脱落几无毛，下面脉上横生疏柔毛，脉间密被短柔毛；托叶宽大，呈扇形或宽卵圆形，边缘具粗大圆钝锯齿或浅裂片。花序极为疏散，花间距 1.5 ~ 4cm，花序轴纤细，被短柔毛及疏柔毛，花梗长 1 ~ 3mm；苞片 3 深裂，裂片带形，小苞片 1 对，卵形，有

托叶龙芽草

齿或全缘；花直径 7 ~ 9mm；萼片 5，三角状长卵形，花瓣黄色，倒卵状长圆形；雄蕊 17 ~ 24；花柱 2，柱头微扩大，头状。果实圆锥状半球形，外面有 10 肋，被疏柔毛，先端有数层钩刺，向外开展，连钩刺长约 5mm，最宽处直径约 4mm。花果期 7 ~ 8 月。

| 生境分布 | 生于海拔 500 ~ 800m 的林缘、山坡灌丛旁。吉林各地均有分布。

| 资源情况 | 野生资源较丰富。药材主要来源于野生。

| 采收加工 | 夏、秋季枝叶茂盛时采割，除去杂质，晒干。

| 功能主治 | 苦、涩、平。归心、肝经。收敛止血，止痢，解毒。用于咯血，吐血，疟疾，痈肿疮毒。

| 用法用量 | 内服煎汤，10 ~ 15g。外用捣敷；或熬膏涂敷。

薔薇科 Rosaceae 龙芽草属 Agrimonia

龙芽草
Agrimonia pilosa Ldb.

龙芽草

植物别名

仙鹤草、狼牙草、黄牛尾。

药材名

仙鹤草（药用部位：地上部分。别名：脱力草、狼牙草、黄龙尾）、鹤草芽（药用部位：地下冬芽）。

形态特征

多年生草本。根多呈块茎状，周围长出若干侧根，根茎短，基部常有 1 至数个地下芽。茎高 30 ~ 120cm，被疏柔毛及短柔毛，稀下部被稀疏长硬毛。叶为间断奇数羽状复叶，通常有小叶 3 ~ 4 对，稀 2 对，向上减少至 3 小叶，叶柄被稀疏柔毛或短柔毛；小叶片无柄或有短柄，倒卵形、倒卵状椭圆形或倒卵状披针形，长 1.5 ~ 5cm，宽 1 ~ 2.5cm，先端急尖至圆钝，稀渐尖，基部楔形至宽楔形，边缘有急尖到圆钝锯齿，上面被疏柔毛，稀脱落几无毛，下面通常脉上伏生疏柔毛，稀脱落几无毛，有显著腺点；托叶草质，绿色，镰形，稀卵形，先端急尖或渐尖，边缘有尖锐锯齿或裂片，稀全缘，茎下部托叶有时呈卵状披针形，常全缘。花序穗状总状顶生，分枝或不分枝，花序轴被柔毛，花梗长 1 ~ 5mm，被柔毛；苞片通常深 3 裂，裂片带形，小苞片对生，卵形，全缘或边缘分裂；花直径6～9mm；萼片5，三角状卵形；花瓣黄色，长圆形；雄蕊5～8（～15）；花柱2，丝状，柱头头状。果实倒卵状圆锥形，外面有10肋，被疏柔毛，先端有数层钩刺，幼时直立，成熟时靠合，连钩刺长7～8mm，最宽处直径3～4mm。花果期5～12月。

| **生境分布** | 生于溪边、路旁、草地、灌丛、林缘或疏林下。吉林各地均有分布。

| **资源情况** | 野生资源丰富。药材主要来源于野生。

| **采收加工** | 仙鹤草：夏、秋季在枝叶茂盛时采割，除去杂质，晒干。
鹤草芽：地上部分枯萎后，翌年春季植株萌发前（3～4月），挖出根部，取下冬芽，洗净，晒干或55℃以下烘干。

| **药材性状** | 仙鹤草：本品长50～100cm，全体被白色柔毛。茎下部圆柱形，直径4～6mm，红棕色，上部方柱形，四面略凹陷，绿褐色，有纵沟和棱线，有节；体轻，质硬，易折断，断面中空。单数羽状复叶互生，暗绿色，皱缩卷曲；质脆，易碎；叶片有大小2种，相间生于叶轴上，先端小叶较大，完整小叶片展平后呈卵形或长椭圆形，先端尖，基部楔形，边缘有锯齿；托叶2，抱茎，斜卵形。总状花序细长，花萼下部呈筒状，萼筒上部有钩刺，先端5裂，花瓣黄色。气微，味微苦。以质嫩、叶多者为佳。
鹤草芽：本品呈圆锥形或圆锥状圆柱形，黄白色，常弯曲，长1～3cm。外面包被数枚披针形的黄白色膜质鳞叶，有数条纵向的叶脉，基部棕色。质脆易碎。略有豆腥气，味微甜而后苦、涩。

| **功能主治** | 仙鹤草：苦、涩，平。归心、肝经。收敛止血，截疟，止痢，解毒，补虚。用于咯血，吐血，崩漏下血，疟疾，血痢，痈肿疮毒，阴痒带下，脱力劳伤。
鹤草芽：苦、涩，平。驱虫。用于绦虫病。

| **用法用量** | 仙鹤草：内服煎汤，10～15g，大剂量可用30g；或入散剂。外用适量，捣敷；或熬膏涂敷。
鹤草芽：内服煎汤，9～30g。

蔷薇科 Rosaceae 桃属 Amygdalus

山桃

Amygdalus davidiana (Carr.) C. de Vos ex Henry

| **植物别名** | 山毛桃。

| **药 材 名** | 桃仁（药用部位：种子。别名：桃核仁）、山桃叶（药用部位：叶）、桃子（药用部位：成熟果实。别名：桃实）、桃花（药用部位：花）、碧桃干（药用部位：未成熟果实。别名：瘪桃干）、桃胶（药材来源：树脂）。

| **形态特征** | 落叶乔木，高可达 10m。树冠开展，树皮暗紫色，光滑。小枝细长，直立，幼时无毛，老时褐色。叶片卵状披针形，长 5 ~ 13cm，宽 1.5 ~ 4cm，先端渐尖，基部楔形，两面无毛，叶缘具细锐锯齿；叶柄长 1 ~ 2cm，无毛，常具腺体。花单生，先于叶开放，直径 2 ~ 3cm；花梗极短或几无梗；花萼无毛；萼筒钟形；萼片卵形至卵状长圆形，紫色，先端圆钝；花瓣倒卵形或近圆形，长 10 ~ 15mm，宽 8 ~

山桃

12mm，粉红色，先端圆钝，稀微凹；雄蕊多数，几与花瓣等长或比花瓣稍短；子房被柔毛，花柱长于雄蕊或与雄蕊近等长。果实近球形，直径 2.5 ～ 3.5cm，淡黄色，外面密被短柔毛，果柄短而深入果洼；果肉薄而干，不可食，成熟时不开裂；核球形或近球形，两侧不压扁，先端圆钝，基部截形，表面具纵、横沟纹和孔穴，与果肉分离。花期 3 ～ 4 月，果期 7 ～ 8 月。

| 生境分布 | 生于海拔 800 ～ 3200m 的山坡、山谷沟底、荒野疏林或灌丛内。吉林无野生分布。吉林东部山区、中部半山区有栽培。

| 资源情况 | 吉林偶见栽培。药材主要来源于栽培。

| 采收加工 | 桃仁：果实成熟后采收，除去果肉和核壳，取出种子，晒干。

山桃叶：夏季采叶，鲜用或晒干。

桃子：果实成熟后采收，鲜用或晒干。

桃花：3 ～ 4 月桃花开放时采收，阴干。

碧桃干：4 ～ 6 月采收。摘取未成熟的果实，晒干。

桃胶：夏季采收，用刀切割树皮，待树脂溢出后收集。水浸，洗去杂质，晒干。

| 药材性状 | 桃仁：本品呈类卵圆形，较小而肥厚，长约 0.9cm，宽约 0.7cm，厚约 0.5cm。表面黄棕色至红棕色，密布颗粒状突起。一端尖，中部膨大，另一端钝圆稍偏斜，边缘较薄。尖端侧有短线形种脐，圆端有颜色略深但不甚明显的合点，自合点

处散出多数纵向维管束。种皮薄，子叶 2，类白色，富油性。气微，味微苦。

山桃叶：本品多卷缩成条状，湿润展平后呈长圆状披针形，长 6 ~ 15cm，宽 2 ~ 3.5cm。先端渐尖，基部宽楔形，边缘具细锯齿或粗锯齿。上面深绿色，较光亮，下面色较淡。质脆。气微，味微苦。

碧桃干：本品矩圆形或卵圆形，长 1.8 ~ 3cm，直径 1.5 ~ 2cm，厚 0.9 ~ 1.5cm，先端渐尖，鸟喙状，基部不对称，有的留存少数棕红色的果柄。表面黄绿色，具网状皱缩的纹理，密被短柔毛；内果皮腹缝线凸出，背缝线不明显。质坚实，不易折断。气微弱，味微酸、涩。

桃胶：本品呈不规则的块状、泪滴状等，大小不一，表面淡黄色、黄棕色，角质样，半透明。质韧软，干透较硬，断面有光泽。气微，加水有黏性。

| 功能主治 | 桃仁：苦、甘，平。归心、肝、大肠经。祛瘀活血，润肠通便。用于经闭，痛经，癥瘕痞块，跌打损伤，肠燥便秘。

山桃叶：苦、辛，平。归脾、肾经。祛风清热，杀虫。用于头风，头痛，风痹，疟疾，湿疹，疮疡，癣疮。

桃子：甘、酸，温。归肺、大肠经。生津，润肠，活血，消积。用于津少口渴，肠燥便秘，闭经，积聚。

桃花：苦，平。利水，活血化瘀。用于水肿，脚气病，痰饮，石淋，便秘，闭经，癫狂，疮疹。

碧桃干：酸，苦，平。归肺、肝经。敛汗涩精，活血止血，止痛。用于盗汗，遗精，吐血，疟疾，心腹痛，妊娠下血。

桃胶：甘，苦，平。归大肠、膀胱经。和血，通淋，止痢。用于石淋，血淋，痢疾，腹痛。

| **用法用量** | 桃仁：内服煎汤，4.5 ~ 9g；或入丸、散。外用适量，捣敷。

桃叶：内服煎汤，3 ~ 6g。外用适量，煎汤洗；或捣敷。

桃子：内服适量，鲜食；或作果脯食。外用适量，捣敷。

桃花：内服煎汤，3 ~ 6g；或研末，1.5g。外用适量，捣敷；或研末调敷。

碧桃干：内服煎汤，6 ~ 9g；或入丸、散。外用适量，研末调敷；或烧烟熏。

桃胶：内服煎汤，9 ~ 15g；或入丸、散。

蔷薇科 Rosaceae 桃属 *Amygdalus*

桃
Amygdalus persica L.

| 药 材 名 | 山毛桃。

| 药 材 名 | 桃仁（药用部位：种子）、桃枝（药用部位：枝条）、桃叶（药用部位：叶）、桃子（药用部位：成熟果实。别名：桃实）、桃花（药用部位：花）、碧桃干（药用部位：未成熟果实。别名：瘪桃干）、桃胶（药材来源：树脂）。

| 形态特征 | 落叶乔木，高 3 ～ 8m。树冠宽广而平展；树皮暗红褐色，老时粗糙，呈鳞片状；小枝细长，无毛，有光泽，绿色，向阳处转变成红色，具大量小皮孔；冬芽圆锥形，先端钝，外被短柔毛，常 2 ～ 3 簇生，中间为叶芽，两侧为花芽。叶片长圆状披针形、椭圆状披针形或倒卵状披针形，长 7 ～ 15cm，宽 2 ～ 3.5cm，先端渐尖，基部宽楔形，上面无毛，下面在脉腋间具少数短柔毛或无毛，叶缘具细

桃

锯齿或粗锯齿，齿端具腺体或无腺体；叶柄粗壮，长 1 ～ 2cm，常具 1 至数枚腺体，有时无腺体。花单生，先于叶开放，直径 2.5 ～ 3.5cm；花梗极短或几无梗；萼筒钟形，被短柔毛，稀几无毛，绿色而具红色斑点；萼片卵形至长圆形，先端圆钝，外被短柔毛；花瓣长圆状椭圆形至宽倒卵形，粉红色，罕为白色；雄蕊 20 ～ 30，花药绯红色；花柱几与雄蕊等长或比雄蕊稍短；子房被短柔毛。果实形状和大小均有变异，卵形、宽椭圆形或扁圆形，直径（3 ～）5 ～ 7（～ 12）cm，长几与宽相等，色泽变化由淡绿白色至橙黄色，常在向阳面具红晕，外面密被短柔毛，稀无毛，腹缝明显，果柄短而深入果洼；果肉白色、浅绿白色、黄色、橙黄色或红色，多汁且有香味，甜或酸甜；核大，离核或粘核，椭圆形或近圆形，两侧扁平，先端渐尖，表面具纵、横沟纹和孔穴；种仁味苦，稀味甜。花期 3 ～ 4 月，果实成熟期因品种而异，通常为 8 ～ 9 月。

| **生境分布** | 生于山坡、山谷沟底、荒野疏林或灌丛内。吉林无野生分布。吉林东部山区、中部半山区有栽培。

| **资源情况** | 吉林偶见栽培。药材来源于栽培。

| **采收加工** | 桃枝：夏季采收，切段，晒干。
桃叶：夏、秋季枝叶茂盛时采收，除去杂质，晒干。
桃仁、桃子、桃花、碧桃干、桃胶：同"山桃"。

| 药材性状 | 桃仁：本品呈扁长卵形，长 1.2 ~ 1.8cm，宽 0.8 ~ 1.2cm，厚 0.2 ~ 0.4cm。表面黄棕色至红棕色，密布颗粒状突起。一端尖，中部膨大，另一端钝圆稍偏斜，边缘较薄。尖端侧有短线形种脐，圆端有颜色略深但不甚明显的合点，自合点处散出多数纵向维管束。种皮薄，子叶 2，类白色，富油性。气微，味微苦。

桃枝：本品呈圆柱形，长短不一，直径 0.2 ~ 1cm，表面红褐色，较光滑，有类白色点状皮孔。质脆，易折断，切面黄白色，木部占大部分，髓部白色。气微，味微苦、涩。

桃叶：本品多皱缩、破碎。完整者有柄，叶柄长 0.5 ~ 2cm。叶片展平后呈椭圆状披针形或倒卵状披针形，长 8 ~ 15cm，宽 2 ~ 4cm。先端渐尖或长尖，基部楔形，边缘具细锯齿。表面绿色、黄绿色至黄棕色。质轻易碎。气微，味微苦。

| 功能主治 | 桃枝：苦，平。归心、肝经。活血通络，解毒杀虫。用于心腹刺痛，风湿痹痛，跌打损伤，疮癣。

桃叶：苦，平。归脾、肾经。清热解毒，祛风止痒，杀虫。用于痈肿疮疡，湿疹湿疮，疥癣，头风头痛，风湿痹痛，疟疾，蛔虫，蛲虫，滴虫性阴道炎。

桃仁、桃子、桃花、碧桃干、桃胶：同"山桃"。

| 用法用量 | 桃枝：内服煎汤，9 ~ 15g。外用适量，煎汤洗浴。

桃叶：内服煎汤，5 ~ 10g。外用适量，煎汤洗浴。

桃仁、桃子、桃花、碧桃干、桃胶：同"山桃"。

| 附　注 | （1）桃叶已被列入 2019 年版《吉林省中药材标准》第二册。

（2）桃仁在中药中用量较大。吉林虽有少量桃树资源，但无药材商品产出。

蔷薇科 Rosaceae 桃属 *Amygdalus*

榆叶梅
Amygdalus triloba (Lindl.) Ricker

| **植物别名** | 小桃红。

| **药 材 名** | 榆叶梅仁（药用部位：种子。别名：郁子、郁里仁、李仁肉）。

| **形态特征** | 灌木或落叶小乔木，高 2 ~ 3m。枝条开展，具多数短小枝；小枝灰色，一年生枝灰褐色，无毛或幼时微被短柔毛；冬芽短小，长 2 ~ 3mm。短枝上的叶常簇生，一年生枝上的叶互生；叶片宽椭圆形至倒卵形，长 2 ~ 6cm，宽 1.5 ~ 3（~ 4）cm，先端短渐尖，常 3 裂，基部宽楔形，上面具疏柔毛或无毛，下面被短柔毛，叶缘具粗锯齿或重锯齿；叶柄长 5 ~ 10mm，被短柔毛。花 1 ~ 2，先于叶开放，直径 2 ~ 3cm；花梗长 4 ~ 8mm；萼筒宽钟形，长 3 ~ 5mm，无毛或幼时微具毛；萼片卵形或卵状披针形，无毛，近先端疏生小锯齿；花瓣近圆形或宽倒卵形，长 6 ~ 10mm，先端圆钝，有时微凹，粉红色；

榆叶梅

雄蕊 25 ～ 30，短于花瓣；子房密被短柔毛，花柱稍长于雄蕊。果实近球形，直径 1 ～ 1.8cm，先端具短小尖头，红色，外被短柔毛；果柄长 5 ～ 10mm；果肉薄，成熟时开裂；核近球形，具厚硬壳，直径 1 ～ 1.6cm，两侧几不压扁，先端圆钝，表面具不整齐的网纹。花期 4 ～ 5 月，果期 5 ～ 7 月。

| 生境分布 | 生于低、中海拔的坡地或沟旁乔、灌木林下或林缘。以长白山区为主要分布区域，分布于吉林延边、白山、通化、吉林、辽源（东丰）等。吉林东部山区、中部半山区有栽培。

| 资源情况 | 野生资源较少。药材主要来源于野生。

| **采收加工** | 果实成熟后采收，除去果肉和核壳，取出种子，晒干。

| **药材性状** | 本品呈圆锥形，长 7 ～ 8mm，直径约 6mm。表面红棕色，具皱纹。先端尖，基部钝圆。尖端处有一线形种脐，合点深棕色，直径约 2mm，自合处散出多条棕色维管束脉纹。种脊明显。种皮薄，用温水浸泡后种皮脱落，内面贴有白色半透明的残余胚乳；子叶 2，乳白色，富油质。气微，味微苦。

| **功能主治** | 辛、苦、甘，平。归脾、肝、胆、大肠、小肠经。润燥，滑肠，下气，利水。用于大肠气滞，燥涩不通，小便不利，大腹水肿，四肢浮肿，脚气。

| **用法用量** | 内服煎汤，3 ～ 10g；或入丸、散。

蔷薇科 Rosaceae 杏属 *Armeniaca*

东北杏
Armeniaca mandshurica (Maxim.) Skv.

| **植物别名** | 辽杏。

| **药 材 名** | 苦杏仁（药用部位：种子。别名：杏仁）、杏树根（药用部位：根）、杏枝（药用部位：树枝）、杏花（药用部位：花）。

| **形态特征** | 落叶乔木，高 5 ~ 15m。树皮木栓质发达，深裂，暗灰色。嫩枝无毛，淡红褐色或微绿色。叶片宽卵形至宽椭圆形，长 5 ~ 12（~ 15）cm，宽 3 ~ 6（~ 8）cm，先端渐尖至尾尖，基部宽楔形至圆形，有时心形，叶缘具不整齐的细长尖锐重锯齿，幼时两面具毛，逐渐脱落，老时仅下面脉腋间具柔毛；叶柄长 1.5 ~ 3cm，常有 2 腺体。花单生，直径 2 ~ 3cm，先于叶开放；花梗长 7 ~ 10mm，无毛或幼时疏生短柔毛；花萼带红褐色，常无毛；萼筒钟形；萼片长圆形或椭圆状长圆形，先端圆钝或急尖，边常具不明显细小锯齿；花瓣宽倒

东北杏

卵形或近圆形，粉红色或白色；雄蕊多数，与花瓣近等长或比花瓣稍长；子房密被柔毛。果实近球形，直径 1.5 ~ 2.6cm，黄色，有时向阳处具红晕或红点，被短柔毛；果肉稍肉质或干燥，味酸或稍苦、涩，果实大的类型可食，有香味；核近球形或宽椭圆形，长 13 ~ 18mm，宽 11 ~ 18mm，两侧扁，先端圆钝或微尖，基部近对称，表面微具皱纹，腹棱钝，侧棱不发育，具浅纵沟，背棱近圆形；种仁味苦，稀甜。花期 4 月，果期 5 ~ 7 月。

| **生境分布** | 生于开阔的向阳山坡灌木林或杂木林下。以长白山区为主要分布区域，分布于吉林延边、白山、通化、吉林、辽源（东丰）等。

| **资源情况** | 野生资源较丰富。药材主要来源于野生。

| **采收加工** | 苦杏仁：夏季采收成熟的果实，除去果肉和核壳，取出种子，晒干。
杏树根：秋季采挖根，晒干。
杏枝：夏、秋季枝、叶生长茂盛时采收杏枝，晒干。
杏花：4 月花开时采花，阴干。

| **药材性状** | 本品呈扁心形，长 1 ~ 1.9cm，宽 0.8 ~ 1.5cm，厚 0.5 ~ 0.8cm。表面黄棕色至深棕色，一端尖，另一端钝圆，肥厚，左右不对称，尖端一侧有短线形种脐，圆端合点处向上具多数深棕色的脉纹。种皮薄，子叶 2，乳白色，富油性。气微，味苦。以颗粒均匀、饱满肥厚、味苦、不发油者为佳。

功能主治	苦杏仁：苦，微温；有小毒。归肺、大肠经。祛痰止咳，平喘，润肠，下气开痹。用于外感咳嗽，喘满，伤燥咳嗽，寒气奔豚，惊痫，胸痹，食滞脘痛，血崩，耳聋，疔肿胀，湿热淋证，疥疮，喉痹，肠燥便秘。
	杏树根：苦，温。归肝、肾经。解毒。用于杏仁中毒。
	杏枝：辛，平。归肝经。活血散瘀。用于跌打损伤，瘀血阻络。
	杏花：苦，温。活血补虚。用于不孕，肢体痹痛，手足逆冷。
用法用量	苦杏仁：内服煎汤，3～10g；或入丸、散。外用适量，捣敷。
	杏树根：内服煎汤，30～60g。
	杏枝：内服煎汤，30～90g。

杏花：内服煎汤，6 ～ 9g。

| 附　注 | （1）2020年版《中国药典》记载本种的拉丁学名为 *Prunus mandshurica* (Maxim.) Koehne。

（2）本种果肉味酸或稍苦、涩，可食，有香味。

薔薇科 Rosaceae 杏属 Armeniaca

山杏

Armeniaca sibirica (L.) Lam.

| **植物别名** | 西伯利亚杏、蒙古杏。

| **药 材 名** | 苦杏仁（药用部位：种子。别名：杏仁）、杏树根（药用部位：根）、杏枝（药用部位：树枝）、杏花（药用部位：花）。

| **形态特征** | 灌木或落叶小乔木，高 2 ~ 5m。树皮暗灰色。小枝无毛，稀幼时疏生短柔毛，灰褐色或淡红褐色。叶片卵形或近圆形，长（3 ~ ）5 ~ 10cm，宽（2.5 ~ ）4 ~ 7cm，先端长渐尖至尾尖，基部圆形至近心形，叶缘有细钝锯齿，两面无毛，稀下面脉腋间具短柔毛；叶柄长 2 ~ 3.5cm，无毛，有或无小腺体。花单生，直径 1.5 ~ 2cm，先于叶开放；花梗长 1 ~ 2mm；花萼紫红色；萼筒钟形，基部微被短柔毛或无毛；萼片长圆状椭圆形，先端尖，花后反折；花瓣近圆形或倒卵形，白色或粉红色；雄蕊几与花瓣近等长；子房被短柔毛。果

山杏

实扁球形，直径 1.5 ~ 2.5cm，黄色或橘红色，有时具红晕，被短柔毛；果肉较薄而干燥，成熟时开裂，味酸、涩，不可食，成熟时沿腹缝线开裂；核扁球形，易与果肉分离，两侧扁，先端圆形，基部一侧偏斜，不对称，表面较平滑，腹面宽而锐利；种仁味苦。花期 3 ~ 4 月，果期 6 ~ 7 月。

| **生境分布** | 生于干燥向阳山坡、丘陵草原、落叶乔灌木混生林、沟谷、混交林中或沙岗、河道两岸。分布于吉林白城（通榆、洮南、镇赉、大安）、松原（前郭尔罗斯、长岭）等。吉林东部山区、中部半山区有栽培。

| **资源情况** | 野生资源较少。药材主要来源于野生。

| **采收加工** | 同"东北杏"。

| **药材性状** | 同"东北杏"。

| **功能主治** | 同"东北杏"。

| **用法用量** | 同"东北杏"。

| **附　注** | 2020 年版《中国药典》记载本种的拉丁学名为 *Prunus sibirica* L.，中文名称为西伯利亚杏。

杏 *Armeniaca vulgaris* Lam.

| 药 材 名 | 苦杏仁（药用部位：种子。别名：杏仁）、杏树根（药用部位：根）、杏枝（药用部位：树枝）、杏花（药用部位：花）。

| 形态特征 | 灌木或落叶乔木，高 5 ~ 8 (~ 12) m。树冠圆形、扁圆形或长圆形；树皮灰褐色，纵裂。多年生枝浅褐色，皮孔大而横生，一年生枝浅红褐色，有光泽，无毛，具多数小皮孔。叶片宽卵形或圆卵形，长 5 ~ 9cm，宽 4 ~ 8cm，先端急尖至短渐尖，基部圆形至近心形，叶缘有圆钝锯齿，两面无毛或下面脉腋间具柔毛；叶柄长 2 ~ 3.5cm，无毛，基部常具 1 ~ 6 腺体。花单生，直径 2 ~ 3cm，先于叶开放；花梗短，长 1 ~ 3mm，被短柔毛；花萼紫绿色；萼筒圆筒形，外面基部被短柔毛；萼片卵形至卵状长圆形，先端急尖或圆钝，花后反折；花瓣圆形至倒卵形，白色或带红色，具短爪；雄蕊 20 ~ 45，

杏

稍短于花瓣；子房被短柔毛，花柱稍长或几与雄蕊等长，下部具柔毛。果实球形，稀倒卵形，直径 2.5cm 以上，白色、黄色至黄红色，常具红晕，微被短柔毛；果肉多汁，成熟时不开裂；核卵形或椭圆形，两侧扁平，先端圆钝，基部对称，稀不对称，表面稍粗糙或平滑，腹棱较圆，常稍钝，背棱较直，腹面具龙骨状棱；种仁味苦或甜。花期 3 ~ 4 月，果期 6 ~ 7 月。

| **生境分布** | 生于向阳山坡、沟谷旁等。吉林无野生分布，东部山区、中部半山区有栽培。

| **资源情况** | 吉林有栽培。药材主要来源于栽培。

| **采收加工** | 同"东北杏"。

| **药材性状** | 同"东北杏"。

| **功能主治** | 同"东北杏"。

| **用法用量** | 同"东北杏"。

| **附　　注** | 2020 年版《中国药典》记载本种的拉丁学名为 *Prunus armeniaca* L.。

蔷薇科 Rosaceae 假升麻属 Aruncus

假升麻
Aruncus sylvester Kostel.

| **植物别名** | 棣棠升麻、升麻草、高凉菜。

| **药 材 名** | 升麻草（药用部位：根。别名：金毛三七）。

| **形态特征** | 多年生草本，基部木质化，高 1 ~ 3m。茎圆柱形，无毛，带暗紫色。大型羽状复叶，通常二回，稀三回，总叶柄无毛；小叶片 3 ~ 9，菱状卵形、卵状披针形或长椭圆形，长 5 ~ 13cm，宽 2 ~ 8cm，先端渐尖，稀尾尖，基部宽楔形，稀圆形，边缘有不规则的尖锐重锯齿，近于无毛或沿叶缘具疏生柔毛；小叶柄长 4 ~ 10mm 或近于无柄；不具托叶。大型穗状圆锥花序，长 10 ~ 40cm，直径 7 ~ 17cm，外被柔毛与稀疏星状毛，逐渐脱落，果期较少；花梗长约 2mm；苞片线状披针形，微被柔毛；花直径 2 ~ 4mm；萼筒杯状，微具毛；萼片三角形，先端急尖，全缘，近无毛；花瓣倒卵形，先端圆钝，白

假升麻

色；雄花具雄蕊 20，着生在萼筒边缘，花丝比花瓣长约 1 倍，有退化雌蕊；花盘盘状，边缘有 10 圆形突起；雌花心皮 3 ~ 4，稀 5 ~ 8，花柱顶生，微倾斜于背部，雄蕊短于花瓣。蓇葖果并立，无毛，果柄下垂；萼片宿存，开展稀直立。花期 6 月，果期 8 ~ 9 月。

| **生境分布** | 生于山沟、山坡、林下、林缘、林间草地。以长白山区为主要分布区域，分布于吉林延边、白山、通化、吉林、辽源（东丰）等。

| **资源情况** | 野生资源较丰富。药材主要来源于野生。

| **采收加工** | 秋、冬季采挖，洗净，晒干。

| **药材性状** | 本品呈细长圆柱形，稍扭曲，长 5 ~ 20cm，直径 0.2 ~ 0.5cm，有的有分枝。表面棕黄色或棕褐色，可见稀疏纵皱纹，有的外皮易断裂成结节状，可脱落。质柔韧，不易折断。断面黄色，具纤维性。气微，味微苦。

| **功能主治** | 苦，凉。补虚，收敛，解热。用于跌打损伤，劳伤，筋骨痛。

| **附　　注** | （1）本种外形极似虎耳草科的落新妇 *Astilbe chinensis* (Maxim.) Franch. et Savat.，但后者叶片一般质地较厚，有托叶，两性花，雄蕊 8 ~ 10，心皮 2 ~ 3，基部合生。
（2）本种幼苗可作山野菜食用。

蔷薇科 Rosaceae 樱属 Cerasus

欧李
Cerasus humilis (Bge.) Sok.

| 植物别名 | 酸丁、乌拉奈。

| 药 材 名 | 郁李仁（药用部位：成熟种子。别名：小李仁）。

| 形态特征 | 落叶灌木，高 0.4 ~ 1.5m。小枝灰褐色或棕褐色，被短柔毛。冬芽卵形，疏被短柔毛或几无毛。叶片倒卵状长椭圆形或倒卵状披针形，长 2.5 ~ 5cm，宽 1 ~ 2cm，中部以上最宽，先端急尖或短渐尖，基部楔形，边有单锯齿或重锯齿，上面深绿色，无毛，下面浅绿色，无毛或被稀疏短柔毛，侧脉 6 ~ 8 对；叶柄长 2 ~ 4mm，无毛或被稀疏短柔毛；托叶线形，长 5 ~ 6mm，边有腺体。花单生或 2 ~ 3 花簇生，花叶同开；花梗长 5 ~ 10mm，被稀疏短柔毛；萼筒长与宽近相等，约 3mm，外面被稀疏柔毛，萼片三角状卵圆形，先端急尖或圆钝；花瓣白色或粉红色，长圆形或倒卵形；雄蕊 30 ~ 35；

欧李

花柱与雄蕊近等长，无毛。核果成熟后近球形，红色或紫红色，直径 1.5 ～ 1.8cm；核表面除背部两侧外无棱纹。花期 4 ～ 5 月，果期 6 ～ 10 月。

| **生境分布** | 生于阳坡沙地、山地灌丛中、荒山坡、沙丘边。分布于吉林白城（通榆、洮南、大安、镇赉）、松原（前郭尔罗斯、扶余）、长春（九台）、吉林（蛟河、舒兰）、延边（图们、汪清、珲春）等。吉林东部山区、中部半山区有栽培。

| **资源情况** | 野生资源较丰富。药材主要来源于野生。

| **采收加工** | 夏、秋季采收成熟果实，除去果肉和核壳，取出种子，干燥。

| **药材性状** | 本品呈卵形，长 5 ～ 8mm，直径 3 ～ 5mm。表面黄白色或浅棕色，一端尖，另一端钝圆。尖端一侧有线形种脐，圆端中央有深色合点，自合点处向上具多条纵向维管束脉纹。种皮薄，子叶 2，乳白色，富油性。气微，味微苦。以颗粒饱满、淡黄白色、整齐不碎、不出油、无核壳者为佳。

| **功能主治** | 辛、苦、甘，平。归脾、大肠、小肠经。润肠通便，下气利水。用于津枯肠燥，食积气滞，腹胀便秘，水肿，脚气，小便不利。

| **用法用量** | 内服煎汤，6 ～ 9g；或入丸、散。

| **附　注** | （1）吉林欧李资源较多，只因采摘困难导致产量小而无人收购。
（2）2020 年版《中国药典》记载本种的拉丁学名为 *Prunus humilis* Bge.。

薔薇科 Rosaceae 樱属 Cerasus

郁李

Cerasus japonica (Thunb.) Lois.

郁李

| 植物别名 |

秧李。

| 药 材 名 |

郁李仁（药用部位：成熟种子。别名：小李仁）。

| 形态特征 |

落叶灌木，高 1 ~ 1.5m。小枝灰褐色，嫩枝绿色或绿褐色，无毛。冬芽卵形，无毛。叶片卵形或卵状披针形，长 3 ~ 7cm，宽 1.5 ~ 2.5cm，先端渐尖，基部圆形，边有缺刻状尖锐重锯齿，上面深绿色，无毛，下面淡绿色，无毛或脉上有稀疏柔毛，侧脉 5 ~ 8 对；叶柄长 2 ~ 3mm，无毛或被稀疏柔毛；托叶线形，长 4 ~ 6mm，边缘有腺齿。花 1 ~ 3，簇生，花叶同开或先叶开放；花梗长 5 ~ 10mm，无毛或被疏柔毛；萼筒陀螺形，长与宽近相等，为 2.5 ~ 3mm，无毛，萼片椭圆形，比萼筒略长，先端圆钝，边有细齿；花瓣白色或粉红色，倒卵状椭圆形；雄蕊约 32；花柱与雄蕊近等长，无毛。核果近球形，深红色，直径约 1cm；核表面光滑。花期 5 月，果期 7 ~ 8 月。

| **生境分布** | 生于山坡林下、灌丛中。分布于吉林通化（集安）、吉林（昌邑）、延边（图们、龙井、汪清、珲春）等。 |

| **资源情况** | 野生资源较少。药材主要来源于野生。 |

| **采收加工** | 夏、秋季采收成熟果实，除去果肉和核壳，取出种子，干燥。 |

| **药材性状** | 同"欧李"。 |

| **功能主治** | 同"欧李"。 |

| **用法用量** | 同"欧李"。 |

| **附　　注** | 2020 年版《中国药典》记载本种的拉丁学名为 *Prunus japonica* Thunb.。 |

蔷薇科 Rosaceae 樱属 *Cerasus*

长梗郁李

Cerasus japonica (Thunb.) Lois. var. *nakaii* (Lévl.) Yu et Li

| 植物别名 | 中井郁李、水李子。

| 药 材 名 | 长梗郁李（药用部位：种子。别名：赤李子、侧李子）。

| 形态特征 | 落叶灌木，高 1 ~ 1.5m。小枝密被黄褐色硬毛。叶片卵圆形，长
7 ~ 8cm，宽 3 ~ 4cm，先端长尾尖或渐尖，基部圆形，稀近心形，
叶缘有由 2 ~ 5 小齿组成的缺刻状重锯齿，上面伏生疏柔毛，下面
密被黄褐色硬毛，侧脉 10 ~ 11 对；叶柄长 6 ~ 8mm，密被黄褐色
硬毛；托叶长 1.2cm，羽状或掌状分裂，裂片狭长，边有长柄腺体，
永存。花 1 ~ 3，簇生，花叶同开或先叶开放；花梗长 1 ~ 2cm，
无毛或被疏柔毛；萼筒陀螺形，长与宽近相等，为 2.5 ~ 3mm，无毛，
萼片椭圆形，比萼筒略长，先端圆钝，边有细齿；花瓣白色或粉红色，
倒卵状椭圆形；雄蕊约 32；花柱与雄蕊近等长，无毛。核果近球形，

长梗郁李

深红色，直径约 1cm；核表面光滑。花期 5 月，
果期 6 ~ 7 月。

| 生境分布 |

生于山地向阳山坡灌丛、林缘。分布于吉林延
边（图们、汪清、珲春）、通化（通化、集安）、
白城（通榆）等。

| 资源情况 |

野生资源稀少。药材主要来源于野生。

| 采收加工 |

秋季采集成熟果实，搓去果肉，冲洗干净，除
去果壳，取出种子。

| 功能主治 |

同"欧李"。

| 用法用量 |

同"欧李"。

蔷薇科 Rosaceae 樱属 Cerasus

黑樱桃 *Cerasus maximowiczii* (Rupr.) Kom.

| 植物别名 | 深山樱、黑樱。

| 药 材 名 | 黑樱桃（药用部位：果实。别名：深山樱）。

| 形态特征 | 落叶乔木，高达 7m。树皮暗灰色。小枝灰褐色，嫩枝淡褐色，密被
长柔毛。冬芽长卵形，鳞片外面伏生短柔毛。叶片倒卵形或倒卵状
椭圆形，长 3 ～ 9cm，宽 1.5 ～ 4cm，先端骤尖或短尾尖，基部楔
形或圆形，边有重锯齿，上面绿色，除中脉伏生疏柔毛外，其余无毛，
下面淡绿色，除中脉和侧脉上有伏生疏柔毛外，其余无毛，侧脉
6 ～ 9 对；叶柄长 0.5 ～ 1.5cm，密生柔毛；托叶线形，边有稀疏深
紫色腺体，托叶与叶柄近等长或较短，花后脱落。伞房花序，有花
5 ～ 10，基部具绿色叶状苞片，花叶同开；总苞片匙状长圆形，长
1 ～ 1.5cm，上部最宽处 5 ～ 6mm，外面被稀疏柔毛，边缘有稀疏

黑樱桃

暗红色小腺体，花后脱落；花轴密被伏生柔毛；苞片绿色，卵圆形，长 5 ～ 7mm，宽（4 ～）5 ～ 7mm，边有尖锐锯齿，无腺体或腺体不明显；花梗长 0.5 ～ 1.5cm，密被伏生柔毛；花直径约 1.5cm；萼筒倒圆锥状，长 3 ～ 4mm，先端宽 2.5 ～ 3mm，外面伏生短柔毛，萼片椭圆状三角形，比萼筒稍长或与之近等长，先端通常渐尖，边有疏齿，齿端有不明显的细小腺体或无；花瓣白色，椭圆形，长 6 ～ 7mm，宽 5 ～ 6mm；雄蕊约 36；花柱与雄蕊近等长，柱头扩大，头状。核果卵球形，成熟后变黑色，纵径 7 ～ 8mm，横径 5 ～ 6mm；核表面有数条显著棱纹。花期 6 月，果期 9 月。

| **生境分布** | 生于阳坡杂木林中、有腐殖质土石坡上、山地灌丛或草丛中。以长白山区为主要分布区域，分布于吉林延边、白山、通化、吉林、辽源（东丰）等。 |

| **资源情况** | 野生资源一般。药材主要来源于野生。 |

| **采收加工** | 秋季果实成熟时采收，晒干。 |

| **功能主治** | 苦。发汗解表，透疹解毒，收敛。用于麻疹不透。 |

蔷薇科 Rosaceae 樱属 Cerasus

山樱花 *Cerasus serrulata* (Lindl.) G. Don ex London

| 植物别名 | 山樱桃、山樱、水桃。

| 药 材 名 | 山樱花（药用部位：种子。别名：山樱桃、野樱花）。

| 形态特征 | 落叶乔木，高 3 ～ 8m。树皮灰褐色或灰黑色。小枝灰白色或淡褐色，无毛。冬芽卵圆形，无毛。叶片卵状椭圆形或倒卵状椭圆形，长 5 ～ 9cm，宽 2.5 ～ 5cm，先端渐尖，基部圆形，边有渐尖单锯齿及重锯齿，齿尖有小腺体，上面深绿色，无毛，下面淡绿色，无毛，有侧脉 6 ～ 8 对；叶柄长 1 ～ 1.5cm，无毛，先端有 1 ～ 3 圆形腺体；托叶线形，长 5 ～ 8mm，边有腺齿，早落。花序伞房总状或近伞形，有花 2 ～ 3；总苞片褐红色，倒卵状长圆形，长约 8mm，宽约 4mm，外面无毛，内面被长柔毛；总梗长 5 ～ 10mm，无毛；苞片褐色或淡绿褐色，长 5 ～ 8mm，宽 2.5 ～ 4mm，边缘有腺齿；花梗长

山樱花

1.5 ～ 2.5cm，无毛或被极稀疏柔毛；萼筒管状，长 5 ～ 6mm，宽 2 ～ 3mm，先端扩大，萼片三角状披针形，长约 5mm，先端渐尖或急尖；边全缘；花瓣白色，稀粉红色，倒卵形，先端下凹；雄蕊约 38；花柱无毛。核果球形或卵球形，紫黑色，直径 8 ～ 10mm。花期 4 ～ 5 月，果期 6 ～ 7 月。

| **生境分布** | 生于山谷林中、山坡灌丛。以长白山区为主要分布区域，分布于吉林延边、白山、通化、吉林、辽源（东丰）等。吉林东部山区、中部半山区有栽培。

| **资源情况** | 野生资源较丰富。吉林有栽培。药材主要来源于野生。

| **采收加工** | 夏季果实成熟时采摘，除去果肉及核壳，取种子，晒干。

| **功能主治** | 解毒，利尿，疏风解表。用于透发麻疹，小便不利。

| **附　　注** | 本种果实可生食。

蔷薇科 Rosaceae 樱属 Cerasus

毛樱桃
Cerasus tomentosa (Thunb.) Wall.

| **植物别名** | 山樱桃、樱桃。

| **药 材 名** | 山樱桃（药用部位：果实。别名：朱桃、麦樱、牛桃）、山樱桃核（药用部位：种子）。

| **形态特征** | 落叶灌木，通常高 0.3～1m，稀呈小乔木状，高可达 2～3m。小枝紫褐色或灰褐色，嫩枝密被绒毛到无毛。冬芽卵形，疏被短柔毛或无毛。叶片卵状椭圆形或倒卵状椭圆形，长 2～7cm，宽 1～3.5cm，先端急尖或渐尖，基部楔形，边有急尖或粗锐锯齿，上面暗绿色或深绿色，被疏柔毛，下面灰绿色，密被灰色绒毛或以后变为稀疏，侧脉 4～7 对；叶柄长 2～8mm，被绒毛或脱落稀疏；托叶线形，长 3～6mm，被长柔毛。花单生或 2 朵簇生，花与叶同开，近先叶开放或先叶开放；花梗长达 2.5mm 或近无梗；萼筒管状或杯状，长

毛樱桃

4 ~ 5mm，外被短柔毛或无毛，萼片三角卵形，先端圆钝或急尖，长 2 ~ 3mm，内外两面内被短柔毛或无毛；花瓣白色或粉红色，倒卵形，先端圆钝；雄蕊 20 ~ 25，短于花瓣；花柱伸出与雄蕊近等长或稍长；子房全部被毛或仅先端或基部被毛。核果近球形，红色，直径 0.5 ~ 1.2cm；核表面除棱脊两侧有纵沟外，其余地方无棱纹。花期 4 ~ 5 月，果期 6 ~ 9 月。

| **生境分布** | 生于山坡林中、林缘、草地、灌丛。吉林各地均有分布，有农户在庭院少量栽培。

| **资源情况** | 野生资源较丰富。药材主要来源于野生。

| **采收加工** | 山樱桃：6 ~ 9 月果实成熟时采摘，晒干。
山樱桃核：6 ~ 9 月果实成熟时采摘，取出种子，晒干。

| **功能主治** | 山樱桃：辛、甘，平。归脾、肾经。健脾，益气，固精。用于食积泻痢，便秘，脚气，遗精滑泄。
山樱桃核：润燥滑肠，下气，利水，解热，活血。用于津枯肠燥，食积气滞，腹胀便秘，水肿，脚气，小便淋痛不利。

| **用法用量** | 山樱桃：内服煎汤，100 ~ 300g。
山樱桃核：内服煎汤，3 ~ 9g。外用适量，磨汁涂；或煎汤洗。

| **附　　注** | 本种成熟果实是吉林各地广泛栽培的食用水果。

蔷薇科 Rosaceae 地蔷薇属 Chamaerhodos

地蔷薇

Chamaerhodos erecta (L.) Bge.

| 植物别名 | 直立地蔷薇、追风蒿。

| 药 材 名 | 地蔷薇（药用部位：全草。别名：直立地蔷薇、茵陈狼牙）。

| 形态特征 | 一年生或二年生草本。具长柔毛及腺毛。根木质。茎直立或弧曲上升，高 20 ~ 50cm，单一，少有多茎丛生，基部稍木质化，常在上部分枝。基生叶密生，莲座状，长 1 ~ 2.5cm，2 回羽状 3 深裂，侧裂片 2 深裂，中央裂片常 3 深裂，2 回裂片具缺刻或 3 浅裂，小裂片条形，长 1 ~ 2mm，先端圆钝，基部楔形，全缘，果期枯萎；叶柄长 1 ~ 2.5cm；托叶形状似叶，3 至多深裂；茎生叶似基生叶，3 深裂，近无柄。聚伞花序顶生，具多花，二歧分枝形成圆锥花序，直径 1.5 ~ 3cm；苞片及小苞片 2 ~ 3 裂，裂片条形；花梗细，长 3 ~ 6mm；花直径 2 ~ 3mm；萼筒倒圆锥形或钟形，长 1mm，萼片

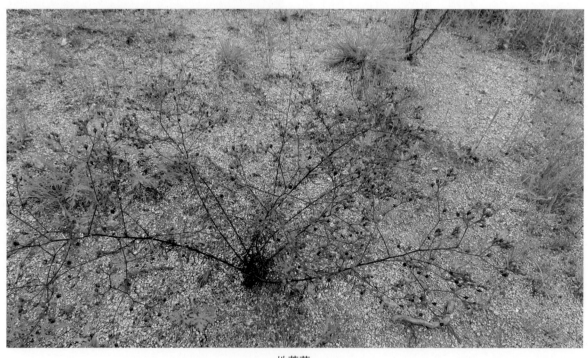

地蔷薇

卵状披针形，长 1 ~ 2mm，先端渐尖；花瓣倒卵形，长 2 ~ 3mm，白色或粉红色，无毛，先端圆钝，基部有短爪；花丝比花瓣短；心皮 10 ~ 15，离生，花柱侧基生，子房卵形或长圆形。瘦果卵形或长圆形，长 1 ~ 1.5mm，深褐色，无毛，平滑，先端具尖头。花果期 6 ~ 8 月。

| 生境分布 | 生于山坡、丘陵或干旱河滩。分布于吉林白城（洮南、通榆、镇赉）、延边（延吉、龙井）等。

| 资源情况 | 野生资源一般。药材主要来源于野生。

| 采收加工 | 夏、秋季采收，除去杂质，晒干。

| 功能主治 | 苦、微辛，温。祛风除湿。用于黄疸，风湿性关节炎。

| 用法用量 | 外用适量，煎汤洗。

蔷薇科 Rosaceae 沼委陵菜属 *Comarum*

沼委陵菜 *Comarum palustre* L.

| **植物别名** | 东北沼委陵菜、水莓。

| **药 材 名** | 沼委陵菜（药用部位：全草或根、叶）。

| **形态特征** | 多年生草本，高 20 ~ 30cm。根茎长，匍匐，木质，暗褐色；茎中空，下部弯曲，上部上升，在地面稍上处分枝，淡红褐色，下部无毛，上部密生柔毛及腺毛。奇数羽状复叶，连叶柄长 6 ~ 16cm，叶柄长 2.5 ~ 12cm，小叶片 5 ~ 7，彼此接近生长，有时似掌状，椭圆形或长圆形，长 4 ~ 7cm，宽 1.2 ~ 3cm，先端圆钝或急尖，基部楔形，边缘有锐锯齿，下部全缘，上面深绿色，无毛或有少量伏生柔毛，下面灰绿色，有柔毛；小叶柄短或无；托叶叶状，卵形，基生叶托叶大部分和叶柄合生，膜质，茎生叶托叶先端常有数齿，基部耳状抱茎；上部叶具 3 小叶。聚伞花序顶生或腋生，有 1 至数花；

沼委陵菜

总梗及花梗具柔毛和腺毛，花梗长 1 ~ 1.5cm；苞片锥形，长 3 ~ 5mm；花直径 1 ~ 1.5cm；萼筒盘形，外面有柔毛，萼片深紫色，三角状卵形，长 7 ~ 18mm，开展，先端渐尖，外面及内面皆有柔毛；副萼片披针形至线形，长 4 ~ 9mm，先端渐尖或急尖，外面有柔毛；花瓣卵状披针形，长 3 ~ 8mm，深紫色，先端渐尖；雄蕊 15 ~ 25，花丝及花药均深紫色，比花瓣短；子房卵形，深紫色，无毛，花柱线形。瘦果多数，卵形，长 1mm，黄褐色，扁平，无毛，着生在膨大为半球形的花托上。花期 5 ~ 8 月，果期 7 ~ 10 月。

| **生境分布** | 生于沼泽或泥炭沼泽。以长白山区为主要分布区域，分布于吉林延边、白山、通化、吉林、辽源（东丰、东辽）、松原（前郭尔罗斯、长岭）、白城（大安）等。

| **资源情况** | 野生资源较少。药材主要来源于野生。

| **采收加工** | 夏、秋季采收全草，除去杂质，晒干。秋季采挖根，除去杂质，晒干。夏季采收叶，除去杂质，晒干。

| **功能主治** | 全草，止血，止泻。用于腹泻。根，破坚逐邪。用于胃癌，乳腺癌。叶，止血生肌。用于外伤。

蔷薇科 Rosaceae 枸子属 Cotoneaster

全缘枸子 *Cotoneaster integerrimus* Medic.

| **植物别名** | 全缘枸子木。

| **药 材 名** | 全缘枸子（药用部位：枝叶、果实）。

| **形态特征** | 落叶灌木，高达 2m，多分枝。小枝圆柱形，棕褐色或灰褐色，嫩枝密被灰白色绒毛，以后逐渐脱落。叶片宽椭圆形、宽卵形或近圆形，长 2 ~ 5cm，宽 1.3 ~ 2.5cm，先端急尖或圆钝，基部圆形，全缘，上面无毛或有稀疏柔毛，下面密被灰白色绒毛；叶柄长 2 ~ 5mm，有绒毛；托叶披针形，微具毛，至果期多数宿存。聚伞花序有花 2 ~ 5（~ 7），下垂，总花梗和花梗无毛或微具柔毛；苞片披针形，具稀疏柔毛；花梗长 3 ~ 6mm；花直径 8mm；萼筒钟状，外面无毛或下部微具疏柔毛，内面无毛；萼片三角状卵形，先端圆钝，内外两面无毛；花瓣直立，近圆形，长与宽各约 3mm，先端圆钝，基部具爪，

全缘枸子

粉红色；雄蕊 15 ～ 20，与花瓣近等长；花柱 2，稀 3，离生，短于雄蕊；子房顶部具柔毛。果实近球形，稀卵形，直径 6 ～ 7mm，红色，无毛，常具 2 小核，稀 3 ～ 4 小核。花期 5 ～ 6 月，果期 8 ～ 9 月。

| **生境分布** | 生于海拔 2500m 的石砾坡地或白桦林内。吉林无野生分布，有农户在庭院少量栽培。

| **资源情况** | 吉林偶见栽培。药材主要来源于栽培。

| **采收加工** | 夏、秋季采收枝叶，除去杂质，晒干。秋季果实成熟时采收果实，晒干。

| **功能主治** | 祛风湿，止血。用于风湿痹痛，出血。

蔷薇科 Rosaceae 山楂属 Crataegus

光叶山楂 *Crataegus dahurica* Koehne ex Schneid.

| **植物别名** | 山里红、野山楂。

| **药 材 名** | 光叶山楂（药用部位：果实、叶）。

| **形态特征** | 落叶灌木或小乔木，高达 2 ~ 6m。枝条开展，刺细长，长 1 ~ 2.5cm，有时无刺；小枝细弱，微屈曲，圆柱形，无毛，紫褐色，有光泽，散生长圆形皮孔，多年枝条暗灰色；冬芽近圆形或三角状卵形，先端急尖，无毛，有光泽。叶片菱状卵形，稀椭圆状卵形至倒卵形，长 3 ~ 5cm，宽 2.5 ~ 4cm，先端渐尖，基部下延，呈楔形至宽楔形，边缘有细锐重锯齿，基部锯齿少或近全缘，在上半部或 2/3 部分有 3 ~ 5 对浅裂，裂片卵形，先端短渐尖或急尖，两面均无毛，上面有光泽；叶柄长 7 ~ 10mm，有窄叶翼，无毛；托叶草质，披针形或卵状披针形，长 6 ~ 8mm，先端渐尖，边缘有锯齿，齿尖有腺，

光叶山楂

两面无毛。复伞房花序，直径 3 ~ 5cm，多花，总花梗和花梗均无毛，花梗长 8 ~ 10mm；苞片膜质，线状披针形，长约 6mm，边缘有齿，无毛；花直径约 1cm；萼筒钟状，外面无毛；萼片线状披针形，长约 3mm，先端渐尖，全缘或有 1 ~ 2 对锯齿，两面均无毛；花瓣近圆形或倒卵形，长 4 ~ 5mm，宽 3 ~ 4mm，白色；雄蕊 20，花药红色，约与花瓣等长；花柱 2 ~ 4，基部无毛，柱头头状。果实近球形或长圆形，直径 6 ~ 8mm，橘红色或橘黄色；萼片宿存，反折；小核 2 ~ 4，两面有凹痕。花期 5 月，果期 8 月。

| **生境分布** | 生于河岸林间草地或沙丘坡上。以长白山区为主要分布区域，分布于吉林延边、白山、通化、吉林、辽源（东丰）等。

| **资源情况** | 野生资源较少。药材主要来源于野生。

| **采收加工** | 秋季果实成熟时采收，切片，干燥。夏季采收叶，洗净，晒干。

| **功能主治** | 酸、甘，温。健胃消食，化积，散瘀。用于饮食积滞，瘀血。

| **附　　注** | 本种与辽宁山楂 *Crataegus sanguinea* Pall. 的形态极为近似，区别在于本种果实的颜色较浅，具 2 ~ 4 小核，叶片通常两面无毛。

蔷薇科 Rosaceae 山楂属 *Crataegus*

毛山楂
Crataegus maximowiczii Schneid.

| **植物别名** | 野山楂。

| **药 材 名** | 毛山楂（药用部位：果实、叶）。

| **形态特征** | 灌木或小乔木，高达 7m。无刺或有刺，刺长 1.5 ～ 3.5cm；小枝粗壮，圆柱形，嫩时密被灰白色柔毛，二年生枝无毛，紫褐色，多年生枝灰褐色，有光泽，疏生长圆形皮孔；冬芽卵形，先端圆钝，无毛，有光泽，紫褐色。叶片宽卵形或菱状卵形，长 4 ～ 6cm，宽 3 ～ 5cm，先端急尖，基部楔形，边缘每侧各有 3 ～ 5 浅裂和疏生重锯齿，上面散生短柔毛，下面密被灰白色长柔毛，沿叶脉较密；叶柄长 1 ～ 2.5cm，被稀疏柔毛；托叶膜质，半月形或卵状披针形，先端渐尖，边缘有深锯齿，长 4 ～ 5mm，脱落很早。复伞房花序，多花，直径 4 ～ 5cm，总花梗和花梗均被灰白色柔毛，花梗长 3 ～ 8mm；苞片

毛山楂

膜质，线状披针形，长约 5mm，边缘有腺齿，早落；花直径约 1.2cm；萼筒钟状，外被灰白色柔毛，长约 4mm；萼片三角状卵形或三角状披针形，先端渐尖或急尖，全缘，比萼筒稍短，外被灰白色柔毛，内面较少；花瓣近圆形，直径约 5mm，白色；雄蕊 20，比花瓣短；花柱（2 ~ ）3 ~ 5，基部被柔毛，柱头头状。果实球形，直径约 8mm，红色，幼时被柔毛，以后脱落无毛；萼片宿存，反折；小核 3 ~ 5，两侧有凹痕。花期 5 ~ 6 月，果期 8 ~ 9 月。

| **生境分布** | 生于海拔 200 ~ 1000m 的杂木林中、林边、河岸沟边或路边。分布于吉林延边（安图、和龙、敦化、汪清）、白山（长白、抚松、临江）等。

| **资源情况** | 野生资源较丰富。药材主要来源于野生。

| **采收加工** | 秋季果实成熟时采收，切片，干燥。

| **功能主治** | 酸、甘，微温。健胃消积，散瘀，降压。用于肉食积滞，脾胃虚弱，心腹胀满，腹痛作泻，痢疾，小儿消化不良，产后瘀血作痛，子宫收缩无力，恶露不尽，高血压，高脂血症，脾肿，冠心病。

| **附 注** | 本种与辽宁山楂 *Crataegus sanguinea* Pall. 的形态极为近似，区别为后者总花梗、花梗和萼筒均无毛，叶片上下两面有散生短柔毛，果实无毛。本种与山楂 *Crataegus pinnatifida* Bge. 的区别在于其叶片分裂较浅，嫩叶和幼果均被柔毛，果实较小。本种毛的稀密因树龄和产地不同而有所差异，幼叶及开花枝毛较密，老叶及结果枝毛较稀。

蔷薇科 Rosaceae 山楂属 *Crataegus*

山楂 *Crataegus pinnatifida* Bge.

| **植物别名** | 山里红、野山楂。

| **药 材 名** | 山楂（药用部位：成熟果实。别名：柿楂子、山里果子、茅楂）、山楂叶（药用部位：叶）。

| **形态特征** | 落叶乔木，高达 6m。树皮粗糙，暗灰色或灰褐色；刺长 1 ~ 2cm，有时无刺；小枝圆柱形，当年生枝紫褐色，无毛或近于无毛，疏生皮孔，老枝灰褐色；冬芽三角状卵形，先端圆钝，无毛，紫色。叶片宽卵形或三角状卵形，稀菱状卵形，长 5 ~ 10cm，宽 4 ~ 7.5cm，先端短渐尖，基部截形至宽楔形，通常两侧各有 3 ~ 5 羽状深裂片，裂片卵状披针形或带形，先端短渐尖，边缘有尖锐、稀疏、不规则重锯齿，上面暗绿色且有光泽，下面沿叶脉有疏生短柔毛或在脉腋有髯毛，侧脉 6 ~ 10 对，有的达到裂片先端，有的达到裂片分裂处；

山楂

叶柄长 2～6cm，无毛；托叶草质，镰形，边缘有锯齿。伞房花序具多花，直径 4～6cm，总花梗和花梗均被柔毛，花后脱落，减少，花梗长 4～7mm；苞片膜质，线状披针形，长 6～8mm，先端渐尖，边缘具腺齿，早落；花直径约 1.5cm；萼筒钟状，长 4～5mm，外面密被灰白色柔毛；萼片三角状卵形至披针形，先端渐尖，全缘，约与萼筒等长，内外两面均无毛，或在内面先端有髯毛；花瓣倒卵形或近圆形，长 7～8mm，宽 5～6mm，白色；雄蕊 20，短于花瓣，花药粉红色；花柱 3～5，基部被柔毛，柱头头状。果实近球形或梨形，直径 1～1.5cm，深红色，有浅色斑点；小核 3～5，外面稍具棱，内面两侧平滑；萼片脱落很迟，先端留一圆形深洼。花期 5～6 月，果期 9～10 月。

| **生境分布** | 生于岸边、林缘、林间。以长白山区为主要分布区域，分布于吉林延边、白山、通化、吉林、辽源（东丰）、长春、松原（扶余）等。

| **资源情况** | 野生资源较丰富。药材主要来源于野生。

| **采收加工** | 山楂：秋季果实成熟时采收，干燥。
　　　　　　　山楂叶：夏、秋季采收，晾干。

| **药材性状** | 山楂：本品呈类球形，直径 1 ～ 1.5cm。表面深红色，有小斑点，先端有宿存萼，
基部有细长果柄。质坚硬。气微清香，味酸、微涩。

山楂叶：本品多已破碎，完整者展开后呈宽卵形，长 6 ～ 12cm，宽 5 ～ 8cm。
表面绿色至棕黄色，先端渐尖，基部宽楔形，具 2 ～ 6 羽状裂片，边缘具尖锐
重锯齿；叶柄长 2 ～ 6cm，托叶卵圆形至卵状披针形。气微，味涩、微苦。

| **功能主治** | 山楂：酸、甘，微温。归脾、胃、肝经。消食健胃，行气散瘀，化浊降脂。用

于肉食积滞，胃脘胀满，泻痢腹痛，瘀血经闭，产后瘀阻，心腹刺痛，胸痹心痛，疝气疼痛，高脂血症。焦山楂消食导滞作用强，用于肉食积滞，泻痢不爽。

山楂叶：酸，平。归肺经。活血化瘀，理气通脉，化浊降脂。用于气滞血瘀，胸痹心痛，胸闷憋气，心悸健忘，眩晕耳鸣，高脂血症。

| 用法用量 | 山楂：内服煎汤，9 ~ 12g；或入丸、散。外用适量，煎汤洗；或捣敷。
山楂叶：内服煎汤，3 ~ 10g；或泡茶饮。外用适量，煎汤洗。

| 附　注 | 山楂在吉林的药用历史较久。在《奉化县志》（1885）、《农邑乡土志》（1905）、《辉南县志》（1927）等多部地方志中均有关于山楂的记载。

薔薇科 Rosaceae 山楂属 Crataegus

山里红 *Crataegus pinnatifida* Bge. var. *major* N. H. Br.

| 植物别名 | 大果山楂。

| 药材名 | 山楂（药用部位：成熟果实。别名：柿楂子、山里果子、茅楂）、山楂叶（药用部位：叶）。

| 形态特征 | 落叶乔木，高达 6m。树皮粗糙，暗灰色或灰褐色；刺长 1 ～ 2cm，有时无刺；小枝圆柱形，当年生枝紫褐色，无毛或近于无毛，疏生皮孔，老枝灰褐色；冬芽三角状卵形，先端圆钝，无毛，紫色。叶片大，宽卵形或三角状卵形，稀菱状卵形，长 5 ～ 10cm，宽 4 ～ 7.5cm，先端短渐尖，基部截形至宽楔形，通常有 2 ～ 4 对羽状浅裂片，先端短渐尖，上面暗绿色有光泽，下面沿叶脉有疏生短柔毛或在脉腋有髯毛，侧脉 6 ～ 10 对，有的达到裂片先端，有的达到裂片分裂处，分裂较浅；叶柄长 2 ～ 6cm，无毛；托叶草质，镰形，边缘有锯齿。

山里红

伞房花序具多花，直径 4 ~ 6cm，总花梗和花梗均被柔毛，花后脱落，减少，花梗长 4 ~ 7mm；苞片膜质，线状披针形，长 6 ~ 8mm，先端渐尖，边缘具腺齿，早落；花直径约 1.5cm；萼筒钟状，长 4 ~ 5mm，外面密被灰白色柔毛；萼片三角状卵形至披针形，先端渐尖，全缘，约与萼筒等长，内外两面均无毛，或在内面先端有髯毛；花瓣倒卵形或近圆形，长 7 ~ 8mm，宽 5 ~ 6mm，白色；雄蕊 20，短于花瓣，花药粉红色；花柱 3 ~ 5，基部被柔毛，柱头头状。果实近球形或梨形，果形较大，直径可达 2.5cm，深亮红色，有浅色斑点；小核 3 ~ 5，外面稍具棱，内面两侧平滑；萼片脱落很迟，先端留一圆形深洼。花期 5 ~ 6 月，果期 9 ~ 10 月。

| **生境分布** | 生于山坡林边或灌丛中。以长白山区为主要分布区域，分布于吉林延边、白山、通化、吉林、辽源（东丰）等。吉林东部、中部地区有栽培。

| **资源情况** | 野生资源较少。药材主要来源于野生。

| **采收加工** | 同"山楂"。

| **药材性状** | 山楂：本品近球形，直径 1 ~ 2.5cm。表面鲜红色至紫红色，有光泽，满布灰白色的斑点，先端有宿存花萼，基部有果柄残痕。商品常加工成纵切片或横切片，厚 2 ~ 8mm，多卷曲皱缩不平。果肉厚，深黄色至浅棕色，切面可见淡黄色种子 3 ~ 5，有的已脱落。质坚硬。气微清香，味酸、微甜。

| **功能主治** | 同"山楂"。

| **用法用量** | 同"山楂"。

蔷薇科 Rosaceae 仙女木属 Dryas

东亚仙女木 *Dryas octopetala* L. var. *asiatica* (Nakai) Nakai

| 植物别名 | 宽叶仙女木。

| 药 材 名 | 东亚仙女木（药用部位：全株）。

| 形态特征 | 常绿半灌木，根木质。茎丛生，匍匐，高 3 ~ 6cm，基部多分枝。叶亚革质，椭圆形、宽椭圆形或近圆形，长 5 ~ 20mm，宽 3 ~ 12mm，先端圆钝，基部截形或近心形，边缘外卷，有圆钝锯齿，上面疏生柔毛或无毛，下面有白色绒毛，侧脉 7 ~ 10 对，中脉及侧脉在下面隆起，有黄褐色分枝长柔毛；叶柄长 4 ~ 20mm，有密生白色绒毛及黄褐色分枝长柔毛；托叶膜质，条状披针形，长 4 ~ 5mm，大部分贴生于叶柄，先端锐尖，全缘，有长柔毛。花茎长 2 ~ 3cm，果期达 6 ~ 7cm，有密生白色绒毛、分枝长柔毛及多数腺毛；花直径 1.5 ~ 2cm，萼筒连萼片长 7 ~ 9mm，有疏生白色卷毛及多数深紫

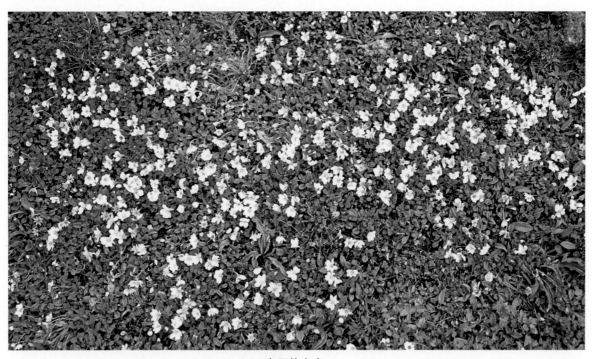

东亚仙女木

色分枝柔毛，并杂有深紫色及淡黄色腺毛；萼片卵状披针形，长 5 ~ 6mm，先端近锐尖，外面有深紫色分枝柔毛及疏生白色柔毛，内面先端有长柔毛；花瓣倒卵形，长 8 ~ 10mm，白色，先端圆形，无毛；雄蕊多数，花丝长 4 ~ 5mm，无毛；花柱有绢毛。瘦果矩圆卵形，长 3 ~ 4mm，褐色，有长柔毛，先端具宿存花柱，长 1.5 ~ 2.5cm，有羽状绢毛。花果期 7 ~ 8 月。

| 生境分布 | 生于高山草原、干燥砂石地。分布于吉林白山（抚松、长白）、延边（安图）等。

| 资源情况 | 野生资源一般。药材主要来源于野生。

| 采收加工 | 夏、秋季采收，除去泥土及杂质，晒干。

| 功能主治 | 润肤生肌。用于冻疮，美容。

| 附　注 | （1）本种与原变种仙女木的区别在于本种叶片较宽，侧脉对数较多，7 ~ 10 对，花直径 1 ~ 2.5cm，而原变种叶片为长圆形至椭圆形，先端急尖至稍钝，侧脉 5 ~ 7 对，花较大，直径可达 3.5cm。
（2）本种为吉林省 II 级重点保护野生植物。

蛇莓
Duchesnea indica (Andr.) Focke

| 植物别名 | 野杨梅、地莓、高丽地果。

| 药 材 名 | 蛇莓（药用部位：全草。别名：蛇泡草、蛇盘草、蛇果草）、蛇莓根（药用部位：根。别名：三皮风根）。

| 形态特征 | 多年生草本。根茎短，粗壮。匍匐茎多数，长 30 ~ 100cm，有柔毛。小叶片倒卵形至菱状长圆形，长 2 ~ 3.5（~ 5）cm，宽 1 ~ 3cm，先端圆钝，边缘有钝锯齿，两面皆有柔毛，或上面无毛，具小叶柄；叶柄长 1 ~ 5cm，有柔毛；托叶窄卵形至宽披针形，长 5 ~ 8mm。花单生于叶腋；直径 1.5 ~ 2.5cm；花梗长 3 ~ 6cm，有柔毛；萼片卵形，长 4 ~ 6mm，先端锐尖，外面有散生柔毛；副萼片倒卵形，长 5 ~ 8mm，比萼片长，先端常具 3 ~ 5 锯齿；花瓣倒卵形，长 5 ~ 10mm，黄色，先端圆钝；雄蕊 20 ~ 30；心皮多数，离生；花

蛇莓

托在果期膨大，海绵质，鲜红色，有光泽，直径 10 ～ 20mm，外面有长柔毛。
瘦果卵形，长约 1.5mm，光滑或具不明显突起，鲜时有光泽。花期 6 ～ 8 月，
果期 8 ～ 10 月。

| **生境分布** | 生于山坡、河岸、草地。分布于吉林通化（集安、辉南、通化）、白山（靖宇、
临江）等。

| **资源情况** | 野生资源较少。药材主要来源于野生。

| **采收加工** | 蛇莓：夏、秋季采收，鲜用或洗净晒干。
蛇莓根：夏、秋季采收，干燥。

| **药材性状** | 蛇莓：本品多缠绕成团，被白色茸毛，具匍匐茎，叶互生。三出复叶，基生叶
的叶柄长 6 ～ 10cm，小叶多皱缩，完整者倒卵形，长 1.5 ～ 4cm，宽 1 ～ 3cm，
基部偏斜，边缘有钝齿，表面黄绿色，上面近无毛，下面被疏毛。花单生于叶
腋，具长柄。聚合果棕红色，
瘦果小，花萼宿存。气微，
味微涩。

| **功能主治** | 蛇莓：苦，寒；有毒。清热
解毒，散瘀消肿，凉血，调经，
祛风化痰。用于感冒发热，
咳嗽吐血，小儿高热惊风，
咽喉肿痛，白喉，痢疾，黄
疸性肝炎，月经过多；外用
于腮腺炎，结膜炎，烫火伤，
疔疮肿毒，湿疹，狂犬咬伤，
毒蛇咬伤。
蛇莓根：苦、甘，寒。清热
泻火，解毒消肿。用于热病，
小儿惊风，目赤红肿，腮腺炎，
牙龈肿痛，咽喉肿痛，热毒
疮疡。

蔷薇科 Rosaceae 白鹃梅属 *Exochorda*

齿叶白鹃梅 *Exochorda serratifolia* S. Moore

| 植物别名 | 榆叶白鹃梅、锐齿白鹃梅。

| 药 材 名 | 齿叶白鹃梅（药用部位：根皮、茎皮）。

| 形态特征 | 落叶灌木，高达 2m。小枝圆柱形，无毛，幼时红紫色，老时暗褐色；冬芽卵形，先端圆钝，无毛或近于无毛，紫红色。叶片椭圆形或长圆状倒卵形，长 5 ~ 9cm，宽 3 ~ 5cm，先端急尖或圆钝，基部楔形或宽楔形，中部以上有锐锯齿，下面全缘，幼叶下面微被柔毛，老叶两面均无毛，羽状网脉，侧脉微呈弧形；叶柄长 1 ~ 2cm，无毛，不具托叶。总状花序，有花 4 ~ 7，无毛，花梗长 2 ~ 3mm；花直径 3 ~ 4cm；萼筒浅钟状，无毛；萼片三角状卵形，先端急尖，全缘，无毛；花瓣长圆形至倒卵形，先端微凹，基部有长爪，白色；雄蕊25，着生在花盘边缘，花丝极短；心皮 5，花柱分离。蒴果倒圆锥形，

齿叶白鹃梅

具5脊棱，5室，无毛。花期5～6月，果期7～8月。

| 生境分布 |

生于山坡、河边、灌丛中。分布于吉林延边、白山、通化等。

| 资源情况 |

野生资源较少。药材主要来源于野生。

| 采收加工 |

春、夏季采挖根，取根皮，剥取茎皮，分别洗净，晒干。

| 功能主治 |

强筋壮骨，活血止痛，健胃消食。用于腰骨酸痛，腰肌劳损，劳累过度，消化不良，风湿病。

蔷薇科 Rosaceae 蚊子草属 *Filipendula*

细叶蚊子草 *Filipendula angustiloba* (Turcz.) Maxim.

| 药 材 名 | 细叶蚊子草（药用部位：花）。

| 形态特征 | 多年生草本，高 50 ~ 120cm。茎有棱，无毛。叶为羽状复叶，有小叶 2 ~ 5 对，顶生小叶稍比侧生小叶长大，常 7 ~ 9 裂，裂片披针形，先端渐尖，边缘有不规则尖锐锯齿或不明显裂片，两面绿色无毛；侧生小叶与顶生小叶相似，惟较小，裂片较少；托叶草质，绿色，宽大，半心形，边缘有锯齿。圆锥花序顶生，花梗几无毛或被稀疏柔毛；花直径约 5mm；萼片卵形，先端圆钝；花瓣白色，倒卵形。瘦果无柄，直立，边缘无毛或有毛。花果期 6 ~ 8 月。

| 生境分布 | 生于草甸、河边、林区湿地。以长白山区为主要分布区域，分布于吉林延边、白山、通化、吉林、辽源（东丰）等。

细叶蚊子草

| **资源情况** | 野生资源较少。药材主要来源于野生。

| **采收加工** | 夏季花开放时采摘，晾干。

| **功能主治** | 止血。用于各种出血。

蔷薇科 Rosaceae　蚊子草属 Filipendula

蚊子草 *Filipendula palmata* (Pall.) Maxim.

蚊子草

| 植物别名 |

黑白蚊子草、合子草、合叶子。

| 药 材 名 |

蚊子草（药用部位：全草或叶）。

| 形态特征 |

多年生草本，高 60 ~ 150cm。茎有棱，近无毛或上部被短柔毛。叶为羽状复叶，有小叶 2 对，叶柄被短柔毛或近无毛，顶生小叶特别大，5 ~ 9 掌状深裂，裂片披针形至菱状披针形，先端渐狭或三角状渐尖，边缘常有小裂片和尖锐重锯齿，上面绿色无毛，下面密被白色绒毛，侧生小叶较小，3 ~ 5 裂，裂至小叶 1/3 ~ 1/2 处；托叶大，草质，绿色，半心形，边缘有尖锐锯齿。顶生圆锥花序，花梗疏被短柔毛，以后脱落无毛；花小而多，直径 5 ~ 7mm；萼片卵形，外面无毛；花瓣白色，倒卵形，有长爪。瘦果半月形，直立，有短柄，沿背腹两边有柔毛。花果期 7 ~ 9 月。

| 生境分布 |

生于溪边、湿地、灌丛、林缘。以长白山区为主要分布区域，分布于吉林延边、白山、

通化、吉林、辽源（东丰）等。

| **资源情况** | 野生资源丰富。药材主要来源于野生。

| **采收加工** | 夏、秋季采收全草，除去杂质，晒干。夏季采收叶，洗净，晒干。

| **功能主治** | 全草，苦、辛，温。祛风湿，止痉。用于风湿关节痛，癫痫，各种出血。叶，发汗。用于热病，冻伤，烫火伤，驱蚊。

蔷薇科 Rosaceae 蚊子草属 *Filipendula*

光叶蚊子草

Filipendula palmata (Pall.) Maxim. var. *glabra* Ldb. ex Kom.

| **药 材 名** | 光叶蚊子草（药用部位：全草）。

| **形态特征** | 多年生草本，高 60 ~ 150cm。茎有棱，被极短柔毛或以后脱落几无毛。叶为羽状复叶，有小叶 2 对，叶柄被短柔毛或近无毛，顶生小叶特别大，5 ~ 9 掌状深裂，裂片披针形至菱状披针形，先端渐狭或三角状渐尖，边缘常有小裂片和尖锐重锯齿，上面暗绿色，通常无毛或有稀疏短柔毛，下面淡绿色，被短柔毛，沿脉较密，其余部分几无毛。侧生小叶较小，3 ~ 5 裂，裂至小叶 1/3 ~ 1/2 处；托叶大，草质，绿色，半心形，边缘有尖锐锯齿。顶生圆锥花序，花梗疏被短柔毛，以后脱落无毛；花小而多，直径 5 ~ 7mm；萼片卵形，外面无毛；花瓣白色，倒卵形，有长爪。瘦果半月形，直立，有短柄，沿背腹两边有柔毛。花果期 7 ~ 9 月。

光叶蚊子草

| **生境分布** | 生于山麓、沟谷、草地、河岸、林缘或林下。以长白山区为主要分布区域，分布于吉林延边、白山、通化、吉林、辽源（东丰）等。 |

| **资源情况** | 野生资源较少。药材主要来源于野生。 |

| **采收加工** | 夏、秋季采收全草，除去杂质，晒干。夏季采收叶，洗净，晒干。 |

| **功能主治** | 舒筋活络，强壮筋骨，祛风利湿。用于风湿痹痛，跌打损伤。 |

蔷薇科 Rosaceae 蚊子草属 *Filipendula*

槭叶蚊子草 *Filipendula purpurea* Maxim.

| **植物别名** | 白蝶草。

| **药材名** | 槭叶蚊子草（药用部位：全草或花）。

| **形态特征** | 多年生草本，高50～150cm。茎光滑有棱。叶为羽状复叶，有小叶1～3对，中间有时夹有附片，叶柄无毛；顶生小叶大，常5～7裂，裂片卵形，先端常尾状渐尖，边缘有重锯齿或不明显裂片，齿急尖或微钝，两面绿色，无毛或下面沿脉疏生柔毛；侧生小叶小，长圆状卵形或卵状披针形，边缘有重锯齿或不明显裂片；托叶草质或半膜质，常淡褐绿色，较小，卵状披针形，全缘。顶生圆锥花序，花梗无毛；花直径4～5mm；萼片卵形，先端急尖，外面无毛；花瓣粉红色至白色，倒卵形。瘦果直立，基部有短柄，背腹两边有一行柔毛。花果期6～8月。

槭叶蚊子草

| 生境分布 |

生于溪边、湿地、灌丛、林缘、林下或湿草地。以长白山区为主要分布区域,分布于吉林延边、白山、通化、吉林、辽源(东丰)等。

| 资源情况 |

野生资源较丰富。药材主要来源于野生。

| 采收加工 |

夏、秋季采收全草,除去杂质,晒干。6~8月采收花,洗净,阴干。

| 功能主治 |

祛风利湿,止血,驱虫。用于风湿痹痛,刀伤出血,驱蚊。

| 附　注 |

(1)在FOC中,本种的拉丁学名被修订为 *Filipendula glaberrima* Nakai。

(2)本种与光叶蚊子草 *Filipendula palmata* (Pall.) Maxim. var. *glabra* Ldb. ex Kom. 的区别在于后者顶生小叶裂片披针形至菱状披针形,侧生小叶裂片深裂到1/3~1/2处,而本种顶生小叶裂片卵形,侧生小叶边缘只有不明显的裂片。

薔薇科 Rosaceae 草莓属 *Fragaria*

草莓
Fragaria×ananassa Duch.

| 植物别名 | 凤梨草莓。

| 药材名 | 草莓（药用部位：果实。别名：荷兰草莓）。

| 形态特征 | 多年生草本，高 10 ~ 40cm。茎低于叶或近相等，密被开展黄色柔毛。叶三出，小叶具短柄，质地较厚，倒卵形或菱形，稀几圆形，长 3 ~ 7cm，宽 2 ~ 6cm，先端圆钝，基部阔楔形，侧生小叶基部偏斜，边缘具缺刻状锯齿，锯齿急尖，上面深绿色，几无毛，下面淡白绿色，疏生毛，沿脉较密；叶柄长 2 ~ 10cm，密被开展黄色柔毛。聚伞花序，有花 5 ~ 15，花序下面具 1 短柄的小叶；花两性，直径 1.5 ~ 2cm；萼片卵形，比副萼片稍长，副萼片椭圆状披针形，全缘，稀深 2 裂，果时扩大；花瓣白色，近圆形或倒卵状椭圆形，基部具不显的爪；雄蕊 20，不等长；雌蕊极多。聚合果大，直径达 3cm，鲜红色，宿

草莓

存萼片直立，紧贴于果实；瘦果尖卵形，光滑。花期 4 ~ 5 月，果期 6 ~ 7 月。

| **生境分布** | 生于田间、地埂等处。吉林无野生分布。吉林各地均有栽培。

| **资源情况** | 吉林广泛栽培。药材主要来源于栽培。

| **采收加工** | 秋季果实成熟时采收，晒干或鲜用。

| **功能主治** | 甘、微酸，凉。清凉止渴，健胃消食，滋养。用于口渴，食欲不振，消化不良。

蔷薇科 Rosaceae 草莓属 Fragaria

东方草莓 *Fragaria orientalis* Lozinsk.

| 植物别名 | 野地果、野地枣。

| 药 材 名 | 东方草莓（药用部位：成熟果实及果汁。别名：野草莓）。

| 形态特征 | 多年生草本，高 5 ~ 30cm。茎被开展柔毛，上部较密，下部有时脱落。三出复叶，小叶几无柄，倒卵形或菱状卵形，长 1 ~ 5cm，宽 0.8 ~ 3.5cm，先端圆钝或急尖，顶生小叶基部楔形，侧生小叶基部偏斜，边缘有缺刻状锯齿，上面绿色，散生疏柔毛，下面淡绿色，有疏柔毛，沿叶脉较密；叶柄被开展柔毛，有时上部较密。花序聚伞状，有花（1 ~）2 ~ 5（~ 6）朵，基部苞片淡绿色或具 1 有柄之小叶，花梗长 0.5 ~ 1.5cm，被开展柔毛；花两性，稀单性，直径 1 ~ 1.5cm；萼片卵圆状披针形，先端尾尖，副萼片线状披针形，偶见 2 裂；花瓣白色，几圆形，基部具短爪；雄蕊 18 ~ 22，近等长；

东方草莓

雌蕊多数。聚合果半圆形，成熟后紫红色，宿存萼片开展或微反折；瘦果卵形，宽 0.5mm，表面脉纹明显或仅基部具皱纹。花期 5 ~ 7 月，果期 7 ~ 9 月。

| 生境分布 |

生于山坡草地或林下。分布于吉林白山（长白、抚松、靖宇、临江）、通化（集安）、延边（安图、珲春）等。

| 资源情况 |

野生资源较丰富。药材主要来源于野生。

| 采收加工 |

秋季果实成熟时采收，晒干或鲜用。

| 功能主治 |

果实，苦、辛，平。止渴生津。用于津伤口渴，湿疹。

| 附　注 |

（1）本种与野草莓 *Fragaria vesca* L. 的形态极为相似，惟后者花梗被紧贴的毛，可以以此区别。本种与五叶草莓 *Fragaria pentaphylla* Lozinsk. 的形态亦相近，但后者为 5 小叶，质地较厚，易于区别。

（2）本种果实可生食。

薔薇科 Rosaceae 路边青属 Geum

路边青 *Geum aleppicum* Jacq.

| **植物别名** | 水杨梅、草本水杨梅。

| **药材名** | 五气朝阳草（药用部位：全草。别名：追风七、见肿消、追风草）。

| **形态特征** | 多年生草本。须根簇生。茎直立，高 30 ~ 100cm，被开展粗硬毛，稀几无毛。基生叶为大头羽状复叶，通常有小叶 2 ~ 6 对，连叶柄长 10 ~ 25cm，叶柄被粗硬毛，小叶大小极不相等，顶生小叶最大，菱状广卵形或宽扁圆形，长 4 ~ 8cm，宽 5 ~ 10cm，先端急尖或圆钝，基部宽心形至宽楔形，边缘常浅裂，有不规则粗大锯齿，锯齿急尖或圆钝，两面绿色，疏生粗硬毛；茎生叶羽状复叶，有时重复分裂，向上小叶逐渐减少，顶生小叶披针形或倒卵状披针形，先端常渐尖或短渐尖，基部楔形；茎生叶托叶大，绿色，叶状，卵形，边缘有不规则粗大锯齿。花序顶生，疏散排列，花梗被短柔毛或微硬毛；

路边青

花直径 1 ~ 1.7cm；花瓣黄色，几圆形，比萼片长；萼片卵状三角形，先端渐尖，副萼片狭小，披针形，先端渐尖，稀 2 裂，比萼片短 1 倍多，外面被短柔毛及长柔毛；花柱顶生，在上部 1/4 处扭曲，成熟后自扭曲处脱落，脱落部分下部被疏柔毛。聚合果倒卵球形，瘦果被长硬毛，花柱宿存部分无毛，先端有小钩；果托被短硬毛，长约 1mm。花果期 7 ~ 10 月。

| **生境分布** | 生于荒地、山坡、草甸、沟边、路边、林间隙地或林缘。吉林各地均有分布。

| **资源情况** | 野生资源丰富。药材主要来源于野生。

| **采收加工** | 夏季采收，鲜用或晒干。

| **药材性状** | 本品根茎粗短，长 1 ~ 2.5cm，有多数细须根，均为棕褐色。茎圆柱形，被毛或近无毛。基生叶有长柄，羽状全裂或近羽状复叶，顶裂片较大，卵形或宽卵形，边缘有锯齿，两面被毛，侧生裂片小，边缘有不规则的粗齿；茎生叶互生，卵形，3 浅裂或羽状分裂。花顶生，常脱落。聚合瘦果近球形。气微，味辛、微苦。以色鲜、叶多、完整者为佳。

| **功能主治** | 苦、辛，寒。清热解毒，活血止痛，调经止带，祛风除湿，健胃润肺。用于疮痈肿痛，口疮咽痛，跌扑伤痛，风湿痹痛，泻痢腹痛，月经不调，崩漏，带下，脚气水肿，小儿惊风。

| **用法用量** | 内服煎汤，6 ~ 9g。外用适量，鲜品捣敷。

蔷薇科 Rosaceae 苹果属 *Malus*

花红
Malus asiatica Nakai

| **药 材 名** | 林檎（药用部位：果实）、林檎根（药用部位：根）、花红叶（药用部位：叶）。

| **形态特征** | 落叶小乔木，高 4 ~ 6m。小枝粗壮，圆柱形，嫩枝密被柔毛，老枝暗紫褐色，无毛，有稀疏浅色皮孔；冬芽卵形，先端急尖，初时密被柔毛，逐渐脱落，灰红色。叶片卵形或椭圆形，长 5 ~ 11cm，宽 4 ~ 5.5cm，先端急尖或渐尖，基部圆形或宽楔形，边缘有细锐锯齿，上面有短柔毛，逐渐脱落，下面密被短柔毛；叶柄长 1.5 ~ 5cm，具短柔毛；托叶小，膜质，披针形，早落。伞房花序，具花 4 ~ 7，集生在小枝先端；花梗长 1.5 ~ 2cm，密被柔毛；花直径 3 ~ 4cm；萼筒钟状，外面密被柔毛；萼片三角状披针形，长 4 ~ 5mm，先端渐尖，全缘，内外两面密被柔毛，萼片比萼筒稍长；花瓣倒卵

花红

形或长圆状倒卵形，长 8 ~ 13mm，宽 4 ~ 7mm，基部有短爪，淡粉色；雄蕊 17 ~ 20，花丝长短不等，比花瓣短；花柱 4（~ 5），基部具比雄蕊长之绒毛。果实卵形或近球形，直径 4 ~ 5cm，黄色或红色，先端渐狭，不具隆起，基部陷入，宿存萼肥厚隆起。花期 4 ~ 5 月，果期 8 ~ 9 月。

| **生境分布** | 生于山坡阳处、平原沙地。吉林无野生分布。吉林部分地区如药用植物园有栽培。

| **资源情况** | 吉林有栽培。药材来源于栽培。

| **采收加工** | 林檎：秋季果实成熟时采收，切片，干燥。
林檎根：秋季茎叶枯萎时采挖，除去泥土及须根，干燥。
花红叶：夏季采收植株上部的嫩叶，晾干。

| **药材性状** | 林檎：本品呈扁球形，直径 2.5 ~ 4cm。表面黄色至深红色，有点状黄色皮孔；先端凹而有竖起的残存萼片，底部深陷。气清香，味微甜、酸。

| **功能主治** | 林檎：酸、甘，温。归心、肝、肺经。止渴，化痰，化滞祛瘀，温肾涩精。用于消渴，热病心烦口渴，泄泻，肾寒遗精，腰膝酸软，四肢乏力。
林檎根：苦，平。归胃、大肠经。用于绦虫病，蛔虫病，消渴，嗜睡。
花红叶：辛，微温。归肺经。解毒杀虫，止痒，清肺，疗癣。外用于疥癣，湿疹瘙痒，疮疖肿痛。

| **用法用量** | 林檎：内服煎汤，30 ~ 90g；或捣汁。外用适量，研末调敷。
林檎根：内服煎汤，15 ~ 30g。
花红叶：内服煎汤，3 ~ 9g。外用适量，煎汤洗。

| **附　　注** | 本种与楸子 *Malus prunifolia* (Willd.) Borkh. 的形态近似，但本种果实较大，果柄较短，叶片及新枝上的毛茸较密，可以以此区别。有些学者将本种列为楸子的一个变种。

蔷薇科 Rosaceae 苹果属 Malus

山荆子

Malus baccata (L.) Borkh.

| **植物别名** | 林荆子、山丁子、糖李子。

| **药 材 名** | 山荆子（药用部位：果实。别名：山定子）。

| **形态特征** | 落叶乔木，高达 25m。树皮黑褐色。小枝灰棕色，嫩枝绿色，无毛，冬芽卵状椭圆形，无毛。叶片倒卵状椭圆形或椭圆状卵形，长 3 ~ 13cm，宽 2 ~ 6cm，先端骤尖或短渐尖，基部圆形或楔形，叶缘有缺刻状圆钝重锯齿，齿端陷入小腺体，上面绿色，无毛，下面淡绿色，被稀疏长柔毛，有侧脉 7 ~ 12 对；叶柄长 2 ~ 7cm，无毛；托叶狭带形，长约 1cm，边有腺齿。花序伞形，有花 3 ~ 4，花叶同开，花芽鳞片大型，开花期反折；总梗不明显；花梗长 2 ~ 3cm，无毛；萼筒钟状，长约 5mm，宽约 4mm，无毛，萼片长椭圆形，先端圆钝，全缘，与萼筒近等长或略长于萼筒，开花后反折；花瓣白色，倒卵圆形，

山荆子

先端微下凹；雄蕊约 34；花柱与雄蕊近等长，无毛。核果近球形或卵球形，红色至紫黑色，直径 1.5 ~ 2.5cm；核表面光滑。花期 4 ~ 5 月，果期 6 ~ 7 月。

| 生境分布 | 生于山坡林间、林缘。以长白山区为主要分布区域，分布于吉林延边、白山、通化、吉林、辽源（东丰）等。吉林东部、中部地区有栽培。

| 资源情况 | 野生资源较丰富。药材主要来源于栽培。

| 采收加工 | 秋季果实成熟时采摘，切片，晾干。

| 药材性状 | 本品呈规则扁球形，直径约 1cm，先端有萼洼，稍凹隐，基部偶见果槽，果柄长 2 ~ 3cm。表面红棕色，剖开后分 5 室，偶见扁三角形种子，内果皮稍革质，质较重。味酸，微涩。

| 功能主治 | 清热解毒，止泻痢。用于痢疾，吐泻，各种细菌感染，结核病。

| 用法用量 | 内服煎汤，15 ~ 30g；或研末；或酿酒。

蔷薇科 Rosaceae 苹果属 Malus

楸子
Malus prunifolia (Willd.) Borkh.

| **植物别名** | 海棠果。

| **药 材 名** | 楸子（药用部位：果实）。

| **形态特征** | 落叶小乔木，高达 3 ~ 8m。小枝粗壮，圆柱形，嫩时密被短柔毛，老枝灰紫色或灰褐色，无毛；冬芽卵形，先端急尖，微具柔毛，边缘较密，紫褐色，有数枚外露鳞片。叶片卵形或椭圆形，长 5 ~ 9cm，宽 4 ~ 5cm，先端渐尖或急尖，基部宽楔形，边缘有细锐锯齿，在幼嫩时上下两面的中脉及侧脉有柔毛，逐渐脱落，仅在下面中脉稍有短柔毛或近于无毛；叶柄长 1 ~ 5cm，嫩时密被柔毛，老时脱落。花 4 ~ 10，近似伞形花序，花梗长 2 ~ 3.5cm，被短柔毛；苞片膜质，线状披针形，先端渐尖，微被柔毛，早落；花直径 4 ~ 5cm；萼筒外面被柔毛；萼片披针形或三角状披针形，长 7 ~ 9cm，先端渐

楸子

尖，全缘，两面均被柔毛，萼片比萼筒长；花瓣倒卵形或椭圆形，长 2.5 ～ 3cm，宽约 1.5cm，基部有短爪，白色，含苞未放时粉红色；雄蕊 20，花丝长短不齐，约为花瓣的 1/3；花柱 4（～ 5），基部有比雄蕊长的绒毛。果实卵形，直径 2 ～ 2.5cm，红色，先端渐尖，稍具隆起，萼洼微凸，萼片宿存肥厚，果柄细长。花期 4 ～ 5 月，果期 8 ～ 9 月。

| 生境分布 | 生于山坡、平地或山谷梯田边。分布于吉林延边、白山、通化等。

| 资源情况 | 野生资源稀少。药材主要来源于野生。

| 采收加工 | 8 ～ 9 月果实成熟时采摘，鲜用或晒干。

| 药材性状 | 本品呈卵形，直径 2 ～ 2.5cm。表面红色，无灰白斑点，果肉黄白色，成熟后有 2 ～ 5 室，每室含种子 1 ～ 2，种子扁卵圆形，浅紫红色至红紫色。有宿存萼，略凸出，萼片两面被毛，萼筒外边被毛。气微香，味甘、微酸。

| 功能主治 | 酸、甘，平。清凉止渴，补血，健胃消积，行瘀定痛。用于食积停滞，胸腹胀痛，腹泻，疝气。

| 用法用量 | 内服煎汤，15 ～ 30g。

薔薇科 Rosaceae 苹果属 *Malus*

苹果 *Malus pumila* Mill.

苹果

| 植物别名 |

西洋苹果、嘎啦。

| 药 材 名 |

苹果（药用部位：果实。别名：平波、超凡子、天然子）、苹果叶（药用部位：叶）、苹果皮（药用部位：果皮）。

| 形态特征 |

落叶乔木，高可达 15m。多具有圆形树冠和短主干；小枝短而粗，圆柱形，幼嫩时密被绒毛，老枝紫褐色，无毛；冬芽卵形，先端钝，密被短柔毛。叶片椭圆形、卵形至宽椭圆形，长 4.5 ~ 10cm，宽 3 ~ 5.5cm，先端急尖，基部宽楔形或圆形，边缘具有圆钝锯齿，幼嫩时两面具短柔毛，长成后上面无毛；叶柄粗壮，长 1.5 ~ 3cm，被短柔毛；托叶草质，披针形，先端渐尖，全缘，密被短柔毛，早落。伞房花序，具花 3 ~ 7，集生于小枝先端，花梗长 1 ~ 2.5cm，密被绒毛；苞片膜质，线状披针形，先端渐尖，全缘，被绒毛；花直径 3 ~ 4cm；萼筒外面密被绒毛；萼片三角状披针形或三角状卵形，长 6 ~ 8mm，先端渐尖，全缘，内外两面均密被绒毛，萼片比萼筒长；花瓣倒卵形，长 15 ~ 18mm，基部具短爪，白色，含苞未放时带粉红色；雄蕊 20，花丝长短不齐，约为花瓣之半；花柱 5，下半部密被灰白色绒毛，较雄蕊稍长。果实扁球形，直径在 2cm以上，先端常有隆起，萼洼下陷，萼片永存，果柄短粗。花期 5 月，果期 7 ~10 月。

| 生境分布 | 生于山坡梯田、平原旷野或黄土丘陵等处。分布于吉林长春、吉林、辽源等。吉林东部山区、中部半山区有栽培。

| 资源情况 | 野生资源稀少。药材主要来源于栽培。

| 采收加工 | 苹果：早熟品种 7 ~ 8 月采收，晚熟品种 9 ~ 10 月采收，鲜用或晒干。
苹果叶：春、秋季采收叶，晒干。
苹果皮：果实成熟时采收，收集果皮，鲜用或晒干。

| 药材性状 | 本品呈梨形或扁球形，直径 5 ~ 10cm，或更大。表面青色、黄色或红色，顶部及基部均凹陷；外皮薄，革质，果肉肉质，内果皮坚韧。分为 5 室，每室有种子 2。气清香，味甜、微酸。

| 功能主治 | 苹果：甘、酸，凉。生津润肺，止咳化痰，除烦，清热解暑，开胃醒酒。用于肺燥，肺热咳嗽，中暑，心气不足，心烦不安，急躁易怒，脾胃气虚，四肢无力，久泻久痢，胃下垂，子宫下垂，脱肛，疝气。
苹果叶：苦，寒。归肝、肾经。清热解毒，活血止血，消肿止痛。用于痈疽疔疮，经水不调。
苹果皮：甘，凉。归胃经。降逆止呕，消痰。用于反胃呕吐，咳痰。

| 用法用量 | 苹果：内服生食、捣汁或熬膏。外用适量，捣汁涂。
苹果叶：内服煎汤，30 ~60g。外用适量，鲜叶贴敷。
苹果皮：内服煎汤，15 ~30g；或煎汤泡服。

蔷薇科 Rosaceae 苹果属 Malus

三叶海棠 *Malus sieboldii* (Regel) Rehd.

| 植物别名 | 山荼果、野黄子、山楂子。

| 药 材 名 | 三叶海棠（药用部位：果实）。

| 形态特征 | 落叶灌木，高 2 ～ 6m。枝条开展，小枝圆柱形，稍有棱角，嫩时被短柔毛，老时脱落，暗紫色或紫褐色；冬芽卵形，先端较钝，无毛或仅在先端鳞片边缘微有短柔毛，紫褐色。叶片卵形、椭圆形或长椭圆形，长 3 ～ 7.5cm，宽 2 ～ 4cm，先端急尖，基部圆形或宽楔形，边缘有尖锐锯齿，在新枝上的叶片锯齿粗锐，常 3，稀 5 浅裂，幼叶上下两面均被短柔毛，老叶上面近于无毛，下面沿中肋及侧脉有短柔毛；叶柄长 1 ～ 2.5cm，有短柔毛；托叶草质，窄披针形，先端渐尖，全缘，微被短柔毛。花 4 ～ 8，集生于小枝先端，花梗长 2 ～ 2.5cm，有柔毛或近于无毛；苞片膜质，线状披针形，先端渐尖，

三叶海棠

全缘，内面被柔毛，早落；花直径 2 ～ 3cm；萼筒外面近无毛或有柔毛；萼片三角状卵形，先端尾状渐尖，全缘，长 5 ～ 6mm，外面无毛，内面密被绒毛，约与萼筒等长或比萼筒稍长；花瓣长椭倒卵形，长 1.5 ～ 1.8cm，基部有短爪，淡粉红色，在花蕾时颜色较深；雄蕊 20，花丝长短不齐，约为花瓣之半；花柱 3 ～ 5，基部有长柔毛，较雄蕊稍长。果实近球形，直径 6 ～ 8mm，红色或褐黄色，萼片脱落，果柄长 2 ～ 3cm。花期 4 ～ 5 月，果期 8 ～ 9 月。

| 生境分布 | 生于山坡杂木林或灌丛中。分布于吉林延边、白山、通化等。

| 资源情况 | 野生资源稀少。药材主要来源于野生。

| 采收加工 | 8 ～ 9 月果实成熟时采摘，鲜用或晒干。

| 功能主治 | 酸，温。归脾、胃经。消食健胃。用于饮食积滞。

| 用法用量 | 内服煎汤，6 ～ 12g。

| 附　注 | 本种与山荆子 *Malus baccata* (L.) Borkh. 的区别在于本种具有 3 裂或 5 裂的叶片，叶片在芽中呈对折状，叶缘锯齿较粗，上下两面有毛，萼片与萼筒等长。

蔷薇科 Rosaceae 苹果属 Malus

海棠花 *Malus spectabilis* (Ait.) Borkh.

| **植物别名** | 海棠。

| **药 材 名** | 海棠（药用部位：果实）。

| **形态特征** | 落叶乔木，高可达 8m。小枝粗壮，圆柱形，幼时具短柔毛，逐渐脱落，老时红褐色或紫褐色，无毛；冬芽卵形，先端渐尖，微被柔毛，紫褐色，有数枚外露鳞片。叶片椭圆形至长椭圆形，长 5 ~ 8cm，宽 2 ~ 3cm，先端短渐尖或圆钝，基部宽楔形或近圆形，边缘有紧贴细锯齿，有时部分近全缘，幼嫩时上下两面具稀疏短柔毛，以后脱落，老叶无毛；叶柄长 1.5 ~ 2cm，具短柔毛；托叶膜质，窄披针形，先端渐尖，全缘，内面具长柔毛。花序近伞形，有花 4 ~ 6，花梗长 2 ~ 3cm，具柔毛；苞片膜质，披针形，早落；花直径 4 ~ 5cm；萼筒外面无毛或有白色绒毛；萼片三角状卵形，先端急尖，全

海棠花

缘，外面无毛或偶见稀疏绒毛，内面密被白色绒毛，萼片比萼筒稍短；花瓣卵形，长 2 ~ 2.5cm，宽 1.5 ~ 2cm，基部有短爪，白色，在芽中呈粉红色；雄蕊 20 ~ 25，花丝长短不等，约为花瓣之半；花柱 5，稀 4，基部有比雄蕊稍长之白色绒毛。果实近球形，直径 2cm，黄色，萼片宿存，基部不下陷，梗洼隆起；果柄细长，先端肥厚，长 3 ~ 4cm。花期 4 ~ 5 月，果期 8 ~ 9 月。

| **生境分布** | 生于海拔 50 ~ 2000m 的平原山坡或山地。吉林无野生分布。吉林东部山区、中部半山区有栽培。

| **资源情况** | 吉林偶见栽培。药材主要来源于栽培。

| **采收加工** | 8 ~ 9 月秋季果实成熟时采摘，鲜用或晒干。

| **功能主治** | 止泻。用于泄泻。

蔷薇科 Rosaceae 绣线梅属 *Neillia*

东北绣线梅 *Neillia uekii* Nakai

| 药 材 名 | 东北绣线梅（药用部位：全草）。

| 形态特征 | 直立灌木，高达 2m。小枝细弱，有棱角，幼时微具短柔毛，红褐色，老时无毛，暗灰褐色；冬芽卵形，边缘有柔毛，紫褐色。叶片卵形至椭圆状卵形，稀三角状卵形，长 3 ~ 6cm，宽 2 ~ 4cm，先端长渐尖至尾尖，基部圆形至截形，边缘有重锯齿和羽状分裂，上面无毛，下面沿叶脉微具短柔毛；叶柄长 5 ~ 10mm，密被短柔毛；托叶膜质，卵状披针形至三角状披针形，长 7 ~ 9mm，两面皆无毛。总状花序，具花 10 ~ 25，长 4 ~ 9cm，微被短柔毛或星状毛，花梗长 3 ~ 4mm，具腺毛与短柔毛；苞片线状披针形，长 5 ~ 7mm，内面微具短柔毛；花直径 5 ~ 6mm；萼筒钟状，长 3 ~ 4mm；萼片三角形，先端渐尖，全缘，内外两面均被短柔毛，萼片约与萼筒等长或比萼筒稍短；花

东北绣线梅

瓣匙形，长约 4mm，宽约 2mm，先端钝，白色；雄蕊 15，略短于花瓣，着生在萼筒边缘；心皮 1 ~ 2，子房先端及沿腹缝被柔毛，花柱顶生，直立，内含 2 胚珠。蓇葖果具宿萼，外被腺毛及短柔毛，内有 2 光亮种子。

| 生境分布 |　生于山坡、灌丛。分布于吉林通化（集安）、白山（临江、浑江）等。

| 资源情况 |　野生资源较少。药材主要来源于野生。

| 采收加工 |　夏、秋季采收，除去杂质，晒干。

| 功能主治 |　清热解毒，芳香化湿，截疟杀虫。用于湿浊中阻，疟疾，虫积腹痛。

| 附　　注 |　本种为吉林省Ⅱ级重点保护野生植物。

蔷薇科 Rosaceae 稠李属 Padus

斑叶稠李 *Padus maackii* (Rupr.) Kom.

斑叶稠李

| 植物别名 |

山桃稠李。

| 药 材 名 |

斑叶稠李（药用部位：果实、叶）。

| 形态特征 |

落叶小乔木，高 4 ~ 10m。树皮光滑，呈片状剥落；老枝黑褐色或黄褐色，无毛；小枝带红色，幼时被短柔毛，以后脱落近无毛；冬芽卵圆形，无毛或在鳞片边缘被短柔毛。叶片椭圆形、菱状卵形，稀长圆状倒卵形，长 4 ~ 8cm，宽 2.8 ~ 5cm，先端尾状渐尖或短渐尖，基部圆形或宽楔形，叶缘有不规则带腺锐锯齿，上面深绿色，仅沿叶脉被短柔毛，其余部分无毛或近无毛，下面淡绿色，沿中脉被短柔毛，被紫褐色腺体；叶柄长 1 ~ 1.5cm，被短柔毛，稀近无毛，先端有时有 2 腺体，或在叶片基部边缘两侧各有 1 腺体；托叶膜质，线形，先端渐尖，边有腺体，早落。总状花序多花密集，长 5 ~ 7cm，基部无叶；花梗长 4 ~ 6mm（栽培标本有的可达 1.5cm），总花梗和花梗均被稀疏短柔毛；花直径 8 ~ 10mm；萼筒钟状，比萼片长近 1 倍，萼片三角状披针形或卵状披针

形，先端长渐尖，边有不规则带腺细齿，萼筒和萼片内外两面均被疏柔毛；花瓣白色，长圆状倒卵形，先端 1/3 部分啮蚀状，基部楔形，有短爪，着生在萼筒边缘，为萼片长的 2 倍；雄蕊 25 ～ 30，排成紧密不规则 2 ～ 3 轮，花丝长短不等，着生在萼筒上，长花丝比花瓣稍长；雌蕊 1，心皮无毛，柱头盘状或半圆形，花柱基部有疏长柔毛，和雄蕊近等长。核果近球形，直径 5 ～ 7mm，紫褐色，无毛；果柄无毛；萼片脱落；核有皱纹。花期 4 ～ 5 月，果期 6 ～ 10 月。

| 生境分布 |

生于阳山坡疏林中、阳坡林边潮湿地、松林下、溪边和路旁等。以长白山区为主要分布区域，分布于吉林延边、白山、通化、吉林、辽源（东丰）等。

| 资源情况 |

野生资源较丰富。药材主要来源于野生。

| 采收加工 |

秋季果实成熟时采收果实，晒干或鲜用。夏季采收叶，洗净，晒干。

| 功能主治 |

止痢，止泻。用于泄泻，痢疾。

蔷薇科 Rosaceae 稠李属 Padus

稠李
Padus racemosa (Lam.) Gilib.

| **植物别名** | 稠梨、臭李子。 |

| **药 材 名** | 稠李（药用部位：叶、果实。别名：樱额梨、稠梨子、臭李子）。 |

| **形态特征** | 落叶乔木，高可达 15m。树皮粗糙而多斑纹；老枝紫褐色或灰褐色，有浅色皮孔；小枝红褐色或带黄褐色，幼时被短绒毛，以后脱落无毛；冬芽卵圆形，无毛或仅边缘有睫毛。叶片椭圆形、长圆形或长圆状倒卵形，长 4 ~ 10cm，宽 2 ~ 4.5cm，先端尾尖，基部圆形或宽楔形，边缘有不规则锐锯齿，有时混有重锯齿，上面深绿色，下面淡绿色，两面无毛；下面中脉和侧脉均凸起；叶柄长 1 ~ 1.5cm，幼时被短绒毛，以后脱落近无毛，先端两侧各具 1 腺体；托叶膜质，线形，先端渐尖，边有带腺锯齿，早落。总状花序具有多花，长 7 ~ 10cm，基部通常有 2 ~ 3 叶，叶片与枝生叶同形，通常较小； |

稠李

花梗长 1 ~ 1.5（~ 24）cm，总花梗和花梗通常无毛；花直径 1 ~ 1.6cm；萼筒钟状，比萼片稍长；萼片三角状卵形，先端急尖或圆钝，边有带腺细锯齿；花瓣白色，长圆形，先端波状，基部楔形，有短爪，比雄蕊长近 1 倍；雄蕊多数，花丝长短不等，排成紧密不规则 2 轮；雌蕊 1，心皮无毛，柱头盘状，花柱比雄蕊短近 1 倍。核果卵球形，先端有尖头，直径 8 ~ 10mm，红褐色至黑色，光滑，果柄无毛；萼片脱落；核有褶皱。花期 4 ~ 5 月，果期 5 ~ 10 月。

| 生境分布 | 生于山坡、山谷或灌丛中。以长白山区为主要分布区域，分布于吉林延边、白山、通化、吉林、辽源（东丰）等。吉林东部山区、半山区有栽培。

| 资源情况 | 野生资源较丰富。药材主要来源于栽培。

| 采收加工 | 夏季采收叶，洗净，晒干。秋季果实成熟时采收，晒干或鲜用。

| 功能主治 | 果实，甘、涩，温。归脾、胃、大肠经。涩肠止泻。用于腹泻，脾虚，形体消瘦。叶，镇咳祛痰。用于咳嗽咳痰。

| 用法用量 | 内服煎汤，9 ~ 15g。

| 附　　注 | 在 FOC 中，本种的拉丁学名被修订为 *Padus avium* Miller。

蔷薇科 Rosaceae 委陵菜属 Potentilla

皱叶委陵菜 *Potentilla ancistrifolia* Bge.

| 植物别名 | 钩叶委陵菜。

| 药 材 名 | 皱叶委陵菜（药用部位：全草）。

| 形态特征 | 多年生草本。根粗壮，圆柱形，木质。花茎直立，高 10 ~ 30cm，被稀疏柔毛，上部有时混生有腺毛。基生叶为羽状复叶，有小叶 2 ~ 4 对，下面 1 对常小型，连叶柄长 5 ~ 15cm，叶柄被稀疏柔毛；小叶片无柄或有时顶生小叶有短柄，亚革质，椭圆形、长椭圆形或椭圆状卵形，长 1 ~ 4cm，宽 0.5 ~ 1.5cm，先端急尖或圆钝，基部楔形或宽楔形，边缘有急尖锯齿，齿常粗大，三角状卵形，上面绿色或暗绿色，通常有明显皱褶，伏生疏柔毛，下面灰色或灰绿色，网脉通常较突出，密生柔毛，沿脉伏生长柔毛，茎生叶 2 ~ 3，有小叶 1 ~ 3 对；基生叶托叶膜质，褐色，外被长柔毛；茎生叶托叶草质，绿色，

皱叶委陵菜

卵状披针形或披针形，边缘有 1 ～ 3 齿，稀全缘。伞房状聚伞花序顶生，疏散，花梗长 0.5 ～ 1cm，密被长柔毛和腺毛；花直径 8 ～ 12cm；萼片三角状卵形，先端尾尖，副萼片狭披针形，先端锐尖，与萼片近等长，外面常带紫色，被疏柔毛；花瓣黄色，倒卵状长圆形，先端圆形，比萼片长 0.5 ～ 1 倍；花柱近顶生，丝状，柱头不扩大，子房脐部密被长柔毛。成熟瘦果表面有脉纹，脐部有长柔毛。花果期 5 ～ 9 月。

| **生境分布** | 生于山坡草地、岩石缝中、砂砾地或灌木林下。分布于吉林白山（长白）、通化（集安、二道江）、吉林（蛟河）等。

| **资源情况** | 野生资源较丰富。药材主要来源于野生。

| **采收加工** | 夏、秋季采收，除去杂质和泥沙，晒干。

| **功能主治** | 清热解毒，凉血止痛，止痢。用于赤痢腹痛，久痢不止，痔疮出血，痈肿疮毒。

蔷薇科 Rosaceae **委陵菜属** *Potentilla*

蕨麻
Potentilla anserina L.

| 植物别名 | 鹅绒委陵菜、蕨麻委陵菜。

| 药 材 名 | 蕨麻(药用部位:块根)、蕨麻草(药用部位:全草。别名:人参果、莲菜花、延寿果)。

| 形态特征 | 多年生草本。根向下延长,有时在根的下部长成纺锤形或椭圆形块根。茎匍匐,在节处生根,常着地长出新植株,外被伏生或半开展疏柔毛或脱落几无毛。基生叶为间断羽状复叶,有小叶6 ~ 11对,连叶柄长2 ~ 20cm,叶柄被伏生或半开展疏柔毛,有时脱落几无毛,小叶对生或互生,无柄或顶生小叶有短柄,最上面1对小叶基部下延与叶轴汇合,基部小叶渐小,呈附片状;小叶片通常椭圆形,倒卵状椭圆形或长椭圆形,长1 ~ 2.5cm,宽0.5 ~ 1cm,先端圆钝,基部楔形或阔楔形,边缘有多数尖锐锯齿或裂片状锯齿,上面绿色,

蕨麻

被疏柔毛或脱落几无毛，下面密被紧贴银白色绢毛，叶脉明显或不明显；茎生叶与基生叶相似，惟小叶对数较少；基生叶和下部茎生叶托叶膜质，褐色，和叶柄连成鞘状，外面被疏柔毛或脱落几无毛，上部茎生叶托叶草质，多分裂。单花腋生；花梗长 2.5 ~ 8cm，被疏柔毛；花直径 1.5 ~ 2cm；萼片三角状卵形，先端急尖或渐尖，副萼片椭圆形或椭圆状披针形，常 2 ~ 3 裂，稀不裂，与副萼片近等长或比副萼片稍短；花瓣黄色，倒卵形，先端圆形，比萼片长 1 倍；花柱侧生，小枝状，柱头稍扩大。

| 生境分布 | 生于河岸、路边、山坡草地或草甸。吉林各地均有分布。

| 资源情况 | 野生资源较少。药材主要来源于野生。

| 采收加工 | 蕨麻：春季未抽茎时采挖，除去泥沙，晒干。
蕨麻草：夏、秋季采挖，除去杂质，扎成把，晒干。

| 药材性状 | 蕨麻：本品呈纺锤形、圆球形、圆柱形或不规则形，微弯曲，长 0.5 ~ 3.5cm，直径 2 ~ 7mm。表面棕褐色，有纵皱纹。质坚硬而脆，断面平坦，类白色，有黄白相间的同心环纹。气微，味淡、微涩。

| 功能主治 | 蕨麻：甘，平。归脾、胃经。健脾益胃，生津止渴，益气补血，利湿。用于脾虚腹泻，病后贫血，营养不良，风湿痹痛。
蕨麻草：甘、苦，凉。凉血止血，解毒利湿。用于各种出血，痢疾，泄泻，疮疡，疖肿。

| 用法用量 | 内服煎汤，15 ~ 30g。

蔷薇科 Rosaceae 委陵菜属 Potentilla

白萼委陵菜 *Potentilla betonicifolia* Poir.

| **植物别名** | 白叶委陵菜、三出萎陵菜。

| **药材名** | 三出叶委陵菜（药用部位：全草。别名：草杜仲）。

| **形态特征** | 多年生草本。根粗壮，圆柱形，常木质化。花茎直立或上升，高 8 ~ 16cm，初被白色绒毛，以后脱落无毛。基生叶掌状三出复叶，连叶柄长 5 ~ 12cm，叶柄初被白色绒毛，以后脱落无毛；小叶片无柄，革质，长圆状披针形或卵状披针形，长 1 ~ 5cm，宽 0.5 ~ 1.5cm，先端急尖，基部楔形或近圆形，边缘有多数圆钝或急尖粗大锯齿，上面绿色，初被白色绒毛，以后脱落几无毛，下面密被白色绒毛，沿中脉被稀疏绢状柔毛，茎生叶不发达，呈苞叶状；基生叶托叶膜质，褐色，外面被白色绢状长柔毛，茎生叶托叶很小，革质，长卵圆形，全缘，下面被白色绒毛。聚伞花序圆锥状，多花，疏散，花

白萼委陵菜

梗长 1～1.5cm，外被白色绒毛；花直径约1cm；萼片三角状卵圆形，先端急尖，副萼片披针形或椭圆形，先端急尖，比萼片短或与萼片近等长，外面被白色绒毛及稀疏柔毛；花瓣黄色，倒卵形，先端圆钝；花柱近顶生，基部膨大，柱头略扩大。瘦果有脉纹。花果期5～6月。

| **生境分布** | 生于海拔 700～1600m 的山坡草地或岩石缝间。分布于吉林白城、松原等。

| **资源情况** | 野生资源较少。药材主要来源于野生。

| **采收加工** | 夏季采收，扎成把，晒干。

| **功能主治** | 苦、辛，微温。归肾、膀胱经。消肿利水。用于水泛肌肤，身目俱肿，小便短少，大腹胀满，腹水。

| **用法用量** | 内服煎汤，10～15g；或入丸、散。

蔷薇科 Rosaceae 委陵菜属 Potentilla

二裂委陵菜 Potentilla bifurca L.

| **植物别名** | 光叉叶委陵菜、二裂叶委陵菜。

| **药 材 名** | 鸡冠草（药用部位：全草或病态枝叶）。

| **形态特征** | 多年生草本或亚灌木。根圆柱形，纤细，木质。花茎直立或上升，高 5 ~ 20cm，密被疏柔毛或微硬毛。羽状复叶，有小叶 5 ~ 8 对，最上面 2 ~ 3 对小叶基部下延与叶轴汇合，连叶柄长 3 ~ 8cm；叶柄密被疏柔毛或微硬毛，小叶片无柄，对生，稀互生，椭圆形或倒卵状椭圆形，长 0.5 ~ 1.5cm，宽 0.4 ~ 0.8cm，先端常 2 裂，稀 3 裂，基部楔形或宽楔形，两面绿色，伏生疏柔毛；下部叶托叶膜质，褐色，外面被微硬毛，稀脱落几无毛，上部茎生叶托叶草质，绿色，卵状椭圆形，常全缘，稀有齿。近伞房状聚伞花序，顶生，疏散；花直径 0.7 ~ 1cm；萼片卵圆形，先端急尖，副萼片椭圆形，先端急尖

二裂委陵菜

或钝，比萼片短或与萼片近等长，外面被疏柔毛；花瓣黄色，倒卵形，先端圆钝，比萼片稍长；心皮沿腹部有稀疏柔毛；花柱侧生，棒形，基部较细，先端缢缩，柱头扩大。瘦果表面光滑。花果期 5 ～ 9 月。

| **生境分布** | 生于地边、道旁、沙地、山坡草地、黄土坡上、半干旱荒漠草原或疏林下。分布于吉林白山（长白）、延边（图们、延吉、汪清、和龙、敦化）、四平（伊通）、松原（扶余）、吉林（昌邑）等。

| **资源情况** | 野生资源较丰富。药材主要来源于野生。

| **采收加工** | 夏、秋季采收，除去杂质，分别晒干。

| **功能主治** | 甘、微苦，微寒。归肝、大肠经。凉血止血，止痢。用于功能性子宫出血，产后出血过多，崩漏下血，痔疮出血，赤白痢。此外，叶捣敷用于痔疮。

| **用法用量** | 内服煎汤，15 ～ 30g。外用适量，鲜叶捣敷。

蔷薇科 Rosaceae 委陵菜属 *Potentilla*

长叶二裂委陵菜 *Potentilla bifurca* L. var. *major* Ldb.

| **植物别名** | 光叉叶委陵菜。

| **药 材 名** | 二裂叶委陵菜（药用部位：全草。别名：高二裂委陵菜、小叉叶委陵菜）。

| **形态特征** | 多年生草本，植株高大。根圆柱形，纤细，木质。花茎直立或上升，高 5 ~ 20cm，下部伏生柔毛或脱落几无毛。羽状复叶，有小叶 5 ~ 8 对，最上面 2 ~ 3 对小叶基部下延与叶轴汇合，连叶柄长 3 ~ 8cm；下部伏生柔毛或脱落几无毛。小叶片无柄，对生稀互生，带形或长椭圆形，长 0.5 ~ 1.5cm，宽 0.4 ~ 0.8cm，先端圆钝或 2 裂，基部楔形或宽楔形，两面绿色，伏生疏柔毛；下部叶托叶膜质，褐色，外面被微硬毛，稀脱落几无毛，上部茎生叶托叶草质，绿色，卵状椭圆形，常全缘稀有齿。聚伞状花序，顶生，疏散；花朵较大，直

长叶二裂委陵菜

径 1.2 ~ 1.5cm；萼片卵圆形，先端急尖，副萼片椭圆形，先端急尖或钝，比萼片短或近等长，外面被疏柔毛；花瓣黄色，倒卵形，先端圆钝，比萼片稍长；心皮沿腹部有稀疏柔毛；花柱侧生，棒形，基部较细，先端缢缩，柱头扩大。瘦果表面光滑。花果期 5 ~ 10 月。

| **生境分布** | 生于耕地道旁、河滩沙地、山坡草地。分布于吉林延边、白山、通化等。

| **资源情况** | 野生资源较少。药材主要来源于野生。

| **采收加工** | 夏、秋季采收，晒干。

| **功能主治** | 止血，止痢。用于痢疾，出血。

蔷薇科 Rosaceae 委陵菜属 Potentilla

蛇莓委陵菜 *Potentilla centigrana* Maxim.

| 植物别名 | 蛇莓萎陵菜。

| 药 材 名 | 蛇莓委陵菜（药用部位：全草）。

| 形态特征 | 一年生或二年生草本，多须根。花茎上升或匍匐，或近于直立，长 20 ～ 50cm，有时下部节上生不定根，无毛或被稀疏柔毛。基生叶 3 小叶，开花时常枯死，茎生叶 3 小叶，叶柄细长，无毛或被稀疏柔毛；小叶具短柄或几无柄，小叶片椭圆形或倒卵形，长 0.5 ～ 1.5cm，宽 0.4 ～ 1.5cm，先端圆形，基部楔形至圆形，边缘有缺刻状圆钝或急尖锯齿，两面绿色，无毛或被稀疏柔毛；基生叶托叶膜质，褐色，无毛或被稀疏柔毛，茎生叶托叶淡绿色，卵形，边缘常有齿，稀全缘。单花，下部与叶对生，上部生于叶腋中；花梗纤细，长 0.5 ～ 2cm，无毛或几无毛；花直径 0.4 ～ 0.8cm；萼片较宽阔，卵形或卵状披针

蛇莓委陵菜

形，先端急尖或渐尖，副萼片披针形，先端渐尖，比萼片短或与萼片近等长；花瓣淡黄色，倒卵形，先端微凹或圆钝，比萼片短；花柱近顶生，基部膨大，柱头不扩大。瘦果倒卵形，长约 1mm，光滑。花果期 4 ~ 8 月。

| 生境分布 | 生于荒地、河岸阶地、林缘或林下湿地。分布于吉林白山（长白、抚松）、延边（汪清）、白城（大安）、通化（东昌）等。

| 资源情况 | 野生资源较丰富。药材主要来源于野生。

| 采收加工 | 夏、秋季采收，除去杂质，晒干。

| 功能主治 | 清热解毒，祛风，利尿。用于小便不利。

蔷薇科 Rosaceae 委陵菜属 Potentilla

委陵菜 *Potentilla chinensis* Ser.

委陵菜

| 植物别名 |

中华委陵菜、翻白草、野鸡膀。

| 药 材 名 |

委陵菜（药用部位：全草。别名：毛鸡腿子、蛤蟆草）。

| 形态特征 |

多年生草本。根粗壮，圆柱形，稍木质化。花茎直立或上升，高 20 ～ 70cm，被稀疏短柔毛及白色绢状长柔毛。基生叶为羽状复叶，有小叶 5 ～ 15 对，间隔 0.5 ～ 0.8cm，连叶柄长 4 ～ 25cm，叶柄被短柔毛及绢状长柔毛；小叶片对生或互生，上部小叶较长，向下逐渐减小，无柄，长圆形、倒卵形或长圆状披针形，长 1 ～ 5cm，宽 0.5 ～ 1.5cm，边缘羽状中裂，裂片三角状卵形、三角状披针形或长圆状披针形，先端急尖或圆钝，边缘向下反卷，上面绿色，被短柔毛或脱落几无毛，中脉下陷，下面被白色绒毛，沿脉被白色绢状长柔毛，茎生叶与基生叶相似，唯叶片对数较少；基生叶托叶近膜质，褐色，外面被白色绢状长柔毛，茎生叶托叶草质，绿色，边缘锐裂。伞房状聚伞花序，花梗长 0.5 ～ 1.5cm，基部有披针形苞片，外面密被

短柔毛；花直径通常 0.8 ~ 1cm，稀达 1.3cm；萼片三角状卵形，先端急尖，副萼片带形或披针形，先端尖，比萼片短约 1 倍且狭窄，外面被短柔毛及少数绢状柔毛；花瓣黄色，宽倒卵形，先端微凹，比萼片稍长；花柱近顶生，基部微扩大，稍有乳头或不明显，柱头扩大。瘦果卵球形，深褐色，有明显皱纹。花果期 4 ~ 10 月。

| **生境分布** | 生于山坡草地、沟谷、林缘、灌丛或疏林下。吉林各地均有分布。

| **资源情况** | 野生资源较丰富。药材主要来源于野生。

| **采收加工** | 春季未抽茎时采挖，除去泥沙，晒干。

| **药材性状** | 本品根呈圆柱形或类圆锥形，略扭曲，有的有分枝，长 5 ~ 17cm，直径 0.5 ~ 1cm；表面暗棕色或暗紫红色，有纵纹，粗皮易成片状剥落；根头部稍膨大；质硬，易折断，断面皮部薄，暗棕色，常与木部分离，射线呈放射状排列。叶基生，单数羽状复叶，有柄；小叶狭长椭圆形，边缘羽状深裂，下表面及叶柄均密被灰白色柔毛。气微，味涩、微苦。以干燥、无花茎、无杂质者为佳。

| **功能主治** | 苦，寒。归肝、大肠经。清热解毒，凉血止痢。用于赤痢腹痛，久痢不止，痔疮出血，痈肿疮毒。

| **用法用量** | 内服煎汤，9 ~ 15g；或研末；或浸酒。外用适量，煎汤洗；或捣敷；或研末撒。

| **附　注** | 委陵菜药用量小，价格低。吉林无委陵菜药材商品出售。

蔷薇科 Rosaceae 委陵菜属 Potentilla

狼牙委陵菜 *Potentilla cryptotaeniae* Maxim.

狼牙委陵菜

| 植物别名 |

狼牙萎陵菜、狼牙。

| 药 材 名 |

狼牙委陵菜（药用部位：全草。别名：地蜂子）。

| 形态特征 |

一年生或二年生草本，多须根。花茎直立或上升，高 50 ~ 100cm，被长硬毛或长柔毛，或脱落几无毛。基生叶三出复叶，开花时已枯死，茎生叶 3 小叶，叶柄被开展长柔毛及短柔毛，有时脱落几无毛；小叶片长圆形至卵状披针形，长 2 ~ 6cm，常中部最宽，达 1 ~ 2.5cm，先端渐尖或尾状渐尖，基部楔形，边缘有多数急尖锯齿，两面绿色，被疏柔毛，有时脱落几无毛，下面沿脉较密而开展；基生叶托叶膜质，褐色，外面密被长柔毛，茎生叶托叶草质，绿色，全缘，披针形，先端渐尖，通常与叶柄合生很长，合生部分比离生部分长 1 ~ 3 倍。伞房状聚伞花序多花，顶生，花梗细，长 1 ~ 2cm，被长柔毛或短柔毛；花直径约 1cm；萼片长卵形，先端渐尖或急尖，副萼片披针形，先端渐尖，开花时与萼片近等长，花后比萼片长，外面被稀

疏长柔毛；花瓣黄色，倒卵形，先端圆钝或微凹，比萼片长或与萼片近等长；花柱近顶生，基部稍膨大，柱头稍微扩大。瘦果卵形，光滑。花果期 7 ~ 9 月。

| 生境分布 | 生于海拔 1000 ~ 2200m 的河谷、草甸、草原、林缘。以长白山区为主要分布区域，分布于吉林延边、白山、通化、吉林、辽源（东丰）等。

| 资源情况 | 野生资源较丰富。药材主要来源于野生。

| 采收加工 | 夏、秋季采收，除去杂质，洗净，切碎，晒干。

| 功能主治 | 涩，平。清热解毒，利湿，止血，祛瘀血，消瘰疬。用于外伤出血，肺虚咳嗽，泄泻，痢疾，胃痛，狂犬咬伤，疮疡；外用于跌打损伤，伤口溃疡。

| 用法用量 | 内服煎汤，9 ~ 15g。外用适量，研末敷；或煎汤洗。

蔷薇科 Rosaceae 委陵菜属 Potentilla

翻白草
Potentilla discolor Bge.

翻白草

植物别名

翻白委陵菜、鸡腿根。

药材名

翻白草（药用部位：全草。别名：鸡腿根、鸡腿子、叶下白）。

形态特征

多年生草本。根粗壮，下部常肥厚，呈纺锤形。花茎直立，上升或微铺散，高 10 ～ 45cm，密被白色绵毛。基生叶有小叶 2 ～ 4 对，间隔 0.8 ～ 1.5cm，连叶柄长 4 ～ 20cm，叶柄密被白色绵毛，有时并有长柔毛；小叶对生或互生，无柄，小叶片长圆形或长圆状披针形，长 1 ～ 5cm，宽 0.5 ～ 0.8cm，先端圆钝，稀急尖，基部楔形、宽楔形或偏斜圆形，边缘具圆钝锯齿，稀急尖，上面暗绿色，被稀疏白色绵毛或脱落几无毛，下面密被白色或灰白色绵毛，脉不显或微显，茎生叶 1 ～ 2，有掌状小叶 3 ～ 5；基生叶托叶膜质，褐色，外面被白色长柔毛，茎生叶托叶草质，绿色，卵形或宽卵形，边缘常有缺刻状牙齿，稀全缘，下面密被白色绵毛。聚伞花序有花数朵至多朵，疏散，花梗长 1 ～ 2.5cm，外被绵毛；花直径 1 ～ 2cm；萼片三角状卵形，副萼片披针形，比萼片短，外面被白色绵毛；花瓣黄色，倒卵形，先端微凹或圆钝，比萼片长；花柱近顶生，基部具乳头状膨大，柱头稍微扩大。瘦果近肾形，宽约 1mm，光滑。花果期 5 ~ 9 月。

| **生境分布** | 生于草甸、山坡草地、山谷、沟边、干山坡、路旁、草原。以长白山区为主要分布区域，分布于吉林延边、白山、通化、吉林、辽源（东丰）等。

| **资源情况** | 野生资源较少。药材主要来源于野生。

| **采收加工** | 夏、秋季采收，除去杂质，晒干。

| **药材性状** | 本品块根呈纺锤形或圆柱形，长 4 ~ 8cm，直径 0.4 ~ 1cm；表面黄棕色或暗褐色，有不规则扭曲沟纹；质硬而脆，折断面平坦，呈灰白色或黄白色。基生叶丛生，单数羽状复叶，多皱缩弯曲，展平后长 4 ~ 13cm；小叶 5 ~ 9，柄短或无，长圆形或长椭圆形，先端小叶片较大，上表面暗绿色或灰绿色，下表面密被白色绒毛，边缘有粗锯齿。气微，味甘、微涩。以无花茎、色灰白、无杂质者为佳。

| **功能主治** | 甘、微苦，平。清热解毒，止痢，止血。用于湿热泻痢，痈肿疮毒，血热吐衄，便血，崩漏。

| **用法用量** | 内服煎汤，10 ~ 15g；或浸酒服。外用适量，煎汤熏洗；或鲜品捣敷。

| **附　　注** | 翻白草在吉林产出量大，药用历史较久。在《吉林外记》（1827）、《吉林通志》（1891）、《桦甸县志》（1931）等多部地方志中均有关于翻白草的记载。

蔷薇科 Rosaceae 委陵菜属 Potentilla

匍枝委陵菜 *Potentilla flagellaris* Willd. ex Schlecht.

匍枝委陵菜

| 植物别名 |

蔓委陵菜、鸡儿头。

| 药 材 名 |

匍枝委陵菜（药用部位：全草）。

| 形态特征 |

多年生匍匐草本。根细而簇生。匍匐枝长
8 ~ 60cm，被伏生短柔毛或疏柔毛。基生叶
掌状五出复叶，连叶柄长 4 ~ 10cm，叶柄
被伏生柔毛或疏柔毛，小叶无柄；小叶片披
针形、卵状披针形或长椭圆形，长 1.5 ~ 3cm，
宽 0.7 ~ 1.5cm，先端急尖或渐尖，基部楔
形，边缘有 3 ~ 6 缺刻状、大小不等急尖锯
齿，下部两个小叶有时 2 裂，两面绿色，伏
生稀疏短毛，以后脱落或在下面沿脉伏生疏
柔毛；匍匐枝上叶与基生叶相似；基生叶托
叶膜质，褐色，外面被稀疏长硬毛，纤匍枝
上托叶草质，绿色，卵披针形，常深裂。单
花与叶对生，花梗长 1.5 ~ 4cm，被短柔毛；
花直径 1 ~ 1.5cm；萼片卵状长圆形，先端
急尖，与萼片近等长，稀稍短，外面被短柔
毛及疏柔毛；花瓣黄色，先端微凹或圆钝，
比萼片稍长；花柱近顶生，基部细，柱头稍
微扩大。成熟瘦果长圆状卵形，表面呈泡状

突起。花果期 5 ~ 9 月。

| **生境分布** | 生于阴湿草地、水泉旁边、林下、林缘、草甸。以长白山区为主要分布区域，分布于吉林延边、白山、通化、吉林、辽源（东丰）、白城（洮北、大安）、松原（长岭）等。

| **资源情况** | 野生资源较丰富。药材主要来源于野生。

| **采收加工** | 夏、秋季采收，除去杂质，晒干。

| **药材性状** | 本品根呈细长圆柱形，长 2 ~ 6cm；表面黄棕色或暗褐色；质硬而脆，易折断。匍匐枝长 8 ~ 30cm，被伏生短柔毛或疏柔毛。基生叶连叶柄长 2 ~ 8cm，叶柄被伏生柔毛或疏柔毛，小叶无柄，皱缩，两面绿色，伏生稀疏短毛。花瓣黄色，先端微凹或圆钝，比萼片稍长。气微，味微。

| **功能主治** | 清热解毒。用于痈疮肿毒。

| **附　注** | 本种与匍匐委陵菜 *Potentilla reptans* L. 的形态相近，区别之处在于后者小叶倒卵状长圆形，边缘锯齿相等，先端圆钝，花较大，直径约 2cm，萼片花后明显增大。

蔷薇科 Rosaceae 委陵菜属 Potentilla

莓叶委陵菜 *Potentilla fragarioides* L.

| 植物别名 | 雉子筵、过路黄。

| 药 材 名 | 莓叶委陵菜（药用部位：根茎。别名：雉子筵根、满山红、毛猴子）。

| 形态特征 | 多年生草本。根极多，簇生。花茎多数，丛生，上升或铺散，长8～25cm，被开展长柔毛。基生叶羽状复叶，有小叶2～3对，间隔0.8～1.5cm，稀4对，连叶柄长5～22cm，叶柄被开展疏柔毛，小叶有短柄或几无柄；小叶片倒卵形、椭圆形或长椭圆形，长0.5～7cm，宽0.4～3cm，先端圆钝或急尖，基部楔形或宽楔形，边缘有多数急尖或圆钝锯齿，近基部全缘，两面绿色，被平铺疏柔毛，下面沿脉较密，锯齿边缘有时密被缘毛；茎生叶常有3小叶，小叶与基生叶小叶相似或长圆形，先端有锯齿而下半部全缘，叶柄短或几无柄；基生叶托叶膜质，褐色，外面有稀疏开展长柔毛，茎生叶托叶草质，绿色，卵形，全

莓叶委陵菜

缘，先端急尖，外被平铺疏柔毛。伞房状聚伞花序顶生，多花，松散，花梗纤细，长 1.5～2cm，外被疏柔毛；花直径 1～1.7cm；萼片三角状卵形，先端急尖至渐尖，副萼片长圆状披针形，先端急尖，与萼片近等长或比萼片稍短；花瓣黄色，倒卵形，先端圆钝或微凹；花柱近顶生，上部大，基部小。成熟瘦果近肾形，直径约 1mm，表面有脉纹。花期 4～6 月，果期 6～8 月。

| **生境分布** | 生于地边、沟边、草地、灌丛及疏林下、湿地、山坡、草甸。以长白山区为主要分布区域，分布于吉林延边、白山、通化、吉林、辽源（东丰）、四平（伊通）、长春（九台）等。

| **资源情况** | 野生资源较丰富。药材主要来源于野生。

| **采收加工** | 秋季采挖，除去地上部分，洗净，晒干。

| **药材性状** | 本品呈短圆柱状或块状，有的略弯曲。表面棕褐色，粗糙，周围着生多数须根或圆形根痕。质坚硬，断面皮部较薄，黄棕色至棕色，木部导管群黄色，中心有髓。根细长，弯曲，长 5～10cm，直径 0.1～0.4cm，表面具纵沟纹；质脆，易折断，断面略平坦，黄棕色至棕色。气微，味涩。

| **功能主治** | 甘，温。益中气，补阴虚，止血。用于疝气，干血痨，妇科出血，肺结核咯血。

蔷薇科 Rosaceae 委陵菜属 Potentilla

三叶委陵菜 *Potentilla freyniana* Bornm.

| 植物别名 | 地蜂子、三叶翻白草。

| 药 材 名 | 地蜂子（药用部位：全草或根。别名：山蜂子、软梗蛇扭、毛猴子）。

| 形态特征 | 多年生草本，高 10 ～ 15cm。主根粗壮，横生或斜生，呈串珠状。茎直立，细弱，稍匍匐，有柔毛。三出复叶，基生叶小叶长圆形、椭圆形或长圆状倒卵形，长 2.5 ～ 5cm，宽 1.2 ～ 2.3cm，基部楔形，边缘有钝锯齿，近基部全缘，下面沿叶脉处有较密的柔毛，叶柄细长，有柔毛，茎生叶的小叶片较小，叶柄短或无。聚伞花序，花黄色，直径 1 ～ 1.3cm；萼片 5，卵状披针形，副萼片 5，狭披针形；花瓣 5，倒卵形。瘦果卵圆形，直径 0.5 ～ 1mm，先端微尖，表面有疣状突起。花期 4 ～ 5 月，果期 5 ～ 6 月。

三叶委陵菜

| 生境分布 |

生于林缘、草地、河边、草甸。以长白山区为主要分布区域，分布于吉林延边、白山、通化、吉林、辽源（东丰）等。

| 资源情况 |

野生资源较少。药材主要来源于野生。

| 采收加工 |

夏、秋季采收，鲜用或晒干。

| 功能主治 |

全草，苦、涩，凉。归肺、大肠、胃、肝经。清热解毒，散瘀止痛，止血。用于肠炎，痢疾，牙痛，胃痛，腰痛，口腔炎，瘰疬，跌打损伤，外伤出血，烫火伤，痔疮，痈肿疔疮，蛇虫咬伤。根，苦、涩，凉。归肺、大肠、胃、肝经。清热解毒，敛疮止血。用于骨髓炎，外伤出血，毒蛇咬伤。

| 用法用量 |

内服煎汤，10 ~ 15g；或研末服，1 ~ 3g；或浸酒。外用适量，捣敷；或煎汤洗；或研末敷。

蔷薇科 Rosaceae 委陵菜属 Potentilla

金露梅 Potentilla fruticosa L.

| 植物别名 | 金老梅、药王茶、木本委陵菜。

| 药 材 名 | 金老梅根（药用部位：根）、金老梅枝（药用部位：枝条）、金老梅叶（药用部位：叶。别名：药王茶）、金老梅花（药用部位：花）。

| 形态特征 | 落叶灌木，高 0.5 ～ 2m，多分枝，树皮纵向剥落。小枝红褐色，幼时被长柔毛。羽状复叶，有小叶 2 对，稀 3 小叶，上面 1 对小叶基部下延并与叶轴汇合，叶柄被绢毛或疏柔毛；小叶片长圆形、倒卵状长圆形或卵状披针形，长 0.7 ～ 2cm，宽 0.4 ～ 1cm，全缘，边缘平坦，先端急尖或圆钝，基部楔形，两面绿色，疏被绢毛或柔毛，或脱落近于无毛；托叶薄膜质，宽大，外面被长柔毛或脱落。单花或数朵生于枝顶，花梗密被长柔毛或绢毛；花直径 2.2 ～ 3cm；萼片卵圆形，先端急尖至短渐尖，副萼片披针形至倒卵状披针形，先

金露梅

端渐尖至急尖，与萼片近等长，外面疏被绢毛；花瓣黄色，宽倒卵形，先端圆钝，比萼片长；花柱近基生，棒形，基部稍细，顶部缢缩，柱头扩大。瘦果近卵形，褐棕色，长 1.5mm，外被长柔毛。花果期 6 ~ 9 月。

| 生境分布 | 生于山坡草地、砾石坡、灌丛或林缘。分布于吉林白山（长白、抚松、临江）、延边（安图、和龙）等。

| 资源情况 | 野生资源较少。药材主要来源于野生。

| 采收加工 | 金老梅根：夏季采挖，洗净，切段，晒干。

金老梅枝：夏季采收，切段，晒干。

金老梅叶：夏季采收，晒干。

金老梅花：花盛开时采摘，晾干。

| 药材性状 | 金老梅叶：本品多皱缩，展平后长圆形，稀为长圆状倒卵形或披针形，长，先端急尖，基部楔形，全缘，有丝状毛，有的侧脉有绢毛。托叶膜质，卵形或卵状披针形。气微，味淡。

金老梅花：本品花梗 8 ~ 12mm，有丝状柔毛；花用水浸润后呈黄色，直径 1.5 ~ 3cm，副萼片披针形；萼筒外面有疏长柔毛或丝状长柔毛，萼裂片卵形；花瓣圆形。气微，味淡。

| 功能主治 | 金老梅根：微甘，平。止血，解毒利咽。用于崩漏，口疮，咽喉肿痛。

金老梅枝：微甘、涩，平。涩肠止泻。用于腹泻，痢疾。

金老梅叶：微甘，平。清暑热，益脑，清心，调经，健胃。用于暑热眩晕，两目不清，胃气不和，食滞，月经不调。

金老梅花：苦，凉。归脾、胃、肝经。健脾化湿。用于消化不良，浮肿，赤白带下。

| 用法用量 | 金老梅根：内服煎汤，6 ~ 9g。
金老梅枝：内服煎汤，6 ~ 9g。
金老梅叶：内服煎汤，6 ~ 9g；或长期代茶饮。
金老梅花：内服煎汤，6 ~ 9g；或研末，每次 0.5g。

薔薇科 Rosaceae 委陵菜属 Potentilla

蛇含委陵菜
Potentilla kleiniana Wight et Arn.

蛇含委陵菜

| 植物别名 |

蛇含、五爪龙、五皮风。

| 药材名 |

蛇含（药用部位：全草。别名：五匹风、五爪龙）。

| 形态特征 |

一年生、二年生或多年生宿根草本。多须根。花茎上升或匍匐，常于节处生根并发育出新植株，长 10 ~ 50cm，被疏柔毛或开展长柔毛。基生叶为近于鸟足状 5 小叶，连叶柄长 3 ~ 20cm，叶柄被疏柔毛或开展长柔毛；小叶几无柄，稀有短柄，小叶片倒卵形或长圆状倒卵形，长 0.5 ~ 4cm，宽 0.4 ~ 2cm，先端圆钝，基部楔形，边缘有多数急尖或圆钝锯齿，两面绿色，被疏柔毛，有时上面脱落几无毛，或下面沿脉密被伏生长柔毛，下部茎生叶有 5 小叶，上部茎生叶有 3 小叶，小叶与基生小叶相似，唯叶柄较短；基生叶托叶膜质，淡褐色，外面被疏柔毛或脱落几无毛，茎生叶托叶草质，绿色，卵形至卵状披针形，全缘，稀有 1 ~ 2 齿，先端急尖或渐尖，外被稀疏长柔毛。聚伞花序密集枝顶如假伞形，花梗长 1 ~ 1.5cm，密被开展长柔毛，下有茎生叶如苞片状；花直径 0.8 ～ 1cm；萼片三角状卵圆形，先端急尖或渐尖，副萼片披针形或椭圆状披针形，先端急尖或渐尖，花时副萼片比萼片短，果时副萼片略长或与萼片近等长，外被稀疏长柔毛；花瓣黄色，倒卵形，先端微凹，长于萼片；花柱近顶生，圆锥形，基部膨大，柱头扩大。瘦果近圆形，一面稍平，直径约 0.5mm，具皱纹。花果期 4 ～ 9 月。

| **生境分布** | 生于田边、水旁、草甸或山坡草地。分布于吉林白山（长白、抚松、靖宇）、延边（安图、敦化）、白城（洮南）等。

| **资源情况** | 野生资源较少。药材主要来源于野生。

| **采收加工** | 9 ～ 10 月挖取，抖净泥沙，拣去杂质，晒干。

| **药材性状** | 本品全体长约 40cm。根茎粗短，须根多数。茎细长，多分枝，被疏毛。叶掌状复叶，基生叶小叶 5，小叶倒卵形或倒披针形，长 1 ～ 5cm，宽 0.5 ～ 1.5cm，边缘具粗锯齿，上下表面均被毛，茎生叶小叶 3 ～ 5。花多，黄色。果实表面微有皱纹。气微，味苦、微涩。

| **功能主治** | 苦，微寒。归肝、肺经。清热解毒，止咳化痰。用于惊痫高热，疟疾，痢疾，咳嗽，喉痛，腮腺炎，乳腺炎，湿痹，痈疽癣疮，疔疮，痔疮，丹毒，痒疹，带状疱疹，蛇虫咬伤，外伤出血。

| **用法用量** | 内服煎汤，9 ～ 15g，鲜品加倍。外用适量，煎汤洗；或捣敷；或捣汁涂；或煎汤含漱。

蔷薇科 Rosaceae 委陵菜属 Potentilla

腺毛委陵菜
Potentilla longifolia Willd. ex Schlecht.

腺毛委陵菜

| 植物别名 |

粘委陵菜。

| 药 材 名 |

腺毛委陵菜（药用部位：全草）。

| 形态特征 |

多年生草本。根粗壮，圆柱形。花茎直立或微上升，高 30 ~ 90cm，被短柔毛、长柔毛及腺体。基生叶羽状复叶，有小叶 4 ~ 5 对，连叶柄长 10 ~ 30cm，叶柄被短柔毛、长柔毛及腺体，小叶对生，稀互生，无柄，最上面 1 ~ 3 对小叶基部下延并与叶轴汇合；小叶片长圆状披针形至倒披针形，长 1.5 ~ 8cm，宽 0.5 ~ 2.5cm，先端圆钝或急尖，边缘有缺刻状锯齿，上面被疏柔毛或脱落无毛，下面被短柔毛及腺体，沿脉疏生长柔毛；茎生叶与基生叶相似；基生叶托叶膜质，褐色，外被短柔毛及长柔毛，茎生叶托叶草质，绿色，全缘或分裂，外被短柔毛及长柔毛。伞房花序集生于花茎先端，少花，花梗短；花直径 1.5 ~ 1.8cm；萼片三角状披针形，先端通常渐尖，副萼片长圆状披针形，先端渐尖或圆钝，副萼片与萼片近等长或稍短，外面密被短柔毛及腺体；花瓣宽倒卵形，先

端微凹，与萼片近等长，果时直立增大；花柱近顶生，圆锥形，基部明显具乳头，膨大，柱头不扩大。瘦果近肾形或卵球形，直径约 1mm，光滑。花果期 7～9 月。

| **生境分布** | 生于山坡草地、高山灌丛、林缘或疏林下。分布于吉林白城（通榆、镇赉、洮南、大安）、松原（长岭、前郭尔罗斯）、四平（梨树、伊通）、延边（安图、汪清、延吉、龙井、珲春、图们）等。

| **资源情况** | 野生资源一般。药材主要来源于野生。

| **采收加工** | 6～9 月枝叶繁茂时采挖，除去杂质，晒干。

| **功能主治** | 甘、微辛，凉。收敛止血，止痢，清热解毒。用于阿米巴痢疾，细菌性痢疾，急性肠炎，小儿消化不良，吐血，咯血，便血，功能失调性子宫出血，风湿性关节炎，咽喉炎，百日咳；外用于外伤出血，痈疖肿毒。

| **附　　注** | 本种与菊叶委陵菜 *Potentilla tanacetifolia* Wild. ex Schlecht. 的形态相近，但后者植株腺毛较为稀疏或不明显，基生叶小叶对数较多，通常有 5～8 对，花序疏散，多花，花直径通常不超过 1.5cm，萼片比副萼片长或与副萼片近等长，果时不增大。

蔷薇科 Rosaceae 委陵菜属 Potentilla

雪白委陵菜 *Potentilla nivea* L.

雪白委陵菜

| 植物别名 |

白萎陵菜、假雪委陵菜。

| 药 材 名 |

雪白委陵菜（药用部位：全草）。

| 形态特征 |

多年生草本。根圆柱形。花茎直立或上升，高 5 ~ 25cm，被白色绒毛。基生叶为掌状三出复叶，连叶柄长 1.5 ~ 8cm，叶柄被白色绒毛，小叶无柄或有时顶生小叶有短柄，小叶片卵形、倒卵形或椭圆形，长 1 ~ 2cm，宽 0.8 ~ 1.3cm，先端圆钝或急尖，基部圆形或宽楔形，边缘有 3 ~ 6（~ 7）圆钝锯齿，上面被伏生柔毛，下面被雪白色绒毛，脉不明显；茎生叶 1 ~ 2，小叶较小；基生叶托叶膜质，褐色，外面被疏柔毛或脱落几无毛，茎生叶托叶草质，绿色，卵形，通常全缘，稀有齿，下面密被白色绒毛。聚伞花序顶生，少花，稀单花，花梗长 1 ~ 2cm，外被白色绒毛；花直径 1 ~ 1.8cm；萼片三角状卵形，先端急尖或渐尖，副萼片带状披针形，先端圆钝，比萼片短，外面被平铺绢状柔毛；花瓣黄色，倒卵形，先端下凹；花柱近顶生，基部膨大，有乳头，柱头扩大。瘦果光滑。

花果期 6 ~ 8 月。

| **生境分布** | 生于高山灌丛边、山坡草地或沼泽边缘。以长白山区为主要分布区域，分布于吉林延边、白山、通化、吉林、辽源（东丰）等。

| **资源情况** | 野生资源较少。药材主要来源于野生。

| **采收加工** | 6 ~ 9 月枝叶繁茂时采挖，除去泥沙，晒干。

| **功能主治** | 清热解毒，补虚止痛，止血止痢。用于吐血，咯血，便血，崩漏。外用于外伤出血，痈疮肿毒。

蔷薇科 Rosaceae 委陵菜属 Potentilla

朝天委陵菜 *Potentilla supina* L.

| 植物别名 | 伏委陵菜、鸡毛菜、铺地委陵菜。

| 药 材 名 | 朝天委陵菜（药用部位：全草）。

| 形态特征 | 一年生或二年生草本。主根细长，并有稀疏侧根。茎平展，上升或直立，叉状分枝，长 20 ~ 50cm，被疏柔毛或脱落几无毛。基生叶羽状复叶，有小叶 2 ~ 5 对，间隔 0.8 ~ 1.2cm，连叶柄长 4 ~ 15cm，叶柄被疏柔毛或脱落几无毛，小叶互生或对生，无柄，最上面 1 ~ 2 对小叶基部下延并与叶轴合生，小叶片长圆形或倒卵状长圆形，通常长 1 ~ 2.5cm，宽 0.5 ~ 1.5cm，先端圆钝或急尖，基部楔形或宽楔形，边缘有圆钝或缺刻状锯齿，两面绿色，被稀疏柔毛或脱落几无毛；茎生叶与基生叶相似，向上小叶对数逐渐减少；基生叶托叶膜质，褐色，外面被疏柔毛或几无毛，茎生叶托叶草质，绿色，全缘，

朝天委陵菜

有齿或分裂。花茎上多叶，下部花自叶腋生，先端呈伞房状聚伞花序；花梗长 0.8 ~ 1.5cm，常密被短柔毛；花直径 0.6 ~ 0.8cm；萼片三角状卵形，先端急尖，副萼片长椭圆形或椭圆状披针形，先端急尖，比萼片稍长或与萼片近等长；花瓣黄色，倒卵形，先端微凹，与萼片近等长或较短；花柱近顶生，基部乳头状膨大，花柱扩大。瘦果长圆形，先端尖，表面具脉纹，腹部鼓胀若翅或有时不明显。花果期 3 ~ 10 月。

| **生境分布** | 生于荒地、路旁、河边或林缘湿地。吉林各地均有分布。

| **资源情况** | 野生资源丰富。药材主要来源于野生。

| **采收加工** | 6 ~ 9 月枝叶繁茂时采挖，除去泥沙，晒干。

| **药材性状** | 本品茎呈圆柱形，直立中空，直径约 0.3cm；表面灰绿色或黄绿色，有的带淡紫色，有时可见黄褐色的细长根部。叶皱缩破碎，灰绿色，背面疏生细毛，完整叶基生者为单数羽状复叶，茎生叶多为三出复叶，小叶边缘具不规则深裂。花单生于叶腋，多数已成果实，具长柄，长 0.8 ~ 1.2cm，聚合果扁圆球形，直径 0.3 ~ 0.5cm，基部有宿存萼。小瘦果卵圆形，直径约 0.1cm，黄绿色或淡黄棕色。气微弱，味淡。

| **功能主治** | 苦，寒。清热解毒，凉血止痢，滋补，收敛，止血，固精。用于肠炎，痢疾，各种出血，感冒发热。

薔薇科 Rosaceae 委陵菜属 Potentilla

菊叶委陵菜 *Potentilla tanacetifolia* Willd. ex Schlecht.

菊叶委陵菜

| **植物别名** |

蒿叶委陵菜、叉菊萎陵菜、砂地萎陵菜。

| **药 材 名** |

菊叶委陵菜（药用部位：全草）。

| **形态特征** |

多年生草本。根粗壮，圆柱形。花茎直立或上升，高 15 ~ 65cm，被长柔毛、短柔毛或卷曲柔毛，并被稀疏腺体，有时脱落。基生叶羽状复叶，有小叶 5 ~ 8 对，间隔 0.3 ~ 1cm，连叶柄长 5 ~ 20cm，叶柄被长柔毛、短柔毛或卷曲柔毛，有稀疏腺体，稀脱落，小叶互生或对生，顶生小叶有短柄或无柄，最上面 1 ~ 3 对小叶基部下延并与叶轴汇合，小叶片长圆形、长圆状披针形或长圆状倒卵披针形，长 1 ~ 5cm，宽 0.5 ~ 1.5cm，先端圆钝，基部楔形，边缘有缺刻状锯齿，上面伏生疏柔毛或密被长柔毛，或脱落几无毛，下面被短柔毛，叶脉伏生柔毛，或被稀疏腺毛；茎生叶与基生叶相似，惟小叶对数较少；基生叶托叶膜质，褐色，外被疏柔毛，茎生叶托叶革质，绿色，边缘深撕裂状，下面被短柔毛或长柔毛。伞房状聚伞花序，多花，花梗长 0.5 ~ 2cm，被短柔毛；花直径

1 ~ 1.5cm；萼片三角状卵形，先端渐尖或急尖，副萼片披针形或椭圆状披针形，
先端圆钝或急尖，比萼片短或与萼片近等长，外被短柔毛和腺毛；花瓣黄色，
倒卵形，先端微凹，比萼片长约 1 倍；花柱近顶生，圆锥形，柱头稍扩大。瘦
果卵球形，长 2.5mm，具脉纹。花果期 5 ~ 10 月。

| **生境分布** | 生于山坡草地、低洼地、砂地、草原、丛林边。分布于吉林白城（通榆、镇赉、洮南、大安）、松原（长岭、前郭尔罗斯、乾安）、四平（双辽）、长春（九台）等。

| **资源情况** | 野生资源较少。药材主要来源于野生。

| **采收加工** | 6 ~ 9 月枝叶繁茂时采挖，除去杂质，晒干。

| **功能主治** | 清热解毒，凉血止血。用于肠炎，痢疾，吐血，便血，崩漏，带下，感冒，肺炎，疮痈肿毒。

蔷薇科 Rosaceae 委陵菜属 Potentilla

轮叶委陵菜
Potentilla verticillaris Steph. ex Willd.

| 植物别名 | 轮叶萎陵菜。

| 药 材 名 | 轮叶委陵菜（药用部位：全草）。

| 形态特征 | 多年生草本。根长圆柱形，向下延伸生长，深达20cm以上。花茎丛生，直立，高5 ~ 16cm，被白色绒毛及长柔毛。基生叶3 ~ 5，小叶片羽状深裂或掌状深裂几达叶轴，形成假轮生状，下部小叶片比上部小叶片稍短，裂片带形或窄带形，通常长0.5 ~ 3cm，宽0.1 ~ 0.3cm，先端急尖或圆钝，基部楔形，叶缘反卷，上面绿色，被疏柔毛或脱落几无毛，下面被白色绒毛，沿脉疏被白色长柔毛。茎生叶1 ~ 2，掌状3 ~ 5全裂，裂片带形；基生叶托叶膜质，褐色，外面密被白色长柔毛，茎生叶托叶卵状披针形，全缘，下面密被白色绒毛。聚伞花序疏散，少花，花梗长1 ~ 1.5cm，外被白色绒毛，花直径

轮叶委陵菜

0.8 ~ 1.5cm。萼片长卵形，先端渐尖，副萼片狭披针形，急尖至渐尖，比萼片短或与萼片近等长，外被白色绒毛及长柔毛。花瓣黄色，宽倒卵形，先端微凹，比萼片稍长或比萼片长 1 倍。花柱近顶生，基部膨大，柱头扩大。瘦果光滑。花果期 5 ~ 8 月。

| **生境分布** | 生于旱山坡、河滩沙地、草原或灌丛下。分布于吉林延边、白山、通化等。

| **资源情况** | 野生资源较少。药材主要来源于野生。

| **采收加工** | 夏、秋季采收，洗净，除去杂质，晒干。

| **功能主治** | 清热解毒，凉血止痛。用于赤痢腹痛，久痢不止，痔疮出血，痈肿疮毒。

蔷薇科 Rosaceae 扁核木属 Prinsepia

东北扁核木 Prinsepia sinensis (Oliv.) Oliv. ex Bean

| **植物别名** | 辽宁扁核木、扁担胡子、金刚木。

| **药 材 名** | 东北扁核木（药用部位：种子。别名：扁担胡子、扁枣胡子）。

| **形态特征** | 落叶小灌木，高约2m，多分枝。枝条灰绿色或紫褐色，无毛，皮呈片状剥落；小枝红褐色，无毛，有棱条；枝刺直立或弯曲，刺长6～10mm，通常不生叶；冬芽小，卵圆形，先端急尖，紫红色，外面有毛。叶互生，稀丛生，叶片卵状披针形或披针形，极稀带形，长3～6.5cm，宽6～20mm，先端急尖、渐尖或尾尖，基部近圆形或宽楔形，全缘或有稀疏锯齿，上面深绿色，叶脉下陷，下面淡绿色，叶脉凸起，两面无毛或有少数睫毛；叶柄长5～10mm，无毛；托叶小，膜质，披针形，先端渐尖，全缘，内面有毛，脱落。花1～4，簇生于叶腋；花梗长1～1.8cm，无毛；花直径约1.5cm；萼筒钟状，

东北扁核木

萼片短三角状卵形，全缘，萼筒和萼片外面无毛，边有睫毛；花瓣黄色，倒卵形，先端圆钝，基部有短爪，着生在萼筒口部里面花盘边缘；雄蕊 10，花丝短，成 2 轮着生在花盘上近边缘处；心皮 1，无毛，花柱侧生，柱头头状。核果近球形或长圆形，直径 1 ~ 1.5cm，红紫色或紫褐色，光滑无毛，萼片宿存；核坚硬，卵球形，微扁，直径 8 ~ 10mm，有皱纹。花期 3 ~ 4 月，果期 8 月。

| **生境分布** | 生于山沟杂木林、林缘、灌丛、山坡开阔处或河岸旁。以长白山区为主要分布区域，分布于吉林延边、白山、通化、吉林、辽源（东丰）等。

| **资源情况** | 野生资源较少。药材主要来源于野生。

| **采收加工** | 秋季果实成熟时采收，除去果肉及核壳，取出种子，干燥。

| **功能主治** | 清肝明目。用于结膜炎，角膜薄翳。

| **附　　注** | 本种为吉林省 Ⅲ 级重点保护野生植物。

蔷薇科 Rosaceae 李属 *Prunus*

紫叶李

Prunus cerasifera Ehrh. f. *atropurpurea* (Jacq.) Rehd.

| 植物别名 | 红叶李、真红叶李。

| 药 材 名 | 紫叶李（药用部位：根、种子）。

| 形态特征 | 落叶灌木或小乔木，高可达 8m。多分枝，枝条细长，开展，暗灰色，有时有棘刺；小枝暗红色，无毛；冬芽卵圆形，先端急尖，有数枚覆瓦状排列鳞片，紫红色，有时鳞片边缘有稀疏缘毛。叶片椭圆形、卵形或倒卵形，极稀椭圆状披针形，长（2～）3～6cm，宽2～4（～6）cm，先端急尖，基部楔形或近圆形，边缘有圆钝锯齿，有时混有重锯齿，上面深绿色，无毛，中脉微下陷，下面颜色较淡，除沿中脉有柔毛或脉腋有髯毛外，其余部分无毛，中脉和侧脉均凸起，侧脉5～8对；叶柄长6～12mm，通常无毛或幼时微被短柔毛，无腺；托叶膜质，披针形，先端渐尖，边有带腺细锯齿，早落。花

紫叶李

1，稀 2；花梗长 1 ～ 2.2cm，无毛或微被短柔毛；花直径 2 ～ 2.5cm；萼筒钟状，萼片长卵形，先端圆钝，边有疏浅锯齿，与萼片近等长，萼筒和萼片外面无毛，萼筒内面有疏生短柔毛；花瓣白色，长圆形或匙形，边缘波状，基部楔形，着生在萼筒边缘；雄蕊 25 ～ 30，花丝长短不等，紧密地排成不规则 2 轮，比花瓣稍短；雌蕊 1，心皮被长柔毛，柱头盘状，花柱比雄蕊稍长，基部被稀长柔毛。核果近球形或椭圆形，长、宽几相等，直径 2 ～ 3cm，黄色、红色或黑色，微被蜡粉，具有浅侧沟，粘核；核椭圆形或卵球形，先端急尖，浅褐色带白色，表面平滑或粗糙，有时呈蜂窝状，背缝具沟，腹缝有时扩大并具 2 侧沟。花期 4 月，果期 8 月。

| **生境分布** | 生于山坡林中、多石砾的坡地或峡谷水边等。吉林无野生分布。吉林东部山区、中部半山区有栽培。

| **资源情况** | 吉林有栽培。药材主要来源于栽培。

| **采收加工** | 秋季采挖根，除去杂质及须根，晒干。秋季采收成熟果实，除去果肉和核壳，取出种子，干燥。

| **功能主治** | 根，清热解毒。用于痈疮肿毒。种子，利水。用于水肿，血淋。

薔薇科 Rosaceae 李属 Prunus

东北李
Prunus ussuriensis Kov. et Kost.

| **植物别名** | 乌苏里李子、山李子。

| **药 材 名** | 东北李（药用部位：根、种子）。

| **形态特征** | 落叶乔木，高 2.5 ～ 3m。多分枝呈灌木状；老枝灰黑色，粗壮，树皮起伏不平；小枝节间短，红褐色，无毛；冬芽卵圆形，红褐色，有数枚覆瓦状排列鳞片，通常无毛。叶片长圆形、倒卵状长圆形，稀椭圆形，长 4 ～ 7（～ 9）cm，宽 2 ～ 4cm，先端尾尖、渐尖或急尖，基部楔形，稀宽楔形，边缘有单锯齿或重锯齿，齿尖常带腺，上面深绿色，无毛，中脉和侧脉均微下陷，下面深绿色，在下半部微带柔毛，中脉和侧脉明显凸起，有时在基部混有侧脉，侧脉与主脉成锐角；叶柄短，长不超过 1cm，被柔毛，叶柄无腺，在叶片基部边缘每侧各有 1 腺体；托叶披针形，先端渐尖，边缘有带腺锯齿，早

东北李

落。花 2 ~ 3 簇生，有时单朵；花梗长 7 ~ 13mm，无毛；花直径 1 ~ 1.2cm；萼筒钟状，萼片长圆形，先端圆钝，边缘有细齿，齿尖常带腺，萼片比萼筒稍短，萼筒和萼片内外两面均无毛；花瓣白色，长圆形，先端波状，基部楔形，有短爪；雄蕊多数，花丝长短不等，排成紧密 2 轮，着生于萼筒上，长花丝与花瓣近等长或稍长；雌蕊 1，心皮无毛，柱头盘状，花柱与雄蕊近等长。核果较小，卵球形、近球形或长圆形，直径 1.5 ~ 2.5cm，紫红色；果柄粗短，果肉无特殊香味；核长圆形，有明显侧沟，表面有不明显蜂窝状凸起。花期 4 ~ 5 月，果期 6 ~ 9 月。

| **生境分布** | 生于林边或溪流附近。以长白山区为主要分布区域，分布于吉林延边、白山、通化、吉林、辽源（东丰）等。吉林东部山区、中部半山区有栽培。

| **资源情况** | 野生资源较少。药材主要来源于栽培。

| **采收加工** | 秋季采挖根，除去杂质及须根，晒干。秋季采收成熟果实，除去果肉和核壳，取出种子，干燥。

| **功能主治** | 清热解毒。用于痈疮肿毒。

薔薇科 Rosaceae 梨属 Pyrus

秋子梨 *Pyrus ussuriensis* Maxim.

| **植物别名** | 沙果梨、酸梨、楸子梨。

| **药 材 名** | 梨树根（药用部位：根）、梨木皮（药用部位：树皮）、梨枝（药用部位：树枝）、梨叶（药用部位：叶）、秋子梨（药用部位：果实。别名：沙果梨、花盖梨、酸梨）、梨皮（药用部位：果皮）、梨木灰（药材来源：木材烧成之灰）。

| **形态特征** | 落叶乔木，高达 15m，树冠宽广。嫩枝无毛或微具毛，二年生枝条黄灰色至紫褐色，老枝转为黄灰色或黄褐色，具稀疏皮孔；冬芽肥大，卵形，先端钝，鳞片边缘微具毛或近于无毛。叶片卵形至宽卵形，长 5 ~ 10cm，宽 4 ~ 6cm，先端短渐尖，基部圆形或近心形，稀宽楔形，边缘具有带刺芒状尖锐锯齿，上下两面无毛或在幼嫩时被绒毛，不久脱落；叶柄长 2 ~ 5cm，嫩时有绒毛，不久脱落；托叶线状披针形，

秋子梨

先端渐尖，边缘具有腺齿，长 8 ~ 13mm，早落。花序密集，有花 5 ~ 7，花梗长 2 ~ 5cm，总花梗和花梗在幼嫩时被绒毛，不久脱落；苞片膜质，线状披针形，先端渐尖，全缘，长 12 ~ 18mm；花直径 3 ~ 3.5cm；萼筒外面无毛或微具绒毛；萼片三角状披针形，先端渐尖，边缘有腺齿，长 5 ~ 8mm，外面无毛，内面密被绒毛；花瓣倒卵形或广卵形，先端圆钝，基部具短爪，长约 18mm，宽约 12mm，无毛，白色；雄蕊 20，短于花瓣，花药紫色；花柱 5，离生，近基部有稀疏柔毛。果实近球形，黄色，直径 2 ~ 6cm，萼片宿存，基部微下陷，具短果柄，长 1 ~ 2cm。花期 5 月，果期 8 ~ 10 月。

| 生境分布 | 生于山区河流两岸、土质肥沃的山坡上，或单株散生于林缘、疏林内。以长白山区为主要分布区域，分布于吉林延边、白山、通化、吉林、辽源（东丰）等。吉林东部山区、中部半山区有栽培。

| 资源情况 | 野生资源较丰富。药材主要来源于野生。

| 采收加工 | 梨树根：夏、秋季采挖，切片，晒干。
梨木皮：春、夏季采收，剥树皮，切片，晒干。
梨枝：夏、秋季采收，晒干。
梨叶：春、夏季采收，晒干。
秋子梨：果实成熟时采收，鲜用或切片晒干。

梨皮：果实成熟时采收，剥取果皮，鲜用或切片，晒干。

梨木灰：全年均可制作，将木材晒干，烧成炭灰。

| **药材性状** | 梨树根：本品呈圆柱形，长 20 ～ 120cm，直径 0.5 ～ 3cm。表面黑褐色，有不规则皱纹及横向皮孔样凸起。质硬脆，易折断，断面黄白色或淡棕黄色。气微，味涩。

梨木皮：本品呈卷筒状、槽状或不规则片状，长短、宽窄不一，厚 1 ～ 3mm。外表面灰褐色，有不规则的细皱纹及较明显凸起的皮孔；内表面棕色或棕黄色，较平滑，有细纵纹。质硬而脆，易折断，断面较平坦。气微，味苦、涩。

梨枝：本品呈长圆柱形，有分枝，直径 0.3 ～ 1cm。表面灰褐色或灰绿色，微有光泽，有纵皱纹，并可见叶痕及点状突起的皮孔。质硬而脆，易折断，断面皮部灰褐色或褐色，大部黄白色或灰黄白色。气微，味涩。

梨叶：本品多皱缩，破碎，完整叶片呈卵形或卵状椭圆形，长 5 ～ 10cm，宽 3 ～ 6cm，先端锐尖，基部宽楔形或近圆形，叶缘锯齿成刺芒状，叶柄长 2.5 ～ 7cm。表面灰褐色，两面被绒毛或光滑无毛。质脆易碎。气微，味淡、微涩。

秋子梨：本品近球形，较小，直径 2 ～ 6cm，先端有残存宿萼，基部微下陷，果柄长 1 ～ 2cm。表面稍绿色，稍带褐色或黄色，常有红色斑点。干品果皮褐绿色，有棕色斑点。

梨皮：本品呈不规则片状，或卷曲成条状，外表面淡黄色，有细密斑点，内表

面黄白色。气微，味微甜而酸。

梨木灰：本品呈粉末状，表面灰白色或灰褐色。质轻。气微，味淡。

| **功能主治** | 梨树根：甘、淡，平。归肺、大肠经。清肺止咳，理气止痛。用于肺虚咳嗽，疝气腹痛。

梨木皮：苦、涩，凉。归肝、肺、胆经。清热解毒。用于热病，疮癣。

梨枝：辛、涩，凉。归大肠、肺经。行气和中，止痛。用于霍乱吐泻，腹痛。

梨叶：苦、涩、辛，凉。归肺、脾、膀胱经。利水。用于水肿，小便不利。

秋子梨：解热祛痰。用于肺热咳嗽，痰多。

梨皮：甘、涩，凉。归肺、心、肾、大肠经。清心润肺，降火生津，解疮毒。用于暑热烦渴，肺燥咳嗽，吐血，痢疾，疥癣，发背，疔疮。

梨木灰：微咸，平。归脾、肺经。降逆下气。用于气积郁冒，胸满气促，结气咳逆。

| **用法用量** | 梨树根：内服煎汤，10～30g。

梨木皮：内服煎汤，3～9g；或研末，3g。

梨枝：内服煎汤，9～15g。

梨叶：内服煎汤，9～15g；或鲜用捣汁服。外用适量，捣敷；或捣汁涂。

秋子梨：内服煎汤，9～15g。

梨皮：内服煎汤，9～15g，鲜品30～60g。外用适量，捣汁涂。

梨木灰：内服煎汤，3～9g；或入丸、散。

| **附　注** | （1）本种为吉林省Ⅲ级重点保护野生植物。

（2）本种成熟果实可食。

蔷薇科 Rosaceae 蔷薇属 Rosa

刺蔷薇
Rosa acicularis Lindl.

| 植物别名 | 大叶蔷薇、野蔷薇、刺枚果。

| 药 材 名 | 刺蔷薇（药用部位：根、果实、花）。

| 形态特征 | 落叶灌木，高1～3m。小枝圆柱形，稍弯曲，红褐色或紫褐色，无毛；有细直皮刺，常密生针刺，有时无刺。小叶3～7，连叶柄长7～14cm；小叶片宽椭圆形或长圆形，长1.5～5cm，宽8～25mm，先端急尖或圆钝，基部近圆形，稀宽楔形，边缘有单锯齿或不明显重锯齿，上面深绿色，无毛，中脉和侧脉稍微下陷，下面淡绿色，中脉和侧脉均凸起，有柔毛，沿中脉较密；叶柄和叶轴有柔毛、腺毛和稀疏皮刺；托叶大部贴生于叶柄，离生部分宽卵形，边缘有腺齿，下面被柔毛。花单生或2～3集生，苞片卵形至卵状披针形，先端渐尖或尾尖，边缘有腺齿或缺刻，花梗长2～3.5cm，无毛，密被腺毛；

刺蔷薇

花直径 3.5 ~ 5cm；萼筒长椭圆形，光滑无毛或有腺毛；萼片披针形，先端常扩展成叶状，外面有腺毛或稀疏刺毛，内面密被柔毛；花瓣粉红色，芳香，倒卵形，先端微凹，基部宽楔形；花柱离开，被毛，比雄蕊短。果实梨形、长椭圆形或倒卵球形，直径 1 ~ 1.5cm，有明显颈部，红色，有光泽，有腺或无腺。花期 6 ~ 7 月，果期 7 ~ 9 月。

| 生境分布 | 生于山坡阳处、灌丛中或桦木林下、砍伐后针叶林迹地以及路旁。分布于吉林白山（长白、抚松、临江、靖宇）、延边（安图、和龙、敦化、汪清）、通化（集安、通化）等。

| 资源情况 | 野生资源一般。药材主要来源于野生。

| 采收加工 | 秋季采挖根，除去杂质及须根，晒干。果实成熟时采收，干燥，除去毛刺。花盛开时择晴天采摘，晾干。

| 功能主治 | 根，通痹止痛。用于关节疼痛。果实，消食化积。用于坏血病，消化不良。花，清热，收敛，去积。用于急、慢性赤痢，口腔糜烂。

| 附　注 | 本种与山刺玫 *Rosa davurica* Pall.，特别是变种多刺山刺玫 *Rosa davurica* Pall. var. *setacea* Liou 的形态极为相近，但后者果实为扁球形，小叶片稍窄，锯齿较浅，可以以此区别。

蔷薇科 Rosaceae　蔷薇属 Rosa

月季花 *Rosa chinensis* Jacq.

| 植物别名 |　月季。

| 药 材 名 |　月季花根（药用部位：根。别名：月月开根、月月红根）、月季花（药用部位：花蕾。别名：月月红）、月季花叶（药用部位：叶。别名：月季叶）。

| 形态特征 |　直立落叶灌木，高 1 ~ 2m。小枝粗壮，圆柱形，近无毛，有短粗的钩状皮刺或无刺。小叶 3 ~ 5，稀 7，连叶柄长 5 ~ 11cm，小叶片宽卵形至卵状长圆形，长 2.5 ~ 6cm，宽 1 ~ 3cm，先端长渐尖或渐尖，基部近圆形或宽楔形，边缘有锐锯齿，两面近无毛，上面暗绿色，常带光泽，下面颜色较浅，顶生小叶片有柄，侧生小叶片近无柄，总叶柄较长，有散生皮刺和腺毛；托叶大部贴生于叶柄，仅先端分离部分成耳状，边缘常有腺毛。花几朵集生，稀单生，直径 4 ~ 5cm；

月季花

花梗长 2.5 ~ 6cm，近无毛或有腺毛，萼片卵形，先端尾状渐尖，有时呈叶状，边缘常有羽状裂片，稀全缘，外面无毛，内面密被长柔毛；花瓣重瓣至半重瓣，红色、粉红色至白色，倒卵形，先端有凹缺，基部楔形；花柱离生，伸出萼筒口外，约与雄蕊等长。果实卵球形或梨形，长 1 ~ 2cm，红色，萼片脱落。花期 4 ~ 9月，果期 6 ~ 11 月。

| **生境分布** | 生于山坡或路旁。吉林无野生分布。吉林各地均有栽培。

| **资源情况** | 吉林广泛栽培。药材主要来源于栽培。

| **采收加工** | 月季花根：秋季采挖，除去杂质及须根，晒干。
月季花：4 ~ 9 月花微开时采摘，阴干或低温干燥。
月季花叶：夏季采收，晒干。

| **药材性状** | 月季花：本品呈类球形，直径 1.5 ~ 2.5cm。花托长圆形，萼片 5，暗绿色，先端尾尖；花瓣呈覆瓦状排列，有的散落，长圆形，紫红色或淡紫红色；雄蕊多数，黄色。体轻，质脆。气清香，味淡、微苦。以紫红色、不散瓣、气味清香的半开放的花蕾为佳。
月季花叶：本品为羽状复生叶，小叶 3 ~ 5，有的仅小叶入药。叶片宽卵形或卵

状长圆形，长 2 ~ 6cm，宽 1.5 ~ 3cm，先端渐尖，基部宽楔形或近圆形，边缘有锐锯齿，两面光滑无毛，质较硬，有皱缩。叶柄和叶轴散生小皮刺。气微，味微涩。

| 功能主治 | 月季花根：甘，温。归肝经。活血调经，涩精止带，消肿散结。用于遗精，滑精，带下，月经不调，瘰疬。

月季花：甘，温。归肝经。活血调经，消肿解毒。用于月经不调，痛经，跌打损伤，血瘀肿痛，痈疽肿毒，瘰疬。

月季花叶：苦，平。归肝经。活血消肿。用于淋巴结结核，跌打损伤。

| 用法用量 | 月季花根：内服煎汤，9 ~ 30g。

月季花：内服煎汤，或开水泡服，3 ~ 6g，鲜品 9 ~ 15g。外用适量，鲜品捣敷；或干品研末调搽。

月季花叶：内服煎汤，3 ~ 9g。外用适量，嫩叶捣敷。

| 附　　注 | 《安图县志》（1929）的"本地物产"中有关于月季花的记载。

| 蔷薇科 | Rosaceae | 蔷薇属 | *Rosa*

山刺玫

Rosa davurica Pall.

| **植物别名** | 刺玫蔷薇、刺玫果、野玫瑰。

| **药材名** | 野玫瑰根（药用部位：根。别名：红根）、刺玫花（药用部位：花）、刺玫果（药用部位：果实。别名：刺莓果、刺木果）。

| **形态特征** | 直立落叶灌木，高约 1.5m。分枝较多，小枝圆柱形，无毛，紫褐色或灰褐色，有黄色皮刺，皮刺基部膨大，稍弯曲，常成对生于小枝或叶柄基部。小叶 7 ~ 9，连叶柄长 4 ~ 10cm；小叶片长圆形或阔披针形，长 1.5 ~ 3.5cm，宽 5 ~ 15mm，先端急尖或圆钝，基部圆形或宽楔形，边缘有单锯齿和重锯齿，上面深绿色，无毛，中脉和侧脉下陷，下面灰绿色，中脉和侧脉凸起，有腺点和稀疏短柔毛；叶柄和叶轴有柔毛、腺毛和稀疏皮刺；托叶大部贴生于叶柄，离生部分卵形，边缘有带腺锯齿，下面被柔毛。花单生于叶腋，或 2 ~ 3

山刺玫

簇生；苞片卵形，边缘有腺齿，下面有柔毛和腺点；花梗长 5 ~ 8mm，无毛或有腺毛；花直径 3 ~ 4cm；萼筒近圆形，光滑无毛；萼片披针形，先端扩展成叶状，边缘有不整齐锯齿和腺毛，下面有稀疏柔毛和腺毛，上面被柔毛，边缘较密；花瓣粉红色，倒卵形，先端不平整，基部宽楔形；花柱离生，被毛，比雄蕊短很多。果实近球形或卵球形，直径 1 ~ 1.5cm，红色，光滑，萼片宿存，直立。花期 6 ~ 7 月，果期 8 ~ 9 月。

| **生境分布** | 生于山坡阳处、杂木林边、丘陵草地、疏林地、林缘，是灌丛的主体。耐瘠薄，耐干旱，在有机质含量很低的沙滩地、河岸、荒山荒坡及道路两旁生长良好。以长白山区为主要分布区域，分布于吉林延边、白山、通化、吉林、辽源、松原（扶余）等。

| **资源情况** | 野生资源较少。药材主要来源于野生。

| **采收加工** | 野玫瑰根：春、夏季采挖，洗净泥土，晒干。
刺玫花：6 ~ 7 月花将开放时采摘，晾干或晒干。
刺玫果：果实成熟时摘下，立即晒干，干后除去花萼；或把新鲜果实切成两半，除去果核，再干燥。

| **药材性状** | 野玫瑰根：本品呈圆柱形，常弯曲，具分枝，直径 0.5 ～ 2cm，先端常有残留的茎基。表面红棕色或棕褐色，具多个细根或细根痕。木栓层易脱落，脱落处呈黄棕色或红棕色，具细纵皱纹。质坚硬，不易折断，断面不平坦，显纤维性。切面皮部薄，棕色，木质部较大，浅黄色或浅棕色，具放射状纹理，髓部较小，色较深。气微，味微苦、涩。

刺玫花：本品略呈类球形，直径 1 ～ 2cm，偶见苞片 2。花托类球形，与花萼合生，花梗具短腺毛；萼片 5，卵状披针形，长 1.5 ～ 2.5cm，边缘具短柔毛和腺毛，萼筒无毛；花瓣深玫瑰红色，久贮呈棕褐色，倒卵形；花柱短于雄蕊，柱头圆形且密被绒毛。气微，味涩、微苦。

刺玫果：本品呈球形，壁坚脆，橙红色，直径 1.2cm，种子有毛茸，共 24 粒左右。味酸甜。

| **功能主治** | 野玫瑰根：苦、涩，平。归肺、大肠经。止咳祛痰，涩肠止泻，收敛止血。用于咳嗽，胸闷，痰多，久泻久痢，崩漏，跌打损伤。

刺玫花：甘、微苦，温。归肝、脾经。止血，和血，解郁调经。用于月经过多，吐血，血崩，肋间作痛，痛经。

刺玫果：酸，温。归肝、脾、胃、膀胱经。健脾消积，调经通淋，止痛。用于消化不良，食欲不振，胃痛，腹泻，淋证，月经不调。

| **用法用量** | 野玫瑰根：内服煎汤，20 ~ 25g。

刺玫花：内服煎汤，3 ~ 6g。

刺玫果：内服煎汤，6 ~ 10g。

| **附　注** | （1）野玫瑰根已被列入 2019 年版《吉林省中药材标准》第一册。

（2）刺玫果作为中药材用量很少，主要是加工成果肉后用来制作果茶或提取维生素 C，出口国外，用量较大。经检测每百克刺玫果鲜果可食部分维生素 C 含量 6810mg 以上，最高达 8300mg，刺玫果的维生素 C 含量居于一切蔬菜、水果之首，是名副其实的大地植物果实之冠，号称"维生素 C 之王"。吉林刺玫果的资源丰富，年产量为 800 ~ 1000t。近几年产量有所下降，价格也随之走低，但后市依旧向好。

蔷薇科 Rosaceae 蔷薇属 Rosa

长白蔷薇 *Rosa koreana* Kom.

| 植物别名 | 刺玫果。

| 药 材 名 | 长白蔷薇（药用部位：叶、花、果实、根）。

| 形态特征 | 小灌木丛生，高约1m。枝条密集，暗紫红色；密被针刺，针刺有椭圆形基部，在当年生小枝上针刺较稀疏。小叶7～11（～15），连叶柄长4～7cm；小叶片椭圆形、倒卵状椭圆形或长圆状椭圆形，长6～15mm，宽4～8mm，先端圆钝，基部近圆形或宽楔形，边缘有带腺尖锐锯齿，少部分为重锯齿，上面无毛，下面近无毛或沿脉微有柔毛，稀有少数腺；沿叶轴有稀疏皮刺和腺；托叶倒卵状披针形，大部贴生于叶柄，仅先端部分离生，边缘有腺齿，无毛。花单生于叶腋，无苞片；花梗长1.2～2cm，有腺毛；花直径2～3cm；萼筒和萼片外面无毛，萼片披针形，先端长渐尖或稍带尾状渐尖，

长白蔷薇

无腺,稀在边缘有稀疏的腺,内面有稀疏白色柔毛,边缘较密; 花瓣白色或带粉色,倒卵形,先端微凹,基部楔形; 花柱离生,稍伸出坛状萼筒口外,比雄蕊短很多。果实长圆状球形,长 1.5 ~ 2cm,橘红色,有光泽,萼片宿存,直立。花期 5 ~ 6 月,果期 7 ~ 9 月。

| 生境分布 | 生于林缘、灌丛中或山坡多石地。分布于吉林延边（汪清、安图、敦化、和龙）、白山（长白、抚松、临江）等。

| 资源情况 | 野生资源丰富。药材主要来源于野生。

| 采收加工 | 夏季采摘叶,洗净,晒干。花盛开时择晴天采摘,晾干。8 ~ 9 月果实成熟时采摘,鲜用或晒干。秋季采挖根,除去杂质及须根,晒干。

| 药材性状 | 本品果实呈长圆状球形,壁坚脆,长 1.5 ~ 2cm,直径 1.2cm。表面橘红色,皱缩,有纵纹。有光泽,萼片宿存,直立。味酸、甜。

| 功能主治 | 活血调经,健胃消食,涩精止带。用于维生素缺乏症,全身体力衰弱,贫血,肺结核,感冒,肝病。此外,叶可止痢,利尿,花、果实可用于胃溃疡,根可用于风湿痛。

蔷薇科 Rosaceae 蔷薇属 Rosa

伞花蔷薇 *Rosa maximowicziana* Regel.

| **植物别名** | 蔓野蔷薇。

| **药 材 名** | 伞花蔷薇（药用部位：果实）。

| **形态特征** | 落叶小灌木。具长匍枝，呈弓形弯曲，散生短小而弯曲皮刺，有时被刺毛。小叶7～9，稀5，连叶柄长4～11cm，小叶片卵形、椭圆形或长圆形，稀倒卵形，长1.5～3（～6）cm，宽1～2cm，先端急尖或渐尖，基部宽楔形或近圆形，边缘有锐锯齿，上面深绿色，无毛，下面色淡，无毛或在中脉上有稀疏柔毛，或有小皮刺和腺毛；托叶大部贴生于叶柄，离生部分披针形，边缘有不规则锯齿和腺毛。花数朵，呈伞房状排列；苞片长卵形，边缘有腺毛；萼片三角状卵形，先端长渐尖，全缘，有时有1～2裂片，内外两面均有柔毛，内面较密，萼筒和萼片外面有腺毛；花直径3～3.5cm；花梗长1～2.5cm，

伞花蔷薇

有腺毛；花瓣白色或带粉红色，倒卵形，基部楔形，花柱结合成束，伸出，无毛，约与雄蕊等长。果实卵球形，直径 8 ~ 10mm，黑褐色，有光泽，萼片在果熟时脱落。花期 6 ~ 7 月，果期 9 月。

| 生境分布 |

生于路旁、沟边、山坡向阳处、灌丛中或林下。分布于吉林延边（珲春）、白山（临江）、通化（集安）等。

| 资源情况 |

野生资源较少。药材主要来源于野生。

| 采收加工 |

8 ~ 9 月果实成熟时采摘，鲜用或晒干。

| 功能主治 |

益肾，涩精，止泻。用于肾虚所致的遗精、滑精。

| 附　　注 |

本种与多花蔷薇 *Rosa multiflora* Thunb. 的形态近似，后者小叶片下面常被短柔毛，托叶具明显篦齿状分裂，花朵和果实均较小。

蔷薇科 Rosaceae 蔷薇属 Rosa

玫瑰
Rosa rugosa Thunb.

| 植物别名 | 玫瑰花、滨茄子、滨梨。

| 药 材 名 | 玫瑰花（药用部位：花蕾。别名：徘徊花、笔头花、刺玫花）。

| 形态特征 | 直立落叶灌木，高可达 2m。茎粗壮，丛生；小枝密被绒毛，并有针刺和腺毛，有直立或弯曲、淡黄色的皮刺，皮刺外被绒毛。小叶 5 ~ 9，连叶柄长 5 ~ 13cm；小叶片椭圆形或椭圆状倒卵形，长 1.5 ~ 4.5cm，宽 1 ~ 2.5cm，先端急尖或圆钝，基部圆形或宽楔形，边缘有尖锐锯齿，上面深绿色，无毛，叶脉下陷，有褶皱，下面灰绿色，中脉凸起，网脉明显，密被绒毛和腺毛，有时腺毛不明显；叶柄和叶轴密被绒毛和腺毛；托叶大部贴生于叶柄，离生部分卵形，边缘有带腺锯齿，下面被绒毛。花单生于叶腋，或数朵簇生，苞片卵形，边缘有腺毛，外被绒毛；花梗长 5 ~ 22.5mm，密被绒毛和腺毛；花直径 4 ~ 5.5cm；

玫瑰

萼片卵状披针形，先端尾状渐尖，常有羽状裂片而扩展成叶状，上面有稀疏柔毛，下面密被柔毛和腺毛；花瓣倒卵形，重瓣至半重瓣，芳香，紫红色至白色；花柱离生，被毛，稍仲出萼筒口外，比雄蕊短很多。果实扁球形，直径 2 ~ 2.5cm，砖红色，肉质，平滑，萼片宿存。花期 5 ~ 6 月，果期 8 ~ 9 月。

| 生境分布 | 生于林缘、林下等。分布于吉林延边、白山、通化等。吉林东部山区、中部半山区有栽培。

| 资源情况 | 野生资源较少。药材主要来源于栽培。

| 采收加工 | 春末夏初花将开放时分批采收，及时低温干燥。

| 药材性状 | 本品略呈半球形或不规则团状，直径 0.7 ~ 1.5cm。残留花梗上被细柔毛，花托半球形，与花萼基部合生；萼片 5，披针形，黄绿色或棕绿色，被有细柔毛；花瓣多皱缩，展平后宽卵形，呈覆瓦状排列，紫红色，有的黄棕色；雄蕊多数，黄褐色；花柱多数，柱头在花托口集成头状，略突出，短于雄蕊。体轻，质脆。气芳香浓郁，味微苦、涩。以朵大、瓣厚、色紫、鲜艳、香气浓者为佳。

| 功能主治 | 甘、微苦，温。归肝、脾经。行气解郁，和血止痛。用于肝胃气痛，食少呕恶，月经不调，跌扑伤痛。

| 用法用量 | 内服煎汤，温饮，1.5 ~ 6g。

| 附　注 | 本种为吉林省 I 级重点保护野生植物。

黄刺玫

蔷薇科 Rosaceae 蔷薇属 Rosa

黄刺玫
Rosa xanthina Lindl.

| 植物别名 |

黄刺莓、黄刺梅。

| 药 材 名 |

黄刺玫（药用部位：果实、花）。

| 形态特征 |

直立落叶灌木，高 2 ~ 3m。枝粗壮，密集，披散；小枝无毛，有散生皮刺，无针刺。小叶 7 ~ 13，连叶柄长 3 ~ 5cm；小叶片宽卵形或近圆形，稀椭圆形，先端圆钝，基部宽楔形或近圆形，边缘有圆钝锯齿，上面无毛，幼嫩时下面有稀疏柔毛，逐渐脱落；叶轴、叶柄有稀疏柔毛和小皮刺；托叶带状披针形，大部贴生于叶柄，离生部分呈耳状，边缘有锯齿和腺。花单生于叶腋，重瓣或半重瓣，黄色，无苞片；花梗长 1 ~ 1.5cm，无毛，无腺；花直径 3 ~ 4（ ~ 5）cm；萼筒、萼片外面无毛，萼片披针形，全缘，先端渐尖，内面有稀疏柔毛，边缘较密；花瓣黄色，宽倒卵形，先端微凹，基部宽楔形；花柱离生，被长柔毛，稍伸出萼筒口外部，比雄蕊短很多。果实近球形或倒卵圆形，紫褐色或黑褐色，直径 8 ~ 10mm，无毛，花后萼片反折。花期 4 ~ 6 月，果期 7 ~ 8 月。

| 生境分布 | 生于向阳山坡或灌丛中。分布于吉林白城（洮南）、通化（柳河）、白山（浑江、长白）等。吉林东部山区、中部半山区有栽培。

| 资源情况 | 野生资源较少。药材主要来源于野生。

| 采收加工 | 果实，秋季果实成熟时采收，切片，干燥。花，春、夏季花盛开时采摘，晾干。

| 功能主治 | 果实，活血舒筋，祛湿利尿。用于脉管炎，高血压头晕。花，理气活血，调经，消肿，健脾。用于消化不良，气滞腹痛，胃痛，食管痉挛不畅，乳痈，肿毒，月经不调，月经过多，跌打损伤，扭伤。

薔薇科 Rosaceae 薔薇属 Rosa

单瓣黄刺玫

Rosa xanthina Lindl. f. *normalis* Rehd. et Wils.

| **药 材 名** | 单瓣黄刺玫（药用部位：花）。

| **形态特征** | 直立落叶灌木，高 2 ～ 3m。枝粗壮，密集，披散；小枝无毛，有散生皮刺，无针刺。小叶 7 ～ 13，连叶柄长 3 ～ 5cm；小叶片宽卵形或近圆形，稀椭圆形，先端圆钝，基部宽楔形或近圆形，边缘有圆钝锯齿，上面无毛，幼嫩时下面有稀疏柔毛，逐渐脱落；叶轴、叶柄有稀疏柔毛和小皮刺；托叶带状披针形，大部贴生于叶柄，离生部分呈耳状，边缘有锯齿和腺。花单生于叶腋，单瓣黄色，无苞片；花梗长 1 ～ 1.5cm，无毛，无腺；花直径 3 ～ 4（ ～ 5）cm；萼筒、萼片外面无毛，萼片披针形，全缘，先端渐尖，内面有稀疏柔毛，边缘较密；花瓣黄色，宽倒卵形，先端微凹，基部宽楔形；花柱离生，被长柔毛，稍伸出萼筒口外部，比雄蕊短很多。果实近球形或倒卵

单瓣黄刺玫

圆形，紫褐色或黑褐色，直径 8 ～ 10mm，无毛，花后萼片反折。花期 4 ～ 6 月，果期 7 ～ 8 月。

｜生境分布｜

生于向阳山坡或灌丛中。分布于吉林延边、白山、通化等。

｜资源情况｜

野生资源稀少。药材主要来源于野生。

｜采收加工｜

5 ～ 6 月花盛开时择晴天采收，晒干。

｜功能主治｜

理气解郁，活血散瘀。用于肝郁气滞，瘀血疼痛。

蔷薇科 | Rosaceae | 悬钩子属 | Rubus

北悬钩子 *Rubus arcticus* L.

| 植物别名 | 高丽果。

| 药 材 名 | 北悬钩子（药用部位：果实）。

| 形态特征 | 落叶灌木或多年生草本，高通常 10 ~ 30cm。根匍匐，近木质，能产生萌蘖；茎细弱，有稀疏柔毛，单生或有分枝，不育茎无鞭状匍枝。复叶具 3 小叶，小叶片菱形至菱状倒卵形，顶生小叶长 3 ~ 5cm，较侧生小叶稍长，先端急尖或圆钝，基部狭楔形，侧生小叶基部偏斜，上面近无毛，下面有稀疏柔毛，边缘常具不整齐细锐锯齿或细锐重锯齿，有时浅缺刻状；叶柄长，有稀疏柔毛，顶生小叶柄长达 0.5cm，侧生小叶几无柄；托叶离生，草质，卵形或长圆形，先端急尖或钝，全缘，有柔毛。花常单生，顶生，有时 1 ~ 2 朵腋生，两性或不完全单性，直径 1 ~ 2cm；花梗长 2 ~ 4cm，被柔毛；花萼陀螺状，

北悬钩子

外面有柔毛；萼片 5 ~ 10，卵状披针形至狭披针形；花瓣宽倒卵形，稀长圆形或匙形，紫红色，长 8 ~ 12mm，宽 6 ~ 8mm，比萼片长得多，有时先端微凹；雄蕊直立，花丝线形，基部膨大；雌蕊约 20，无毛或背部有疏柔毛。果实暗红色，宿存萼片反折；小核近光滑或稍具皱纹。花期 6 ~ 7 月，果期 7 ~ 8 月。

| 生境分布 | 生于山坡、林下或沟旁。分布于吉林白山（长白、抚松、临江、靖宇）、延边（安图、和龙、敦化、汪清）等。

| 资源情况 | 野生资源较丰富。药材主要来源于野生。

| 采收加工 | 秋季果实成熟时采摘，晒干。

| 功能主治 | 补肝肾，明目。用于腰膝酸软，肝肾不足，益精明目。

| 附　　注 | 本种与石生悬钩子 *Rubus saxatilis* L. 的形态相近，区别在于后者小叶片卵状菱形至长圆状菱形，茎、叶柄和花梗有柔毛和小针刺，有时混生腺毛，花 2 ~ 10，白色，雌蕊 5 ~ 6。

蔷薇科 Rosaceae 悬钩子属 Rubus

牛叠肚
Rubus crataegifolius Bge.

牛叠肚

| 植物别名 |

山楂叶悬钩子、蓬藟悬钩子。

| 药 材 名 |

托盘根（药用部位：根。别名：树莓根、牛叠肚根、马林果根）、托盘（药用部位：果实。）

| 形态特征 |

直立落叶灌木，高 1 ~ 2（~ 3）m。枝具沟棱，幼时被细柔毛，老时无毛，有微弯皮刺。单叶，卵形至长卵形，长 5 ~ 12cm，宽 8cm，开花枝上的叶稍小，先端渐尖，稀急尖，基部心形或近截形，上面近无毛，下面脉上有柔毛和小皮刺，边缘 3 ~ 5 掌状分裂，裂片卵形或长圆状卵形，有不规则缺刻状锯齿，基部具掌状 5 脉；叶柄长 2 ~ 5cm，疏生柔毛和小皮刺；托叶线形，几无毛。花数朵簇生或成短总状花序，常顶生；花梗长 5 ~ 10mm，有柔毛；苞片与托叶相似；花直径 1 ~ 1.5cm；花萼外面有柔毛，至果期近无毛；萼片卵状三角形或卵形，先端渐尖；花瓣椭圆形或长圆形，白色，几与萼片等长；雄蕊直立，花丝宽扁；雌蕊多数，子房无毛。果实近球形，直径约 1cm，暗红色，无毛，

有光泽；核具皱纹。花期 5 ~ 6 月，果期 7 ~ 9 月。

| **生境分布** | 生于向阳山坡灌丛中或林缘，常在山沟、路边成群生长。以长白山区为主要分布区域，分布于吉林延边、白山、通化、吉林、辽源（东丰）等。

| **资源情况** | 野生资源一般。药材主要来源于野生。

| **采收加工** | 秋季采挖根，洗净，切片晒干。夏、秋季采摘成熟果实，直接晒干或先在沸水中浸一下再晒至全干。

| **药材性状** | 托盘根：本品呈圆柱形，稍弯曲，有分枝，长 3 ~ 25cm，直径 0.5 ~ 3.5cm，着生多数细长的须根。表面灰棕色至棕褐色。质硬，不易折断，断面皮部棕褐色，木部淡黄色，可见放射状纹理。气微，味微苦、涩。

| **功能主治** | 托盘根：苦、涩，平。归肝、肾经。平肝，祛风，利湿。用于肝郁胁痛，湿热黄疸，瘰疬，风湿痹痛。

托盘：酸、甘，温。补肝肾，缩小便。用于阳痿，遗精，尿频，遗尿。

| **用法用量** | 托盘根：内服煎汤，15 ~ 30g。

托盘：内服煎汤，6 ~ 9g。

| **附 注** | （1）托盘根已被列入 2019 年版《吉林省中药材标准》第二册。

（2）本种果实可食。

蔷薇科 Rosaceae 悬钩子属 *Rubus*

复盆子
Rubus idaeus L.

| **植物别名** | 覆盆子。

| **药 材 名** | 复盆子（药用部位：果实）。

| **形态特征** | 落叶灌木，高 1 ~ 2m。枝褐色或红褐色，幼时被绒毛状短柔毛，疏生皮刺。小叶 3 ~ 7，花枝上有时具 3 小叶，不孕枝上常 5 ~ 7 小叶，长卵形或椭圆形，顶生小叶常卵形，有时浅裂，长 3 ~ 8cm，宽 1.5 ~ 4.5cm，先端短渐尖，基部圆形，顶生小叶基部近心形，上面无毛或疏生柔毛，下面密被灰白色绒毛，边缘有不规则粗锯齿或重锯齿；叶柄长 3 ~ 6cm，顶生小叶柄长约 1cm，均被绒毛状短柔毛和稀疏小刺；托叶线形，具短柔毛。花生于侧枝先端成短总状花序或少花腋生，总花梗和花梗均密被绒毛状短柔毛和疏密不等的针刺；花梗长 1 ~ 2cm；苞片线形，具短柔毛；花直径 1 ~ 1.5cm；

复盆子

花萼外面密被绒毛状短柔毛和疏密不等的针刺；萼片卵状披针形，先端尾尖，外面边缘具灰白色绒毛，在花果时均直立；花瓣匙形，被短柔毛或无毛，白色，基部有宽爪；花丝宽扁，长于花柱；花柱基部和子房密被灰白色绒毛。果实近球形，多汁液，直径 1 ~ 1.4cm，红色或橙黄色，密被短绒毛；核具明显洼孔。花期 5 ~ 6 月，果期 8 ~ 9 月。

| **生境分布** | 生于山地杂木林边、灌丛或荒野。分布于吉林通化、白山等。

| **资源情况** | 野生资源较少。药材主要来源于野生。

| **采收加工** | 夏初果实由绿变绿黄时采收，除去梗、叶，置沸水中略烫或略蒸，取出，干燥。

| **功能主治** | 固精补肾，填精益髓，缩小便，明目。用于阳痿，滑精，遗精，多尿，遗尿，虚劳，目暗，视物不清，呕逆，目翳。

蔷薇科 Rosaceae 悬钩子属 Rubus

绿叶悬钩子
Rubus komarovi Nakai

| **植物别名** | 婆婆头、饽饽头。

| **药材名** | 绿叶悬钩子（药用部位：全草或根、叶、花、果实）。

| **形态特征** | 落叶灌木，高达 1m。一年生枝常无白粉或稍具白粉，有绿色针刺，有时具稀疏腺毛。小叶 3，稀 5，卵形，稀卵状披针形，长 3 ~ 6cm，宽 1.5 ~ 4.5cm，先端急尖，稀短渐尖，基部楔形至圆形，上面无毛或近无毛，下面仅沿叶脉具细柔毛并有稀疏针刺，边缘有不整齐的粗锐锯齿；叶柄长 2 ~ 4cm，顶生小叶柄长 1 ~ 1.5cm，侧生小叶近无柄，和叶轴均被细柔毛和针刺；托叶线形，有柔毛。花数朵成伞房花序或生于枝下部成花束；总花梗和花梗有柔毛和针刺，并疏生腺毛；花梗长 1 ~ 2cm；苞片线状披针形，有柔毛；花中等大，直径约 1cm；花萼外面被柔毛、针刺和疏腺毛；萼片长三角形至三

绿叶悬钩子

角状披针形，先端长渐尖至尾尖，花后常直立；花瓣长圆形或匙形，基部具爪，白色，与萼片近等长或稍短于萼片；花丝线形；花柱基部和子房被灰白色绒毛。果实卵形，直径约 1cm，红色，外被短绒毛，有香味；核具细皱纹。花期 5 ~ 6 月，果期 7 ~ 8 月。

| **生境分布** | 生于山坡林缘、石坡或林间采伐迹地。分布于吉林白山（长白、抚松、临江）、延边（安图）等。

| **资源情况** | 野生资源较少。药材主要来源于野生。

| **采收加工** | 夏、秋季采挖全草或根。春、夏季采收叶、花，晒干或阴干。夏初果实由绿变绿黄时分批采收果实，除去梗、叶及其他杂质，置沸水中略烫或略蒸，取出，干燥。

| **功能主治** | 全草，收敛止血。用于感冒发热，肝炎，肺炎，吐血，衄血，月经不调。根、叶、花、果实，解毒，止血，祛痰。用于风寒湿痹，吐血，衄血，痢疾。

| 蔷薇科 | Rosaceae | 悬钩子属 | *Rubus* |

茅莓
Rubus parvifolius L.

| **植物别名** | 茅莓悬钩子、小叶悬钩子、托盘。

| **药 材 名** | 薅田藨（药用部位：全草。别名：倒生根、黑龙骨、红琐梅）、薅田藨根（药用部位：根。别名：茅莓根、托盘根、米花托盘根）、茅莓（药用部位：茎叶。别名：天青地白草、红梅消、三月泡）。

| **形态特征** | 落叶灌木，高 1 ~ 2m。枝呈弓形弯曲，被柔毛和稀疏钩状皮刺；小叶 3，在新枝上偶见 5 枚，菱状圆形或倒卵形，长 2.5 ~ 6cm，宽 2 ~ 6cm，先端圆钝或急尖，基部圆形或宽楔形，上面伏生疏柔毛，下面密被灰白色绒毛，边缘有不整齐粗锯齿或缺刻状粗重锯齿，常具浅裂片；叶柄长 2.5 ~ 5cm，顶生小叶柄长 1 ~ 2cm，均被柔毛和稀疏小皮刺；托叶线形，长 5 ~ 7mm，具柔毛。伞房花序顶生或腋生，稀顶生花序成短总状，具花数朵，被柔毛和细刺；花梗长 0.5 ~

茅莓

1.5cm，具柔毛和稀疏小皮刺；苞片线形，有柔毛；花直径约 1cm；花萼外面密被柔毛和疏密不等的针刺；萼片卵状披针形或披针形，先端渐尖，有时条裂，在花时、果时均直立开展；花瓣卵圆形或长圆形，粉红至紫红色，基部具爪；雄蕊花丝白色，稍短于花瓣；子房具柔毛。果实卵球形，直径 1 ～ 1.5cm，红色，无毛或具稀疏柔毛；核有浅皱纹。花期 5 ～ 6 月，果期 7 ～ 8 月。

| **生境分布** | 生于山坡灌丛、杂木林下、向阳山谷、路旁、荒野、山沟石质地、林缘、林下。分布于吉林通化（集安、通化）、四平（双辽）等。

| **资源情况** | 野生资源较少。药材主要来源于野生。

| **采收加工** | 薅田藨：夏、秋季采收，除去杂质和泥沙，晒干。
薅田藨根：秋、冬季采挖，洗净，鲜用或切片，晒干。
茅莓：夏季采收，晒干或鲜用。

| **药材性状** | 薅田藨：本品根长短不等，多扭曲，直径 0.4 ～ 1.2cm。上端较粗，呈不规则块状，常附残留茎基。表面灰褐色，有纵皱纹，栓皮有时剥落，露出红棕色内皮。质坚硬，断面淡黄色，有放射状纹理。气微，味微涩。茎枝长约 30cm，表面红棕色或枯黄色，散生有短刺；质地坚实，断面黄白色，中央有白色的髓。叶片表面黄绿色，背面灰白色，具柔毛，常破碎不全，大多皱缩卷曲；花穗多数枯萎，花瓣多萎落不存。气微，味微苦而涩。

薅田藨的描述为带根全草，包含了薅田藨根、茅莓的性状，即不再重复描述二者性状，只保留薅田藨的完整性状。

| 功能主治 | 薅田藨：苦、涩，凉。归肝、肺、肾经。清热解毒，散瘀止血，杀虫疗疮。用于吐血，跌打损伤，刀伤，风湿痹痛，产后瘀滞腹痛，痢疾，痔疮，瘰疬，疮痈肿毒。

薅田藨根：甘、苦，凉。归肝、肺、肾经。清热解毒，祛风利湿，活血凉血。用于感冒发热，咽喉肿痛，风湿痹痛，肝炎，肠炎，痢疾，肾炎水肿，尿路感染，尿路结石，跌打损伤，咯血，吐血，崩漏，疔疮肿毒，腮腺炎。

茅莓：苦、涩，凉。清热凉血，散结，止痛，利尿消肿。用于感冒发热，咽喉肿痛，咯血，吐血，痢疾，肠炎，肝炎，肝脾肿大，肾炎水肿，尿路感染，尿路结石，月经不调，带下，风湿骨痛，跌打肿痛；外用于湿疹，皮炎。

| **用法用量** | 薅田藨：内服煎汤，10～15g；或浸酒。外用适量，捣敷；或煎汤熏洗；或研末撒。
薅田藨根：内服煎汤，6～15g；或浸酒。外用适量，捣敷；或煎汤熏洗；或研末调敷。
茅莓：内服煎汤，15～30g。外用适量，鲜叶捣烂外敷；或煎汤熏洗。

| **附　　注** | 本种果实可食。

蔷薇科 Rosaceae 悬钩子属 Rubus

库页悬钩子

Rubus sachalinensis Lévl.

| 植物别名 | 白背悬钩子、野悬钩子、悬钩子。

| 药 材 名 | 库页悬钩子（药用部位：茎叶。别名：野悬钩子）、库页悬钩子根（药
用部位：根）。

| 形态特征 | 落叶灌木或矮小灌木，高 0.6 ~ 2m。枝紫褐色，小枝色较浅，具柔
毛，老时脱落，被较密黄色、棕色或紫红色直立针刺，并混生腺毛。
小叶常 3，不孕枝上有时具 5 小叶，卵形、卵状披针形或长圆状卵形，
长 3 ~ 7cm，宽 1.5 ~ 4（ ~ 5）cm，先端急尖，顶生小叶先端常渐尖，
基部圆形，顶生小叶基部有时浅心形，上面无毛或稍有毛，下面密
被灰白色绒毛，边缘有不规则粗锯齿或缺刻状锯齿；叶柄长 2 ~ 5cm，
顶生小叶柄长 1 ~ 2cm，侧生小叶几无柄，均具柔毛、针刺或腺毛；
托叶线形，有柔毛或疏腺毛。花 5 ~ 9 成伞房状花序，顶生或腋生，

库页悬钩子

稀单花腋生；总花梗和花梗具柔毛，密被针刺和腺毛；花梗长 1 ~ 2cm；苞片小，线形，有柔毛和腺毛；花直径约 1cm；花萼外面密被短柔毛，具针刺和腺毛；萼片三角状披针形，长约 1cm，先端长尾尖，外面边缘常具灰白色绒毛，在花时、果时常直立开展；花瓣舌状或匙形，白色，短于萼片，基部具爪；花丝几与花柱等长；花柱基部和子房具绒毛。果实卵球形，较干燥，直径约 1cm，红色，具绒毛；核有皱纹。花期 6 ~ 7 月，果期 8 ~ 9 月。

| 生境分布 | 生于山坡潮湿地密林下、稀疏杂木林内、林缘、林间草地或干沟石缝、谷底石堆中、荒地草甸。以长白山区为主要分布区域，分布于吉林延边、白山、通化、吉林、辽源（东丰）等。

| 资源情况 | 野生资源丰富。药材主要来源于野生。

| 采收加工 | 库页悬钩子：夏、秋季采收，除去杂质和泥沙，晒干。
库页悬钩子根：7 ~ 8 月采挖，晒干。

| 功能主治 | 库页悬钩子：苦、涩，平。归心、肺、大肠经。解毒，止血，祛痰。用于吐血，衄血，痢疾。
库页悬钩子根：苦、涩，平。归肝、脾经。收涩止血，祛风清热。用于久痢，久泻，吐血，衄血，带下，荨麻疹。

| 用法用量 | 库页悬钩子：内服煎汤，15 ~ 30g。
库页悬钩子根：内服煎汤，15 ~ 30g。

| 附　　注 | 本种果实可食。

蔷薇科 Rosaceae 悬钩子属 Rubus

石生悬钩子 *Rubus saxatilis* L.

| **药 材 名** | 小悬钩子（药用部位：全草或果实。别名：莓子、覆盆子）。

| **形态特征** | 落叶灌木、草本，高 20 ～ 60cm。根不萌蘖；茎细，圆柱形，不育茎有鞭状匍枝，具小针刺和稀疏柔毛，有时具腺毛。复叶常具 3 小叶，或稀单叶分裂，小叶片卵状菱形至长圆状菱形，顶生小叶长 5 ～ 7cm，稍长于侧生小叶，先端急尖，基部近楔形，侧生小叶基部偏斜，两面有柔毛，下面沿叶脉毛较多，边缘常具粗重锯齿，稀为缺刻状锯齿，侧生小叶有时 2 裂；叶柄长，具稀疏柔毛和小针刺，侧生小叶近无柄，顶生小叶柄长 1 ～ 2cm；托叶离生，花枝上的托叶卵形或椭圆形，匍匐枝上的托叶较狭，披针形或线状长圆形，全缘。花常 2 ～ 10 成束或成伞房状花序；总花梗长短不齐，短者长仅 0.5cm，长者达 3cm，和花梗均被小针刺和稀疏柔毛，常混生腺毛；花小，

石生悬钩子

直径约在 1cm 以下；花萼陀螺形或在果期为盆形，外面有柔毛；萼片卵状披针形，几与花瓣等长；花瓣小，匙形或长圆形，白色，直立；雄蕊多数，花丝基部膨大，直立，先端钻状而内弯；雌蕊通常 5 ~ 6。果实球形，红色，直径 1 ~ 1.5cm，小核果较大；核长圆形，具蜂巢状孔穴。花期 6 ~ 7 月，果期 7 ~ 8 月。

| **生境分布** | 生于山顶碎石地、灌丛林下或针阔叶混交林林下。分布于吉林延边、白山、通化、长春、吉林、辽源等。

| **资源情况** | 野生资源稀少。药材主要来源于野生。

| **采收加工** | 夏、秋季采收全草，晒干。夏初果实由绿变绿黄时分批采收果实，除去梗、叶及其他杂质，置沸水中略烫或略蒸，取出，干燥。

| **功能主治** | 全草，补肝健胃，祛风止痛。用于急性、亚急性肝炎，食欲不振，风湿关节痛。果实，补肾固精，助阳明目，缩小便。用于腰膝酸软，遗精滑精，目昏不明。

| **用法用量** | 内服煎汤，3 ~ 9g。

蔷薇科 Rosaceae 地榆属 Sanguisorba

地榆 *Sanguisorba officinalis* L.

地榆

| 植物别名 |

长穗地榆、黄瓜香。

| 药 材 名 |

地榆（药用部位：根。别名：黄瓜香、玉札、山枣子）。

| 形态特征 |

多年生草本，高 30 ~ 120cm。根粗壮，多呈纺锤形，稀圆柱形，表面棕褐色或紫褐色，有纵皱及横裂纹，横切面黄白色或紫红色，较平正。茎直立，有棱，无毛或基部有稀疏腺毛。基生叶为羽状复叶，有小叶 4 ~ 6 对，叶柄无毛或基部有稀疏腺毛，小叶片有短柄，卵形或长圆状卵形，长 1 ~ 7cm，宽 0.5 ~ 3cm，先端圆钝稀急尖，基部心形至浅心形，边缘有多数粗大圆钝稀急尖的锯齿，两面绿色，无毛；茎生叶较少，小叶片有短柄至几无柄，长圆形至长圆状披针形，狭长，基部微心形至圆形，先端急尖；基生叶托叶膜质，褐色，外面无毛或被稀疏腺毛，茎生叶托叶大，草质，半卵形，外侧边缘有尖锐锯齿。穗状花序椭圆形、圆柱形或卵球形，直立，通常长 1 ~ 3 (~ 4)cm，横径 0.5 ~ 1cm，从花序先端向下开放，花序梗光滑或偶见稀

疏腺毛；苞片膜质，披针形，先端渐尖至尾尖，比萼片短或与萼片近等长，背面及边缘有柔毛；萼片 4，紫红色，椭圆形至宽卵形，背面被疏柔毛，中央微有纵棱脊，先端常具短尖头；雄蕊 4，花丝丝状，不扩大，与萼片近等长或比萼片稍短；子房外面无毛或基部微被毛，柱头先端扩大，盘形，边缘具流苏状乳头。果实包藏在宿存萼筒内，外面有 4 棱。花果期 7 ~ 10 月。

| **生境分布** | 生于灌丛中、山坡草地、草原、草甸或疏林下。吉林各地均有分布。吉林东部山区、中部半山区有栽培。

| **资源情况** | 野生资源较丰富。药材主要来源于野生。

| **采收加工** | 野生品种春季发芽前或秋季苗枯萎后采挖，除去残茎及须根，晒干。栽培品种播种 2 ~ 3 年后的春、秋季均可采收，于春季发芽前或秋季苗枯萎前后挖出，除去地上茎叶，洗净晒干，或趁鲜切片，干燥。

| **药材性状** | 本品呈不规则的纺锤形或圆柱形，稍弯曲，长 8 ~ 13cm，直径 0.5 ~ 2cm。外皮暗紫红色或棕黑色，有纵皱及横向裂纹，先端有时具环纹，少数有圆柱状根茎，多数仅留痕迹。质坚硬，不易折断，断面粉红色或淡黄色，有放射状纹理。气微，味微苦、涩。以断面粉红色者为佳。

| 功能主治 | 苦、酸、涩，微寒。归肝、大肠经。凉血止血，解毒敛疮。用于便血，痔血，血痢，崩漏，烫火伤，痈肿疮毒。

| 用法用量 | 内服煎汤，9 ~ 15g，鲜品30 ~ 120g；或入丸、散；亦可绞汁内服。外用适量，煎汤或捣汁外涂；也可研末涂敷或捣敷。

| **附　注** | （1）地榆在吉林药用历史较久。在《吉林志书·吉林分巡道造送会典馆清册》（1902）、《吉林新志》（1934）、《榆树县志》（1943）等十余部地方志中均有关于地榆的记载。

（2）地榆为常用收敛止血中药材，用量较大。但由于其分布广、产量大，故市场价格较低，购销平稳。吉林地榆野生资源分布广泛，尤以东部山区和中部半山区蕴藏量为大，但因其市场价格低，少有人采挖，故无地榆药材商品产出。

蔷薇科 Rosaceae 地榆属 Sanguisorba

粉花地榆
Sanguisorba officinalis L. var. *carnea* (Fisch.) Regel ex Maxim.

粉花地榆

| 药 材 名 |

粉花地榆（药用部位：根茎）。

| 形态特征 |

多年生草本，高 30 ~ 120cm。根粗壮，多
呈纺锤形，稀圆柱形，表面棕褐色或紫褐
色，有纵皱及横裂纹，横切面黄白色或紫红
色，较平正。茎直立，有棱，无毛或基部有
稀疏腺毛。基生叶为羽状复叶，有小叶 4 ~ 6
对，叶柄无毛或基部有稀疏腺毛，小叶片有
短柄，卵形或长圆状卵形，长 1 ~ 7cm，宽
0.5 ~ 3cm，先端圆钝，稀急尖，基部心形
至浅心形，边缘有多数粗大圆钝稀急尖的锯
齿，两面绿色，无毛；茎生叶较少，小叶片
有短柄至几无柄，长圆形至长圆状披针形，
狭长，基部微心形至圆形，先端急尖；基生
叶托叶膜质，褐色，外面无毛或被稀疏腺毛，
茎生叶托叶大，草质，半卵形，外侧边缘有
尖锐锯齿。穗状花序椭圆形、圆柱形或卵球
形，直立，通常长 1 ~ 3（~ 4）cm，横径
0.5 ~ 1cm，从花序先端向下开放，花序梗
光滑或偶见稀疏腺毛；苞片膜质，披针形，
先端渐尖至尾尖，比萼片短或与萼片近等长，
背面及边缘有柔毛；萼片 4，粉红色，椭圆
形至宽卵形，背面被疏柔毛，中央微有纵棱

脊，先端常具短尖头；雄蕊 4，花丝丝状，不扩大，与萼片近等长或比萼片稍短；子房外面无毛或基部微被毛，柱头先端扩大，盘形，边缘具流苏状乳头。果实包藏在宿存萼筒内，外面有 4 棱。花果期 7 ～ 10 月。

| 生境分布 |

生于草原、草甸、山坡草地、灌丛中、疏林下。分布于吉林延边、白山、通化等。

| 资源情况 |

野生资源较少。药材主要来源于野生。

| 采收加工 |

春、秋季采挖，除去须根，洗净，干燥，或趁鲜切片，干燥。

| 功能主治 |

凉血止血，收敛止泻，生津，清热解毒。用于各种出血症，烧伤，腹痛，痢疾，月经过多，虫蛇咬伤，狂犬病，疮疡。

长蕊地榆

蔷薇科 Rosaceae **地榆属** Sanguisorba

长蕊地榆 *Sanguisorba officinalis* L. var. *longifila* (Kitagawa) Yu et Li

| 植物别名 |

直穗粉花地榆。

| 药 材 名 |

长蕊地榆（药用部位：根）。

| 形态特征 |

多年生草本，高 30 ~ 120cm。根粗壮，多呈纺锤形，稀圆柱形，表面棕褐色或紫褐色，有纵皱及横裂纹，横切面黄白色或紫红色，较平正。茎直立，有棱，无毛或基部有稀疏腺毛。基生叶小叶带状长圆形至带状披针形，基部微心形、圆形至宽楔形；茎生叶较多，与基生叶相似，但更长而狭窄。花穗长圆柱形，长 2 ~ 6cm，直径通常 0.5 ~ 1cm，雄蕊与萼片近等长；萼片 4，紫红色，椭圆形至宽卵形，背面被疏柔毛，中央微有纵棱脊，先端常具短尖头；雄蕊 4，花丝丝状，花丝长 4 ~ 5mm，比萼片长 0.5 ~ 1 倍；子房外面无毛或基部微被毛，柱头先端扩大，盘形，边缘具流苏状乳头。果实包藏在宿存萼筒内，外面有 4 棱。花果期 8 ~ 9 月。

| 生境分布 |

生于灌丛中、山坡草地、草原、草甸及疏林

下。吉林无野生分布。吉林东部山区、半山区
有栽培。

资源情况

吉林偶见栽培。药材主要来源于栽培。

采收加工

春季发芽前或秋季植株枯萎后采挖,除去须根,
洗净,干燥,或趁鲜切片,干燥。

功能主治

清热解毒,生津敛疮,凉血止血,止痢。用于
咽喉肿痛,疮痈肿毒,血热出血,痢疾。

蔷薇科 Rosaceae 地榆属 Sanguisorba

长叶地榆
Sanguisorba officinalis L. var. *longifolia* (Bertol.) Yü et Li

长叶地榆

| 药 材 名 |

地榆（药用部位：根。别名：绵地榆、黄瓜香、玉札）。

| 形态特征 |

多年生草本，高 30 ～ 120cm。根粗壮，多呈纺锤形，稀圆柱形，表面棕褐色或紫褐色，有纵皱及横裂纹，横切面黄白色或紫红色，较平正。茎直立，有棱，无毛或基部有稀疏腺毛。基生叶小叶带状长圆形至带状披针形，基部微心形、圆形至宽楔形；茎生叶较多，与基生叶相似，但更长而狭窄。花穗长圆柱形，长 2 ～ 6cm，直径通常 0.5 ～ 1cm；萼片 4，紫红色，椭圆形至宽卵形，背面被疏柔毛，中央微有纵棱脊，先端常具短尖头；雄蕊 4，花丝丝状，不扩大，与萼片近等长；子房外面无毛或基部微被毛，柱头先端扩大，盘形，边缘具流苏状乳头。果实包藏在宿存萼筒内，外面有 4 棱。花果期 8 ～ 11 月。

| 生境分布 |

生于海拔 100 ～ 3000m 的山坡草地、溪边、灌丛中、湿草地及疏林中。分布于吉林延边、白山、通化等。

| 资源情况 | 野生资源较少。药材主要来源于野生。

| 采收加工 | 同"地榆"。

| 药材性状 | 本品呈长圆柱形，稍弯曲，有时支根较多，着生于短粗的根茎上，长15～26cm，直径0.5～2cm。表面红棕色或棕紫色，有细纵纹。质较坚韧，断面黄棕色或红棕色，皮部有多数黄白色或黄棕色绵状纤维。气弱，味微苦、涩。以条粗、质坚、断面粉红色为佳。

| 功能主治 | 同"地榆"。

| 用法用量 | 同"地榆"。

蔷薇科 Rosaceae 地榆属 Sanguisorba

大白花地榆 *Sanguisorba sitchensis* C. A. Mey.

| 植物别名 | 白花地榆。

| 药 材 名 | 大白花地榆（药用部位：嫩茎、叶、根）。

| 形态特征 | 多年生草本。根粗壮，深长，疏散地长出若干细根。茎高 35 ~ 80cm，光滑。叶为羽状复叶，有小叶 4 ~ 6 对，叶柄有棱，无毛，小叶有柄，椭圆形或卵状椭圆形，基部心形至深心形，稀微心形，先端圆形，边缘有粗大缺刻状急尖锯齿，上面暗绿色，下面绿色，无毛；茎生叶 2 ~ 4，与基生叶相似，惟向上小叶对数逐渐减少；基生叶托叶膜质，黄褐色，无毛，茎生叶托叶草质，绿色，卵形，边缘有缺刻状锯齿。穗状花序直立，从基部向上逐渐开放，花序梗无毛；苞片狭带形，无毛或外被疏柔毛，与萼片近等长；萼片 4，椭圆状卵形，无毛；雄蕊 4，花丝从中部开始扩大，比萼片长 2 ~ 3 倍。

大白花地榆

果被疏柔毛，萼片宿存。花果期 7 ~ 9 月。

| 生境分布 |

生于山地、山谷、湿地、疏林下或林缘。分布于吉林白山（长白、抚松、临江）、延边（安图）等。

| 资源情况 |

野生资源较少。药材主要来源于野生。

| 采收加工 |

春、夏季采收嫩茎，除去杂质，洗净，干燥。夏季采收叶，除去杂质，洗净，干燥。春季发芽前或秋季植株枯萎后采挖根,除去须根,洗净,干燥，或趁鲜切片，干燥。

| 功能主治 |

嫩茎、叶，收敛止血。用于出血。根，苦，微寒。凉血止血，清热解毒，收敛止泻。用于血热出血，热毒痈肿，泄泻。

| 附　注 |

在 FOC 中，本种的拉丁学名被修订为 *Sanguisorba stipulata* Rafinesque。

蔷薇科 Rosaceae 地榆属 Sanguisorba

细叶地榆 *Sanguisorba tenuifolia* Fisch. ex Link

细叶地榆

| 植物别名 |

垂穗粉花地榆。

| 药 材 名 |

细叶地榆（药用部位：根及根茎）。

| 形态特征 |

多年生草本，高可达 150cm。根茎粗壮，分出较多细长根。茎有棱，光滑。基生叶为羽状复叶，有小叶 7 ~ 9 对，叶柄无毛，小叶有柄，带形或带状披针形，长 5 ~ 7cm，宽 1.5 ~ 1.7cm，基部圆形、微心形至斜阔楔形，先端急尖至圆钝，边缘有多数缺刻状急尖锯齿，两面绿色，无毛；茎生叶与基生叶相似，惟向上小叶对数逐渐减少，且较狭窄；基生叶托叶膜质，褐色，外面光滑，茎生叶托叶草质，绿色，半月形，边缘有缺刻状锯齿。穗状花序长圆柱形，通常下垂，长 2 ~ 7cm，直径 0.5 ~ 0.8cm，从先端向下逐渐开放，花序梗几无毛；苞片披针形，外面及边缘密被柔毛，比萼片短；萼片长椭圆形，粉红色，外面无毛；雄蕊 4，花丝扁平扩大，先端稍比花药窄或比花药近等宽，比萼片长 0.5 ~ 1 倍；子房无毛或近基部有短柔毛，柱头扩大，呈盘状。果实有 4 棱，无毛。花果期 8 ~ 9 月。

| **生境分布** | 生于山坡、草甸、湿草地、水甸边或水沟边湿地。分布于吉林白城（洮南、大安）、松原（长岭、扶余）、延边（珲春、汪清、安图）等。

| **资源情况** | 野生资源较少。药材主要来源于野生。

| **采收加工** | 秋季植株枯萎后采挖，除去须根，洗净，干燥，或趁鲜切片，干燥。

| **功能主治** | 苦，微寒。凉血止血，清热解毒。用于吐血，衄血，血痢，崩漏，肠风，痔疾，痈肿，湿疹，金疮，烧伤，胃痛，胃肠出血。

| **附　　注** | 本种与长蕊地榆 *Sanguisorba officinalis* L. var. *longifila* (Kitagawa) Yu et Li 的形态相似，但后者基生叶小叶边缘有圆齿，花序直立或近于直立，花丝不扩大、丝状。

蔷薇科 Rosaceae 地榆属 Sanguisorba

小白花地榆
Sanguisorba tenuifolia Fisch. var. *alba* Trautv. et Mey.

小白花地榆

| 植物别名 |

水地榆、狭叶地榆。

| 药 材 名 |

小白花地榆（药用部位：根及根茎）。

| 形态特征 |

多年生草本，高可达 150cm。根茎粗壮，分出较多细长根。茎有棱，光滑。基生叶为羽状复叶，有小叶 7 ~ 9 对，叶柄无毛，小叶有柄，带形或带状披针形，长 5 ~ 7cm，宽 1.5 ~ 1.7cm，基部圆形、微心形至斜阔楔形，先端急尖至圆钝，边缘有多数缺刻状急尖锯齿，两面绿色，无毛；茎生叶与基生叶相似，惟向上小叶对数逐渐减少，且较狭窄；基生叶托叶膜质，褐色，外面光滑，茎生叶托叶草质，绿色，半月形，边缘有缺刻状锯齿。花白色，穗状花序长圆柱形，通常下垂，长 2 ~ 7cm，直径 0.5 ~ 0.8cm，从先端向下逐渐开放，花序梗几无毛；苞片披针形，外面及边缘密被柔毛，比萼片短；萼片长椭圆形，粉红色，外面无毛；雄蕊 4，花丝比萼片长 1 ~ 2 倍；子房无毛或近基部有短柔毛，柱头扩大，呈盘状。果实有 4 棱，无毛。花果期 7 ~ 9 月。

| 生境分布 |

生于湿地、草甸、林缘或林下。以长白山区为主要分布区域，分布于吉林延边、白山、通化、吉林、辽源（东丰）、白城（洮南）、松原（扶余）等。

| 资源情况 |

野生资源较丰富。药材主要来源于野生。

| 采收加工 |

春季发芽前或秋季植株枯萎后采挖根茎，除去须根，洗净，干燥，或趁鲜切片晒干。

| 功能主治 |

凉血止血，清热解毒。用于吐血，衄血，血痢，崩漏，肠风，痔漏，痈肿，湿疹，金疮，烧伤，胃痛，胃肠出血，腹痛。

珍珠梅
Sorbaria sorbifolia (L.) A. Br.

| **植物别名** | 山高粱条子、高楷子、八本条。

| **药 材 名** | 珍珠梅（药用部位：茎皮、果穗。别名：山高粱、八木条）。

| **形态特征** | 落叶灌木，高达 2m。枝条开展，小枝圆柱形，冬芽卵形。羽状复叶，小叶片 11 ~ 17，连叶柄长 13 ~ 23cm，宽 10 ~ 13cm，小叶片对生，相距 2 ~ 2.5cm，披针形至卵状披针形，长 5 ~ 7cm，宽 1.8 ~ 2.5cm，先端渐尖，稀尾尖，基部近圆形或宽楔形，稀偏斜，边缘有尖锐重锯齿，羽状网脉，具侧脉 12 ~ 16 对；小叶无柄或近于无柄；托叶叶质，卵状披针形至三角状披针形，长 8 ~ 13mm，宽 5 ~ 8mm。顶生大型密集圆锥花序，分枝近于直立，长 10 ~ 20cm，直径 5 ~ 12cm；苞片卵状披针形至线状披针形，长 5 ~ 10mm，宽 3 ~ 5mm，先端长渐尖，全缘或有浅齿；花梗长 5 ~ 8mm；花直径 10 ~ 12mm；萼

珍珠梅

筒钟状；萼片三角状卵形，先端钝或急尖，萼片约与萼筒等长；花瓣长圆形或倒卵形，长 5～7mm，宽 3～5mm，白色；雄蕊 40～50，生在花盘边缘；心皮 5。蓇葖果长圆形，萼片宿存，反折。花期 7～8 月，果期 9 月。

| 生境分布 | 生于河岸、沟谷、山坡溪流附近或林缘等，常成片生长。以长白山区为主要分布区域，分布于吉林延边、白山、通化、吉林、长春、辽源（东丰）等。

| 资源情况 | 野生资源丰富。药材主要来源于野生。

| 采收加工 | 春、秋季采茎枝，剥取外皮，晒干。9～10 月果穗成熟时采收果穗，晒干。

| 药材性状 | 本品茎皮呈条状或片状，长、宽不一，厚约 3mm。外表面棕褐色，有多数淡黄棕色疣状突起；内表面淡黄棕色。质脆，断面略平坦。果穗形似高粱穗，果柄直立；蓇葖果长圆形，无毛，长 6～7mm；种子细小。气微，味苦。

| 功能主治 | 苦，寒；有毒。归肝、肾经。活血祛瘀，消肿止痛。用于骨折，跌打损伤，关节扭伤，风湿性关节炎。

| 用法用量 | 内服研末，0.6～1.2g。外用适量，研末调敷。

水榆花楸
Sorbus alnifolia (Sieb. et Zucc.) K. Koch

| 植物别名 | 水榆、花楸、女儿木。

| 药 材 名 | 水榆果（药用部位：果实。别名：糯米珠）。

| 形态特征 | 落叶乔木，高达 20m。小枝圆柱形，具灰白色皮孔，幼时微具柔毛，二年生枝暗红褐色，老枝暗灰褐色，无毛；冬芽卵形，先端急尖，外具数枚暗红褐色无毛鳞片。叶片卵形至椭圆卵形，长 5 ~ 10cm，宽 3 ~ 6cm，先端短渐尖，基部宽楔形至圆形，边缘有不整齐的尖锐重锯齿，有时微浅裂，上下两面无毛或在下面的中脉和侧脉上微具短柔毛，侧脉 6 ~ 10（~ 14）对，直达叶缘齿尖；叶柄长 1.5 ~ 3cm，无毛或微具稀疏柔毛。复伞房花序较疏松，具花 6 ~ 25，总花梗和花梗具稀疏柔毛；花梗长 6 ~ 12mm；花直径 10 ~ 14（~ 18）mm；萼筒钟状，外面无毛，内面近无毛；萼片三角形，先端急尖，外面

水榆花楸

无毛，内面密被白色绒毛；花瓣卵形或近圆形，长 5 ～ 7mm，宽 3.5 ～ 6mm，先端圆钝，白色；雄蕊 20，短于花瓣；花柱 2，基部或中部以下合生，光滑无毛，短于雄蕊。果实椭圆形或卵形，直径 7 ～ 10mm，长 10 ～ 13mm，红色或黄色，不具斑点或具极少数细小斑点，2 室，萼片脱落后果实先端残留圆斑。花期 5 月，果期 8 ～ 9 月。

| 生境分布 |

生于山坡、山沟、灌丛、混交林或石质山坡灌丛。以长白山区为主要分布区域，分布于吉林延边、白山、通化、吉林、辽源（东丰）等。

| 资源情况 |

野生资源较少。药材主要来源于野生。

| 采收加工 |

秋季果实成熟时采摘，晒干。

| 功能主治 |

甘，平。归肝、脾经。强壮补虚。用于体虚劳倦。

| 用法用量 |

内服煎汤，60 ～ 150g。

| 附　　注 |

本种为吉林省 II 级重点保护野生植物。

蔷薇科 Rosaceae 花楸属 Sorbus

花楸树 *Sorbus pohuashanensis* (Hance) Hedl.

花楸树

| 植物别名 |

花楸、东北花楸、山胡椒。

| 药 材 名 |

花楸（药用部位：果实、茎、茎皮。别名：
百华花楸、马家木、山槐子）。

| 形态特征 |

落叶乔木，高达 8m。小枝粗壮，圆柱形，
灰褐色，具灰白色细小皮孔，嫩枝具绒毛，
逐渐脱落，老时无毛；冬芽长大，长圆状卵
形，先端渐尖，具数枚红褐色鳞片，外面密
被灰白色绒毛。奇数羽状复叶，连叶柄在
内长 12 ~ 20cm，叶柄长 2.5 ~ 5cm；小叶
片 5 ~ 7 对，间隔 1 ~ 2.5cm，基部和顶部
的小叶片常稍小，卵状披针形或椭圆状披针
形，长 3 ~ 5cm，宽 1.4 ~ 1.8cm，先端急
尖或短渐尖，基部偏斜圆形，边缘有细锐锯
齿，基部或中部以下近全缘，上面具稀疏绒
毛或近于无毛，下面苍白色，有稀疏或较密
集绒毛，间或无毛，侧脉 9 ~ 16 对，在叶
缘稍弯曲，下面中脉显著凸起；叶轴有白色
绒毛，老时近于无毛；托叶草质，宿存，宽
卵形，有粗锐锯齿。复伞房花序具多数密集
花朵，总花梗和花梗均密被白色绒毛，成长

时逐渐脱落；花梗长 3 ~ 4mm；花直径 6 ~ 8mm；萼筒钟状，外面有绒毛或近无毛，内面有绒毛；萼片三角形，先端急尖，内外两面均具绒毛；花瓣宽卵形或近圆形，长 3.5 ~ 5mm，宽 3 ~ 4mm，先端圆钝，白色，内面微具短柔毛；雄蕊 20，几与花瓣等长；花柱 3，基部具短柔毛，较雄蕊短。果实近球形，直径 6 ~ 8mm，红色或橘红色，具宿存闭合萼片。花期 6 月，果期 9 ~ 10 月。

| 生境分布 | 生于山坡或山谷杂木林。以长白山区为主要分布区域，分布于吉林延边、白山、通化、吉林、辽源（东丰）等。吉林中东部地区有栽培，用于园林绿化。

| 资源情况 | 野生资源较少。药材主要来源于野生。

| 采收加工 | 夏、秋季采摘成熟果实，直接晒干或先在沸水中浸一下再晒至全干。春、秋季采收茎，剥取茎皮，将茎与茎皮分别晾干。

| 功能主治 | 果实，甘、苦，平。健胃补虚。用于胃炎，维生素 A、维生素 C 缺乏症。茎、茎皮，苦，寒。清肺止咳。用于肺结核，哮喘。

| 用法用量 | 内服煎汤，果实 30 ~ 60g，茎、茎皮 9 ~ 15g。

| 附　注 | （1）本种与欧洲至亚洲西部最常见的北欧花楸 *Sorbus aucuparia* L. 的形态近似，但后者的托叶膜质，容易脱落，小叶片下面具较密柔毛。在同产区中尚有北京花楸 *Sorbus discolor* (Maxim.) Maxim.，果实成熟时黄色或白色，花序和小叶片均不具毛，是这两种植物的主要异点。

（2）本种为吉林省 III 级重点保护野生植物。

蔷薇科 Rosaceae 绣线菊属 Spiraea

石蚕叶绣线菊 *Spiraea chamaedryfolia* L.

| **植物别名** | 乌苏里绣线菊。

| **药 材 名** | 石蚕叶绣线菊（药用部位：花）。

| **形态特征** | 落叶灌木，高 1 ~ 1.5m。小枝细弱，稍有棱角，褐色，有时呈"之"字形弯曲，幼时无毛；冬芽长卵形，先端渐尖，具 2 枚外露鳞片。叶片宽卵形，长 2 ~ 4.5cm，宽 1 ~ 3cm，先端急尖，基部圆形或宽楔形，边缘有细锐单锯齿和重锯齿，不孕枝上的叶片有时具缺刻状重锯齿，下面脉腋间簇生短柔毛；叶柄长 4 ~ 7mm，无毛或具极稀疏柔毛。花序伞形总状，直径 2 ~ 2.5cm，无毛，有花 5 ~ 12；花梗长 4 ~ 8mm；苞片线形，无毛，早落；花直径 6 ~ 9mm；花萼外面无毛，萼筒广钟状，内面具短柔毛；萼片卵状三角形，先端急尖，内面疏生短柔毛；花瓣宽卵形或近圆形，先端钝，长 2.5 ~ 3.5mm，

石蚕叶绣线菊

宽 2 ~ 3mm，白色；雄蕊 35 ~ 50，长于花瓣；花盘为微波状圆环形；子房在腹部微具短柔毛，花柱短于雄蕊。蓇葖果直立，具伏生短柔毛，花柱直立在蓇葖果腹面先端，萼片常反折。花期 5 ~ 6 月，果期 7 ~ 9 月。

| 生境分布 | 生于山坡杂木林内或林间隙地。以长白山区为主要分布区域，分布于吉林延边、白山、通化、吉林、辽源（东丰）等。

| 资源情况 | 野生资源较丰富。药材主要来源于野生。

| 采收加工 | 春、夏季花盛开时择晴天采收，晒干。

| 功能主治 | 生津止渴，利水。用于津伤口渴。

蔷薇科 Rosaceae 绣线菊属 Spiraea

曲萼绣线菊
Spiraea flexuosa Fisch. ex Cambess.

| **药 材 名** | 曲萼绣线菊（药用部位：花）。

| **形态特征** | 落叶灌木，高达 1.5m。小枝细瘦，稍屈曲，褐黄色至紫褐色，幼时有棱角，无毛；冬芽长卵形，先端渐尖，具 2 外露鳞片。叶片长圆状椭圆形至长圆状卵形，长 1 ～ 5cm，宽 0.9 ～ 2.5cm，先端急尖或短渐尖，基部楔形稀圆形，常在先端或中部以上有单锯齿，稀全缘，下面有稀疏短柔毛或无毛，具白霜；叶柄长 2 ～ 5mm，无毛。伞形总状花序直径 1 ～ 2cm，无毛，有花 4 ～ 10；花梗长 5 ～ 15mm；苞片椭圆状披针形，无毛；花直径 5 ～ 8mm；花萼外面无毛，萼筒钟状；萼片卵状三角形，先端急尖，内面有稀疏短柔毛；花瓣卵形至长圆形，先端钝，长 3 ～ 4mm，宽几与长相等，白色，有时为淡粉色；雄蕊 20，长于花瓣；花盘圆环形，有裂片 10；子房具短柔毛，

曲萼绣线菊

花柱短于雄蕊。蓇葖果直立，具短柔毛，花柱直立，顶生，萼片反折。花期 5～6 月，果期 8～9 月。

| **生境分布** | 生于针阔叶混交林林下、林缘、河岸或砂丘、岩石坡地。分布于吉林白山等。

| **资源情况** | 野生资源较丰富。药材主要来源于野生。

| **采收加工** | 春、夏季花盛开时择晴天采收，晒干。

| **功能主治** | 生津止咳，清热解暑。用于温病热盛，口中燥渴。

| **附　　注** | 本种与石蚕叶绣线菊 *Spiraea chamaedryfolia* L. 的形态极为相似，但本种小枝具显著棱角，叶片较窄，长圆状椭圆形至长圆状卵形，多单锯齿，极少数全缘，花序较小，花数目较少。

蔷薇科 Rosaceae 绣线菊属 *Spiraea*

欧亚绣线菊 *Spiraea media* Schmidt

| **植物别名** | 石棒绣线菊、石荞子、石崩子山。

| **药材名** | 兰亭叶（药用部位：叶）。

| **形态特征** | 直立落叶灌木，高 0.5 ~ 2m。小枝细，近圆柱形，灰褐色，嫩时带红褐色，无毛或近无毛；冬芽卵形，先端急尖，棕褐色，有数枚覆瓦状鳞片，长 1 ~ 2mm。叶片椭圆形至披针形，长 1 ~ 2.5cm，宽 0.5 ~ 1.5cm，先端急尖，稀圆钝，基部楔形，全缘或先端有 2 ~ 5 锯齿，两面无毛或下面脉腋间微被短柔毛，有羽状脉；叶柄长 1 ~ 2mm，无毛。伞形总状花序无毛，常具花 9 ~ 15；花梗长 1 ~ 1.5cm，无毛；苞片披针形，无毛；花直径 0.7 ~ 1cm；萼筒宽钟状，外面无毛，内面被短柔毛；萼片卵状三角形，先端急尖或圆钝，外面无毛或微被短柔毛，内面疏生短柔毛；花瓣近圆形，先端

欧亚绣线菊

钝，长与宽均为 3 ~ 4.5cm，白色；雄蕊约 45，长于花瓣；花盘呈波状圆环形或具不规则的裂片；子房具短柔毛，花柱短于雄蕊。蓇葖果较直立开张，外被短柔毛，花柱顶生，倾斜开展，具反折萼片。花期 5 ~ 6 月，果期 6 ~ 8 月。

| **生境分布** | 生于海拔 750 ~ 1600m 的多石山地、山坡草原或疏密杂山林内。耐寒，耐旱，耐瘠薄，生长力很强。分布于吉林白山（长白、抚松）、延边（和龙、安图）、通化等。

| **资源情况** | 野生资源较丰富。药材主要来源于野生。

| **采收加工** | 夏季采摘叶，晒干。

| 药材性状 | 本品多皱缩卷曲、破碎，完整者展平后呈椭圆形，长 0.5 ~ 7cm，宽 0.3 ~ 2.5cm。先端急尖，基部圆形或宽楔形，全缘或先端有 2 ~ 5 锯齿。上表面棕绿色、下表面灰绿色，叶柄长 1 ~ 2mm。质脆。带嫩枝者，枝的直径小于 1.5mm，红褐色至褐色。气微，味苦、涩。 |

| 功能主治 | 微苦，寒。归心、脾、肝经。祛风除湿，健脾驱虫，安神。用于风湿痹痛，脾虚吐泻，蛔虫病，带下，失眠健忘。 |

| 用法用量 | 内服煎汤，5 ~ 15g。 |

| 附　　注 | 兰亭叶已被收载于 2019 年版《吉林省药材质量标准》第一册。 |

蔷薇科 Rosaceae | 绣线菊属 Spiraea

土庄绣线菊 *Spiraea pubescens* Turcz.

| **植物别名** | 柔毛绣线菊、石蒡子、小叶石。

| **药 材 名** | 土庄绣线菊（药用部位：茎髓）。

| **形态特征** | 落叶灌木，高 1 ~ 2m。小枝开展，稍弯曲，嫩时被短柔毛，褐黄色，老时无毛，灰褐色；冬芽卵形或近球形，先端急尖或圆钝，具短柔毛，外被数个鳞片。叶片菱状卵形至椭圆形，长 2 ~ 4.5cm，宽 1.3 ~ 2.5cm，先端急尖，基部宽楔形，边缘自中部以上有深刻锯齿，有时 3 裂，上面有稀疏柔毛，下面被灰色短柔毛；叶柄长 2 ~ 4mm，被短柔毛。伞形花序具总梗，有花 15 ~ 20；花梗长 7 ~ 12mm，无毛；苞片线形，被短柔毛；花直径 5 ~ 7mm；萼筒钟状，外面无毛，内面有灰白色短柔毛；萼片卵状三角形，先端急尖，内面疏生短柔毛；花瓣卵形、宽倒卵形或近圆形，先端圆钝或微凹，长与宽均为 2 ~ 3mm，

土庄绣线菊

白色；雄蕊 25 ~ 30，约与花瓣等长；花盘圆环形，具裂片 10，裂片先端稍凹陷；子房无毛或仅在腹部及基部有短柔毛，花柱短于雄蕊。蓇葖果开张，仅在腹缝微被短柔毛，花柱顶生，稍倾斜开展或几直立，多数具直立萼片。花期 5 ~ 6 月，果期 7 ~ 8 月。

| **生境分布** | 生于干燥岩石坡地、向阳或半阴处、杂木林内。以长白山区为主要分布区域，分布于吉林延边、白山、通化、吉林、辽源（东丰）等。 |

| **资源情况** | 野生资源较丰富。药材主要来源于野生。 |

| **采收加工** | 夏末至秋季割取茎，趁鲜取出茎髓，理直，晒干，扎成小把。 |

| **功能主治** | 苦，温。利尿。用于水肿。 |

| 蔷薇科 Rosaceae | 绣线菊属 Spiraea

绣线菊 *Spiraea salicifolia* L.

| **植物别名** | 柳叶绣线菊、空心柳、王八脆。

| **药 材 名** | 空心柳（药用部位：全草。别名：马尿溲、柳叶绣线菊）。

| **形态特征** | 直立落叶灌木，高 1 ~ 2m。枝条密集，小枝稍有棱角，黄褐色，嫩枝具短柔毛，老时脱落；冬芽卵形或长圆状卵形，先端急尖，有数个褐色外露鳞片，外被稀疏细短柔毛。叶片长圆状披针形至披针形，长 4 ~ 8cm，宽 1 ~ 2.5cm，先端急尖或渐尖，基部楔形，边缘密生锐锯齿，有时为重锯齿，两面无毛；叶柄长 1 ~ 4mm，无毛。花序为长圆形或金字塔形的圆锥花序，长 6 ~ 13cm，直径 3 ~ 5cm，被细短柔毛，花朵密集；花梗长 4 ~ 7mm；苞片披针形至线状披针形，全缘或有少数锯齿，微被细短柔毛；花直径 5 ~ 7mm；萼筒钟状；萼片三角形，内面微被短柔毛；花瓣卵形，先端通常圆钝，长 2 ~ 3mm，

绣线菊

宽 2 ~ 2.5mm，粉红色；雄蕊 50，比花瓣长约 2 倍；花盘圆环形，裂片呈细圆锯齿状；子房有稀疏短柔毛，花柱短于雄蕊。蓇葖果直立，无毛或沿腹缝有短柔毛，花柱顶生，倾斜开展，常具反折萼片。花期 6 ~ 8 月，果期 8 ~ 9 月。

| **生境分布** | 生于河流沿岸、湿草原、空旷地或山沟中。喜光，稍耐阴，抗寒，抗旱，喜温暖湿润的气候和深厚肥沃的土壤。以长白山区为主要分布区域，分布于吉林延边、白山、通化、吉林、辽源（东丰）、松原（扶余）、白城（洮南）等。

| **资源情况** | 野生资源较少。药材主要来源于野生。

| **采收加工** | 夏、秋季采收，洗净，切段，晒干。

| **功能主治** | 苦，平。归肺、肝经。通经活血，通便利水，止咳化痰。用于跌打损伤，关节疼痛，周身酸痛，咳嗽痰多，刀伤，闭经，便结腹胀，小便不利。

| **用法用量** | 内服煎汤，10 ~ 15g。外用适量，捣敷。

蔷薇科 Rosaceae 绣线菊属 *Spiraea*

珍珠绣线菊
Spiraea thunbergii Sieb. ex Blume

| 植物别名 |　珍珠花、喷雪花、雪柳。

| 药 材 名 |　珍珠绣线菊（药用部位：根、枝叶）。

| 形态特征 |　落叶灌木，高达 1.5m。枝条细长开张，呈弧形弯曲，小枝有棱角，幼时被短柔毛，褐色，老时转红褐色，无毛；冬芽甚小，卵形，无毛或微被毛，有数枚鳞片。叶片线状披针形，长 25 ~ 40mm，宽 3 ~ 7mm，先端长渐尖。基部狭楔形，边缘自中部以上有尖锐锯齿，两面无毛，具羽状脉；叶柄极短或近无柄，长 1 ~ 2mm，有短柔毛。伞形花序无总梗，具花 3 ~ 7，基部簇生数枚小形叶片；花梗细，长 6 ~ 10mm，无毛；花直径 6 ~ 8mm；萼筒钟状，外面无毛，内面微被短柔毛；萼片三角形或卵状三角形，先端尖，内面有稀疏短柔毛；花瓣倒卵形或近圆形，先端微凹至圆钝，长 2 ~ 4mm，宽

珍珠绣线菊

2 ~ 3.5mm，白色；雄蕊 18 ~ 20，长约为花的
1/3 或更短；花盘圆环形，由 10 裂片组成；子
房无毛或微被短柔毛，花柱几与雄蕊等长。蓇
葖果开张，无毛，花柱近顶生，稍斜展，具直
立或反折萼片。花期 4 ~ 5 月，果期 7 月。

| 生境分布 |

生于山坡灌丛。吉林无野生分布。吉林中东部
地区有栽培，用于园林绿化。

| 资源情况 |

吉林有栽培。药材主要来源于栽培。

| 采收加工 |

秋、冬季采挖根，除去泥土、须根，晒干。夏、
秋季采割枝叶，晒干。

| 功能主治 |

根，祛风，止痛，截疟，止血。用于咽喉肿痛，
疟疾。枝叶，用于疥疮。

豆科 Leguminosae 合萌属 Aeschynomene

合萌

Aeschynomene indica Linn.

| **植物别名** | 田皂角、镰刀草。

| **药材名** | 合萌（药用部位：全草。别名：水茸角、合明草、水皂角）、合萌叶（药用部位：叶）、合萌根（药用部位：根）。

| **形态特征** | 一年生草本或亚灌木状植物。茎直立，高 0.3 ~ 1m。多分枝，圆柱形，无毛，具小凸点而稍粗糙，小枝绿色。叶具 20 ~ 30 对小叶或更多；托叶膜质，卵形至披针形，长约 1cm，基部下延成耳状，通常有缺刻或呈啮蚀状；叶柄长约 3mm；小叶近无柄，薄纸质，线状长圆形，长 5 ~ 10（~ 15）mm，宽 2 ~ 2.5（~ 3.5）mm，上面密布腺点，下面稍带白粉，先端钝圆或微凹，具细刺尖头，基部歪斜，全缘；小托叶极小。总状花序比叶短，腋生，长 1.5 ~ 2cm；总花梗长 8 ~ 12mm；花梗长约 1cm；小苞片卵状披针形，宿存；花萼

合萌

膜质，具纵脉纹，长约 4mm，无毛；花冠淡黄色，具紫色的纵脉纹，易脱落，旗瓣大，近圆形，基部具极短的瓣柄，翼瓣篦状，龙骨瓣比旗瓣稍短，比翼瓣稍长或与翼瓣近相等；雄蕊二体；子房扁平，线形。荚果线状长圆形，直或弯曲，长 3 ~ 4cm，宽约 3mm，腹缝直，背缝多少呈波状；荚节 4 ~ 8（~ 10），平滑或中央有小疣凸，不开裂，成熟时逐节脱落；种子黑棕色，肾形，长 3 ~ 3.5mm，宽 2.5 ~ 3mm。花期 7 ~ 8 月，果期 8 ~ 10 月。

| **生境分布** | 生于水塘边、沟边。分布于吉林长春、通化（集安）、白山（临江）等。

| **资源情况** | 野生资源较少。药材主要来源于野生。

| **采收加工** | 合萌：秋季采挖全草，鲜用或晒干。
合萌叶：夏、秋季采集叶，鲜用或晒干。
合萌根：秋季采挖根，鲜用或晒干。

| **药材性状** | 合萌根：本品呈圆柱形，上端渐细，直径 1 ~ 2cm。表面乳白色，平滑，具细密的纵纹理及残留的分枝痕，基部有时连有多数须状根。质轻而松软，易折断，折断面白色，不平坦，中央有小孔洞。气微，味淡。以根粗、质轻软、白色、干燥者为佳。

| **功能主治** | 合萌：甘、苦，寒。清热利湿，祛风明目，通乳。用于热淋，血淋，水肿，泄泻，疮疥，目赤肿痛，眼生云翳，夜盲，关节疼痛，产妇乳少。
合萌叶：甘，寒。解毒，消肿，止血。用于痈肿疮疡，创伤出血，毒蛇咬伤。
合萌根：甘、苦，寒。归肺、胃、膀胱经。清热利湿，消积，解毒。用于血淋，泄泻，痢疾，疳积，目昏，牙痛，疮疖。 |

| **用法用量** | 合萌：内服煎汤，15 ~ 30g。外用适量，煎汤熏洗；或捣敷。
合萌叶：内服捣汁，60 ~ 90g。外用适量，研末调涂；或捣敷。
合萌根：内服煎汤，9 ~ 15g。外用适量，捣敷。 |

豆科 Leguminosae 紫穗槐属 Amorpha

紫穗槐
Amorpha fruticosa Linn.

| **植物别名** | 椒条、棉条、紫花槐。

| **药 材 名** | 紫穗槐（药用部位：花、种子）、紫穗槐叶（药用部位：叶）。

| **形态特征** | 落叶灌木，丛生，高 1 ~ 4m。小枝灰褐色，被疏毛，后变无毛，嫩枝密被短柔毛。叶互生，奇数羽状复叶，长 10 ~ 15cm，有小叶 11 ~ 25，基部有线形托叶；叶柄长 1 ~ 2cm；小叶卵形或椭圆形，长 1 ~ 4cm，宽 0.6 ~ 2cm，先端圆形，锐尖或微凹，有一短而弯曲的尖刺，基部宽楔形或圆形，上面无毛或被疏毛，下面有白色短柔毛，具黑色腺点。穗状花序常 1 至数个顶生或枝端腋生，长 7 ~ 15cm，密被短柔毛；花有短梗；苞片长 3 ~ 4mm；花萼长 2 ~ 3mm，被疏毛或几无毛，萼齿三角形，较萼筒短；旗瓣心形，紫色，无翼瓣和龙骨瓣；雄蕊 10，下部合生成鞘，上部分裂，包于旗瓣之中，伸出

紫穗槐

花冠外。荚果下垂，长6～10mm，宽2～3mm，微弯曲，先端具小尖，棕褐色，表面有凸起的疣状腺点。花果期5～10月。

| **生境分布** | 生于路边、沟边、林缘。以长白山区为主要分布区域，分布于吉林延边、白山、通化、长春、吉林、辽源（东丰）、松原（宁江）等。吉林各地的河岸、河堤、沙地、山坡及铁路沿线均有栽培。

| **资源情况** | 野生资源丰富。吉林广泛栽培。药材主要来源于栽培。

| **采收加工** | 紫穗槐：夏、秋季花开放或花蕾形成时采收，及时干燥，除去枝、梗、杂质。

秋季果实成熟时采收，去壳，收集种子，晒干。

紫穗槐叶：夏、秋季采收叶，除去枝、梗，干燥。

| **药材性状** | 紫穗槐：本品穗状花序长 7 ~ 15cm，有短梗，花萼具疏毛或几无毛，萼齿三角形，较萼筒短，旗瓣心形，紫色。气微，味淡。

紫穗槐叶：本品卵形或椭圆形，具短柄，长 1 ~ 2cm。表面绿色，先端圆形，锐尖或微凹，基部宽楔形或圆形。质脆，易碎。气微，味淡。

| **功能主治** | 清热解毒，祛湿消肿。用于痈疮，烫火伤，湿疹。

豆科 Leguminosae 两型豆属 Amphicarpaea

两型豆
Amphicarpaea edgeworthii Benth.

两型豆

| 植物别名 |

三籽两型豆、阴阳豆、落豆秧。

| 药 材 名 |

两型豆（药用部位：全草或根、种子）。

| 形态特征 |

一年生缠绕草本。茎纤细，长 0.3 ~ 1.3m，被淡褐色柔毛。叶具羽状 3 小叶；托叶小，披针形或卵状披针形，长 3 ~ 4mm，具明显线纹；叶柄长 2 ~ 5.5cm；小叶薄纸质或近膜质，顶生小叶菱状卵形或扁卵形，长 2.5 ~ 5.5cm，宽 2 ~ 5cm，稀更大或更宽，先端钝或有时短尖，常具细尖头，基部圆形、宽楔形或近截平，上面绿色，下面淡绿色，两面常被贴伏的柔毛，基出脉 3，纤细，小叶柄短；小托叶极小，常早落，侧生小叶稍小，常偏斜。花二型，生在茎上部的为正常花，排成腋生的短总状花序，有花 2 ~ 7，各部被淡褐色长柔毛；苞片近膜质，卵形至椭圆形，长 3 ~ 5mm，具线纹多条，腋内通常具花 1；花梗纤细，长 1 ~ 2mm；花萼管状，5 裂，裂片不等；花冠淡紫色或白色，长 1 ~ 1.7cm，各瓣近等长，旗瓣倒卵形，具瓣柄，两侧具内弯的耳，翼瓣长圆形，亦

具瓣柄和耳，龙骨瓣与翼瓣近似，先端钝，具长瓣柄；雄蕊二体，子房被毛。另生于下部的为闭锁花，无花瓣，柱头弯至与花药接触，子房伸入地下结实。荚果二型；生于茎上部的完全花结的荚果为长圆形或倒卵状长圆形，长 2 ~ 3.5cm，宽约 6mm，扁平，微弯，被淡褐色柔毛，背、腹缝线上的毛较密；种子 2 ~ 3，肾状圆形，黑褐色，种脐小；由闭锁花伸入地下结的荚果呈椭圆形或近球形，不开裂，内含 1 种子。花果期 8 ~ 11 月。

| 生境分布 | 生于山坡路旁或旷野草地上。以长白山区为主要分布区域，分布于吉林延边、白山、通化、吉林、辽源（东丰、东辽）、四平（梨树）、松原（扶余）等。

| 资源情况 | 野生资源较少。药材主要来源于野生。

| 采收加工 | 秋季采挖根，除去泥土、须根，晒干。夏末秋初果实成熟时采割植株，晒干，搓出种子，除去杂质，再分别晒干。

| 药材性状 | 本品种子球形或椭圆形，直径 0.5 ~ 1.2cm。种皮黑色或黑棕色，带有白色斑点，不易剥离，表面粗糙，有一明显的纵横纹。气微，味淡，嚼之有豆腥味。

| 功能主治 | 全草，用于体虚，自汗，盗汗，疮疖。根，消食，解毒。用于消化不良。种子，用于带下。

豆科 Leguminosae 落花生属 Arachis

落花生 *Arachis hypogaea* Linn.

| **植物别名** | 长生果、番豆、地豆。

| **药 材 名** | 落花生（药用部位：种子。别名：花生、落花参、番豆）、花生壳（药用部位：果实的荚壳）、花生衣（药用部位：种皮。别名：花生皮）、落花生枝叶（药用部位：茎叶。别名：花生茎叶）。

| **形态特征** | 一年生草本。根部有丰富的根瘤。茎直立或匍匐，长 30 ～ 80cm，茎和分枝均有棱，被黄色长柔毛，后变无毛。叶通常具小叶 2 对；托叶长 2 ～ 4cm，具纵脉纹，被毛；叶柄基部抱茎，长 5 ～ 10cm，被毛；小叶纸质，卵状长圆形至倒卵形，长 2 ～ 4cm，宽 0.5 ～ 2cm，先端钝圆形，有时微凹，具小刺尖头，基部近圆形，全缘，两面被毛，边缘具睫毛；侧脉每边约 10；叶脉边缘互相联结成网状；小叶柄长 2 ～ 5mm，被黄棕色长毛。花长约 8mm；苞片 2，披针形；小苞片披

落花生

针形，长约 5mm，具纵脉纹，被柔毛；萼管细，长 4 ~ 6cm；花冠黄色或金黄色，
旗瓣直径 1.7cm，开展，先端凹入；翼瓣与龙骨瓣分离，翼瓣长圆形或斜卵形，
细长；龙骨瓣长卵状圆形，内弯，先端渐狭成喙状，龙骨瓣较翼瓣短；花柱延伸
于萼管咽部之外，柱头顶生，小，疏被柔毛。荚果长 2 ~ 5cm，宽 1 ~ 1.3cm，
膨胀，荚厚；种子横径 0.5 ~ 1cm。花果期 6 ~ 8 月。

| **生境分布** | 生于气候温暖、雨量适中的砂壤土。吉林无野生分布。吉林各地均有栽培。

| **资源情况** | 吉林西部地区广泛栽培。药材主要来源于栽培。

| **采收加工** | 落花生：秋末挖取果实，剥去果壳，取种子晒干，俗称"花生米"。
花生壳：秋末挖取果实，剥取果壳，晒干。
花生衣：除去残留花生仁等杂质，筛去灰屑，晒干。
落花生枝叶：夏、秋季采收茎叶，洗净，鲜用或切碎晒干。

| **药材性状** | 落花生：本品呈短圆柱形或一端较平截，长 0.5 ~ 1.5cm，直径 0.5 ~ 0.8cm。
种皮棕色或淡棕红色，不易剥离，子叶 2，类白色，油润，中间有胚芽。气微，
味淡，嚼之有豆腥味。
花生衣：本品呈极薄碎片状，大小不一。外表面淡红色、红黄色、深红色、紫
红色，具有纵向棱线；内表面浅黄棕色或黄白色，较光滑，脉纹明显。质轻易碎。

气微，味涩、微苦。

| **功能主治** | 落花生：甘，平。归脾、肺经。健脾养胃，润肺化痰。用于脾虚不运，反胃不舒，乳妇奶少，脚气，肺燥咳嗽，大便燥结。

花生壳：淡、涩，平。敛肺止咳。用于久咳气喘，咳痰带血。

花生衣：甘、微苦、涩，平。归脾、肝、肺经。凉血止血，散瘀。用于多种血热出血。

落花生枝叶：甘、淡，平。归肝经。清热解毒，宁神，降血压。用于跌打损伤，痈肿疮毒，失眠，高血压。

| **用法用量** | 落花生：内服煎汤，30 ～ 100g；生研冲汤，每次 10 ～ 15g；炒熟或煮熟食，30 ～ 60g。

花生壳：内服煎汤，9 ～ 30g。

花生衣：内服煎汤，10 ～ 30g。

落花生枝叶：内服煎汤，30 ～ 60g。外用适量，鲜品捣敷。

| **附　注** | 花生衣已被列入 2019 年版《吉林省中药材标准》第二册。

豆科 Leguminosae 黄耆属 Astragalus

斜茎黄耆 *Astragalus adsurgens* Pall.

| **植物别名** | 直立黄芪、马拌肠、沙打旺。

| **药 材 名** | 斜茎黄芪（药用部位：种子）。

| **形态特征** | 多年生草本，高 20 ~ 100cm。根较粗壮，暗褐色，有时有长主根。茎多数或数个丛生，直立或斜上，有毛或近无毛。羽状复叶有 9 ~ 25 小叶，叶柄较叶轴短；托叶三角形，渐尖，基部稍合生或有时分离，长 3 ~ 7mm；小叶长圆形、近椭圆形或狭长圆形，长 10 ~ 25（~ 35）mm，宽 2 ~ 8mm，基部圆形或近圆形，有时稍尖，上面疏被伏贴毛，下面较密。总状花序长圆柱状、穗状，稀近头状，生多数花，排列密集，有时较稀疏；总花梗生于茎的上部，较叶长或与其等长；花梗极短；苞片狭披针形至三角形，先端尖；花萼管状钟形，长 5 ~ 6mm，被黑褐色或白色毛，或有时被黑白混生毛，萼齿

斜茎黄耆

狭披针形，长为萼筒的 1/3；花冠近蓝色或红紫色，旗瓣长 11 ～ 15mm，倒卵圆形，先端微凹，基部渐狭，翼瓣较旗瓣短，瓣片长圆形，与瓣柄等长，龙骨瓣长 7 ～ 10mm，瓣片较瓣柄稍短；子房被密毛，有极短的柄。荚果长圆形，长 7 ～ 18mm，两侧稍扁，背缝凹入成沟槽，先端具下弯的短喙，被黑色、褐色或与白色混生毛，假 2 室。花期 6 ～ 8 月，果期 8 ～ 10 月。

| 生境分布 | 生于向阳山坡、灌丛、林缘、草地、路边。吉林各地均有分布。

| 资源情况 | 野生资源较丰富。药材主要来源于野生。

| 采收加工 | 秋末冬初果实成熟但尚未开裂时采割植株，晒干，搓出种子，除去杂质，再晒干。

| 功能主治 | 补肝肾，固精，明目。用于肝肾不足，腰膝酸痛，遗精早泄，小便频数，遗尿，尿血。

| 附　　注 | （1）在 FOC 中，本种的拉丁学名被修订为 *Astragalus laxmannii* Jacquin。
（2）本种为吉林省 Ⅲ 级重点保护野生植物。

豆科 Leguminosae 黄耆属 Astragalus

华黄耆

Astragalus chinensis L. f.

| 植物别名 | 地黄芪。

| 药 材 名 | 华黄芪子（药用部位：种子。别名：沙苑蒺藜子、潼蒺藜、沙蒺藜）。

| 形态特征 | 多年生草本，高 30 ～ 90cm。茎直立，通常单一，无毛，具深沟槽。奇数羽状复叶，具 17 ～ 25 小叶，长 5 ～ 12cm；叶柄长 1 ～ 2cm；托叶离生，基部与叶柄稍贴生，披针形，长 7 ～ 11mm，无毛或下面有白色短柔毛；小叶椭圆形至长圆形，长 1.5 ～ 2.5cm，宽 4 ～ 9mm，先端钝圆，具小尖头，基部宽楔形或近圆形，上面无毛，下面疏被白色伏毛，稀近无毛。总状花序生多数花，稍密集；总花梗上部腋生，较叶短；苞片披针形，膜质，长 2 ～ 3mm；花梗长 4 ～ 5mm，连同花序轴散生白色柔毛；花萼管状钟形，长 6 ～ 7mm，外面疏被白色伏毛，萼齿三角状披针形，长约 2mm，内

华黄耆

面被伏贴的白色短柔毛；小苞片披针形；花冠黄色，旗瓣宽椭圆形或近圆形，长12～16mm，先端微凹，基部渐狭成瓣柄，翼瓣小，长9～12mm，瓣片长圆形，宽约2mm，先端钝尖，基部具短耳，瓣柄长4～5mm，龙骨瓣与旗瓣近等长，瓣片半卵形，瓣柄长约为瓣片的1/2；子房无毛，具长柄。荚果椭圆形，长10～15mm，宽5～6mm，膨胀，先端具长约1mm的弯喙，无毛，密布模皱纹，果瓣坚厚，假2室，果颈长6～9mm；种子肾形，长2.5～3mm，褐色。花期6～7月，果期7～8月。

| **生境分布** | 生于砂石地、干山坡、沙丘、草原、草甸、河岸。分布于吉林白城（镇赉、大安）、长春（德惠）、四平（双辽）等。

| **资源情况** | 野生资源较少。药材主要来源于野生。

| **采收加工** | 夏末秋初果实成熟时采割植株，晒干，搓出种子，除去杂质，晒干。

| **药材性状** | 本品呈较规则的肾形，颗粒饱满，长2～2.8mm，宽1.8～2mm。表面暗绿色或棕绿色，光滑。腹面中央微凹陷处有种脐。质坚硬，不易破碎。气微，味淡。以饱满、均匀者为佳。

| **功能主治** | 甘，温。归肝、肾经。补肝肾，固精，明目。用于肝肾不足，腰膝酸痛，目昏，遗精早泄，小便频数，遗尿，尿血，带下。

| **用法用量** | 内服煎汤，9～15g；或入丸、散。

豆科 Leguminosae 黄耆属 Astragalus

背扁黄耆 *Astragalus complanatus* Bunge

| 植物别名 | 扁茎黄芪。

| 药 材 名 | 沙苑子（药用部位：种子。别名：潼蒺藜）。

| 形态特征 | 主根圆柱状，长达 1m。茎平卧，单一至多数，长 20 ～ 100cm，有棱，无毛或疏被粗短硬毛，分枝。羽状复叶具 9 ～ 25 小叶；托叶离生，披针形，长 3mm；小叶椭圆形或倒卵状长圆形，长 5 ～ 18mm，宽 3 ～ 7mm，先端钝或微缺，基部圆形，上面无毛，下面疏被粗伏毛，小叶柄短。总状花序生 3 ～ 7 花，较叶长；总花梗长 1.5 ～ 6cm，疏被粗伏毛；苞片钻形，长 1 ～ 2mm；花梗短；小苞片长 0.5 ～ 1mm；花萼钟状，被灰白色或白色短毛，萼筒长 2.5 ～ 3mm，萼齿披针形，与萼筒近等长；花冠乳白色或带紫红色，旗瓣长 10 ～ 11mm，宽 8 ～ 9mm，瓣片近圆形，长 7.5 ～ 8mm，先端微缺，基部突然收狭，

背扁黄耆

瓣柄长 2.7 ~ 3mm，翼瓣长 8 ~ 9mm，瓣片长圆形，长 6 ~ 7mm，宽 2 ~ 2.5mm，先端圆形，瓣柄长约 2.8mm，龙骨瓣长 9.5 ~ 10mm，瓣片近倒卵形，长 7 ~ 7.5mm，宽 2.8 ~ 3mm，瓣柄长约 3mm；子房有柄，密被白色粗伏毛，柄长 1.2 ~ 1.5mm，柱头被簇毛。荚果略膨胀，狭长圆形，长达 35mm，宽 5 ~ 7mm，两端尖，背腹压扁，微被褐色短粗伏毛，有网纹，果颈不露出宿萼外；种子淡棕色，肾形，长 1.5 ~ 2mm，宽 2.8 ~ 3mm，平滑。花期 7 ~ 9 月，果期 8 ~ 10 月。

| 生境分布 | 生于林缘、沟岸、干草场、草地、路边。分布于吉林白城（镇赉、通榆、洮南）、松原（长岭、前郭尔罗斯）等。

| 资源情况 | 野生资源较少。药材主要来源于野生。

| 采收加工 | 秋末冬初，当种子成熟而果实尚未开裂时，割取地上部分，晒干脱粒，去净杂质，再晒干。

| 药材性状 | 本品呈肾形而稍扁，长 2 ~ 2.5mm，宽 1.5 ~ 2mm，厚约 1mm。表面褐绿色或灰褐绿色，光滑，边缘上一侧凹陷处有明显蝗种脐。质坚硬，除去种皮可见淡黄色子叶 2 片，胚根弯曲，长约 1mm。气微，味淡，嚼之有豆腥味。

| 功能主治 | 甘，温。归肝、肾经。补肾助阳，固精缩尿，养肝明目。用于肾虚腰痛，遗精早泄，遗尿尿频，白浊带下，眩晕，目暗昏花。

| 用法用量 | 内服煎汤，9 ~ 15g。

豆科 Leguminosae | 黄耆属 Astragalus

达乌里黄耆
Astragalus dahuricus (Pall.) DC.

| 植物别名 | 兴安黄芪。

| 药材名 | 达乌里黄芪（药用部位：种子）。

| 形态特征 | 一年生或二年生草本，被开展、白色柔毛。茎直立，高达 80cm，分枝，有细棱。羽状复叶有 11 ~ 19（~ 23）小叶，长 4 ~ 8cm；叶柄长不及 1cm；托叶分离，狭披针形或钻形，长 4 ~ 8mm；小叶长圆形、倒卵状长圆形或长圆状椭圆形，长 5 ~ 20mm，宽 2 ~ 6mm，先端圆或略尖，基部钝或近楔形，小叶柄长不及 1mm。总状花序较密，生 10 ~ 20 花，长 3.5 ~ 10cm；总花梗长 2 ~ 5cm；苞片线形或刚毛状，长 3 ~ 4.5mm；花梗长 1 ~ 1.5mm；花萼斜钟状，长 5 ~ 5.5mm，萼筒长 1.5 ~ 2mm，萼齿线形或刚毛状，上边 2 齿较萼部短，下边 3 齿较长（长达 4mm）；花冠紫色，旗瓣近倒卵

达乌里黄耆

形，长 12～14mm，宽 6～8mm，先端微缺，基部宽楔形，翼瓣长约 10mm，瓣片弯长圆形，长约 7mm，宽 1～1.4mm，先端钝，基部耳向外伸，瓣柄长约 3mm，龙骨瓣长约 13mm，瓣片近倒卵形，长 8～9mm，宽 2～2.5mm，瓣柄长约 4.5mm；子房有柄，被毛，柄长约 1.5mm。荚果线形，长 1.5～2.5cm，宽 2～2.5mm，先端凸尖喙状，直立，内弯，具横脉，假 2 室，含 20～30 种子，果颈短，长 1.5～2mm；种子淡褐色或褐色，肾形，长约 1mm，宽约 1.5mm，有斑点，平滑。花期 7～9 月，果期 8～10 月。

| **生境分布** | 生于山坡、河滩、草甸、草地。以长白山区为主要分布区域，分布于吉林延边、白山、通化、吉林、辽源（东丰、东辽）、松原（乾安）、白城（通榆）、松原（宁江）等。

| **资源情况** | 野生资源较少。药材主要来源于野生。

| **采收加工** | 果实成熟时采割植株，晒干，搓出种子，晒干。

| **功能主治** | 甘，温。补肾益肝，固精明目。用于肝肾亏虚，遗精，目暗昏花。

豆科 Leguminosae 黄耆属 Astragalus

乳白黄耆 *Astragalus galactites* Pall.

| 植物别名 | 白花黄芪。

| 药 材 名 | 乳白黄芪（药用部位：全草）。

| 形态特征 | 多年生草本，高 5 ~ 15cm。根粗壮。茎极短缩。羽状复叶有 9 ~ 37
小叶；叶柄较叶轴短；托叶膜质，密被长柔毛，下部与叶柄贴生，上
部卵状三角形；小叶长圆形或狭长圆形，稀为披针形或近椭圆形，
长 8 ~ 18mm，宽 1.5 ~ 6mm，先端稍尖或钝，基部圆形或楔形，
上面无毛，下面被白色伏贴毛。花生于基部叶腋，通常 2 花簇生；
苞片披针形或线状披针形，长 5 ~ 9mm，被白色长毛；花萼管状钟
形，长 8 ~ 10mm，萼齿线状披针形或近丝状，与萼筒等长或比萼
筒稍短，密被白色长绵毛；花冠乳白色或稍带黄色，旗瓣狭长圆形，
长 20 ~ 28mm，先端微凹，中部稍缢缩，下部渐狭成瓣柄，翼瓣较

乳白黄芪

旗瓣稍短，瓣片先端有时 2 浅裂，瓣柄长为瓣片的 2 倍，龙骨瓣长 17 ~ 20mm，瓣片短，长约为瓣柄的一半；子房无柄，有毛，花柱细长。荚果小，卵形或倒卵形，先端有喙，1 室，长 4 ~ 5mm，通常不外露，后期宿萼脱落，幼果有时密被白毛，后渐脱落。种子通常 2。花期 5 ~ 6 月，果期 6 ~ 8 月。

| 生境分布 |　生于草原砂壤土或向阳山坡。分布于吉林白城等。

| 资源情况 |　野生资源稀少。药材主要来源于野生。

| 采收加工 |　夏、秋季采收，除去杂质，晒干。

| 功能主治 |　利水消肿，清脾肺热。用于腹水，肠痛。

豆科 Leguminosae 黄耆属 *Astragalus*

草木樨状黄耆
Astragalus melilotoides Pall.

| 药 材 名 | 草木樨状黄芪（药用部位：全草或种子）。

| 形态特征 | 多年生草本。主根粗壮。茎直立或斜生，高 30 ~ 50cm，多分枝，具条棱，被白色短柔毛或近无毛。羽状复叶有 5 ~ 7 小叶，长 1 ~ 3cm；叶柄与叶轴近等长；托叶离生，三角形或披针形，长 1 ~ 1.5mm；小叶长圆状楔形或线状长圆形，长 7 ~ 20mm，宽 1.5 ~ 3mm，先端截形或微凹，基部渐狭，具极短的柄，两面均被白色细伏贴柔毛。总状花序生多数花，稀疏；总花梗远较叶长；花小；苞片小，披针形，长约 1mm；花梗长 1 ~ 2mm，连同花序轴均被白色短伏贴柔毛；花萼短钟状，长约 1.5mm，被白色短伏贴柔毛，萼齿三角形，较萼筒短；花冠白色或带粉红色，旗瓣近圆形或宽椭圆形，长约 5mm，先端微凹，基部具短瓣柄，翼瓣较旗瓣稍短，先端有不等的 2 裂或

草木樨状黄耆

微凹，基部具短耳，瓣柄长约1mm，龙骨瓣较翼瓣短，瓣片半月形，先端带紫色，瓣柄长为瓣片的1/2；子房近无柄，无毛。荚果宽倒卵状球形或椭圆形，先端微凹，具短喙，长2.5～3.5mm，假2室，背部具稍深的沟，有横纹；种子4～5，肾形，暗褐色，长约1mm。花期7～8月，果期8～9月。

| **生境分布** | 生于向阳山坡、路旁草地、草甸。分布于吉林白城（通榆、镇赉、洮南、大安）、松原（前郭尔罗斯、长岭）等。

| **资源情况** | 野生资源较少。药材主要来源于野生。

| **采收加工** | 夏、秋季采收全草，晒干。夏、秋季果实成熟时采割植株，晒干，搓出种子，除去杂质，再晒干。

| **功能主治** | 全草，甘，温。祛风湿。用于风湿关节痛，四肢麻木。种子，补肾益肝，固精明目。用于腰膝酸软，遗精滑精，目暗不明。

豆科 Leguminosae 黄耆属 *Astragalus*

细叶黄耆

Astragalus melilotoides Pall. var. *tenuis* Ledeb.

| 药 材 名 | 细叶黄芪（药用部位：全草或种子）。

| 形态特征 | 多年生草本。主根粗壮。茎直立或斜生，高 30 ~ 50cm，多分枝，呈
扫帚状。小叶 3，稀 5，狭线形或丝状；叶柄与叶轴近等长；托叶离
生，三角形或披针形，长 1 ~ 1.5mm；小叶长圆状楔形或线状长圆形，
长 7 ~ 20mm，宽 1.5 ~ 3mm，先端截形或微凹，基部渐狭，具极
短的柄，两面均被白色细伏贴柔毛。总状花序生多数花，稀疏；总
花梗远较叶长；花小；苞片小，披针形，长约 1mm；花梗长 1 ~ 2mm，
连同花序轴均被白色短伏贴柔毛；花萼短钟状，长约 1.5mm，被白
色短伏贴柔毛，萼齿三角形，较萼筒短；花冠白色或带粉红色，旗
瓣近圆形或宽椭圆形，长约 5mm，先端微凹，基部具短瓣柄，翼
瓣较旗瓣稍短，先端有不等的 2 裂或微凹，基部具短耳，瓣柄长约

细叶黄耆

1mm，龙骨瓣较翼瓣短，瓣片半月形，先端带紫色，瓣柄长为瓣片的 1/2；子房近无柄，无毛。荚果宽倒卵状球形或椭圆形，先端微凹，具短喙，长 2.5 ~ 3.5mm，假 2 室，背部具稍深的沟，有横纹；种子 4 ~ 5，肾形，暗褐色，长约 1mm。花期 7 ~ 8 月，果期 8 ~ 9 月。

生境分布

生于山坡、路旁草地、草原、草甸。分布于吉林白城、松原、四平等。

资源情况

野生资源较少。药材主要来源于野生。

采收加工

夏、秋季采收全草，晒干。果实成熟时采割植株，晒干，搓出种子，除去杂质，再晒干。

功能主治

祛风，止痛。用于痹证。

豆科 Leguminosae 黄耆属 Astragalus

糙叶黄耆 *Astragalus scaberrimus* Bunge

| **植物别名** | 春黄芪。

| **药 材 名** | 糙叶黄芪（药用部位：根）。

| **形态特征** | 多年生草本，密被白色伏贴毛。根茎短缩，多分枝，木质化；地上茎不明显或极短，有时伸长而匍匐。羽状复叶有 7 ~ 15 小叶，长5 ~ 17cm；叶柄与叶轴等长或比叶轴稍长；托叶下部与叶柄贴生，长 4 ~ 7mm，上部呈三角形至披针形；小叶椭圆形或近圆形，有时披针形，长 7 ~ 20mm，宽 3 ~ 8mm，先端锐尖、渐尖，有时稍钝，基部宽楔形或近圆形，两面密被伏贴毛。总状花序生 3 ~ 5 花，排列紧密或稍稀疏；总花梗极短或长达数厘米，腋生；花梗极短；苞片披针形，较花梗长；花萼管状，长 7 ~ 9mm，被细伏贴毛，萼齿线状披针形，与萼筒等长或比萼筒稍短；花冠淡黄色或白色，旗瓣

糙叶黄耆

倒卵状椭圆形，先端微凹，中部稍缢缩，下部稍狭成不明显的瓣柄，翼瓣较旗瓣短，瓣片长圆形，先端微凹，较瓣柄长，龙骨瓣较翼瓣短，瓣片半长圆形，与瓣柄等长或比瓣柄稍短；子房有短毛。荚果披针状长圆形，微弯，长 8 ~ 13mm，宽 2 ~ 4mm，具短喙，背缝线凹入，革质，密被白色伏贴毛，假 2 室。花期 4 ~ 8月，果期 5 ~ 9 月。

| **生境分布** | 生于砂石山坡、沙丘、河岸。分布于吉林白城（通榆、镇赉、洮南、大安）、松原（前郭尔罗斯、长岭、乾安）、四平（双辽）等。

| **资源情况** | 野生资源较丰富。药材主要来源于野生。

| **采收加工** | 秋季采挖，洗净，除去杂质，晒干。

| **功能主治** | 补肾益肝，固精明目。用于肝肾亏虚，腰膝酸软，目昏。

豆科 Leguminosae 黄耆属 *Astragalus*

湿地黄耆 *Astragalus uliginosus* L.

| 药 材 名 | 湿地黄芪（药用部位：根）。

| 形态特征 | 多年生草本，高30～100cm。茎单一或数个丛生，直立，被白色伏贴毛。羽状复叶有15～23小叶，长10～18cm，有短柄；托叶下部连合，茎上部的卵状披针形，下部的卵状三角形；小叶椭圆形至长圆形，长20～30mm，宽5～15mm，先端钝圆或稍尖，常具刺状小尖头，基部通常圆形，上面无毛，下面被白色伏贴毛。总状花序生多数、紧密排列、下垂的花；总花梗较叶稍短；苞片卵状披针形，较萼短或与萼近等长，膜质，疏被黑色伏贴毛，稀混生少数白色毛；花萼管状，长7～11mm，被较密黑色伏贴毛，有时混生少量白色毛，萼齿线状披针形，长约为萼筒的1/2；花冠苍白绿色或稍带黄色，旗瓣宽椭圆形，长13～15mm，先端微凹，基部渐狭成短瓣柄，翼

湿地黄耆

瓣较旗瓣短，瓣片与瓣柄近等长，线状长圆形，龙骨瓣较翼瓣短，瓣柄较瓣片稍短；子房无毛。荚果长圆形，长 9 ~ 13mm，膨胀，斜立，背缝线凹入，表面无毛，具细横纹，革质，假 2 室。花期 6 ~ 7 月，果期 8 ~ 9 月。

| **生境分布** | 生于林缘、林间湿地、河边草地、沼泽地带。以长白山区为主要分布区域，分布于吉林延边、白山、通化、长春、吉林、辽源（东丰）。

| **资源情况** | 野生资源较少。药材主要来源于野生。

| **采收加工** | 秋季茎叶枯萎时采挖，除去泥土及须根，干燥。

| **功能主治** | 清肝明目。用于肝火上升，目赤肿痛，视物昏花，畏光流泪。

| **附　注** | 本种为吉林省 III 级重点保护野生植物。

豆科 Leguminosae 锦鸡儿属 *Caragana*

树锦鸡儿 *Caragana arborescens* Lam.

| 植物别名 | 蒙古锦鸡儿。

| 药材名 | 树锦鸡儿（药用部位：根皮。别名：骨担草、树金鸡儿）。

| 形态特征 | 小乔木或大灌木，高 2 ～ 6m。老枝深灰色，平滑，稍有光泽，小枝有棱，幼时被柔毛，绿色或黄褐色。羽状复叶有 4 ～ 8 对小叶；托叶针刺状，长 5 ～ 10mm，长枝者脱落，极少宿存；叶轴细瘦，长 3 ～ 7cm，幼时被柔毛；小叶长圆状倒卵形、狭倒卵形或椭圆形，长 1 ～ 2（～ 2.5）cm，宽 5 ～ 10mm，先端圆钝，具刺尖，基部宽楔形，幼时被柔毛，或仅下面被柔毛。花梗 2 ～ 5 簇生，每梗 1 花，长 2 ～ 5cm，关节在上部，苞片小，刚毛状；花萼钟状，长 6 ～ 8mm，宽 7 ～ 8mm，萼齿短宽；花冠黄色，长 16 ～ 20mm，旗瓣菱状宽卵形，宽与长近相等，先端圆钝，具短瓣柄，翼瓣长圆形，较旗瓣

树锦鸡儿

稍长，瓣柄长为瓣片的 3/4，耳距状，长不及瓣柄的 1/3，龙骨瓣较旗瓣稍短，瓣柄较瓣片略短，耳钝或略呈三角形；子房无毛或被短柔毛。荚果圆筒形，长 3.5 ~ 6cm，直径 3 ~ 6.5mm，先端渐尖，无毛。花期 5 ~ 6 月，果期 8 ~ 9 月。

| **生境分布** | 生于林间、林缘。分布于吉林通化（集安、柳河、辉南）、长春（九台）、四平（伊通）等。吉林部分地区有栽培。

| **资源情况** | 野生资源较少。药材主要来源于栽培。

| **采收加工** | 秋季采挖根，剥取根皮，洗净切丝，晒干。

| **功能主治** | 甘、微辛，平。滋养，通乳，利尿，祛风湿。用于月经不调，宫颈癌，乳腺癌，脚气病，带下，乳汁不通，四肢麻木浮肿。

| **用法用量** | 内服煎汤，15 ~ 30g。

豆科 Leguminosae 锦鸡儿属 Caragana

小叶锦鸡儿 *Caragana microphylla* Lam.

| **植物别名** | 雪里洼。

| **药材名** | 柠鸡儿（药用部位：果实。别名：猴獠刺）。

| **形态特征** | 灌木，高 1 ~ 2（~ 3）m。老枝深灰色或黑绿色，嫩枝被毛，直立或弯曲。羽状复叶有 5 ~ 10 对小叶；托叶长 1.5 ~ 5cm，脱落；小叶倒卵形或倒卵状长圆形，长 3 ~ 10mm，宽 2 ~ 8mm，先端圆或钝，很少凹入，具短刺尖，幼时被短柔毛。花梗长约 1cm，近中部具关节，被柔毛；花萼管状钟形，长 9 ~ 12mm，宽 5 ~ 7mm，萼齿宽三角形；花冠黄色，长约 25mm，旗瓣宽倒卵形，先端微凹，基部具短瓣柄，翼瓣的瓣柄长为瓣片的 1/2，耳短，齿状；龙骨瓣的瓣柄与瓣片近等长，耳不明显，基部截平；子房无毛。荚果圆筒形，稍扁，长 4 ~ 5cm，宽 4 ~ 5mm，具锐尖头。花期 5 ~ 6 月，果期 7 ~ 8 月。

小叶锦鸡儿

| 生境分布 | 生于半固定沙地。分布于吉林白城、松原等。

| 资源情况 | 野生资源较少。药材主要来源于野生。

| 采收加工 | 夏季采收，除去杂质，晒干。

| 功能主治 | 苦，寒。清热解毒，滋阴养血。用于咽喉痛，月经不调，宫颈癌，乳腺癌，高血压，头晕，心慌气短，四肢无力，疲乏。

豆科 Leguminosae 决明属 Cassia

豆茶决明 *Cassia nomame* (Sieb.) Kitagawa

| **植物别名** | 山扁豆、山野扁豆、含羞草决明。

| **药 材 名** | 水皂角（药用部位：全草。别名：山野扁豆、关门草、山扁豆）、水皂角子（药用部位：种子）。

| **形态特征** | 一年生草本，株高 30 ~ 60cm，稍有毛，分枝或不分枝。叶长 4 ~ 8cm，有小叶 8 ~ 28 对，在叶柄的上端有黑褐色、盘状、无柄腺体 1，小叶长 5 ~ 9mm，带状披针形，稍不对称。花生于叶腋，有柄，单生或 2 至数朵组成短的总状花序；萼片 5，分离，外面疏被柔毛；花瓣 5，黄色；雄蕊 4，有时 5；子房密被短柔毛。荚果扁平，有毛，开裂，长 3 ~ 8cm，宽约 5mm，有种子 6 ~ 12；种子扁，近菱形，平滑。

| **生境分布** | 生于山坡、原野的草丛中、林缘草地、路边。以长白山区为主要分布区域，分布于吉林延边、白山、通化、吉林、辽源（东丰）等。

豆茶决明

| 资源情况 |

野生资源较少。药材主要来源于野生。

| 采收加工 |

水皂角：夏季采收全草，除去杂质，晒干。

水皂角子：秋季种子成熟时采收，除去杂质，晒干。

| 药材性状 |

水皂角：本品茎呈圆柱形，分枝或不分枝；表面棕黄色，基部灰黑色，有纵纹，疣状皮孔黄白色；质硬易折断，断面色白，松泡中空。叶多卷缩，或脱落，棕绿色或灰绿色；质脆易碎。残存荚果呈棕褐色。气微，味淡。

| 功能主治 |

水皂角：甘、苦，平。清肝明目，健脾利湿，止咳化痰，清热利尿，润肠通便。用于慢性肾炎，咳嗽痰多，目花，夜盲，偏头痛，脚气病，黄疸，便秘。

水皂角子：补肝益肾，明目，消疳。用于小儿疳疾，夜盲，目翳。

| 用法用量 |

水皂角：内服煎汤，9 ～ 18g。

水皂角子：内服煎汤，15 ～ 50g；或炖猪肝服。

| 附 注 |

在 FOC 中，本种的拉丁学名被修订为 *Senna nomame* (Makino) T. C. Chen。

豆科 Leguminosae 决明属 Cassia

望江南
Cassia occidentalis Linn.

| **植物别名** | 野扁豆、狗屎豆、羊角豆。

| **药 材 名** | 望江南（药用部位：茎叶）。

| **形态特征** | 直立、少分枝的亚灌木或灌木，无毛，高 0.8 ~ 1.5m。枝带草质，有棱；根黑色。叶长约 20cm；叶柄近基部有大而带褐色、圆锥形的腺体 1；小叶 4 ~ 5 对，膜质，卵形至卵状披针形，长 4 ~ 9cm，宽 2 ~ 3.5cm，先端渐尖，有小缘毛；小叶柄长 1 ~ 1.5mm，揉之有腐败气味；托叶膜质，卵状披针形，早落。花数朵组成伞房状总状花序，腋生或顶生，长约 5cm；苞片线状披针形或长卵形，长渐尖，早脱；花长约 2cm；萼片不等大，外生的近圆形，长 6mm，内生的卵形，长 8 ~ 9mm；花瓣黄色，外生的卵形，长约 15mm，宽 9 ~ 10mm，其余的长可达 20mm，宽可达 15mm，先端圆形，均有短狭的瓣柄；

望江南

雄蕊7枚发育,3枚不育,无花药。荚果带状镰形,褐色,压扁,长10～13cm,宽8～9mm,稍弯曲,边颜色较淡,厚度增加,有尖头;果柄长1～1.5cm;种子30～40,种子间有薄隔膜。花期4～8月,果期6～10月。

| 生境分布 |

生于河边滩地、旷野、丘陵的灌木林或疏林中,亦常生于村边荒地。吉林无野生分布。吉林部分地区有栽培。

| 资源情况 |

吉林偶见栽培。药材主要来源于栽培。

| 采收加工 |

夏季植株生长旺盛时采收茎叶,阴干。鲜用者可随采随用。

| 功能主治 |

苦,寒。归肺、肝、胃经。肃肺,清肝,利尿,通便,解毒消肿。用于咳嗽气喘,头痛目赤,血淋,大便秘结,痈肿疮毒,蛇虫咬伤。

| 用法用量 |

内服煎汤,6～9g,鲜品15～30g;或捣汁。外用适量,鲜叶捣敷。

豆科 Leguminosae 决明属 *Cassia*

黄槐决明 *Cassia surattensis* Burm.

黄槐决明

|植物别名|

黄槐。

|药材名|

黄槐（药用部位：叶、花、果实、种子）。

|形态特征|

落叶灌木或小乔木，高 5 ~ 7m。分枝多，小枝有肋条；树皮颇光滑，灰褐色；嫩枝、叶轴、叶柄被微柔毛。叶长 10 ~ 15cm；叶轴及叶柄呈扁四方形，在叶轴上面最下部 2 或 3 对小叶之间和叶柄上部有棍棒状腺体 2 ~ 3；小叶 7 ~ 9 对，长椭圆形或卵形，长 2 ~ 5cm，宽 1 ~ 1.5cm，下面粉白色，被疏散、紧贴的长柔毛，全缘；小叶柄长 1 ~ 1.5mm，被柔毛；托叶线形，弯曲，长约 1mm，早落。总状花序生于枝条上部的叶腋内；苞片卵状长圆形，外被微柔毛，长 5 ~ 8mm；萼片卵圆形，大小不等，内生的长 6 ~ 8mm，外生的长 3 ~ 4mm，有 3 ~ 5 脉；花瓣鲜黄至深黄色，卵形至倒卵形，长 1.5 ~ 2cm；雄蕊 10，全部能育，最下 2 枚有较长自认花丝，花药长椭圆形，2 侧裂；子房线形，被毛。荚果扁平，带状，开裂，长 7 ~ 10cm，宽 8 ~ 12mm，先端具细长

的喙，果颈长约 5mm，果柄明显；种子 10 ～ 12，有光泽。花果期几全年。

| **生境分布** | 生于植物园、园林等。吉林无野生分布。吉林偶见栽培，常作绿篱和园林观赏植物。

| **资源情况** | 吉林偶见栽培。药材主要来源于栽培。

| **采收加工** | 全年均可采收叶；9 ～ 10 月采收花；果实成熟时采收果实，晒干；果实采摘后去除果肉及果核，将种子晒干。

| **功能主治** | 苦，寒；小毒。清热通便。用于肠燥便秘，痔疮出血。

| **用法用量** | 内服煎汤，6 ～ 15g。外用适量，煎汤洗。

豆科 Leguminosae 决明属 Cassia

决明 *Cassia tora* Linn.

决明

| 植物别名 |

小决明。

| 药 材 名 |

决明子（药用部位：种子。别名：草决明、
羊明）。

| 形态特征 |

一年生亚灌木状草本,直立、粗壮,高1～2m。
叶长 4～8cm；叶柄上无腺体；叶轴上每对
小叶间有棒状的腺体 1；小叶 3 对，膜质，
倒卵形或倒卵状长椭圆形，长 2～6cm，
宽 1.5～2.5cm，先端圆钝而有小尖头，基
部渐狭，偏斜，上面被稀疏柔毛，下面被柔
毛；小叶柄长 1.5～2mm；托叶线状，被柔
毛，早落。花腋生，通常 2 聚生；总花梗长
6～10mm；花梗长 1～1.5cm，丝状；萼片
稍不等大，卵形或卵状长圆形，膜质，外面
被柔毛，长约8mm；花瓣黄色，下面2片略长，
长 12～15mm，宽 5～7mm；能育雄蕊 7，
花药四方形，顶孔开裂，长约 4mm，花丝
短于花药；子房无柄，被白色柔毛。荚果纤
细，近四棱形，两端渐尖，长达 15cm，宽
3～4mm，膜质；种子约 25，菱形，光亮。
花果期 8～11 月。

| 生境分布 | 生于丘陵、路边、荒山、山坡疏林下。吉林无野生分布。吉林有栽培，常作绿篱和园林观赏植物。

| 资源情况 | 吉林有栽培。药材主要来源于栽培。

| 采收加工 | 秋季采收成熟果实，晒干，打下种子，除去杂质，再晒干种子。

| 药材性状 | 本品呈短圆柱形，两端平行倾斜，长 3 ~ 5mm，宽 2 ~ 3mm。表面绿棕色或暗棕色，平滑有光泽。一端较平坦，另一端斜尖，背腹面各有 1 突起的棱线，棱线两侧各有 1 片宽广的浅黄棕色带。质坚硬，不易破碎。种皮薄，子叶 2，黄色，呈 "S" 形折曲并重叠。气微，味微苦。

| 功能主治 | 甘、苦、咸，微寒。归肝、大肠经。清热明目，润肠通便。用于目赤涩痛，畏光多泪，头痛眩晕，目暗不明，大便秘结。

| 用法用量 | 内服煎汤，9 ~ 15g。

绣球小冠花 *Coronilla varia* Linn.

| **植物别名** | 多变小冠花、小冠花。

| **药材名** | 绣球小冠花（药用部位：种子）。

| **形态特征** | 多年生草本，茎直立，粗壮，多分枝，疏展，高 50 ~ 100cm。茎、小枝圆柱形，具条棱，髓心白色，幼时稀被白色短柔毛，后变无毛。奇数羽状复叶，具小叶 11 ~ 17 (~ 25)；托叶小，膜质，披针形，长 3mm，分离，无毛；叶柄短，长约 5mm，无毛；小叶薄纸质，椭圆形或长圆形，长 15 ~ 25mm，宽 4 ~ 8mm，先端具短尖头，基部近圆形，两面无毛；侧脉每边 4 ~ 5，可见，小脉不明显；小托叶小；小叶柄长约 1mm，无毛；伞形花序腋生，长 5 ~ 6cm，比叶短；总花梗长约 5cm，疏生小刺，花 5 ~ 10 (~ 20)，密集排列成绣球状，苞片 2，披针形，宿存；花梗短；小苞片 2，披针形，宿存；花萼膜

绣球小冠花

质，萼齿短于萼管；花冠紫色、淡红色或白色，有明显紫色条纹，长 8 ~ 12mm，旗瓣近圆形，翼瓣近长圆形；龙骨瓣先端成喙状，喙紫黑色，向内弯曲。荚果细长圆柱形，稍扁，具 4 棱，先端有宿存的喙状花柱，荚节长约 1.5cm，各荚节有种子 1；种子长圆状倒卵形，光滑，黄褐色，长约 3mm，宽约 1mm，种脐长 0.7mm。花期 6 ~ 7 月，果期 8 ~ 9 月。

| **生境分布** | 生于林缘、草坪等处，在瘠薄土壤中也能生长。分布于吉林白城、松原等。吉林东部地区有栽培。

| **资源情况** | 野生资源较少。药材主要来源于栽培。

| **采收加工** | 秋季果实成熟时采收，晒干，打下种子，除去杂质。

| **功能主治** | 镇惊安神，利尿脱毒。用于心悸，气短，全身水肿。

豆科 Leguminosae 猪屎豆属 Crotalaria

野百合
Crotalaria sessiliflora Linn.

| **植物别名** | 农吉利。

| **药 材 名** | 野百合（药用部位：全草。别名：野芝麻、山油麻）。

| **形态特征** | 一年生直立草本，体高 30 ~ 100cm。基部常木质，单株或茎上分枝，被紧贴、粗糙的长柔毛。托叶线形，长 2 ~ 3mm，宿存或早落；单叶，叶片形状常变异较大，通常为线形或线状披针形，两端渐尖，长 3 ~ 8cm，宽 0.5 ~ 1cm，上面近无毛，下面密被丝质短柔毛；叶柄近无。总状花序顶生、腋生或密生枝顶形似头状，亦有叶腋生出单花，花 1 到多数；苞片线状披针形，长 4 ~ 6mm，小苞片与苞片同形，成对生萼筒部基部；花梗短，长约 2mm；花萼二唇形，长 10 ~ 15mm，密被棕褐色长柔毛，萼齿阔披针形，先端渐尖；花冠蓝色或紫蓝色，包被萼内，旗瓣长圆形，长 7 ~ 10mm，宽 4 ~ 7mm，

野百合

先端钝或凹，基部具胼胝体 2，翼瓣长圆形或披针状长圆形，约与旗瓣等长，龙骨瓣中部以上变狭，形成长喙；子房无柄。荚果短圆柱形，长约 10mm，包被萼内，下垂紧贴于枝，秃净无毛；种子 10 ~ 15。花果期 5 月至翌年 2 月。

| 生境分布 | 生于海拔 70 ~ 1500m 的荒地、路旁、山谷草地。分布于吉林白山、通化等。

| 资源情况 | 野生资源较少。药材主要来源于野生。

| 采收加工 | 夏、秋季采集，鲜用或切断晒干。

| 药材性状 | 本品茎圆柱形，稍有分枝，表面灰绿色，密被灰白色茸毛。单叶互生，叶片多皱缩卷曲，完整者线形或线状披针形，暗绿色，下表面有柔毛，全缘。荚果长圆柱形，长 1 ~ 1.4cm，包于宿存花萼内，宿萼 5 裂，密被棕黄色或白色长毛；种子细小，肾形或心形而扁，成熟时棕色，有光泽。无臭，味淡。

| 功能主治 | 甘、淡，平。清热解毒，消肿止痛，破血除瘀。用于风湿麻痹，跌打损伤，疮毒，癣疥等。

| 附 注 | 本种为吉林省Ⅲ级重点保护野生植物。

豆科 Leguminosae 皂荚属 Gleditsia

山皂荚 *Gleditsia japonica* Miq.

山皂荚

| 植物别名 |

山皂角、荚果树。

| 药 材 名 |

山皂角（药用部位：果实。别名：山皂荚、
皂力板子）、山皂角刺（药用部位：棘刺。
别名：皂荚刺、皂刺、皂角针）。

| 形态特征 |

落叶乔木或小乔木，高达 25m。小枝紫褐色
或脱皮后呈灰绿色，微有棱，具分散的白色
皮孔，光滑无毛；刺略扁，粗壮，紫褐色至
棕黑色，常分枝，长 2 ~ 15.5cm。叶为一
回或二回羽状复叶（具羽片 2 ~ 6 对），长
11 ~ 25cm；小叶 3 ~ 10 对，纸质至厚纸
质，卵状长圆形或卵状披针形至长圆形，长
2 ~ 7（~ 9）cm，宽 1 ~ 3（~ 4）cm（二
回羽状复叶的小叶显著小于一回羽状复叶的
小叶），先端圆钝，有时微凹，基部阔楔形
或圆形，微偏斜，全缘或具波状疏圆齿，上
面被短柔毛或无毛，微粗糙，有时有光泽，
下面基部及中脉被微柔毛，老时毛脱落；网
脉不明显；小叶柄极短。花黄绿色，组成穗
状花序；花序腋生或顶生，被短柔毛，雄花
序长 8 ~ 20cm，雌花序长 5 ~ 16cm；雄花

直径 5 ~ 6mm，花托长 1.5mm，深棕色，外面密被褐色短柔毛，萼片 3 ~ 4，三角状披针形，长约 2mm，两面均被柔毛，花瓣 4，椭圆形，长约 2mm，被柔毛，雄蕊 6 ~ 8（~ 9）；雌花直径 5 ~ 6mm，花托长约 2mm，萼片和花瓣均为 4 ~ 5，形状与雄花的相似，长约 3mm，两面密被柔毛，不育雄蕊 4 ~ 8，子房无毛，花柱短，下弯，柱头膨大，2 裂，胚珠多数。荚果带形，扁平，长 20 ~ 35cm，宽 2 ~ 4cm，不规则旋扭或弯曲，呈镰状，先端具长 5 ~ 15mm 的喙，果颈长 1.5 ~ 3.5（~ 5）cm，果瓣革质，棕色或棕黑色，常具泡状隆起，无毛，有光泽；种子多数，椭圆形，长 9 ~ 10mm，宽 5 ~ 7mm，深棕色，光滑。花期 4 ~ 6 月，果期 6 ~ 11 月。

| **生境分布** | 生于山坡、溪边、路旁、沟谷的混交林中。分布于吉林延边、白山、通化、长春、吉林、辽源等。

| **资源情况** | 野生资源较少。药材主要来源于野生。

| **采收加工** | 山皂角：秋季果实成熟变黑时采摘，晒干。
山皂角刺：全年均可采收，干燥，或趁鲜切片，干燥。

| **药材性状** | 山皂角：本品呈扁长的剑鞘状而略弯曲，长 15 ~ 20cm，宽 2 ~ 3.5cm，厚 0.8 ~ 1.5cm。表面深紫棕色至黑棕色，被灰色粉霜，种子所在处隆起，基部渐狭而略弯，有短果柄或果柄痕。两侧有明显的纵棱线，摇之有响声，质硬，剖

开后果皮断面黄色，纤维性。种子多数，扁椭圆形，黄棕色，光滑。气特异，有强烈刺激性，粉末嗅之有催嚏性，味辛辣。

山皂角刺：本品完整的棘刺为主刺及 1 ~ 2 次分枝；扁圆柱状，长 5 ~ 18cm，基部直径 8 ~ 12mm，末端尖锐；分枝刺螺旋形排列，与主刺成 60° ~ 80° 角，向周围伸出，一般长 1 ~ 7cm；于次分枝上又常有更小的刺，分枝刺基部内侧常呈小阜状隆起；全体紫棕色，光滑或有细皱纹。体轻，质坚硬，不易折断。商品多切成斜薄片，一般为长披针形，长 2 ~ 6cm，宽 3 ~ 7mm，厚 1 ~ 3mm。常带有尖细的刺端，切面木质部黄白色，中心髓部松软，呈淡红色。质脆，易折断。无臭，味淡。以片薄、纯净、无核梗、色棕紫、切片中间棕红色、糠心者为佳。

| **功能主治** | 山皂角：辛，温；有小毒。祛痰开窍。用于中风，癫痫，痰涎壅盛，痰多咳喘。
山皂角刺：辛，温。归肝、胃经。活血祛瘀，消肿溃脓，下乳。用于淋巴结结核，乳腺炎，恶疮，痈肿不溃。

| **用法用量** | 山皂角：内服煎汤，1 ~ 3g。
山皂角刺：内服煎汤，3 ~ 9g；或入丸、散。外用适量，醋煎涂；或研末撒；或调敷。

豆科 Leguminosae 皂荚属 *Gleditsia*

皂荚
Gleditsia sinensis Lam.

| 植物别名 |

刀皂、牙皂、猪牙皂。

| 药 材 名 |

大皂角（药用部位：果实。别名：皂荚、皂角、大皂荚）、猪牙皂（药用部位：不育果实。别名：牙皂、小牙皂、眉皂）、皂角刺（药用部位：棘刺。别名：天丁、皂丁）、皂荚子（药用部位：种子。别名：皂角子、皂子、皂角核）。

| 形态特征 |

落叶乔木或小乔木，高可达 30m。枝灰色至深褐色；刺粗壮，圆柱形，常分枝，多呈圆锥状，长达 16cm。叶为一回羽状复叶，长 10～18（～26）cm；小叶（2～）3～9 对，纸质，卵状披针形至长圆形，长 2～8.5（～12.5）cm，宽 1～4（～6）cm，先端急尖或渐尖，先端圆钝，具小尖头，基部圆形或楔形，有时稍歪斜，边缘具细锯齿，上面被短柔毛，下面中脉上稍被柔毛；网脉明显，在两面凸起；小叶柄长 1～2（～5）mm，被短柔毛。花杂性，黄白色，组成总状花序；花序腋生或顶生，长 5～14cm，被短柔毛；雄花直径 9～10mm，花梗长 2～8（～10）mm，花托长 2.5～3mm，深棕色，

皂荚

外面被柔毛，萼片4，三角状披针形，长3mm，两面被柔毛，花瓣4，长圆形，长4~5mm，被微柔毛，雄蕊（6~）8，退化雌蕊长2.5mm；两性花直径10~12mm，花梗长2~5mm，萼、花瓣与雄花的相似，惟萼片长4~5mm，花瓣长5~6mm，雄蕊8，子房缝线上及基部被毛（偶见少数湖北标本子房全体被毛），柱头浅2裂，胚珠多数。荚果带状，长12~37cm，宽2~4cm，劲直或扭曲，果肉稍厚，两面鼓起，或有的荚果短小，多少呈柱形，长5~13cm，宽1~1.5cm，弯曲作新月形，通常被称为猪牙皂，内无种子；果颈长1~3.5cm；果瓣革质，褐棕色或红褐色，常被白色粉霜；种子多数，长圆形或椭圆形，长11~13mm，宽8~9mm，棕色，光亮。花期3~5月，果期5~12月。

| 生境分布 | 生于山坡林中或谷地、路旁。吉林无野生分布。吉林部分地区有栽培。

| 资源情况 | 吉林有栽培。药材主要来源于栽培。

| 采收加工 | 大皂角：秋季果实成熟时采摘，晒干。
猪牙皂：秋季采收，除去杂质，干燥。
皂角刺：全年均可采收，干燥，或趁鲜切片，干燥。
皂荚子：秋季果实成熟时采收，剥取种子，再晒干。

| **药材性状** | 大皂角：本品呈扁长的剑鞘状，有的略弯曲，长 15 ～ 40cm，宽 2 ～ 5cm，厚 0.2 ～ 1.5cm。表面棕褐色或紫褐色，被灰色粉霜，擦去后有光泽，种子所在处隆起。基部渐窄而弯曲，有短果柄或果柄痕，两侧有明显的纵棱线。质硬，摇之有声，易折断，断面黄色，纤维性。种子多数，扁椭圆形，黄棕色至棕褐色，光滑。气特异，有刺激性，味辛辣。

猪牙皂：本品呈圆柱形，略扁而弯曲，长 5 ～ 11cm，宽 0.7 ～ 1.5cm。表面紫棕色或紫褐色，被灰白色蜡质粉霜，擦去后有光泽，并有细小的疣状突起和线状或网状的裂纹。先端有鸟喙状花柱残基，基部具果柄残痕。质硬而脆，易折断，断面棕黄色，中间疏松，有淡绿色或淡棕黄色的丝状物，偶有发育不全的种子。气微，有刺激性，味先甜而后辣。

皂角刺：本品为主刺和 1 ～ 2 次分枝的棘刺。主刺长圆锥形，长 3 ～ 15cm 或更长，直径 0.3 ～ 1cm；分枝刺长 1 ～ 6cm，刺端锐尖。表面紫棕色或棕褐色。体轻，质坚硬，不易折断。切片厚 0.1 ～ 0.3cm，常带有尖细的刺端；木部黄白色，髓部疏松，淡红棕色。质脆，易折断。气微，味淡。

皂荚子：本品呈长椭圆形，一端略狭尖，长 11 ～ 13mm，宽 7 ～ 8mm，厚约 0.7cm。表面棕褐色，平滑而带有光泽，较狭尖的一端有微凹的点状种脐，有的不甚明显，种皮剥落后可见 2 片大型鲜黄色的子叶。质极坚硬。气微，味淡。 |
|---|---|
| **功能主治** | 大皂角、猪牙皂：辛、咸，温；有小毒。归肺、大肠经。祛痰开窍，散结消肿。用于中风口噤，昏迷不醒，癫痫痰盛，喉痹痰阻，顽痰喘咳，咳痰不爽，大便燥结；外用于痈肿。

皂角刺：辛，温。归肝、胃经。消肿托毒，排脓，杀虫。用于痈疽初起或脓成不溃；外用于疥癣麻风。

皂荚子：辛，温；有毒。归肺、大肠经。润肠通便，祛风散热，化痰散结。用于大便燥结，肠风下血，痢疾，痰喘肿满，疝气疼痛，瘰疬，肿毒，疮癣。 |
| **用法用量** | 大皂角、猪牙皂：1 ～ 1.5g，多入丸、散。外用适量，研末吹鼻取嚏；或研末调敷。

皂角刺：内服煎汤，3 ～ 10g。外用适量，醋蒸取汁涂。

皂荚子：内服煎汤，5 ～ 9g；或入丸、散。外用适量，研末调敷。 |
| **附　　注** | 皂荚在吉林药用历史较久。《安图县志》（1929）、《辑安县志》（1931）、《通化县志》（1935）等多部地方志中均有关于皂荚的记载。目前吉林部分地区有栽培，但都是作为绿化或退耕还林树种，尚无大皂角或猪牙皂药材商品产出。 |

豆科 Leguminosae 大豆属 Glycine

大豆 *Glycine max* (Linn.) Merr.

大豆

植物别名

黑大豆、毛豆、黄豆。

药 材 名

黑大豆（药用部位：种子。别名：乌豆、黑豆、冬豆子）、大豆黄卷（药材来源：种子经发芽后晒干而成。别名：大豆蘖、黄卷、卷蘖）、豆油（药材来源：用种子榨取的脂肪油）。

形态特征

一年生草本，高 30 ~ 90cm。茎粗壮，直立，或上部近缠绕状，上部多少具棱，密被褐色长硬毛。叶通常具 3 小叶；托叶宽卵形，渐尖，长 3 ~ 7mm，具脉纹，被黄色柔毛；叶柄长 2 ~ 20cm，幼嫩时散生疏柔毛或具棱并被长硬毛；小叶纸质，宽卵形、近圆形或椭圆状披针形，顶生 1 枚较大，长 5 ~ 12cm，宽 2.5 ~ 8cm，先端渐尖或近圆形，稀钝形，具小尖凸，基部宽楔形或圆形，侧生小叶较小，斜卵形，通常两面散生糙毛或下面无毛；侧脉每边 5；小托叶披针形，长 1 ~ 2mm；小叶柄长 1.5 ~ 4mm，被黄褐色长硬毛。总状花序短的少花，长的多花；总花梗长 10 ~ 35mm 或更长，通常有 5 ~ 8 无柄、紧挤的花，植株下部的花有时单生或成对生

于叶腋间；苞片披针形，长 2 ~ 3mm，被糙伏毛；小苞片披针形，长 2 ~ 3mm，被伏贴的刚毛；花萼长 4 ~ 6mm，密被长硬毛或糙伏毛，常深裂成二唇形，裂片 5，披针形，上部 2 裂片常合生至中部以上，下部 3 裂片分离，均密被白色长柔毛，花紫色、淡紫色或白色，长 4.5 ~ 8（~ 10）mm，旗瓣倒卵状近圆形，先端微凹并通常外反，基部具瓣柄，翼瓣篦状，基部狭，具瓣柄和耳，龙骨瓣斜倒卵形，具短瓣柄；雄蕊二体；子房基部有不发达的腺体，被毛。荚果肥大，长圆形，稍弯，下垂，黄绿色，长 4 ~ 7.5cm，宽 8 ~ 15mm，密被褐黄色长毛；种子 2 ~ 5，椭圆形、近球形、卵圆形至长圆形，长约 1cm，宽 5 ~ 8mm，种皮光滑、淡绿色、黄色、褐色或黑色等多样，因品种而异，种脐明显，椭圆形。花期 6 ~ 7 月，果期 7 ~ 9 月。

| **生境分布** | 生于田间、菜园等处。吉林无野生分布。吉林各地均有栽培。

| **资源情况** | 吉林广泛栽培。药材来源于栽培。

| **采收加工** | 黑大豆：果实成熟后采收，取其种子，晒干。
大豆黄卷：秋季采收种子后，将种子发芽、脱壳，放阴凉干燥处阴干或晒干。

豆油：大豆原料→筛选→风选→去石（比重法）→磁选→去泥除尘→水分调节→破碎→软化→轧坯→挤压膨化→豆油浸出→混合油处理→净化与预热（混合油）→蒸发（混合油）→汽提（混合油）→大豆原油（毛油）→过滤→水化脱胶→碱炼脱酸→脱色→脱臭→成品油。

| **药材性状** | 黑大豆：本品略呈肾形，长约 8mm，宽约 6mm。表面黄色或黄棕色，微皱缩，一侧有明显的脐点；一端有 1 弯曲胚根。外皮质脆，多破裂或脱落。子叶 2，黄色。气微，味淡，嚼之有豆腥味。

大豆黄卷：本品呈椭圆形，稍扁，长 0.7 ~ 1.2cm，直径 5 ~ 7mm，种皮黑褐色或紫褐色，有横向皱纹或纵裂，多数破裂，露出黄白色的子叶。子叶 2 片，肥厚；

胚根细长，伸出于种皮之外，长 5 ~ 10mm，极弯，淡褐色，味淡，有油腻感。以粒大饱满、色黑褐、有皱纹及短芽者为佳。

豆油：为黄棕色或淡黄色半透明的液体，油滑腻。气清香，加热时更明显。在纯乙醇中微溶，与乙醚、氯仿、石油醚能任意混合。相对密度为 0.918 ~ 0.93。折光率为 1.473 ~ 1.478。碘价为 130 ~ 138。皂化价为 190 ~ 195。酸价不大于 3。

| 功能主治 | 黑大豆：甘，平。归脾、肾经。活血利水，祛风解毒，健脾益肾。用于水肿胀满，风毒脚气，黄疸浮肿，肾虚腰痛，遗尿，风痹筋挛，产后风痉，口噤，痈肿疮毒，药物、食物中毒。

大豆黄卷：甘，平。归脾、胃经。清热，除湿，解表。用于暑湿发热，麻疹不透，胸闷不舒，骨节疼痛，水肿胀满。

豆油：辛、甘，温。归大肠经。润肠通便，驱虫解毒。用于肠梗阻，大便秘结，疥癣。

| 用法用量 | 黑大豆：内服煎汤，9 ~ 30g；或入丸、散。外用适量，研末掺；或煮汁涂。

大豆黄卷：内服煎汤，6 ~ 15g；或捣汁；或入散剂。

豆油：内服炖温，15 ~ 30g。外用适量，涂搽；或调他药敷。

| 附　注 | 大豆在吉林产出量大，药用历史较久。在《吉林通志》（1891）、《农邑乡土志》（1905）、《东丰县志》（1917）等多部地方志中均有关于大豆的记载。

豆科 Leguminosae 大豆属 Glycine

野大豆 *Glycine soja* Sieb. et Zucc.

| 植物别名 | 小落豆、小落豆秧、落豆秧。

| 药 材 名 | 野大豆（药用部位：种子。别名：马料豆、乌豆）、野大豆藤（药用部位：茎、叶、根。别名：野黄豆、山黄豆、野毛扁旦）。

| 形态特征 | 一年生缠绕草本，长 1 ～ 4m。茎、小枝纤细，全体疏被褐色长硬毛。叶具 3 小叶，长可达 14cm；托叶卵状披针形，急尖，被黄色柔毛。顶生小叶卵圆形或卵状披针形，长 3.5 ～ 6cm，宽 1.5 ～ 2.5cm，先端锐尖至钝圆，基部近圆形，全缘，两面均被绢状的糙伏毛，侧生小叶斜卵状披针形。总状花序通常短，稀长可达 13cm；花小，长约 5mm；花梗密生黄色长硬毛；苞片披针形；花萼钟状，密生长毛，裂片 5，三角状披针形，先端锐尖；花冠淡红紫色或白色，旗瓣近圆形，先端微凹，基部具短瓣柄，翼瓣斜倒卵形，有明显的耳，龙骨瓣比

野大豆

旗瓣及翼瓣短小，密被长毛；花柱短而向一侧弯曲。荚果长圆形，稍弯，两侧稍扁，长 17 ～ 23mm，宽 4 ～ 5mm，密被长硬毛，种子间稍缢缩，干时易裂；种子 2 ～ 3，椭圆形，稍扁，长 2.5 ～ 4mm，宽 1.8 ～ 2.5mm，褐色至黑色。花期 7 ～ 8 月，果期 8 ～ 10 月。

| 生境分布 | 生于潮湿的田边、沟旁、河岸、湖边、沼泽、草甸、沿海和岛屿向阳的矮灌丛或芦苇丛中，稀见于沿河岸疏林下、林缘、草地、路边、荒地草丛。吉林各地均有分布。

| 资源情况 | 野生资源丰富。药材主要来源于野生。

| 采收加工 | 野大豆：秋季荚果成熟而未开裂时割取植株，晒干并打下种子，除去杂质，晒干。
野大豆藤：秋季采收，晒干。

| 药材性状 | 野大豆：本品呈椭圆形，直径约 8mm。表面黑色或红棕色。外皮质脆易脱落。子叶 2，黄色，气微，味淡，嚼之有豆腥味。

| 功能主治 | 野大豆：甘，温。补益肝肾，祛风解表，利尿，止汗。用于阴亏目昏，肾虚腰痛，盗汗，筋骨痛，产后风，小儿疳积。
野大豆藤：甘，凉。归肝、脾经。清热敛汗，舒筋止痛。用于盗汗，劳伤筋痛，胃脘痛，小儿食积。

| 用法用量 | 野大豆：内服煎汤，9 ～ 30g。
野大豆藤：内服煎汤，30 ～ 120g。外用适量，捣敷；或研末调敷。

| 附　注 | 本种为国家 II 级重点保护野生植物。

豆科 Leguminosae 甘草属 Glycyrrhiza

刺果甘草 *Glycyrrhiza pallidiflora* Maxim.

刺果甘草

| 植物别名 |

东北土甘草、头序甘草。

| 药 材 名 |

刺果甘草（药用部位：根、果实。别名：胡苍耳、马狼秆、马狼柴）。

| 形态特征 |

多年生草本。根和根茎无甜味。茎直立，多分枝，高 1 ~ 1.5m，具条棱，密被黄褐色鳞片状腺点，几无毛。叶长 6 ~ 20cm；托叶披针形，长约 5mm；叶柄无毛，密生腺点；小叶 9 ~ 15，披针形或卵状披针形，长 2 ~ 6cm，宽 1.5 ~ 2cm，上面深绿色，下面淡绿色，两面均密被鳞片状腺体，无毛，先端渐尖，具短尖，基部楔形，边缘具微小的钩状细齿。总状花序腋生，花密集成球状；总花梗短于叶，密生短柔毛及黄色鳞片状腺点；苞片卵状披针形，长 6 ~ 8mm，膜质，具腺点；花萼钟状，长 4 ~ 5mm，密被腺点，基部常疏被短柔毛；萼齿 5，披针形，与萼筒近等长；花冠淡紫色、紫色或淡紫红色，旗瓣卵圆形，长 6 ~ 8mm，先端圆，基部具短瓣柄，翼瓣长 5 ~ 6mm，龙骨瓣稍短于翼瓣。果序呈椭圆状，荚果卵圆形，长

10 ~ 17mm，宽 6 ~ 8mm，先端具突尖，外面被长约 5mm 且刚硬的刺。种子 2，黑色，圆肾形，长约 2mm。花期 6 ~ 7 月，果期 7 ~ 9 月。

| 生境分布 | 生于草甸边缘、沟渠边缘、河滩地、岸边、田野、路旁。分布于吉林长春、吉林、辽源、白城、松原、四平等。

| 资源情况 | 野生资源较少。药材主要来源于野生。

| 采收加工 | 全年均可采挖根，洗净，除去杂质，晒干。秋季果实成熟后采收果实，洗净，除去杂质，晒干。

| 药材性状 | 本品根呈圆柱形，长 25 ~ 80cm，直径 0.3 ~ 2.5cm。表面黄棕色或灰棕色，具纵皱纹、沟纹、皮孔及稀疏的细根痕。质坚实，断面显纤维性，黄白色，粉性，形成层环纹明显，放射状清淅，有的有裂隙。气微，味淡。

| 功能主治 | 根，甘、辛，温。杀虫。用于滴虫性阴道炎。果实，甘、辛，温。催乳。用于乳汁不足。

| 用法用量 | 根，外用适量，煎汤熏洗。果实，内服煎汤，6 ~ 9g。

豆科 Leguminosae 米口袋属 *Gueldenstaedtia*

狭叶米口袋
Gueldenstaedtia stenophylla Bunge

| 药 材 名 | 狭叶米口袋（药用部位：全草）。

| 形态特征 | 多年生草本。主根细长，分茎较短，具宿存托叶。叶长 1.5 ~ 15cm，被疏柔毛；叶柄约为叶长的 2/5；托叶宽三角形至三角形，被稀疏长柔毛，基部合生；小叶 7 ~ 19，早春生的小叶卵形，夏、秋季生的小叶线形，长 0.2 ~ 3.5cm，宽 1 ~ 6mm，先端急尖，钝头或截形，先端具细尖，两面被疏柔毛。伞形花序具 2 ~ 3 花，有时 4；总花梗纤细，被白色疏柔毛，在花期较叶为长；花梗极短或近无梗；苞片及小苞片披针形，密被长柔毛；萼筒钟状，长 4 ~ 5mm，上 2 萼齿最大，长 1.5 ~ 2.3mm，下 3 萼齿较狭小；花冠粉红色；旗瓣近圆形，长 6 ~ 8mm，先端微缺，基部渐狭成瓣柄，翼瓣狭楔形，具斜截头，长 7mm，瓣柄长 2mm，龙骨瓣长 4.5mm，被疏柔毛。种

狭叶米口袋

子肾形，直径 1.5mm，具凹点。花期 4 月，果期 5 ～ 6 月。

| **生境分布** | 生于向阳的山坡、草地等处。分布于吉林白城、松原、四平等。

| **资源情况** | 野生资源较少。药材主要来源于野生。

| **采收加工** | 春季采收，除去杂质，晒干。

| **功能主治** | 清热解毒，消肿止痛。用于痈疽疔毒，恶疮瘰疬。

| 豆科 | Leguminosae | 米口袋属 | *Gueldenstaedtia*

米口袋

Gueldenstaedtia verna subsp. *multiflora* (Bunge) Tsui

| **植物别名** | 米布袋、少花米口袋、地丁。

| **药材名** | 甜地丁（药用部位：全草）。

| **形态特征** | 多年生草本，主根圆锥状。分茎极缩短，叶及总花梗于分茎上丛生。托叶宿存，下面的阔三角形，上面的狭三角形，基部合生，外面密被白色长柔毛；叶在早春时长仅 2 ~ 5cm，夏、秋季可长达 15cm，个别甚至可达 23cm，早生叶被长柔毛，后生叶毛稀疏，甚几至无毛；叶柄具沟；小叶 7 ~ 21，椭圆形至长圆形或卵形至长卵形，有时披针形，先端小叶有时为倒卵形，长（4.5 ~）10 ~ 14（~ 25）mm，宽（1.5 ~）5 ~ 8（~ 10）mm，基部圆，先端具细尖、急尖、钝、微缺或下凹成弧形。伞形花序有 2 ~ 6 花；总花梗具沟，被长柔毛，花期较叶稍长，花后约与叶等长或短于叶长；苞片三角状线形，长

米口袋

2 ～ 4mm，花梗长 1 ～ 3.5mm；花萼钟状，长 7 ～ 8mm，被贴伏长柔毛，上 2 萼齿最大，与萼筒等长，下 3 萼齿较小，最下一片最小；花冠紫堇色，旗瓣长 13mm，宽 8mm，倒卵形，全缘，先端微缺，基部渐狭成瓣柄，翼瓣长 10mm，宽 3mm，斜长倒卵形，具短耳，瓣柄长 3mm，龙骨瓣长 6mm，宽 2mm，倒卵形，瓣柄长 2.5mm；子房椭圆状，密被贴服长柔毛，花柱无毛，内卷，先端膨大成圆形柱头。荚果圆筒状，长 17 ～ 22mm，直径 3 ～ 4mm，被长柔毛；种子三角状肾形，直径约 1.8mm，具凹点。花期 4 月。果期 5 ～ 6 月。

| 生境分布 | 生于山坡、草甸、路旁、田边等。分布于吉林长春、吉林、辽源、白城、松原、四平等。

| 资源情况 | 野生资源较少。药材主要来源于野生。

| 采收加工 | 春季采挖，除去杂质，晒干。

| 药材性状 | 本品主根呈圆锥形，长 10 ～ 20cm，直径 3 ～ 6mm；表面红棕色至土黄色，粗糙，有纵皱纹，或有残存的支根及须根，稍凸起，色稍深。上端多数为基生叶，叶柄细长，易折断，叶片椭圆形或长椭圆形，易碎，多呈灰绿色。有时可见圆筒形的荚果，表面密被柔毛，开裂或不开裂。气微臭，味淡。

| 功能主治 | 苦、辛，寒。归心、肝经。清热解毒，消肿止痛。用于疗疮痈肿，急性阑尾炎，一切化脓性炎症。

| 用法用量 | 内服煎汤，9 ～ 15g。

| 附　　注 | 本品主产于吉林西部平原地区，年产量不足 10t，价格坚挺，走销顺畅。

豆科 Leguminosae 岩黄耆属 Hedysarum

山岩黄耆 *Hedysarum alpinum* L.

山岩黄耆

| 植物别名 |

中国岩黄芪、粗壮岩黄芪。

| 药 材 名 |

山岩黄芪（药用部位：根）。

| 形态特征 |

多年生草本，高 50 ~ 120cm。根为直根系，主根深长，粗壮。茎多数，直立，叶长 8 ~ 12cm，小叶 9 ~ 17，具 1 ~ 2mm 长的短柄；小叶片卵状长圆形，长 15 ~ 30mm，宽 4 ~ 7mm。总状花序腋生，长 16 ~ 24cm；花多数，长 12 ~ 16mm，较密集着生，稍下垂，时而偏向一侧，具 2 ~ 4mm 长的花梗；苞片钻状披针形；花萼钟状，长约 4mm，萼齿三角状钻形，长为萼筒的 1/4 或 1/3，下萼齿较长；花冠紫红色，旗瓣倒长卵形，长约 10mm，先端钝圆、微凹，翼瓣线形，等于或稍长于旗瓣，龙骨瓣比旗瓣长约 2mm；子房线形，无毛。荚果 3 ~ 4 节，节荚椭圆形或倒卵形。花期 7 ~ 8 月，果期 8 ~ 9 月。

| 生境分布 |

生于河谷草甸、林下等。吉林无野生分布。

吉林西部地区有栽培。

| **资源情况** | 吉林偶见栽培。药材主要来源于栽培。

| **采收加工** | 春、秋季采挖，采挖后除去泥土、残茎，晒干。

| **功能主治** | 益气固表，托毒生肌，补气利尿，止汗。用于自汗、盗汗，气短，心悸，乏力，痈疽不溃或溃久不敛，肌体面目浮肿，小便不利。

豆科 Leguminosae 岩黄耆属 Hedysarum

山竹岩黄耆 *Hedysarum fruticosum* Pall.

| **植物别名** | 山竹子、山竹岩黄芪。

| **药 材 名** | 山竹岩黄芪（药用部位：全草）。

| **形态特征** | 落叶半灌木或小半灌木，高 40 ~ 80cm。根系发达，主根深长，茎直立，多分枝，幼枝被灰白色柔毛；老枝常无毛，外皮灰白色。叶长 8 ~ 14cm；托叶卵状披针形，长 4 ~ 5mm，棕褐色干膜质，基部合生，外面被贴伏短柔毛，早落；叶轴被短柔毛，小叶 11 ~ 19，被短柔毛，小叶柄长 1mm 左右；小叶片通常椭圆形或长圆形，长14 ~ 22mm，宽 3 ~ 6mm，先端钝圆或急尖，基部楔形，上面被疏短柔毛，背面密被短柔毛。总状花序腋生，花序与叶近等高，花序轴被短柔毛，具 4 ~ 14 花；花长 15 ~ 21mm，具 2 ~ 3mm 长的花梗，疏散排列；苞片三角状卵形，长约 1mm；花萼钟状，长 5 ~ 6mm，

山竹岩黄耆

被短柔毛，萼齿三角状，近等长，先端渐尖，长为萼筒的一半，侧萼齿与上萼齿之间分裂较深，花冠紫红色，旗瓣倒卵圆形，长14～20mm，先端圆形，微凹，基部渐狭为瓣柄，翼瓣三角状披针形，等于或稍短于龙骨瓣的瓣柄，龙骨瓣等于或稍短于旗瓣；子房线形，被短柔毛。荚果2～3节；节荚椭圆形，长5～7mm，宽3～4mm，两侧膨胀，具细网纹，幼果密被短柔毛，后逐渐变疏，成熟荚果具细长的刺；种子肾形，黄褐色，长约5mm，宽约3mm，花期7～8月，果期8～9月。

| 生境分布 |

生于苔原、林缘、林下等处。分布于吉林白城、松原等。

| 资源情况 |

野生资源稀少。药材主要来源于野生。

| 采收加工 |

夏、秋季采收，除去杂质，晒干。

| 功能主治 |

止痛。用于腹痛。

豆科 Leguminosae 岩黄耆属 Hedysarum

拟蚕豆岩黄耆 _Hedysarum vicioides_ Turcz.

| 植物别名 | 长白岩黄芪。

| 药 材 名 | 红芪（药用部位：根）。

| 形态特征 | 多年生草本，高 30 ~ 50cm。根为直根系，主根深长，稍肥厚，根颈向上分枝，形成多数地上茎。茎直立，丛生，上部分枝，通常被短柔毛。托叶宽披针形，棕褐色，干膜质，长 10 ~ 12mm，合生至中部以上，易脱落；小叶 11 ~ 19，具长约 1mm 的短柄；小叶片长卵形，长 10 ~ 23mm，宽 5 ~ 11mm，先端圆形，有时具短尖头，基部圆形，上面无毛，下面沿脉被疏柔毛。总状花序腋生，稍超出叶，花序轴和总花梗密被短柔毛；花多数，长 16 ~ 18mm，具长 5 ~ 6mm 的花梗；苞片披针形，稍短于花梗；花萼钟状，被短柔毛，萼齿不等长，下萼齿披针形，等于或稍短于萼筒，其余萼齿三角形，比下萼

拟蚕豆岩黄耆

齿短2.5～3倍；花冠淡黄色，旗瓣倒长卵形，长14～16mm，翼瓣与旗瓣近等长，龙骨瓣超出旗瓣约2mm；子房无毛。荚果扁平，3～4节，节荚卵形或近圆形，两侧具明显网纹，边缘具狭边。花期7～8月，果期8～9月。

| 生境分布 | 生于山地砾石山坡、岳桦林下、林缘、亚高山或高山草甸、岩壁或古老冰碛物上。分布于吉林白山（抚松、长白）、延边（安图）等。

| 资源情况 | 野生资源较少。药材主要来源于野生。

| 采收加工 | 夏、秋季采收，除去泥土及杂质，晒干。

| 功能主治 | 甘，微温。补中益气，消肿利尿，托毒排脓，疗疮生肌，解热，止汗，强壮。用于气虚衰弱，倦怠乏力，纳少便溏，浮肿尿少，疮疡日久不溃或溃后久不收口。

| 附　注 | 在 FOC 中，本种的拉丁学名被修订为 *Hedysarum ussuriense* Schischkin & Komarov。

豆科 Leguminosae 木蓝属 *Indigofera*

花木蓝

Indigofera kirilowii Maxim. ex Palibin

| 植物别名 | 胡豆、扫帚花、山绿豆。

| 药 材 名 | 豆根木蓝（药用部位：根。别名：山扫帚、山花子）。

| 形态特征 | 落叶灌木或小灌木，高 30 ~ 100cm。茎圆柱形，无毛，幼枝有棱，疏生白色"丁"字毛。羽状复叶长 6 ~ 15cm；叶柄长（0.5 ~）1 ~ 2.5cm，叶轴上面略扁平，有浅槽，被毛或近无毛；托叶披针形，长 4 ~ 6mm，早落；小叶（2 ~）3 ~ 5 对，对生，阔卵形、卵状菱形或椭圆形，长 1.5 ~ 4cm，宽 1 ~ 2.3cm，先端圆钝或急尖，具长的小尖头，基部楔形或阔楔形，上面绿色，下面粉绿色，两面散生白色"丁"字毛，中脉上面微隆起，下面隆起，侧脉两面明显；小叶柄长 2.5mm，密生毛；小托叶钻形，长 2 ~ 3mm，宿存。总状花序长 5 ~ 12（~ 20）cm，疏花；总花梗长 1 ~ 2.5cm，花序轴有棱，

花木蓝

疏生白色"丁"字毛；苞片线状披针形，长 2 ~ 5mm；花梗长 3 ~ 5mm，无毛；花萼杯状，外面无毛，长约 3.5mm，萼筒长约 1.5mm，萼齿披针状三角形，有缘毛，最下萼齿长达 2mm；花冠淡红色，稀白色，花瓣近等长，旗瓣椭圆形，长 12 ~ 15（~ 17）mm，宽约 7.5mm，先端圆形，外面无毛，边缘有短毛，翼瓣边缘有毛；花药阔卵形，两端有髯毛；子房无毛。荚果棕褐色，圆柱形，长 3.5 ~ 7cm，直径约 5mm，无毛，内果皮有紫色斑点，有种子 10 余粒；果柄平展；种子赤褐色，长圆形，长约 5mm，直径约 2.5mm。花期 5 ~ 7 月，果期 8 月。

| **生境分布** | 生于山坡灌丛及疏林内或岩缝中。分布于吉林通化（集安、通化、梅河口）、吉林（磐石）、辽源（东辽）等。

| **资源情况** | 野生资源较少。药材主要来源于野生。

| **采收加工** | 秋季采挖，除去杂质，晒干。

| **药材性状** | 本品呈圆柱形，直径 0.3 ~ 0.8cm。表面黄白色或黄棕色，粗糙，有纵皱纹，有残存的支根及须根。气微臭，味淡而稍甜。

| **功能主治** | 苦，寒。清热解毒，消肿止痛，舒筋活络，通便。用于咽喉肿痛，肺热咳嗽，黄疸，热结便秘；外用于痔疮，肿毒，毒蛇咬伤。

| **用法用量** | 内服煎汤，3 ~ 9g。外用适量，研粉敷。

豆科 Leguminosae 鸡眼草属 Kummerowia

长萼鸡眼草
Kummerowia stipulacea (Maxim.) Makino

| 植物别名 | 短萼鸡眼草、圆叶鸡眼草、野苜蓿草。

| 药材名 | 鸡眼草（药用部位：全草。别名：人字草、掐不齐、老鸦须）。

| 形态特征 | 一年生草本，高 7 ~ 15cm。茎平伏，上升或直立，多分枝，茎和枝上被疏生向上的白毛，有时仅节处有毛。叶为三出羽状复叶；托叶卵形，长 3 ~ 8mm，比叶柄长或与叶柄近相等，边缘通常无毛；叶柄短；小叶纸质，倒卵形、宽倒卵形或倒卵状楔形，长 5 ~ 18mm，宽 3 ~ 12mm，先端微凹或近截形，基部楔形，全缘；下面中脉及边缘有毛，侧脉多而密。花常 1 ~ 2 腋生；小苞片 4，较萼筒稍短、稍长或与萼筒近等长，生于萼下，其中 1 枚很小，生于花梗关节之下，常具 1 ~ 3 脉；花梗有毛；花萼膜质，阔钟形，5 裂，裂片宽卵形，有缘毛；花冠上部暗紫色，长 5.5 ~ 7mm，旗瓣椭圆形，先

长萼鸡眼草

端微凹，下部渐狭成瓣柄，较龙骨瓣短，翼瓣狭披针形，与旗瓣近等长，龙骨瓣钝，上面有暗紫色斑点；雄蕊二体（9+1）。荚果椭圆形或卵形，稍侧偏，长约 3mm，较萼长 1.5 ~ 3 倍。花期 7 ~ 8 月，果期 8 ~ 10 月。

| 生境分布 | 生于路旁、草地、山坡、固定或半固定沙丘。吉林各地均有分布。

| 资源情况 | 野生资源较丰富。药材主要来源于野生。

| 采收加工 | 夏、秋季采收，除去泥土及杂质，晒干。

| 药材性状 | 本品茎多枝，较粗壮，长 10 ~ 25cm，疏被向上生长的硬毛。3 小叶，完整小叶倒卵形或椭圆形，长 7 ~ 20mm，宽 3 ~ 12mm；叶端圆或微凹，具短尖，叶基楔形；上面无毛，下面中脉及叶缘有白色长硬毛。花簇生于叶腋，花梗有白色硬毛，花萼钟状，花冠暗紫色。荚果卵形，长约 3mm。种子黑色，平滑。气微，味淡。

| 功能主治 | 苦，凉。归肝、脾、肺、肾经。清热解毒，健脾利湿，活血利尿，止痢止泻。用于感冒发热，暑湿吐泻，痢疾，疟疾，传染性肝炎，热淋，白浊。

| 用法用量 | 内服煎汤，9 ~ 30g；鲜品 30 ~ 60g，捣汁或研末。外用适量，捣敷。

豆科 Leguminosae 鸡眼草属 Kummerowia

鸡眼草 *Kummerowia striata* (Thunb.) Schindl.

鸡眼草

| 植物别名 |

掐不齐、公母草、牛黄黄。

| 药材名 |

鸡眼草（药用部位：全草。别名：人字草、掐不齐、老鸦须）。

| 形态特征 |

一年生草本，披散或平卧，多分枝，高（5～）10～45cm，茎和枝上被倒生的白色细毛。叶为三出羽状复叶；托叶大，膜质，卵状长圆形，比叶柄长，长3～4mm，具条纹，有缘毛；叶柄极短；小叶纸质，倒卵形、长倒卵形或长圆形，较小，长6～22mm，宽3～8mm，先端圆形，稀微缺，基部近圆形或宽楔形，全缘；两面沿中脉及边缘有白色粗毛，但上面毛较稀少，侧脉多而密。花小，单生或2～3簇生于叶腋；花梗下端具2枚大小不等的苞片，萼基部具小苞片4，其中1枚极小，位于花梗关节处，小苞片常具5～7纵脉；花萼钟状，带紫色，5裂，裂片宽卵形，具网状脉，外面及边缘具白毛；花冠粉红色或紫色，长5～6mm，较萼长约1倍，旗瓣椭圆形，下部渐狭成瓣柄，具耳，龙骨瓣比旗瓣稍长或与旗瓣近等长，翼瓣比龙骨

瓣稍短。荚果圆形或倒卵形，稍侧扁，长 3.5 ～ 5mm，较萼稍长或比萼长 1 倍，先端短尖，被小柔毛。花期 7 ～ 9 月，果期 8 ～ 10 月。

| **生境分布** | 生于林缘、草地、山坡、田边。吉林各地均有分布。

| **资源情况** | 野生资源较丰富。药材主要来源于野生。

| **采收加工** | 同"长萼鸡眼草"。

| **药材性状** | 本品茎枝圆柱形，多分枝，长 5 ～ 30cm，被白色向下的细毛。叶多皱缩，完整小叶长椭圆形或倒卵状长椭圆形，长 5 ～ 15mm；叶端钝圆，有小突刺，叶基楔形；沿中脉及叶缘疏生白色长毛；托叶 2。花腋生，花萼钟状，深紫褐色；蝶形花冠浅玫瑰色，较萼长 2 ～ 3 倍。荚果卵状矩圆形，先端稍急尖，有小喙，长达 4mm。种子 1，黑色，具不规则褐色斑点，气微，味淡。

| **功能主治** | 同"长萼鸡眼草"。

| **用法用量** | 同"长萼鸡眼草"。

豆科 Leguminosae 扁豆属 Lablab

扁豆 *Lablab purpureus* (Linn.) Sweet

扁豆

| 植物别名 |

白花扁豆、鹊豆、沿篱豆。

| 药 材 名 |

白扁豆（药用部位：种子）。

| 形态特征 |

多年生缠绕藤本。全株几无毛，茎长可达
6m，常呈淡紫色。羽状复叶具 3 小叶；托
叶基着，披针形；小托叶线形，长 3 ~ 4mm；
小叶宽三角状卵形，长 6 ~ 10cm，宽与长
约相等，侧生小叶两边不等大，偏斜，先
端急尖或渐尖，基部近截平。总状花序直
立，长 15 ~ 25cm，花序轴粗壮，总花梗长
8 ~ 14cm；小苞片 2，近圆形，长 3mm，脱落；
花 2 至多朵簇生于每一节上；花萼钟状，长
约 6mm，上方 2 裂齿几完全合生，下方的 3
枚近相等；花冠白色或紫色，旗瓣圆形，基
部两侧具 2 枚长而直立的小附属体，附属体
下有 2 耳，翼瓣宽倒卵形，具截平的耳，龙
骨瓣呈直角弯曲，基部渐狭成瓣柄；子房线
形，无毛，花柱比子房长，弯曲不逾 90°，
一侧扁平，近顶部内缘被毛。荚果长圆状镰
形，长 5 ~ 7cm，近先端最阔，宽 1.4 ~ 1.8cm，
扁平，直或稍向背弯曲，先端有弯曲的尖喙，

基部渐狭；种子 3 ~ 5，扁平，长椭圆形，在白花品种中为白色，在紫花品种中为紫黑色，种脐线形，长约占种子周围的 2/5。花期 4 ~ 12 月。

| **生境分布** | 生于田间、菜园等处。吉林无野生分布。吉林西部地区有栽培。

| **资源情况** | 吉林有栽培。药材主要来源于栽培。

| **采收加工** | 秋季采收成熟果实，晒干，打下种子，除去杂质。

| **药材性状** | 本品呈扁椭圆形或扁卵圆形，长 8 ~ 13mm，宽 6 ~ 9mm，厚约 7mm。表面淡黄白色或淡黄色，平滑，略有光泽，一侧边缘有隆起的白色眉状种阜。质坚硬。种皮薄而脆，子叶 2，肥厚，黄白色。气微，味淡，嚼之有豆腥气。

| **功能主治** | 甘，微温。归脾、胃经。健脾化湿，和中消暑。用于脾胃虚弱，食欲不振，大便溏泄，白带过多，暑湿吐泻，胸闷腹胀。

| **用法用量** | 内服煎汤，9 ~ 15g。

| **附　　注** | 2020 年版《中国药典》记载本种的拉丁学名为 *Dolichos lablab* L.

豆科 Leguminosae 山黧豆属 Lathyrus

大山黧豆 *Lathyrus davidii* Hance

| **植物别名** | 茳茫香豌豆、香豌豆。

| **药 材 名** | 大山黧豆（药用部位：种子。别名：山豇豆）。

| **形态特征** | 多年生草本，具块根，高 1 ~ 1.8m。茎粗壮，通常直径 5mm，圆柱状，具纵沟，直立或上升，无毛。托叶大，半箭形，全缘或下面稍有锯齿，长 4 ~ 6cm，宽 2 ~ 3.5cm；叶轴末端具分枝的卷须；小叶（2 ~）3 ~ 4（~ 5）对，通常为卵形，具细尖，基部宽楔形或楔形，全缘，长 4 ~ 6cm，宽 2 ~ 7cm，两面无毛，上面绿色，下面苍白色，具羽状脉。总状花序腋生，约与叶等长，有花 10 余朵。萼钟状，长约 5mm，无毛，萼齿短小，最下萼齿长 2mm，最上萼齿长 1mm；花深黄色，长 1.5 ~ 2cm，旗瓣长 1.6 ~ 1.8cm，瓣片扁圆形，瓣柄狭倒卵形，与瓣片等长，翼瓣与旗瓣瓣片等长，具耳及线形长瓣柄，

大山黧豆

龙骨瓣约与翼瓣等长，瓣片卵形，先端渐尖，基部具耳及线形瓣柄；子房线形，无毛。荚果线形，长 8～15cm，宽 5～6mm，具长网纹。种子紫褐色，宽长圆形，长 3～5mm，光滑。花期 5～7 月，果期 8～9 月。

| **生境分布** | 生于山地林下、林缘、草坡灌丛中。以长白山区为主要分布区域，分布于吉林延边、白山、通化、吉林、辽源（东丰）等。

| **资源情况** | 野生资源较丰富。药材主要来源于野生。

| **采收加工** | 夏末秋初果实成熟时采割植株，晒干，搓出种子，除去杂质，再晒干。

| **功能主治** | 辛、甘，微温。归肝经。疏肝理气，调经止痛。用于痛经，月经不调。

| **用法用量** | 内服煎汤，6～15g。

| **附　注** | 本种幼苗为山野菜。

矮山黧豆 *Lathyrus humilis* (Ser.) Spreng.

| **植物别名** | 矮香豌豆。

| **药 材 名** | 矮山黧豆（药用部位：全草或种子）。

| **形态特征** | 多年生草本，高 20 ～ 30cm。茎及根茎纤细，通常直径 1 ～ 1.5mm，根茎横走。茎直立，稍分枝，被微柔毛。托叶半箭形，通常长 10 ～ 16mm，下缘常具齿；叶轴末端具单一或稍分枝的卷须；小叶 3 ～ 4 对，卵形或椭圆形，长（1.5 ～）2 ～ 3（～ 5）cm，宽（0.7 ～）1 ～ 1.7（～ 2.5）cm，先端通常钝，具细尖，基部圆或楔形，全缘，上面绿色，无毛，下面苍白色，被微柔毛或无毛，具羽状脉。总状花序腋生，具 2 ～ 4 花，总花梗短于叶，花梗与花萼近等长；萼钟状，萼齿最下面 1 个长约为萼筒长之半，稀与萼筒近等长；花紫红色，长 1.5 ～ 1.9mm，旗瓣长 13 ～ 15（～ 18）mm，宽 10 ～ 11mm，瓣

矮山黧豆

片近圆形，先端裂缺，瓣柄略长于瓣片之半，翼瓣长 11 ~ 13 (~ 14) mm，具耳及线形瓣柄，龙骨瓣长 10 ~ 12mm，具耳及线形瓣柄；子房线形，无毛。荚果线形，长 4.3 ~ 5cm，宽约 5mm；种子椭圆形，长 3.2mm，宽 3mm，种脐约长 1.5mm，种子红褐色，平滑。花期 5 ~ 7 月，果期 8 ~ 9 月。

| **生境分布** | 生于山坡、林缘、草甸、灌丛等。分布于吉林延边（延吉、龙井、汪清）、通化（柳河）等。

| **资源情况** | 野生资源较少。药材主要来源于野生。

| **采收加工** | 春季采收全草，晒干。夏末秋初果实成熟时采割植株，晒干，搓出种子，除去杂质，再晒干。

| **功能主治** | 止咳，祛痰。用于咳嗽咳痰。

豆科 Leguminosae　山黧豆属 *Lathyrus*

三脉山黧豆 *Lathyrus komarovii Ohwi*

三脉山黧豆

| 植物别名 |

具翅香豌豆。

| 药 材 名 |

三脉山黧豆（药用部位：全草）。

| 形态特征 |

多年生草本，高 40 ~ 70cm。根茎细长，横走。茎直立，有时有分枝，具狭翅，无毛。托叶半箭形，长 15 ~ 25mm，宽 3 ~ 8（~ 12）mm，有时稍具齿；叶具（2 ~）3 ~ 5 对小叶，叶轴具狭翅，末端具短针刺；小叶狭卵形、狭椭圆形至披针形，有时狭倒卵形至倒披针形，先端渐尖，具细尖，基部楔形或宽楔形，上面绿色，下面灰绿色，两面无毛，具平行脉 3 ~ 5。总状花序具 3 ~ 8 花，短于叶；花梗短，长 1 ~ 2mm，基部有膜质苞片，花时宿存；萼钟状，无毛，最下 1 齿长 4mm，约与萼筒等长；花紫色，长 13 ~ 18mm，旗瓣长 11 ~ 15mm，瓣片近圆形，宽 10mm，瓣柄倒三角形，翼瓣稍短于旗瓣，具耳，线形瓣柄稍短于瓣片，龙骨瓣稍短于翼瓣。子房线形，无毛。荚果线形长 3.7 ~ 4.4cm，宽 5 ~ 6mm，黑褐色，无毛；种子近球形，直径 3mm，平滑，棕色，

种脐为周圆的 1/3。花期 5 ~ 6 月，果期 6 ~ 8 月。

| **生境分布** | 生于山地林下、林缘、草丛中。分布于吉林延边（安图、汪清、和龙、珲春）、通化（通化）等。

| **资源情况** | 野生资源较少。药材主要来源于野生。

| **采收加工** | 春季采收，晒干。

| **功能主治** | 苦，寒。清热解毒，利尿，止痛。用于尿少，黄疸，外伤。

豆科 Leguminosae 山黧豆属 Lathyrus

山黧豆 Lathyrus quinquenervius (Miq.) Litv.

| 植物别名 | 五脉山黧豆、五脉香豌豆。

| 药 材 名 | 五脉山黧豆（药用部位：全草或花、种子）。

| 形态特征 | 多年生草本。根茎不增粗，横走。茎通常直立，单一，高
20 ~ 50cm，具棱及翅，有毛，后渐脱落。偶数羽状复叶，叶轴末
端具不分枝的卷须，下部叶的卷须短，成针刺状；托叶披针形至线形，
长 7 ~ 23mm，宽 0.2 ~ 2mm；叶具小叶 1 ~ 2（~ 3）对；小叶质
坚硬，椭圆状披针形或线状披针形，长 35 ~ 80mm，宽 5 ~ 8mm，
先端渐尖，具细尖，基部楔形，两面被短柔毛，上面稀疏，老时毛
渐脱落，具 5 平行脉，两面明显凸出。总状花序腋生，具 5 ~ 8 花；
花梗长 3 ~ 5mm；萼钟状，被短柔毛，最下 1 萼齿约与萼筒等长；
花紫蓝色或紫色，长（12 ~）15 ~ 20mm；旗瓣近圆形，先端微缺，

山黧豆

瓣柄与瓣片约等长，翼瓣狭倒卵形，与旗瓣等长或比旗瓣稍短，具耳及线形瓣柄，龙骨瓣卵形，具耳及线形瓣柄；子房密被柔毛。荚果线形，长 3 ~ 5cm，宽 4 ~ 5mm。花期 5 ~ 7 月，果期 8 ~ 9 月。

| **生境分布** | 生于山坡、林缘、路旁、草甸等。吉林各地均有分布。

| **资源情况** | 野生资源较少。药材主要来源于野生。

| **采收加工** | 春季采收全草，晒干。花盛开时采收，晒干。夏末秋初果实成熟时采割植株，晒干，搓出种子，除去杂质，再晒干。

| **药材性状** | 本品根茎细，长 1 ~ 3cm。茎直立，具棱及翅，易折。叶片皱缩，小叶展平后呈线状披针形，长 2.4 ~ 4cm，宽 1.5 ~ 4.5mm，具细尖，浅绿色。总状花序，花紫蓝色或紫色。荚果线形，无毛。气微，味淡。

| **功能主治** | 全草，祛风除湿，止痛。用于关节痛，头痛。花、种子，用于头痛。

| **用法用量** | 全草，内服煎汤，15g。花，内服煎汤，3g。种子，内服煎汤，1.5g。

豆科 Leguminosae 山黧豆属 *Lathyrus*

东北山黧豆 *Lathyrus vaniotii* Lévl.

| **植物别名** | 小叶涝豆、涝豆秧子。

| **药 材 名** | 东北山黧豆（药用部位：全草）。

| **形态特征** | 多年生草本，具根茎。茎直立，高 40 ~ 70cm。托叶狭半箭形，长 0.5 ~ 1.5cm，宽 1 ~ 3mm；叶具 2 ~ 5 对小叶，叶轴末端具针刺；茎最下部小叶通常披针形，长 2.5 ~ 4.5cm，宽 4 ~ 12mm，中上部小叶卵形或狭卵形，长 3.5 ~ 7cm，宽 1 ~ 3cm，先端具细尖，具羽状脉。总状花序腋生具 4 ~ 8 花，花梗约长 8mm；萼钟状，长 11mm；花紫红色，长 18 ~ 25mm，旗瓣长 21mm，瓣片扁圆形，先端微缺，瓣柄略成等腰三角形，上面最宽处宽 8mm，翼瓣与旗瓣等长，瓣片倒卵形，线形瓣柄长 13mm；龙骨瓣长 18mm，瓣片倒卵形，先端成一斜尖头，线形瓣柄长 12mm；子房线形。花期 6 ~ 7 月，

东北山黧豆

果期 7 ~ 8 月。

| **生境分布** | 生于林内、林缘、灌丛及草甸等。分布于吉林延边（安图、汪清、和龙）、通化（通化）、吉林（蛟河）等。

| **资源情况** | 野生资源较少。药材主要来源于野生。

| **采收加工** | 夏、秋季采收，晒干。

| **功能主治** | 止咳，祛痰。用于咳嗽咳痰。

豆科 Leguminosae 胡枝子属 Lespedeza

胡枝子
Lespedeza bicolor Turcz.

| **植物别名** | 随军茶、扫条、杏条。

| **药 材 名** | 胡枝子根（药用部位：根。别名：野山豆根、扫皮）、胡枝子（药用部位：茎叶）。

| **形态特征** | 直立落叶灌木，高 1 ～ 3m。多分枝，小枝黄色或暗褐色，有条棱，被疏短毛；芽卵形，长 2 ～ 3mm，具数枚黄褐色鳞片。羽状复叶具 3 小叶；托叶 2，线状披针形，长 3 ～ 4.5mm；叶柄长 2 ～ 7（～ 9）cm；小叶质薄，卵形、倒卵形或卵状长圆形，长 1.5 ～ 6cm，宽 1 ～ 3.5cm，先端钝圆或微凹，稀稍尖，具短刺尖，基部近圆形或宽楔形，全缘，上面绿色，无毛，下面色淡，被疏柔毛，老时渐无毛。总状花序腋生，比叶长，常构成大型、较疏松的圆锥花序；总花梗长 4 ～ 10cm；小苞片 2，卵形，长不到 1cm，先端钝圆或稍

胡枝子

尖，黄褐色，被短柔毛；花梗短，长约 2mm，密被毛；花萼长约 5mm，5 浅裂，裂片通常短于萼筒，上方 2 裂片合生成 2 齿，裂片卵形或三角状卵形，先端尖，外面被白毛；花冠红紫色，极稀白色，长约 10mm，旗瓣倒卵形，先端微凹，翼瓣较短，近长圆形，基部具耳和瓣柄，龙骨瓣与旗瓣近等长，先端钝，基部具较长的瓣柄；子房被毛。荚果斜倒卵形，稍扁，长约 10mm，宽约 5mm，表面具网纹，密被短柔毛。花期 7 ~ 9 月，果期 9 ~ 10 月。

| **生境分布** | 生于海拔 150 ~ 1000m 的山坡、林缘、路旁、灌丛或杂木林间。以长白山区为主要分布区域，分布于吉林延边、白山、通化、吉林、辽源（东丰）等。

| **资源情况** | 野生资源较丰富。药材主要来源于野生。

| **采收加工** | 胡枝子根：夏、秋季采挖，洗净，切片，晒干。
胡枝子：夏季采收茎叶，除去杂质，干燥。

| **药材性状** | 胡枝子根：本品呈圆柱形，稍弯曲，长短不等，直径 0.8 ~ 1.4cm。表面灰棕色，有支根痕，有横向凸起及纵皱纹。质坚硬，难折断。断面中央无髓，木部灰黄色，皮部棕褐色。气微弱，味微苦、涩。

胡枝子：本品茎呈圆柱形，较细，长约50cm；多分枝或聚集，表面灰黄色至灰褐色，木质。三出复叶小叶片狭卵形、倒卵形或椭圆形，长1～2.5cm，宽0.5～1.5cm；先端钝圆，稍具短尖，全缘，表面绿色或绿褐色，上面近无毛或被平伏短毛，背面毛较密集。气微，味淡，具豆腥气。

| **功能主治** | 胡枝子根：甘，平。祛风除湿，活血止痛，止血止带，清热解毒。用于感冒发热，风湿痹痛，跌打损伤，鼻衄，赤白带下，流注肿毒。

胡枝子：甘，平。归心、肝经。润肺清热，利尿通淋。用于肺热咳嗽，伤风发热，百日咳，头痛，淋浊，鼻衄，尿血，便血，吐血。

| **用法用量** | 胡枝子根：内服煎汤，9 ~ 15g，鲜品 30 ~ 60g；或炖肉；或浸酒。外用适量，研末，调敷。

胡枝子：内服煎汤，9 ~ 15g，鲜品 30 ~ 60g；或代茶饮。

豆科 Leguminosae 胡枝子属 Lespedeza

短梗胡枝子 *Lespedeza cyrtobotrya* Miq.

| **植物别名** | 短序胡枝子、圆叶胡枝子。

| **药 材 名** | 短梗胡枝子（药用部位：全草或茎叶）。

| **形态特征** | 直立落叶灌木，高 1 ~ 3m，多分枝。小枝褐色或灰褐色，具棱，贴生疏柔毛。羽状复叶具 3 小叶；托叶 2，线状披针形，长 2 ~ 5mm，暗褐色；叶柄长 1 ~ 2.5cm；小叶宽卵形、卵状椭圆形或倒卵形，长 1.5 ~ 4.5cm，宽 1 ~ 3cm，先端圆或微凹，具小刺尖，上面绿色，无毛，下面贴生疏柔毛，侧生小叶比顶生小叶稍小。总状花序腋生，比叶短，稀与叶近等长；总花梗短缩或近无总花梗，密被白毛；苞片小，卵状渐尖，暗褐色；花梗短，被白毛；花萼筒状钟形，长 2 ~ 2.5mm，5 裂至中部，裂片披针形，渐尖，表面密被毛；花冠红紫色，长约 11mm，旗瓣倒卵形，先端圆或微凹，基部具短柄，

短梗胡枝子

翼瓣长圆形，比旗瓣和龙骨瓣短约 1/3，先端圆，基部具明显的耳和瓣柄，龙骨瓣先端稍弯，与旗瓣近等长，基部具耳和柄。荚果斜卵形，稍扁，长 6 ~ 7mm，宽约 5mm，表面具网纹，且密被毛。花期 7 ~ 8 月，果期 9 月。

| 生境分布 | 生于海拔 1500m 以下的山坡、灌丛或杂木林下。以长白山区为主要分布区域，分布于吉林延边、白山、通化、吉林、辽源（东丰）等。

| 资源情况 | 野生资源较丰富。药材主要来源于野生。

| 采收加工 | 夏、秋季采收全草，除去杂质，洗净，晒干。夏、秋季采收茎叶，洗净，晒干。

| 功能主治 | 润肺清热，利尿通淋，止血。用于感冒发热，咳嗽，眩晕头痛，小便不利，便血，尿血，吐血。

豆科 Leguminosae 胡枝子属 Lespedeza

兴安胡枝子 Lespedeza daurica (Laxm.) Schindl.

兴安胡枝子

| 植物别名 |

达呼里胡枝子、达呼尔胡枝子。

| 药 材 名 |

枝儿条（药用部位：全草。别名：牡牛查、牛枝子、牛筋子）。

| 形态特征 |

落叶小灌木，高达 1m。茎通常稍斜升，单一或数个簇生；老枝黄褐色或赤褐色，被短柔毛或无毛，幼枝绿褐色，有细棱，被白色短柔毛。羽状复叶具 3 小叶；托叶线形，长 2 ~ 4mm；叶柄长 1 ~ 2cm；小叶长圆形或狭长圆形，长 2 ~ 5cm，宽 5 ~ 16mm，先端圆形或微凹，有小刺尖，基部圆形，上面无毛，下面被贴伏的短柔毛；顶生小叶较大。总状花序腋生，较叶短或与叶等长；总花梗密生短柔毛；小苞片披针状线形，有毛；花萼 5 深裂，外面被白毛，萼裂片披针形，先端长渐尖，成刺芒状，与花冠近等长；花冠白色或黄白色，旗瓣长圆形，长约 1cm，中央稍带紫色，具瓣柄，翼瓣长圆形，先端钝，较短，龙骨瓣比翼瓣长，先端圆形；闭锁花生于叶腋，结实。荚果小，倒卵形或长倒卵形，长 3 ~ 4mm，宽 2 ~ 3mm，先端有刺尖，基部稍狭，两面凸起，有毛，包于宿存花萼内。花期 7 ~ 8 月，果期 9 ~ 10 月。

｜生境分布｜

生于山坡、草地、路旁或沙地。分布于吉林白城、松原、吉林、通化（集安、通化）、延边（安图、和龙、汪清）、白山（长白）等。

｜资源情况｜

野生资源丰富。药材主要来源于野生。

｜采收加工｜

夏、秋季采收，除去杂质，洗净，晒干。

｜功能主治｜

辛，温。归肺经。解表散寒。用于感冒发热，咳嗽。

｜用法用量｜

内服煎汤，9 ~ 15g。

豆科 Leguminosae 胡枝子属 Lespedeza

多花胡枝子 *Lespedeza floribunda* Bunge

| 植物别名 | 四川胡枝子。

| 药 材 名 | 多花胡枝子（药用部位：全草）。

| 形态特征 | 落叶小灌木，高 30 ～ 60（～ 100）cm。根细长；茎常近基部分枝；枝有条棱，被灰白色绒毛。托叶线形，长 4 ～ 5mm，先端刺芒状；羽状复叶具 3 小叶；小叶具柄，倒卵形、宽倒卵形或长圆形，长 1 ～ 1.5cm，宽 6 ～ 9mm，先端微凹、钝圆或近截形，具小刺尖，基部楔形，上面被疏伏毛，下面密被白色伏柔毛；侧生小叶较小。总状花序腋生；总花梗细长，显著超出叶；花多数；小苞片卵形，长约 1mm，先端急尖；花萼长 4 ～ 5mm，被柔毛，5 裂，上方 2 裂片下部合生，上部分离，裂片披针形或卵状披针形，长 2 ～ 3mm，先端渐尖；花冠紫色、紫红色或蓝紫色，旗瓣椭圆形，长 8mm，

多花胡枝子

先端圆形，基部有柄，翼瓣稍短，龙骨瓣长于旗瓣，钝头。荚果宽卵形，长约 7mm，超出宿存萼，密被柔毛，有网状脉。花期 6 ~ 9 月，果期 9 ~ 10 月。

| 生境分布 | 生于石质山坡。分布于吉林松原（前郭尔罗斯）、四平（铁东）、白山（抚松）、延边（敦化、安图、延吉）等。

| 资源情况 | 野生资源较少。药材主要来源于野生。

| 采收加工 | 6 ~ 10 月采收，切段，晒干。

| 功能主治 | 涩，凉。消积散瘀。用于疳积，疟疾。

豆科 Leguminosae 胡枝子属 Lespedeza

尖叶铁扫帚 *Lespedeza juncea* (L. f.) Pers.

尖叶铁扫帚

| 植物别名 |

尖叶胡枝子。

| 药 材 名 |

尖叶铁扫帚（药用部位：全草。别名：化食草、鱼吊草、关门草）。

| 形态特征 |

落叶小灌木，高可达 1m。全株被伏毛，分枝或上部分枝呈扫帚状。托叶线形，长约 2mm；叶柄长 0.5 ~ 1cm；羽状复叶具 3 小叶；小叶倒披针形、线状长圆形或狭长圆形，长 1.5 ~ 3.5cm，宽（2 ~）3 ~ 7mm，先端稍尖或钝圆，有小刺尖，基部渐狭，边缘稍反卷，上面近无毛，下面密被伏毛。总状花序腋生，稍超出叶，有 3 ~ 7 排列较密集的花，近似伞形花序；总花梗长；苞片及小苞片卵状披针形或狭披针形，长约 1mm；花萼狭钟状，长 3 ~ 4mm，5 深裂，裂片披针形，先端锐尖，外面被白色伏毛，花开后具明显 3 脉；花冠白色或淡黄色，旗瓣基部带紫斑，花期不反卷或稀反卷，龙骨瓣先端带紫色，旗瓣、翼瓣与龙骨瓣近等长，有时旗瓣较短；闭锁花簇生于叶腋，近无梗。荚果宽卵形，两面被白色伏毛，稍超出宿存萼。花期 7 ~ 9

月，果期 9 ~ 10 月。

| **生境分布** | 生于山坡、草地、灌丛。分布于吉林白城、松原、通化（通化、辉南）等。

| **资源情况** | 野生资源较少。药材主要来源于野生。

| **采收加工** | 夏、秋季枝叶茂盛时采收，除去杂质，晒干。

| **功能主治** | 止泻，利尿，止血。用于痢疾，吐血，遗精。

豆科 Leguminosae 胡枝子属 Lespedeza

牛枝子
Lespedeza potaninii Vass.

| 植物别名 | 牛筋子。

| 药 材 名 | 牛枝子（药用部位：全草）。

| 形态特征 | 落叶半灌木，高 20 ~ 60cm。茎斜升或平卧，基部多分枝，有细棱，被粗硬毛。托叶刺毛状，长 2 ~ 4mm；羽状复叶具 3 小叶，小叶狭长圆形，稀椭圆形至宽椭圆形，长 8 ~ 15（~ 22）mm，宽 3 ~ 5（~ 7）cm，先端钝圆或微凹，具小刺尖，基部稍偏斜，上面苍白绿色，无毛，下面被灰白色粗硬毛。总状花序腋生；总花梗长，明显超出叶；花疏生；小苞片锥形，长 1 ~ 2mm；花萼密被长柔毛，5 深裂，裂片披针形，长 5 ~ 8mm，先端长渐尖，呈刺芒状；花冠黄白色，稍超出萼裂片，旗瓣中央及龙骨瓣先端带紫色，翼瓣较短；闭锁花腋生，无梗或近无梗。荚果倒卵形，长 3 ~ 4mm，双凸镜状，密被粗硬毛，

牛枝子

包于宿存萼内。花期 7 ~ 9 月，果期 9 ~ 10 月。

| 生境分布 | 生于荒漠草原、草原带的沙地、砾石地、丘陵地、石质山坡或山麓。分布于吉林白城、松原等。

| 资源情况 | 野生资源稀少。药材主要来源于野生。

| 采收加工 | 夏、秋季采收，除去杂质，晒干。

| 功能主治 | 消癥。用于癥瘕积聚。

豆科 Leguminosae 胡枝子属 Lespedeza

绒毛胡枝子

Lespedeza tomentosa (Thunb.) Sieb. ex Maxim.

绒毛胡枝子

植物别名

山豆花、毛胡枝子。

药材名

小雪人参（药用部位：根。别名：山豆花根、白土子、毛胡枝子）。

形态特征

落叶灌木，高达 1m。全株密被黄褐色绒毛。茎直立，单一或上部少分枝。托叶线形，长约 4mm；羽状复叶具 3 小叶；小叶质厚，椭圆形或卵状长圆形，长 3 ~ 6cm，宽 1.5 ~ 3cm，先端钝或微心形，边缘稍反卷，上面被短伏毛，下面密被黄褐色绒毛或柔毛，沿脉上尤多；叶柄长 2 ~ 3cm。总状花序顶生或于茎上部腋生；总花梗粗壮，长 4 ~ 8（~ 12）cm；苞片线状披针形，长 2mm，有毛；花具短梗，密被黄褐色绒毛；花萼密被毛长约 6mm，5 深裂，裂片狭披针形，长约 4mm，先端长渐尖；花冠黄色或黄白色，旗瓣椭圆形，长约 1cm，龙骨瓣与旗瓣近等长，翼瓣较短，长圆形；闭锁花生于茎上部叶腋，簇生成球状。荚果倒卵形，长 3 ~ 4mm，宽 2 ~ 3mm，先端有短尖，表面密被毛。

| **生境分布** | 生于山坡、草地、灌丛、林缘。分布于吉林通化（通化、集安、柳河）、延边（和龙）、白山（靖宇）等。 |

| **资源情况** | 野生资源较少。药材主要来源于野生。 |

| **采收加工** | 夏、秋季采挖根，除去杂质，晒干。 |

| **功能主治** | 甘，平。归脾经。清热止血，祛湿镇咳，健脾补虚。用于虚劳，虚肿，痢疾。 |

| **用法用量** | 内服煎汤，15 ～ 30g。 |

豆科 Leguminosae 马鞍树属 Maackia

朝鲜槐

Maackia amurensis Rupr. et Maxim.

| **植物别名** | 山槐、檗槐、高丽明子。

| **药材名** | 朝鲜槐（药用部位：茎枝、花）。

| **形态特征** | 落叶乔木，高可达 15m，通常高 7 ~ 8m，胸径约 60cm；树皮淡绿褐色，薄片剥裂。枝紫褐色，有褐色皮孔，幼时有毛，后光滑；芽稍扁，芽鳞少，外面无毛。羽状复叶，长 16 ~ 20.6cm；小叶 3 ~ 4（~ 5）对，对生或近对生，纸质，卵形、倒卵状椭圆形或长卵形，长 3.5 ~ 6.8（~ 9.7）cm，宽（1 ~）2 ~ 3.5（~ 4.9）cm，先端钝，短渐尖，基部阔楔形或圆形，幼叶两面密被灰白色毛，后脱落，稀下面中脉下部有疏长毛；小叶柄长 3 ~ 6mm。总状花序 3 ~ 4 集生，长 5 ~ 9cm；总花梗及花梗密被锈褐色柔毛；花蕾密被褐色短毛，花密集；花梗长 4 ~ 6mm；花萼钟状，长、宽各 4mm，5 浅齿，密

朝鲜槐

被黄褐色平贴柔毛；花冠白色，长 7 ~ 9mm，旗瓣倒卵形，宽 3 ~ 4mm，先端微凹，基部渐狭成柄，反卷，翼瓣长圆形，基部两侧有耳；子房线形，密被黄褐色毛。荚果扁平，长 3 ~ 7.2cm，宽 1 ~ 1.2cm，腹缝无翅或有宽约 10mm 的狭翅，暗褐色，外被疏短毛或近无毛；果柄长 5 ~ 10mm，无果颈；种子褐黄色，长椭圆形，长约 8mm；无胚乳。花期 6 ~ 7 月，果期 9 ~ 10 月。

| **生境分布** | 生于混交林、林缘、路边、溪流附近。以长白山区为主要分布区域，分布于吉林延边、白山、通化、吉林、辽源（东丰）等。

| **资源情况** | 野生资源较丰富。药材主要来源于野生。

| **采收加工** | 夏、秋季割取茎枝，晒干。花盛开时采摘花，晒干。

| **功能主治** | 茎枝，涩，凉。祛风除湿，止血。用于风湿痹痛，肢体麻木，半身不遂，关节筋骨疼痛。花，止血。用于各种出血。

| **附 注** | 本种为吉林省 II 级重点保护野生植物。

豆科 Leguminosae 苜蓿属 Medicago

野苜蓿 *Medicago falcata* L.

| **植物别名** | 花苜蓿。

| **药 材 名** | 野苜蓿（药用部位：全草）。

| **形态特征** | 多年生草本，高（20 ~ ）40 ~ 100（~ 120）cm。主根粗壮，木质，须根发达。茎平卧或上升，圆柱形，多分枝。羽状三出复叶；托叶披针形至线状披针形，先端长渐尖，基部戟形，全缘或稍具锯齿，脉纹明显；叶柄细，比小叶短；小叶倒卵形至线状倒披针形，长（5 ~ ）8 ~ 15（~ 20）mm，宽（1 ~ ）2 ~ 5（~ 10）mm，先端近圆形，具刺尖，基部楔形，边缘上部 1/4 具锐锯齿，上面无毛，下面被贴伏毛，侧脉 12 ~ 15 对，与中脉成锐角平行达叶缘，不分叉；顶生小叶稍大。花序短总状，长 1 ~ 2（~ 4）cm，具花 6 ~ 20（~ 25），稠密，花期几不伸长；总花梗腋生，挺直，与叶等长或比

野苜蓿

叶稍长；苞片针刺状，长约 1mm；花长 6 ~ 9（~ 11）mm；花梗长 2 ~ 3mm，被毛；花萼钟形，被贴伏毛，萼齿线状锥形，比萼筒长；花冠黄色，旗瓣长倒卵形，翼瓣和龙骨瓣等长，均比旗瓣短；子房线形，被柔毛，花柱短，略弯，胚珠 2 ~ 5。荚果镰形，长（8 ~）10 ~ 15mm，宽 2.5 ~ 3.5（~ 4）mm，脉纹细，斜向，被贴伏毛，有种子 2 ~ 4；种子卵状椭圆形，长 2mm，宽 1.5mm，黄褐色，胚根处凸起。花期 6 ~ 8 月，果期 7 ~ 9 月。

| **生境分布** | 生于砂质偏旱耕地、山坡、草原或河岸杂草丛中。分布于吉林四平（铁东）、白城（大安、通榆、镇赉、洮南）、白山（浑江）、松原（乾安、扶余、长岭、前郭尔罗斯）、吉林（蛟河）等。

| **资源情况** | 野生资源较少。药材主要来源于野生。

| **采收加工** | 6 ~ 7 月采收，洗净，除去残叶、须根，晾干。

| **药材性状** | 本品长 20 ~ 80cm。主根粗壮，须根多已除去。茎多分枝，具 4 棱，有稀疏的类白色短柔毛。三出复叶；托叶披针形，基部有牙齿或裂片，有伏毛；小叶 3，多皱缩或脱落，完整者展平后呈倒卵形或长圆状倒披针形，长 0.5 ~ 1.5cm，宽 1.5 ~ 4mm，边缘具锯齿，叶脉明显，有短柄。气微，味淡。

| **功能主治** | 甘，平。归脾、胃、膀胱经。清热解毒，宽中下气，健脾补虚，降血压，利尿消肿。用于胸腹胀满，消化不良，浮肿，各种恶疮。

| **用法用量** | 内服煎汤，9 ~ 15g；或研末，3 ~ 4.5g。

豆科 Leguminosae 苜蓿属 Medicago

天蓝苜蓿 *Medicago lupulina* L.

| 植物别名 | 杂花苜蓿、黑荚苜蓿。

| 药材名 | 老蜗生（药用部位：全草。别名：接筋草）。

| 形态特征 | 一年生、二年生或多年生草本，高 15 ~ 60cm，全株被柔毛或有腺毛。主根浅，须根发达。茎平卧或上升，多分枝，叶茂盛。羽状三出复叶；托叶卵状披针形，长可达 1cm，先端渐尖，基部圆形或戟状，常齿裂；下部叶柄较长，长 1 ~ 2cm，上部叶柄比小叶短；小叶倒卵形、阔倒卵形或倒心形，长 5 ~ 20mm，宽 4 ~ 16mm，纸质，先端多少截平或微凹，具细尖，基部楔形，边缘在上半部具不明显尖齿，两面均被毛，侧脉近 10 对，平行达叶缘，几不分叉，上下均平坦；顶生小叶较大，小叶柄长 2 ~ 6mm，侧生小叶柄甚短。花序小头状，具花 10 ~ 20；总花梗细，挺直，比叶长，密被贴伏柔毛；苞片刺毛状，

天蓝苜蓿

甚小；花长 2 ~ 2.2mm；花梗短，长不到 1mm；萼钟形，长约 2mm，密被毛，萼齿线状披针形，稍不等长，比萼筒略长或与萼筒等长；花冠黄色，旗瓣近圆形，先端微凹，翼瓣和龙骨瓣近等长，均比旗瓣短；子房阔卵形，被毛，花柱弯曲，胚珠 1。荚果肾形，长 3mm，宽 2mm，表面具同心弧形脉纹，被稀疏毛，熟时变黑，有种子 1；种子卵形，褐色，平滑。花期 7 ~ 9 月，果期 8 ~ 10 月。

| **生境分布** | 生于河岸、路边、田野、林缘、湿草甸、沼泽地。吉林各地均有分布。

| **资源情况** | 野生资源较丰富。药材主要来源于野生。

| **采收加工** | 夏、秋季采收，除去杂质，干燥。

| **药材性状** | 本品长 20 ~ 60cm，被疏毛。三出复叶互生，具长柄；完整小叶宽倒卵形或菱形，长、宽均为 1 ~ 2cm，叶端钝圆，微凹，叶基宽楔形，边缘上部具锯齿，两面均具白色柔毛，小叶柄短；托叶斜卵形，有柔毛。荚果先端内曲，稍呈肾形，黑色，具网纹，有疏柔毛。种子 1，黄褐色。气微，味淡。

| **功能主治** | 甘、苦、微涩，凉；有小毒。归肺、肝、胆、肾经。清热解毒，利湿，凉血止血，舒筋活络。用于黄疸性肝炎，便血，痔疮出血，白血病，咳嗽喘息，风湿痹痛，腰肌劳损；外用于疮毒，蜈蚣、毒蛇咬伤。

| **用法用量** | 内服煎汤，9 ~ 30g。外用适量，捣敷。

豆科 Leguminosae 苜蓿属 *Medicago*

花苜蓿
Medicago ruthenica (L.) Trautv.

| 植物别名 | 扁蓿豆。

| 药 材 名 | 花苜蓿（药用部位：全草。别名：奇尔克）。

| 形态特征 | 多年生草本，高 20 ~ 70（~ 100）cm。主根深入土中，根系发达。茎直立或上升，四棱形，基部分枝，丛生，羽状三出复叶；托叶披针形，锥尖，先端稍上弯，基部阔圆，耳状，具 1 ~ 3 浅齿，脉纹清晰；叶柄比小叶短，长 2 ~ 7（~ 12）mm，被柔毛；小叶形状变化很大，长圆状倒披针形、楔形、线形以及卵状长圆形，长（6 ~）10 ~ 15（~ 25）mm，宽（1.5 ~）3 ~ 7（~ 12）mm，先端截平，钝圆或微凹，中央具细尖，基部楔形、阔楔形至钝圆，边缘在基部 1/4 处以上具尖齿，或仅在上部具不整齐尖锯齿，上面近无毛，下面被贴伏柔毛，侧脉 8 ~ 18 对，分叉并伸出叶缘成尖齿，两面均

花苜蓿

隆起；顶生小叶稍大，小叶柄长 2 ~ 6mm，侧生小叶柄甚短，被毛。花序伞形，有时长达 2cm，具花（4 ~）6 ~ 9（~ 15）；总花梗腋生，通常比叶长，挺直，有时也纤细并比叶短；苞片刺毛状，长 1 ~ 2mm；花长（5 ~）6 ~ 9mm；花梗长 1.5 ~ 4mm，被柔毛；萼钟形，长 2 ~ 4mm，宽 1.5 ~ 2mm，被柔毛，萼齿披针状锥尖，与萼筒等长或比萼筒短；花冠黄褐色，中央深红色至紫色条纹，旗瓣倒卵状长圆形、倒心形至匙形，先端凹头，翼瓣稍短，长圆形，龙骨瓣明显短，卵形，均具长瓣柄；子房线形，无毛，花柱短，胚珠 4 ~ 8。荚果长圆形或卵状长圆形，扁平，长 8 ~ 15（~ 20）mm，宽 3.5 ~ 5（~ 7）mm，先端钝急尖，具短喙，基部狭尖并稍弯曲，具短颈，脉纹横向倾斜，分叉，腹缝有时具流苏状的狭翅，熟后变黑，有种子 2 ~ 6；种子椭圆状卵形，长 2mm，宽 1.5mm，棕色，平滑，种脐偏于一端，胚根发达。花期 6 ~ 9 月，果期 8 ~ 10 月。

| 生境分布 | 生于草原、沙地、田埂、渠边、河岸或砂砾质土壤的山坡旷野。分布于吉林白城（通榆、镇赉、洮南、大安）、松原（长岭）等。

| 资源情况 | 野生资源较少。药材主要来源于野生。

| 采收加工 | 夏、秋季采收，除去杂质，洗净，干燥。

| 药材性状 | 本品长 20 ~ 80cm。主根粗壮，须根多已除去。茎多分枝，具 4 棱，有稀疏的类白色短柔毛。三出复叶；托叶披针形，基部有牙齿或裂片，有伏毛；小叶 3，多皱缩或脱落，完整者展平后呈倒卵形或长圆状倒披针形，长 0.5 ~ 1.5cm，宽 1.5 ~ 4mm，边缘具锯齿，叶脉明显，有短柄。气微，味淡。

| 功能主治 | 苦，寒。归肝、肺、胃、大肠经。退热，解毒，止血。用于肺热咳嗽，赤痢；外用于消炎，止血。

| 用法用量 | 内服煎汤，9 ~ 15g。外用适量，熬膏涂。

豆科 Leguminosae 苜蓿属 Medicago

紫苜蓿 *Medicago sativa* L.

紫苜蓿

| 植物别名 |

苜蓿。

| 药 材 名 |

苜蓿（药用部位：全草或根。别名：牧蓿、南苜蓿）。

| 形态特征 |

多年生草本，高 30 ~ 100cm。根粗壮，深入土层，根颈发达。茎直立、丛生以至平卧，四棱形，无毛或微被柔毛，枝叶茂盛。羽状三出复叶；托叶大，卵状披针形，先端锐尖，基部全缘或具 1 ~ 2 齿裂，脉纹清晰；叶柄比小叶短；小叶长卵形、倒长卵形至线状卵形，等大，或顶生小叶稍大，长（5 ~）10 ~ 25（~ 40）mm，宽 3 ~ 10mm，纸质，先端钝圆，具由中脉伸出的长齿尖，基部狭窄，楔形，边缘 1/3 以上具锯齿，上面无毛，深绿色，下面被贴伏柔毛，侧脉 8 ~ 10 对，与中脉成锐角，在近叶缘处略有分叉；顶生小叶柄比侧生小叶柄略长。花序总状或头状，长 1 ~ 2.5cm，具花 5 ~ 30；总花梗挺直，比叶长；苞片线状锥形，比花梗长或与花梗等长；花长 6 ~ 12mm；花梗短，长约 2mm；萼钟形，长 3 ~ 5mm，萼齿线状锥

形，比萼筒长，被贴伏柔毛；花冠淡黄色、深蓝色至暗紫色，花瓣均具长瓣柄，旗瓣长圆形，先端微凹，明显较翼瓣和龙骨瓣长，翼瓣较龙骨瓣稍长；子房线形，具柔毛，花柱短阔，上端细尖，柱头点状，胚珠多数。荚果螺旋状紧卷 2～4（～6）圈，中央无孔或近无孔，直径 5～9mm，被柔毛或柔毛渐脱落，脉纹细，不清晰，熟时棕色，有种子 10～20；种子卵形，长 1～2.5mm，平滑，黄色或棕色。花期 5～7 月，果期 6～8 月。

| 生境分布 | 生于田边、路旁、旷野、草原、河岸、沟谷、荒地、沟边。吉林各地均有分布。吉林西部地区有栽培。

| 资源情况 | 野生资源较丰富。药材主要来源于栽培。

| 采收加工 | 夏、秋季采收全草、根，分别晒干或鲜用。

| 药材性状 | 本品根细长圆柱形，直径 0.5～2cm，分枝较多。根头部较粗大，有时具地上茎残基。表面灰棕色至红棕色，有不明显皮孔。质坚而脆，断面刺状。气微弱，略具刺激性，味微苦。

| 功能主治 | 全草，苦、微涩，平。归脾、胃、肾经。健胃消食，利肠，清热利尿，排石，抗肿瘤。用于黄疸性肝炎，腹泻，石淋，夜盲。根，苦，寒。归肝、肾经。清湿热，健胃，利尿。用于热病烦满，黄疸，尿路结石。

| 用法用量 | 全草，内服捣汁，90～150g，或研末，6～9g。根，内服煎汤，15～30g，或捣汁。

白花草木犀 *Melilotus albus* Desr.

| **植物别名** | 白花草木樨。

| **药 材 名** | 白花草木犀（药用部位：全草）。

| **形态特征** | 一年生或二年生草本，高 70 ~ 200cm。茎直立，圆柱形，中空，多分枝，几无毛。羽状三出复叶；托叶尖刺状锥形，长 6 ~ 10mm，全缘；叶柄比小叶短，纤细；小叶长圆形或倒披针状长圆形，长 15 ~ 30cm，宽（4 ~ ）6 ~ 12mm，先端钝圆，基部楔形，边缘疏生浅锯齿，上面无毛，下面被细柔毛，侧脉 12 ~ 15 对，平行直达叶缘齿尖，两面均不隆起，顶生小叶稍大，具较长小叶柄，侧小叶小叶柄短。总状花序长 9 ~ 20cm，腋生，具花 40 ~ 100，排列疏松；苞片线形，长 1.5 ~ 2mm；花长 4 ~ 5mm；花梗短，长 1 ~ 1.5mm；萼钟形，长约 2.5mm，微被柔毛，萼齿三角状披针形，短于萼筒；

白花草木犀

花冠白色，旗瓣椭圆形，稍长于翼瓣，龙骨瓣与翼瓣等长或比翼瓣稍短；子房卵状披针形，上部渐窄至花柱，无毛，胚珠 3 ~ 4。荚果椭圆形至长圆形，长 3 ~ 3.5mm，先端锐尖，具尖喙，表面脉纹细，网状，棕褐色，老熟后变黑褐色；有种子 1 ~ 2，种子卵形，棕色，表面具细瘤点。花期 5 ~ 7 月，果期 7 ~ 9 月。

| **生境分布** | 生于山坡、路旁、砂质草地或林缘。以长白山区为主要分布区域，分布于吉林延边、白山、通化、吉林、辽源（东丰）、白城、松原等。

| **资源情况** | 野生资源较丰富。药材主要来源于野生。

| **采收加工** | 夏、秋季采收，晒干。

| **功能主治** | 辛、苦，凉。清热解毒，化湿杀虫，截疟，止痢。用于暑热胸闷，疟疾，痢疾，淋证，皮肤疮疡，避孕。

豆科 Leguminosae 草木犀属 Melilotus

草木犀 Melilotus officinalis (L.) Pall.

| **植物别名** | 香黄草木犀。

| **药 材 名** | 辟汗草（药用部位：全草）。

| **形态特征** | 二年生草本，高 40 ~ 100（~ 250）cm。茎直立，粗壮，多分枝，具纵棱，微被柔毛。羽状三出复叶；托叶镰状线形，长 3 ~ 5（~ 7）mm，中央有 1 脉纹，全缘或基部有 1 尖齿；叶柄细长；小叶倒卵形、阔卵形、倒披针形至线形，长 15 ~ 25（~ 30）mm，宽 5 ~ 15mm，先端钝圆或截形，基部阔楔形，边缘具不整齐疏浅齿，上面无毛，粗糙，下面散生短柔毛，侧脉 8 ~ 12 对，平行直达齿尖，两面均不隆起，顶生小叶稍大，具较长的小叶柄，侧小叶的小叶柄短。总状花序长 6 ~ 15（~ 20）cm，腋生，具花 30 ~ 70，初时稠密，花开后渐疏松，花序轴在花期中显著伸展；苞片刺毛状，长约

草木犀

1mm；花长 3.5 ～ 7mm；花梗与苞片等长或比苞片稍长；萼钟形，长约 2mm，脉纹 5，甚清晰，萼齿三角状披针形，稍不等长，比萼筒短；花冠黄色，旗瓣倒卵形，与翼瓣近等长，龙骨瓣稍短或三者均近等长；雄蕊筒在花后常宿存包于果外；子房卵状披针形，胚珠 4 ～ 6（ ～ 8），花柱长于子房。荚果卵形，长 3 ～ 5mm，宽约 2mm，先端具宿存花柱，表面具凹凸不平的横向细网纹，棕黑色，有种子 1 ～ 2；种子卵形，长 2.5mm，黄褐色，平滑。花期 5 ～ 9 月，果期 6 ～ 10 月。

| 生境分布 | 生于山坡、草甸、路旁、砂质草地或林缘。吉林各地均有分布。

| 资源情况 | 野生资源丰富。药材主要来源于野生。

| 采收加工 | 夏季开花时采收，阴干。

| 药材性状 | 本品茎呈圆柱形，直径 2 ～ 6mm；表面黄绿色至黄棕色，具纵棱线；切面淡黄色，中空或有白色髓部。叶较少，棕绿色，完整者呈三出羽状复叶，小叶长椭圆形至倒披针形，长 1 ～ 2.5cm，宽 3 ～ 8mm，先端截形，中脉突出成短尖头，边缘具疏细齿，侧脉直达齿尖；托叶线形；多皱缩、破碎。花、果少见；腋生总状花序，花小，花萼钟状，花冠棕黄色，多已脱落；果实卵形，棕褐色，表面具网状皱纹，先端有喙，内含种子 1。气微香，味微甘。

| 功能主治 | 苦、辛，凉；有小毒。归肝、脾、胃经。清热解毒，芳香化浊，利尿通淋，化湿，截疟，杀虫。用于暑热胸闷，口臭，头胀，头痛，疟疾，痢疾，胃痛，泄泻，小便不利，热淋涩痛，湿疮。

| 用法用量 | 内服煎汤，9 ～ 15g；或浸酒。外用适量，捣敷；或煎汤洗；或烧烟熏。

豆科 Leguminosae 棘豆属 Oxytropis

长白棘豆 Oxytropis anertii Nakai ex Kitag.

| **植物别名** | 毛棘豆、老鹳草、白花长白棘豆。

| **药 材 名** | 长白棘豆（药用部位：全草）。

| **形态特征** | 多年生草本，高 5 ~ 25cm。根圆锥状、圆柱状，侧根少，直伸。茎极缩短，丛生羽状复叶长 4 ~ 12cm；托叶膜质，卵状披针形，长约 15mm，于 3/4 处与叶柄贴生，分离部分先端长渐尖，疏被白色长柔毛；叶柄与叶轴上面有沟，于小叶之间被腺点，疏被微曲柔毛；小叶（17 ~）21 ~ 33，卵状披针形、卵形或长圆形，长 5 ~ 12mm，宽 2 ~ 4mm，先端渐尖，基部圆形，边缘微卷，两面沿中脉及边缘疏被白色长柔毛。2 ~ 7 花组成头形总状花序；总花梗与叶近等长，长 4 ~ 8cm，被微曲柔毛；苞片草质，卵状披针形至狭披针形，长约 10mm，先端渐尖，基部圆形，疏被白色柔毛；花长 17 ~ 20mm；花

长白棘豆

梗极短；花萼草质，筒状，长约 11mm，密被白色柔毛，有时杂生黑色短柔毛，萼齿三角形，长约 4mm；花冠淡蓝紫色，旗瓣长 19～20mm，瓣片长圆形，宽 9mm，先端深凹，近 2 裂，瓣柄长 7mm，翼瓣长 12～13mm，先端斜宽而微凹，瓣柄长 7mm，具耳，龙骨瓣长 12～13mm，喙极短，长不超过 1mm，瓣柄长 7mm；子房密被毛至无毛。荚果卵形至卵状长圆形，膨胀，长 14～22mm，先端渐尖，具弯曲长喙，基部稍圆，被棕色短糙毛并混生淡黄色毛或无毛，隔膜窄，宽 2～2.5mm，不完全 2 室，果柄长 3mm；种子多数，圆肾形，宽约 3mm，深褐色。花期 6～7 月，果期 7～9 月。

| 生境分布 | 生于高山草甸、高山草原、高山石缝、林缘或向阳山坡。以长白山区为主要分布区域，分布于吉林延边、白山、通化、吉林、辽源（东丰）等。

| 资源情况 | 野生资源较少。药材主要来源于野生。

| 采收加工 | 夏、秋季采收，除去杂质和泥沙，晒干。

| 功能主治 | 苦、辛，凉。清热解毒。用于痈疮肿毒。

| 附　注 | 本种为吉林省 Ⅱ 级重点保护野生植物。

豆科 Leguminosae 棘豆属 *Oxytropis*

大花棘豆 *Oxytropis grandiflora* (Pall.) DC.

| **药 材 名** | 大花棘豆（药用部位：全草）。

| **形态特征** | 多年生草本，高 20 ~ 40cm。茎缩短，丛生，被贴伏白色柔毛。羽状复叶长 5 ~ 25cm；托叶宽卵形，与叶柄贴生，分离部分先端尖，密被白色柔毛；小叶 15 ~ 25，长圆状披针形，稀长圆状卵形，长 10 ~ 25（~ 30）mm，宽 5 ~ 7mm，先端渐尖，基部圆形，全缘，两面被白色绢状柔毛。多花组成穗形或头形总状花序；总花梗比叶长；苞片长圆状卵形或披针形，长 7 ~ 13mm，先端渐尖，被毛；花大，长 23 ~ 30mm；花萼筒状，长 10 ~ 14mm，微显紫色，被毛，萼齿三角状披针形，长 1 ~ 3mm；花冠红紫色或蓝紫色，旗瓣长 23mm，瓣片宽卵形，长 14mm，宽 12mm，先端圆，瓣柄长，翼瓣比旗瓣短，比龙骨瓣长，长 20mm，瓣片斜倒三角形，顶部微

大花棘豆

凹，瓣柄细长，长 10mm，耳稍弯，龙骨瓣长 17mm，瓣片前部具蓝紫色斑块，喙长 2 ~ 3mm，瓣柄长；子房密被柔毛。荚果革质，长圆形、长圆状卵形，长 20 ~ 30mm，宽 4 ~ 8mm，先端渐狭成细长的喙，腹缝线深凹，被贴伏白色柔毛，并混生黑色柔毛，隔膜宽，不完全2室；种子多数。花期6~7月，果期7~8月。

| **生境分布** | 生于山坡、丘顶、山地草原、石质山坡、草甸草原或山地林缘草甸。分布于吉林白城、松原等。

| **资源情况** | 野生资源较少。药材主要来源于野生。

| **采收加工** | 夏、秋季采收，除去杂质和泥沙，晒干。

| **功能主治** | 解表，祛风。用于外感表证。

豆科 Leguminosae 棘豆属 *Oxytropis*

海拉尔棘豆 *Oxytropis hailarensis* Kitag.

| **药 材 名** | 海拉尔棘豆（药用部位：全草）。

| **形态特征** | 多年生草本，高7～20cm。茎短，由基部分枝多，铺散。轮生羽状复叶长 2.5～14cm；托叶膜质，宽卵形或三角状卵形；小叶草质，3～9枚轮生，每轮3～6片，线状披针形，长 10～20mm，宽 1～3mm。多花组成近头形总状花序；总花梗长 14.5cm；苞片膜质，披针形或狭披针形；花长 18mm；花萼筒状，萼齿线状披针形；花冠红紫色、淡紫色，稀为白色，旗瓣长 13～21mm，瓣片椭圆状卵形，翼瓣斜宽倒卵形，长 13～17mm，先端斜截形，耳椭圆形，长 2mm，龙骨瓣近狭倒卵形，长 10～14mm，喙长 1.5～3mm，耳圆形，子房长圆形。荚果膜质，膨胀，宽卵形或卵形。花期 6～7月，果期 7～8月。

海拉尔棘豆

| 生境分布 | 生于沙地、石砾地、草原或沙丘等。分布于吉林白城、松原等。 |

| 资源情况 | 野生资源较少。药材主要来源于野生。 |

| 采收加工 | 夏、秋季采收，除去杂质和泥沙，晒干。 |

| 功能主治 | 苦、辛，凉。清热解毒，消肿，祛风湿，止血。用于疮疖肿毒，瘰疬，乳腺炎初期，感冒，急、慢性湿疹。 |

豆科 Leguminosae 棘豆属 Oxytropis

硬毛棘豆 *Oxytropis hirta* Bunge

| **植物别名** | 毛棘豆、猫尾巴花。

| **药 材 名** | 硬毛棘豆（药用部位：全草）。

| **形态特征** | 多年生草本，高 20 ~ 55cm，被长硬毛，灰绿色。根很长，褐色。茎极缩短。羽状复叶长 15 ~ 25（~ 30）cm，坚挺；托叶膜质，坚硬，披针状钻形，长 20 ~ 33mm，与叶柄贴生至 2/3 处，基部合生，分离部分先端长渐尖，长 6 ~ 14mm，被长硬毛，边缘具硬纤毛；叶柄与叶轴粗壮，上面有细沟，密被长硬毛，小叶之间有时密生小腺点；小叶（5 ~）9 ~ 19（~ 23），对生，罕互生，卵状披针形或长椭圆形，长 12 ~ 30（~ 60）mm，宽 3 ~ 8（~ 17）mm，通常顶小叶最大，自上而下依次渐小，先端渐尖、急尖或稍钝，基部圆形，两面疏被长硬毛，边缘具纤毛，有时上面无毛或近无毛。

硬毛棘豆

多花组成密长穗形总状花序；花葶粗壮，长于叶，长 20 ～ 50mm，密被长硬毛，或至无毛；苞片草质，线形或线状披针形，比花萼长，长（7 ～）8 ～ 13（～ 20）mm，宽 1 ～ 3mm，先端渐尖，疏被长硬毛；花长 15 ～ 18mm；花萼筒形或筒状钟形，长 10 ～ 13（～ 14）mm，宽 3 ～ 4mm，密被白色长硬毛，萼齿线形，长 5 ～ 7mm；花冠蓝紫色、紫红色或黄白色，旗瓣匙形，长约 20mm，宽约 6mm，先端圆形，基部下延成瓣柄，翼瓣长约 17mm，宽约 3mm，瓣片倒卵状长圆形，先端钝，龙骨瓣长约 17mm，瓣片斜长圆形，喙长 1 ～ 3mm；子房密被白色柔毛，胚珠 20 ～ 24。荚果长卵形，2/3 包于萼内，长 10 ～ 12mm，宽 3 ～ 4.5mm，密被白色长硬毛，喙长 3 ～ 4mm，腹隔膜宽约 1mm，不完全 2 室。花期 5 ～ 8 月，果期 7 ～ 10 月。

| **生境分布** | 生于草原、山坡路旁、丘陵坡地、山坡草地、覆沙坡地、石质山地阳坡或疏林下。分布于吉林白城（通榆、镇赉、洮南、大安）、松原（乾安、长岭、前郭尔罗斯）、四平（双辽）等。

| **资源情况** | 野生资源较少。药材主要来源于野生。

| **采收加工** | 夏、秋季采收，除去杂质和泥沙，晒干。

| **功能主治** | 苦、辛，凉。清热解毒，消肿，止血。用于疮疖肿毒，瘰疬结核。

豆科 Leguminosae 棘豆属 *Oxytropis*

山泡泡 *Oxytropis leptophylla* (Pall.) DC.

| **植物别名** | 薄叶棘豆、光棘豆。

| **药材名** | 山泡泡（药用部位：根。别名：薄叶棘豆）。

| **形态特征** | 多年生草本，高约8cm，全株被灰白色毛。根粗壮，圆柱状，深长。茎缩短。羽状复叶长7～10cm；托叶膜质，三角形，与叶柄贴生，先端钝，密被长柔毛；叶柄与叶轴上面有沟纹，被长柔毛；小叶9～13，线形，长13～35mm，宽1～2mm，先端渐尖，基部近圆形，边缘向上面反卷，上面无毛，下面被贴伏长硬毛。2～5花组成短总状花序；总花梗纤细，与叶等长或比叶稍短，微被开展短柔毛；苞片披针形或卵状长圆形，长于花梗，密被长柔毛；花长18～20mm；花萼膜质，筒状，长8～11mm，密被白色长柔毛；萼齿锥形，长为萼筒的1/3；花冠紫红色或蓝紫色，旗瓣近圆形，长20～23mm，

山泡泡

宽 10mm，先端圆形或微凹，基部渐狭成瓣柄，翼瓣长 19～20mm，耳短，瓣柄细长，龙骨瓣长 15～17mm，喙长 1.5mm；子房密被毛，花柱先端弯曲。荚果膜质，卵状球形，膨胀，长 14～18mm，宽 12～15mm，先端具喙，腹面具沟，被白色或黑白混生短柔毛，隔膜窄，不完全 1 室。花期 5～6 月，果期 6～7 月。

| 生境分布 | 生于砾石质丘陵坡地或向阳干旱山坡。分布于吉林白城（通榆、镇赉、洮南、大安）、松原（前郭尔罗斯、长岭）等。

| 资源情况 | 野生资源较少。药材主要来源于野生。

| 采收加工 | 秋季采挖根，除去杂质，鲜用或晒干。

| 功能主治 | 苦，凉。清热解毒。用于秃疮，瘰疬。

| 用法用量 | 外用适量，捣敷。

多叶棘豆 *Oxytropis myriophylla* (Pall.) DC.

| **植物别名** | 牙门杠、钩脚藤。

| **药 材 名** | 鸡翎草（药用部位：全草。别名：长肉芽草）。

| **形态特征** | 多年生草本，高 20 ~ 30cm，全株被白色或黄色长柔毛。根褐色，粗壮，深长。茎缩短，丛生。轮生羽状复叶长 10 ~ 30cm；托叶膜质，卵状披针形，基部与叶柄贴生，先端分离，密被黄色长柔毛；叶柄与叶轴密被长柔毛；小叶 25 ~ 32 轮，每轮 4 ~ 8 或有时对生，线形、长圆形或披针形，长 3 ~ 15mm，宽 1 ~ 3mm，先端渐尖，基部圆形，两面密被长柔毛。多花组成紧密或较疏松的总状花序；总花梗与叶近等长或长于叶，疏被长柔毛；苞片披针形，长 8 ~ 15mm，被长柔毛；花长 20 ~ 25mm；花梗极短或近无梗；花萼筒状，长 11mm，被长柔毛，萼齿披针形，长约 4mm，两面被长柔毛；花冠淡红紫

多叶棘豆

色，旗瓣长椭圆形，长 18.5mm，宽 6.5mm，先端圆形或微凹，基部下延成瓣柄，翼瓣长 15mm，先端急尖，耳长 2mm，瓣柄长 8mm，龙骨瓣长 12mm，喙长 2mm，耳长约 15.2mm；子房线形，被毛，花柱无毛，无柄。荚果披针状椭圆形，膨胀，长约 15mm，宽约 5mm，先端喙长 5 ~ 7mm，密被长柔毛，隔膜稍宽，不完全 2 室。花期 5 ~ 6 月，果期 7 ~ 8 月。

| 生境分布 | 生于沙地、平坦草原、干河沟、丘陵地、轻度盐渍化沙地、石质山坡。分布于吉林白城（通榆、镇赉、洮南、大安）、松原（前郭尔罗斯、长岭、扶余）、长春（农安）等。

| 资源情况 | 野生资源较少。药材主要来源于野生。

| 采收加工 | 夏、秋季采收，除去杂质和泥沙，晒干。

| 药材性状 | 本品皱缩成团，全株密被长柔毛。主根粗壮，长 6 ~ 10cm，有分枝。湿润展平后，羽状复叶丛生在根茎上，长 10 ~ 20cm，小叶对生或数片轮生，25 ~ 30 轮；小叶片线形或披针形，长 3 ~ 10mm，宽 0.5 ~ 1mm。总状花序，花排列紧密，淡紫色，总花梗长于叶。荚果椭圆形，长约 15mm，宽约 5mm，被长柔毛，先端具长 10mm 的喙。气微，味微苦、甘。

| 功能主治 | 甘，寒。归肺、肝、脾经。清热解毒，祛风除湿，消肿止血。用于流行性感冒，咽喉肿痛，痈疮肿毒，创伤，瘀血肿胀，各种出血。

| 用法用量 | 内服煎汤，6 ~ 9g；或研末，2 ~ 3g。外用适量，研末敷；或煎汤洗。

豆科 Leguminosae 菜豆属 *Phaseolus*

荷包豆 *Phaseolus coccineus* Linn.

| **植物别名** | 看豆、红花菜豆。

| **药 材 名** | 荷包豆（药用部位：种子）。

| **形态特征** | 多年生缠绕草本。在温带地区通常作一年生作物栽培，具块根；茎长 2 ~ 4m，或更长，被毛或无毛。羽状复叶具 3 小叶；托叶小，不显著；小叶卵形或卵状菱形，长 7.5 ~ 12.5cm，宽度有时超过长度，先端渐尖或稍钝，两面被柔毛或无毛。花多朵生于较叶为长的总花梗上，排成总状花序；苞片长圆状披针形，通常和花梗等长，多少宿存，小苞片长圆状披针形，与花萼等长或较萼长；花萼阔钟形，无毛或疏被长柔毛，萼齿远较萼管为短；花冠通常鲜红色，偶为白色，长 1.5 ~ 2cm。荚果镰状长圆形，长（5 ~）16（~ 30）cm，宽约 1.5cm；种子阔长圆形，长 1.8 ~ 2.5cm，宽 1.2 ~ 1.4cm，先端钝，深紫色

荷包豆

而具红斑、黑色或红色，稀为白色。

| **生境分布** | 生于植物园、公园等。吉林无野生分布。吉林偶见栽培，供观赏。

| **资源情况** | 吉林偶见栽培。药材主要来源于栽培。

| **采收加工** | 秋季种子成熟时采收，除去杂质，晒干。

| **功能主治** | 清热消肿，祛湿。用于热毒痈肿，湿疮湿疹。

| **附　　注** | 嫩荚、种子或块根亦供食用。

菜豆 *Phaseolus vulgaris* Linn.

| 植物别名 | 云扁豆、四季豆。

| 药 材 名 | 白饭豆（药用部位：种子。别名：龙爪豆）。

| 形态特征 | 一年生、缠绕或近直立草本。茎被短柔毛或老时无毛。羽状复叶具
3 小叶；托叶披针形，长约 4mm，基着。小叶宽卵形或卵状菱形，
侧生的偏斜，长 4 ~ 16cm，宽 2.5 ~ 11cm，先端长渐尖，有细尖，
基部圆形或宽楔形，全缘，被短柔毛。总状花序比叶短，有数朵生
于花序顶部的花；花梗长 5 ~ 8mm；小苞片卵形，有数条隆起的脉，
约与花萼等长或较其稍长，宿存；花萼杯状，长 3 ~ 4mm，上方的
2 裂片联合成 1 微凹的裂片；花冠白色、黄色、紫堇色或红色；旗
瓣近方形，宽 9 ~ 12mm，翼瓣倒卵形，龙骨瓣长约 1cm，先端旋卷，
子房被短柔毛，花柱压扁。荚果带形，稍弯曲，长 10 ~ 15cm，宽

菜豆

1 ~ 1.5cm，略肿胀，通常无毛，顶有喙；种子 4 ~ 6，长椭圆形或肾形，长
0.9 ~ 2cm，宽 0.3 ~ 1.2cm，白色、褐色、蓝色或有花斑，种脐通常白色。花期
春、夏季。

| **生境分布** | 生于田间、菜园等。吉林无野生分布。吉林各地均有栽培。

| **资源情况** | 吉林广泛栽培。药材来源于栽培。

| **采收加工** | 秋季荚果成熟而未开裂时采收果实，晒干，打出种子，除去杂质，晒干。

| **功能主治** | 甘、淡，平。滋养，利尿消肿，解热。用于水肿，湿热下注。

豆科 Leguminosae 豌豆属 Pisum

豌豆

Pisum sativum Linn.

| 植物别名 | 回鹘豆、麦豆、雪豆。

| 药 材 名 | 豌豆（药用部位：种子。别名：踝豆、寒豆、毕豆）。

| 形态特征 | 一年生攀缘草本，高 0.5 ~ 2m。全株绿色，光滑无毛，被粉霜。叶具小叶 4 ~ 6，托叶比小叶大，叶状，心形，下缘具细牙齿。小叶卵圆形，长 2 ~ 5cm，宽 1 ~ 2.5cm。花于叶腋单生或数朵排列为总状花序；花萼钟状，深 5 裂，裂片披针形；花冠颜色多样，随品种而异，但多为白色和紫色，二体雄蕊（9+1）。子房无毛，花柱扁，内面有髯毛。荚果肿胀，长椭圆形，长 2.5 ~ 10cm，宽 0.7 ~ 14cm，先端斜急尖，背部近于伸直，内侧有坚硬纸质的内皮；种子 2 ~ 10，圆形，青绿色，有皱纹或无，干后变为黄色。花期 6 ~ 7 月，果期 7 ~ 9 月。

豌豆

| 生境分布 |

生于田间、菜园等。吉林无野生分布。吉林各地均有栽培。

| 资源情况 |

吉林广泛栽培。药材主要来源于栽培。

| 采收加工 |

秋季荚果成熟而未开裂时割取，晒干并打下种子，除去杂质，晒干。

| 药材性状 |

本品呈圆球形，直径约5mm。表面青绿色至黄绿色、淡黄白色，有皱纹，可见点状种脐。种皮薄而韧，除去种皮有2枚黄白色肥厚的子叶。气微，味淡。

| 功能主治 |

甘，平。和中下气，强壮，利小便，解疮毒。用于霍乱转筋，脚气，疖肿，泄泻，腹胀。

豆科 Leguminosae 长柄山蚂蝗属 *Podocarpium*

羽叶长柄山蚂蝗
Podocarpium oldhami (Oliv.) Yang et Huang

羽叶长柄山蚂蝗

| 植物别名 |

羽叶山蚂蝗、羽叶山绿豆。

| 药 材 名 |

羽叶山蚂蝗（药用部位：全草。别名：羽叶山绿豆）。

| 形态特征 |

多年生草本。茎直立，高 50 ~ 150cm。根茎木质，较粗壮；茎微有棱，几无毛。叶为羽状复叶，小叶 7，偶为 3 ~ 5；托叶钻形，长 7 ~ 8mm，基部宽约 1mm；叶柄长约 6cm，被短柔毛；小叶纸质，披针形、长圆形或卵状椭圆形，长 6 ~ 15cm，宽 3 ~ 5cm，顶生小叶较大，下部小叶较小，先端渐尖，基部楔形或钝，两面疏被短柔毛，全缘，侧脉每边约 6；小托叶丝状，长 1 ~ 2.5mm，早落；顶生小叶的小叶柄长约 1.5cm。总状花序顶生或顶生和腋生，单一或有短分枝，长达 40cm，花序轴被黄色短柔毛；花疏散；苞片狭三角形，长 5 ~ 8mm，宽约 1mm；开花时花梗长 4 ~ 6mm，结果时长 6 ~ 11mm，密被开展钩状毛；小苞片缺；花萼长 2.5 ~ 3mm，萼筒长 1.5 ~ 1.7mm，裂片长 1 ~ 1.3mm，上部裂片先端明显 2 裂；

花冠紫红色，长约 7mm，旗瓣宽椭圆形，先端微凹，具短瓣柄，翼瓣、龙骨瓣狭椭圆形，具短瓣柄；雄蕊单体；子房线形，被毛，具子房柄，花柱弯曲。荚果扁平，长约 3.4cm，自背缝线深凹入至腹缝，通常有荚节 2，稀 1 ~ 3，荚节斜三角形，长 10 ~ 15mm，宽 5 ~ 7mm，有钩状毛，果柄长 6 ~ 11mm，果颈长 10 ~ 15mm；种子长 9mm，宽 5mm。花期 8 ~ 9 月，果期 9 ~ 10 月。

| 生境分布 | 生于山坡杂木林下、山沟溪流旁林下、灌丛及多石砾地、山谷、林中或林缘。分布于吉林通化（辉南、集安、通化、二道江、柳河）、延边（和龙、汪清）、白山（靖宇、浑江）、长春（榆树）、辽源（东辽）等。

| 资源情况 | 野生资源较少。药材主要来源于野生。

| 采收加工 | 夏季采收，晒干。

| 药材性状 | 本品小枝圆柱形，直径约 3mm，微具棱角，光滑。具完整的羽状复叶，小叶 5 ~ 7，披针形或矩形，先端渐尖，基部楔形，全缘，长 4 ~ 10cm，宽 1.3 ~ 4cm，表面枯绿色；叶柄长 6cm。有时可见荚果，长约 3cm，背缝线裂至腹缝线，节 2，半菱形。气微。

| 功能主治 | 辛，寒。健脾化湿，祛风活络，解毒消肿，止痛，破瘀散结，疏散风热，清热利尿。用于湿阻中焦，瘀血肿痛，小便不利，热淋涩痛，筋骨折断。

| 用法用量 | 内服煎汤，9 ~ 15g。外用适量，鲜品捣敷。

| 附　注 | 在 FOC 中，本种的拉丁学名被修订为 *Hylodesmum oldhamii* (Oliver) H. Ohashi & R. R. Mill。

豆科 Leguminosae 长柄山蚂蝗属 *Podocarpium*

宽卵叶长柄山蚂蝗

Podocarpium podocarpum DC. Yang et Huang var. *fallax* (Schindl.) Yang et Huang

宽卵叶长柄山蚂蝗

| 植物别名 |

东北山蚂蝗。

| 药 材 名 |

宽卵叶山蚂蝗（药用部位：全草。别名：假山绿豆）。

| 形态特征 |

直立多年生草本，高 50 ~ 100cm。根茎稍木质；茎具条纹，疏被伸展短柔毛。叶为羽状三出复叶，小叶 3；托叶钻形，长约 7mm，基部宽 0.5 ~ 1mm，外面与边缘被毛；叶柄长 2 ~ 12cm，茎上部的叶柄较短，茎下部的叶柄较长，疏被伸展短柔毛；小叶纸质，顶生小叶宽卵形或卵形，长 3.5 ~ 12cm，宽 2.5 ~ 8cm，先端渐尖或急尖，基部阔楔形或圆形，全缘，两面疏被短柔毛或几无毛，侧脉每边约 4，直达叶缘，侧生小叶斜卵形，较小，偏斜，小托叶丝状，长 1 ~ 4mm；小叶柄长 1 ~ 2cm，被伸展短柔毛。总状花序或圆锥花序，顶生或顶生和腋生，长 20 ~ 30cm，结果时延长至 40cm；总花梗被柔毛和钩状毛；通常每节生 2 花，花梗长 2 ~ 4mm，结果时增长至 5 ~ 6mm；苞片早落，窄卵形，长 3 ~ 5mm，宽约 1mm，

被柔毛；花萼钟形，长约 2mm，裂片极短，较萼筒短，被小钩状毛；花冠紫红色，长约 4mm，旗瓣宽倒卵形，翼瓣窄椭圆形，龙骨瓣与翼瓣相似，均无瓣柄；雄蕊单体；雌蕊长约 3mm，子房具子房柄。荚果长约 1.6cm，通常有荚节 2，背缝线弯曲，节间深凹入达腹缝线；荚节略呈宽半倒卵形，长 5 ~ 10mm，宽 3 ~ 4mm，先端截形，基部楔形，被钩状毛和小直毛，稍有网纹；果柄长约 6mm；果颈长 3 ~ 5mm。花果期 8 ~ 9 月。

| 生境分布 | 生于山坡路旁、灌丛中、疏林中、草坡、次生阔叶林下、高山草甸处。以长白山区为主要分布区域，分布于吉林延边、白山、通化、吉林、辽源（东丰）等。

| 资源情况 | 野生资源较少。药材主要来源于野生。

| 采收加工 | 夏、秋季采收，除去杂质，晒干。

| 药材性状 | 本品小枝细圆柱形，具棱角，有柔毛，可见具长柄的掌状复叶 4 ~ 7 聚生。小叶 3，宽卵形，先端渐尖，基部阔楔形或圆形，两侧小叶基部不对称，边缘浅波状，表面枯绿色，具短柔毛，质脆。有时可见荚果，长可达 2cm，宽 3.5mm，具 2 节，背部弯，密具带钩的小毛，节深凹至腹缝线，果柄长 7 ~ 10mm。气特异。

| 功能主治 | 甘、微辛，平。归肺、肝经。清热解表，祛风活血，止痢。用于风热感冒，痢疾。

| 用法用量 | 内服煎汤，9 ~ 15g。

| 附　注 | 在 FOC 中，本种的拉丁学名被修订为 *Hylodesmum podocarpum* subsp. *fallax* (Schindler) H. Ohashi & R. R. Mill。

豆科 Leguminosae 补骨脂属 Psoralea

补骨脂 *Psoralea corylifolia* Linn.

补骨脂

植物别名

破故纸。

药材名

补骨脂（药用部位：果实。别名：和兰苋、胡韭子）。

形态特征

一年生直立草本，高 60 ～ 150cm。枝坚硬，疏被白色绒毛，有明显腺点。叶为单叶，有时有 1 片长 1 ～ 2cm 的侧生小叶；托叶镰形，长 7 ～ 8mm；叶柄长 2 ～ 4.5cm，有腺点；小叶柄长 2 ～ 3mm，被白色绒毛；叶宽卵形，长 4.5 ～ 9cm，宽 3 ～ 6cm，先端钝或锐尖，基部圆形或心形，边缘有粗而不规则的锯齿，质地坚韧，两面有明显黑色腺点，被疏毛或近无毛。花序腋生，有花 10 ～ 30，组成密集的总状或小头状花序，总花梗长 3 ～ 7cm，被白色柔毛和腺点；苞片膜质，披针形，长 3mm，被绒毛和腺点；花梗长约 1mm；花萼长 4 ～ 6mm，被白色柔毛和腺点，萼齿披针形，下方一个较长，花冠黄色或蓝色，花瓣明显具瓣柄，旗瓣倒卵形，长 5.5mm；雄蕊 10，上部分离。荚果卵形，长 5mm，具小尖头，黑色，表面具不规则网纹，不开裂，果皮与种子不易分离；种子扁。花果期 7 ~ 10 月。

| **生境分布** | 生于山坡、溪边、田边。吉林无野生分布。吉林东部山区有栽培。

| **资源情况** | 吉林有栽培。药材主要来源于栽培。

| **采收加工** | 秋季果实成熟时采收果序，晒干，搓出果实，除去杂质，再将种子晒干。

| **药材性状** | 本品呈肾形，略扁，长 3 ~ 5mm，宽 2 ~ 4mm，厚约 1mm。果皮黑色、黑褐色或灰褐色，具细微网状皱纹，在放大镜下观察，可见果实表面凹凸不平，有时外附绿色膜质宿存萼，上有棕色腺点。种子 1，黄棕色，光滑，种脐位于凹侧的一端，呈凸起的点状，另一端有微凸起的合点。质坚硬，子叶黄白色，富油质。微有香气，味辛、微苦。

| **功能主治** | 辛、苦，温。归肾、脾经。温肾助阳，纳气平喘，温脾止泻，消风祛斑。用于肾阳不足，阳痿遗精，遗尿尿频，腰膝冷痛，肾虚作喘，五更泄泻；外用于白癜风，斑秃。

| **用法用量** | 内服煎汤，6 ~ 9g；或入丸、散。外用适量，酒浸涂。

| **附　　注** | 作为温肾补阳的传统中药，补骨脂药材的用量较大。吉林虽少量种植补骨脂，但基本为自产自销，无药材商品供市。

葛 *Pueraria lobata* (Willd.) Ohwi

| 植物别名 | 葛藤、野葛。

| 药 材 名 | 葛根（药用部位：块根。别名：鸡齐根）。

| 形态特征 | 粗壮藤本，长可达 8m，全体被黄色长硬毛，茎基部木质，有粗厚的块状根。羽状复叶具 3 小叶；托叶背着，卵状长圆形，具线条；小托叶线状披针形，与小叶柄等长或较长；小叶 3 裂，偶尔全缘，顶生小叶宽卵形或斜卵形，长 7 ~ 15（~ 19）cm，宽 5 ~ 12（~ 18）cm，先端长渐尖，侧生小叶斜卵形，稍小，上面被淡黄色、平伏的蔬柔毛。下面较密；小叶柄被黄褐色绒毛。总状花序长 15 ~ 30cm，中部以上有颇密集的花；苞片线状披针形至线形，远比小苞片长，早落；小苞片卵形，长不及 2mm；花 2 ~ 3 朵聚生于花序轴的节上；花萼钟形，长 8 ~ 10mm，被黄褐色柔毛，裂片披

葛

针形，渐尖，比萼管略长；花冠长 10 ~ 12mm，紫色，旗瓣倒卵形，基部有 2 耳及 1 黄色硬痂状附属体，具短瓣柄，翼瓣镰状，较龙骨瓣为狭，基部有线形、向下的耳，龙骨瓣镰状长圆形，基部有极小、急尖的耳；对旗瓣的 1 枚雄蕊仅上部离生；子房线形，被毛。荚果长椭圆形，长 5 ~ 9cm，宽 8 ~ 11mm，扁平，被褐色长硬毛。花期 9 ~ 10 月，果期 11 ~ 12 月。

| **生境分布** | 生于向阳山坡、杂木林缘或灌丛、荒山等处，常聚生成片生长。以长白山区为主要分布区域，分布于吉林延边、白山、通化、吉林、辽源（东丰）等。

| **资源情况** | 野生资源较少。药材主要来源于野生。

| **采收加工** | 秋、冬季采挖，趁鲜切成厚片或小块，干燥。

| **药材性状** | 本品呈纵切的长方形厚片或小方块，长 5 ~ 15cm，直径 3 ~ 5cm，片厚 0.5 ~ 1cm。外皮淡棕色，有纵皱纹，粗糙。切面黄白色，纹理不明显。质韧而重，纤维性强，断面可见聚集的纤维形成的同心性环纹，棕色。气微，味微甜。

| **功能主治** | 甘、辛，凉。归肺经。清热解毒，生津止渴，升阳，醒酒，退疹，止泻止痢。用于伤寒，烦热口渴，风寒感冒，头痛，项强痛，腹泻，痢疾，斑疹不透，高

血压，心绞痛，耳聋，疔疖疮疡，衄血，吐血，毒蛇咬伤。

| 用法用量 | 内服煎汤，5 ~ 10g，鲜品 30 ~ 60g；或烧存性，研末。外用适量，烧存性，研末调敷。

| 附　　注 | （1）在 FOC 中，本种的拉丁学名被修订为 *Pueraria montana* (Loureiro) Merrill。

（2）葛根除药用外，也是生产解酒系列饮料的主要原料，故用量较大。吉林野生葛根资源集中在东部山区，储量较大，但由于采挖困难，目前尚无药材商品产出。

（3）本种为吉林省Ⅲ级重点保护野生植物。

豆科 | Leguminosae | 刺槐属 | *Robinia*

刺槐
Robinia pseudoacacia Linn.

| **植物别名** | 洋槐、槐花、伞形洋槐。

| **药 材 名** | 刺槐花（药用部位：花。别名：洋槐、刺儿槐）。

| **形态特征** | 落叶乔木，高 10 ~ 25m。树皮灰褐色至黑褐色，浅裂至深纵裂，稀光滑。小枝灰褐色，幼时有棱脊，微被毛，后无毛；具托叶刺，长达 2cm；冬芽小，被毛。羽状复叶长 10 ~ 25（~ 40）cm；叶轴上面具沟槽；小叶 2 ~ 12 对，常对生，椭圆形、长椭圆形或卵形，长 2 ~ 5cm，宽 1.5 ~ 2.2cm，先端圆，微凹，具小尖头，基部圆至阔楔形，全缘，上面绿色，下面灰绿色，幼时被短柔毛，后变无毛；小叶柄长 1 ~ 3mm；小托叶针芒状。总状花序腋生，长 10 ~ 20cm，下垂，花多数，芳香；苞片早落；花梗长 7 ~ 8mm；花萼斜钟状，长 7 ~ 9mm，萼齿 5，三角形至卵状三角形，密被柔

刺槐

毛；花冠白色，各瓣均具瓣柄，旗瓣近圆形，长 16mm，宽约 19mm，先端凹缺，基部圆，反折，内有黄斑，翼瓣斜倒卵形，与旗瓣几等长，长约 16mm，基部一侧具圆耳，龙骨瓣镰状，三角形，与翼瓣等长或稍短，前缘合生，先端钝尖；雄蕊二体，对旗瓣的 1 枚分离；子房线形，长约 1.2cm，无毛，柄长 2～3mm，花柱钻形，长约 8mm，上弯，先端具毛，柱头顶生。荚果褐色，或具红褐色斑纹，线状长圆形，长 5～12cm，宽 1～1.3（～1.7）cm，扁平，先端上弯，具尖头，果颈短，沿腹缝线具狭翅；花萼宿存，有种子 2～15；种子褐色至黑褐色，微具光泽，有时具斑纹，近肾形，长 5～6mm，宽约 3mm，种脐圆形，偏于一端。花期 4～6 月，果期 8～9 月。

| 生境分布 | 生于公路旁或村舍附近。吉林无野生分布。吉林各地均有栽培。

| 资源情况 | 吉林广泛栽培。药材主要来源于栽培。

| 采收加工 | 夏季花开放或花蕾形成时采收，除去枝、梗及杂质，干燥。

药材性状	本品略呈飞鸟状，未开放者为钩镰状，长 1.3 ～ 1.6cm。下部为钟状花萼，棕色，被亮白色短柔毛，先端 5 齿裂，基部有花柄，其近上端有 1 关节，节上略粗，节下狭细。上部为花冠，花瓣 5，皱缩，有时残破或脱落，其中旗瓣 1，宽大，常反折，翼瓣 2，两侧生，较狭，龙骨瓣 2，上部合生，钩镰状，雄蕊 10，9 枚花丝合生，1 枚花丝下部参与连合，子房线形、棕色，花柱弯生，先端有短柔毛。质软，体轻。气微，味微甘。
功能主治	甘，平。止血。用于咯血，大肠下血，吐血，崩漏。
用法用量	内服煎汤，9 ～ 15g；或泡茶饮。

槐 *Sophora japonica* Linn.

| **植物别名** | 蝴蝶槐、国槐、金药树。

| **药 材 名** | 槐根（药用部位：根）、槐枝（药用部位：嫩枝）、槐花（药用部位：花）、槐米（药用部位：花蕾）、槐角（药用部位：果实）。

| **形态特征** | 落叶乔木，高达 25m。树皮灰褐色，具纵裂纹。当年生枝绿色，无毛。羽状复叶长达 25cm；叶轴初被疏柔毛，旋即脱净；叶柄基部膨大，包裹着芽；托叶形状多变，有时呈卵形，叶状，有时线形或钻状，早落；小叶 4 ~ 7 对，对生或近互生，纸质，卵状披针形或卵状长圆形，长 2.5 ~ 6cm，宽 1.5 ~ 3cm，先端渐尖，具小尖头，基部宽楔形或近圆形，稍偏斜，下面灰白色，初被疏短柔毛，旋变无毛；小托叶 2，钻状。圆锥花序顶生，常呈金字塔形，长达 30cm；花梗比花萼短；小苞片 2，形似小托叶；花萼浅钟状，长约 4mm，萼

槐

齿 5，近等大，圆形或钝三角形，被灰白色短柔毛，萼管近无毛；花冠白色或淡黄色，旗瓣近圆形，长和宽约 11mm，具短柄，有紫色脉纹，先端微缺，基部浅心形，翼瓣卵状长圆形，长 10mm，宽 4mm，先端浑圆，基部斜截形，无皱褶，龙骨瓣阔卵状长圆形，与翼瓣等长，宽达 6mm；雄蕊近分离，宿存；子房近无毛。荚果串珠状，长 2.5 ～ 5cm 或稍长，直径约 10mm，种子间缢缩不明显，种子排列较紧密，具肉质果皮，成熟后不开裂，具种子 1 ～ 6；种子卵球形，淡黄绿色，干后黑褐色。花期 7 ～ 8 月，果期 8 ～ 10 月。

| **生境分布** | 生于山坡、平原。吉林无野生分布。吉林部分城市、乡村的路旁有栽培。

| **资源情况** | 吉林有栽培。药材主要来源于栽培。

| **采收加工** | 槐根：全年均可采挖，洗净，晒干。
槐枝：春末夏初采收，除去小叶，晒干。
槐花：夏季花开放时采收，除去枝、梗及杂质，干燥。
槐米：夏季花蕾形成时采收，及时干燥，除去枝、梗及杂质。
槐角：冬季采收，除去杂质，干燥。

| **药材性状** | 槐根：本品呈圆柱形，长短、粗细不一，有的略弯曲。表面黄色或黄褐色。质坚硬。

折断面黄白色，纤维性，木部占大部分。气微，味微苦、涩。

槐枝：本品呈长圆柱形，长短不一，直径 0.1 ~ 0.6cm。表面棕色、绿色或黄绿色，有的有细皱纹或皮孔，皮孔为椭圆形，纵向排列。质硬，断面不整齐。皮部较薄，木部黄白色，髓部类白色、黄绿色或棕黄色，气微，味微苦。

槐花：本品皱缩而卷曲，花瓣多散落。完整者花萼钟状，黄绿色，先端 5 浅裂；花瓣 5，黄色或黄白色，1 片较大，近圆形，先端微凹，其余 4 片长圆形。雄蕊 10，其中 9 个基部连合，花丝细长。雌蕊圆柱形，弯曲。体轻。气微，味微苦。

槐米：本品卵形或椭圆形，长 2 ~ 6mm，直径约 2mm。花萼黄绿色，下部有数条纵纹。萼的上方为黄白色未开放的花瓣。花梗细小。体轻，手捻即碎。无臭，味微苦、涩。

槐角：本品呈连株状，长 1 ~ 6cm，直径 0.6 ~ 1cm。表面黄绿色或黄褐色，皱缩而粗糙，背缝线一侧呈黄色。质柔润，干燥皱缩，易在收缩处折断，断面黄绿色，有黏性。种子 1 ~ 6，肾形，长约 8mm，表面光滑，棕黑色，一侧有灰白色圆形种脐；质坚硬，子叶 2，黄绿色。果肉气微，味苦，种子嚼之有豆腥气。

| 功能主治 | 槐根：苦，平。用于痔疮，喉痹，蛔虫病。

槐枝：苦，平。归心、肝、脾、大肠经。清肝明目，清热利湿。用于崩漏，带下，心痛，目赤，痔疮，疥疮。

槐花、槐米：苦，微寒。归肝、大肠经。凉血止血，清肝泻火。用于便血，痔疮出血，血痢，崩漏，吐血，衄血，肝热目赤，头痛眩晕。

槐角：苦，寒。清热泻火，凉血止血。用于肠热便血，痔疮出血，肝热头痛，眩晕目赤。

| 用法用量 | 槐根：内服煎汤，30 ~ 60g。外用适量，煎汤洗或含漱。

槐枝：内服煎汤，10 ~ 20g。

槐花、槐米：内服煎汤，5 ~ 9g；或入丸、散。外用适量，煎汤熏洗；或研末撒。

槐角：内服煎汤，6 ~ 9g。

| 附 注 | 槐在吉林的药用历史较久。在《吉林通志》（1891）、《吉林新志》（1934）、《临江县志》（1935）等多部地方志中均有关于槐的记载。槐枝已被列入 2019 年版《吉林省中药材标准》第二册。

豆科 Leguminosae 苦马豆属 *Sphaerophysa*

苦马豆 *Sphaerophysa salsula* (Pall.) DC.

| **植物别名** |

羊尿泡、红花土豆子。

| **药 材 名** |

苦马豆（药用部位：果实、枝叶。别名：马皮泡、红苦豆子）。

| **形态特征** |

半灌木或多年生草本。茎直立或下部匍匐，高 0.3 ~ 0.6m，稀达 1.3m。枝开展，具纵棱脊，被疏至密的灰白色"丁"字毛。托叶线状披针形，三角形至钻形，自茎下部至上部渐变小；叶轴长 5 ~ 8.5cm，上面具沟槽；小叶 11 ~ 21，倒卵形至倒卵状长圆形，长 5 ~ 15（~ 25）mm，宽 3 ~ 6（~ 10）mm，先端微凹至圆，具短尖头，基部圆至宽楔形，上面疏被毛至无毛，侧脉不明显，下面被细小、白色"丁"字毛；小叶柄短，被白色细柔毛。总状花序常较叶长，长 6.5 ~ 13（~ 17）cm，生 6 ~ 16 花；苞片卵状披针形；花梗长 4 ~ 5mm，密被白色柔毛，小苞片线形至钻形；花萼钟状，萼齿三角形，上边 2 齿较宽短，其余较窄长，外面被白色柔毛；花冠初呈鲜红色，后变紫红色，旗瓣瓣片近圆形，向外反折，长 12 ~ 13mm，宽 12 ~

苦马豆

16mm，先端微凹，基部具短柄，翼瓣较龙骨瓣短，连柄长 12mm，先端圆，基部具长 3mm、微弯的瓣柄及长 2mm、先端圆的耳状裂片，龙骨瓣长 13mm，宽 4 ~ 5mm，瓣柄长约 4.5mm，裂片近成直角，先端钝；子房近线形，密被白色柔毛，花柱弯曲，仅内侧疏被纵列髯毛，柱头近球形。荚果椭圆形至卵圆形，膨胀，长 1.7 ~ 3.5cm，直径 1.7 ~ 1.8cm，先端圆，果颈长约 10mm，果瓣膜质，外面疏被白色柔毛，缝线上较密；种子肾形至近半圆形，长约 2.5mm，褐色，珠柄长 1 ~ 3mm，种脐圆形凹陷。花期 5 ~ 8 月，果期 6 ~ 9 月。

| **生境分布** | 生于山坡、草原、荒地、沙滩、戈壁绿洲、沟渠旁及盐池、海边河边、沟旁、地埂、砂质土地或盐碱地上。分布于吉林白城（通榆、镇赉、洮南、大安）、松原（前郭尔罗斯、长岭、乾安）、四平（双辽）等。

| **资源情况** | 野生资源较丰富。药材主要来源于野生。

| **采收加工** | 秋季果实成熟后采收果实或枝叶，晒干。

| **药材性状** | 本品果实呈卵球形或长圆球形，长 1.5 ~ 3cm，直径 1.5 ~ 2cm，果柄较长。表面黄白色，较光滑。果皮膜质而脆，内有多数种子。种子肾状圆形，表面棕褐色，

长约 1.5mm。小枝圆柱形，羽状复叶，小叶多脱落，小叶片长椭圆形，先端钝或微凹，全缘。气微，味苦。

| **功能主治** | 微苦，平。利尿，消肿。用于慢性肝炎浮肿，肝硬化腹水，肾炎水肿，血管神经性水肿。

| **用法用量** | 全草，内服煎汤，9 ~ 15g。果实，内服煎汤，20 ~ 30 枚。

豆科 Leguminosae 野决明属 Thermopsis

披针叶野决明

Thermopsis lanceolata R. Br.

| 植物别名 | 牧马豆、披针叶黄华。

| 药 材 名 | 牧马豆（药用部位：全草。别名：土马豆、野决明、苦豆）。

| 形态特征 | 多年生草本，高 12 ~ 30（~ 40）cm。茎直立，分枝或单一，具
沟棱，被黄白色贴伏或伸展柔毛。3 小叶；叶柄短，长 3 ~ 8mm；
托叶叶状，卵状披针形，先端渐尖，基部楔形，长 1.5 ~ 3cm，宽
4 ~ 10mm，上面近无毛，下面被贴伏柔毛；小叶狭长圆形、倒披针
形，长 2.5 ~ 7.5cm，宽 5 ~ 16mm，上面通常无毛，下面多少被贴
伏柔毛。总状花序顶生，长 6 ~ 17cm，具花 2 ~ 6 轮，排列疏松；
苞片线状卵形或卵形，先端渐尖，长 8 ~ 20mm，宽 3 ~ 7mm，宿存；
萼钟形，长 1.5 ~ 2.2cm，密被毛，背部稍呈囊状隆起，上方 2 齿连合，
三角形，下方萼齿披针形，与萼筒近等长。花冠黄色，旗瓣近圆形，

披针叶野决明

长 2.5 ~ 2.8cm，宽 1.7 ~ 2.1cm，先端微凹，基部渐狭成瓣柄，瓣柄长 7 ~ 8mm，翼瓣长 2.4 ~ 2.7cm，先端有 4 ~ 4.3mm 长的狭窄头，龙骨瓣长 2 ~ 2.5cm，宽为翼瓣的 1.5 ~ 2 倍；子房密被柔毛，具柄，柄长 2 ~ 3mm，胚珠 12 ~ 20。荚果线形，长 5 ~ 9cm，宽 7 ~ 12mm，先端具尖喙，被细柔毛，黄褐色，种子 6 ~ 14，位于中央；种子圆肾形，黑褐色，具灰色蜡层，有光泽，长 3 ~ 5mm，宽 2.5 ~ 3.5mm。花期 5 ~ 7 月，果期 6 ~ 10 月。

| **生境分布** | 生于草原沙丘、山坡草地、河边或沙砾地。分布于吉林白城（通榆、镇赉、洮南、大安）、松原（乾安、前郭尔罗斯、长岭）等。

| **资源情况** | 野生资源较少。药材主要来源于野生。

| **采收加工** | 夏、秋季采收，洗去泥土，晒干。

| **药材性状** | 本品全体有黄白色长柔毛。茎偶见分枝。掌状复叶，小叶 3；托叶卵状披针形，长 1.5 ~ 2.5cm，宽 4 ~ 7mm，基部连合。小叶多皱缩、破碎，完整者展平后呈倒披针形或长圆状倒卵形，长 2.5 ~ 8.5cm，宽 0.7 ~ 1.5cm，有短柄。有时可见花序和荚果，花蝶形，黄色。荚果线状长圆形，长约 4cm，先端有长喙，浅棕色，密被短柔毛，内有种子 6 ~ 14，种子近肾形，黑褐色，具光泽。气微，味淡。种子嚼之有豆腥气。

| **功能主治** | 甘，微温；有毒。归肺经。祛痰，止咳。用于咳嗽痰喘。

| **用法用量** | 内服煎汤，6 ~ 12g。外用适量，捣敷；或研末调擦。

豆科 Leguminosae 车轴草属 *Trifolium*

杂种车轴草 *Trifolium hybridum* L.

| **植物别名** | 杂车轴草。

| **药 材 名** | 杂种车轴草（药用部位：种子）。

| **形态特征** | 短期多年生草本，生长期 3 ~ 5 年，高 30 ~ 60cm。主根不发达，多支根。茎直立或上升，具纵棱，疏被柔毛或近无毛。掌状三出复叶；托叶卵形至卵状披针形，草质，具脉纹 5 ~ 6，下部托叶有时边缘具不整齐齿裂，合生部分短，离生部分长渐尖，先端尾尖；叶柄在茎下部甚长，上部较短；小叶阔椭圆形，有时卵状椭圆形或倒卵形，长 1.5 ~ 3cm，宽 1 ~ 2cm，先端钝，有时微凹，基部阔楔形，边缘具不整齐细锯齿，近叶片基部锯齿呈尖刺状，无毛或下面被疏毛，侧脉约 20 对，与中脉呈 70° 角展开，隆起并连续分叉；小叶柄长约 1mm。花序球形，直径 1 ~ 2cm，着生于上部叶腋；总花梗

杂种车轴草

4 ~ 7cm，比叶长，具花 12 ~ 20（~ 30），甚密集；无总苞，苞片甚小，锥刺状，长约 0.5mm；花长 7 ~ 9mm；花梗比萼短，花后下垂；萼钟形，无毛，具脉纹 5，萼齿披针状三角形，近等长，萼喉开张，无毛；花冠淡红色至白色，旗瓣椭圆形，比翼瓣和龙骨瓣长；子房线形，花柱几与子房等长，上部弯曲，胚珠 2。荚果椭圆形，通常有种子 2；种子甚小，榄绿色至褐色。花果期 6 ~ 10 月。

| 生境分布 | 生于林缘、河旁草地等。以长白山区为主要分布区域，分布于吉林延边、白山、通化、吉林、辽源（东丰）等。吉林部分地区有少量栽培。

| 资源情况 | 野生资源较少。药材主要来源于野生。

| 采收加工 | 秋、冬季果实成熟时采收，剥取种子，晒干。

| 功能主治 | 消癥。用于癥瘕积聚。

| 豆科 | Leguminosae | 车轴草属 | *Trifolium*

野火球
Trifolium lupinaster L.

| 植物别名 | 红五叶、野火荻。

| 药 材 名 | 野火球（药用部位：全草。别名：野车轴草、也火球、野火萩）。

| 形态特征 | 多年生草本，高30～60cm。根粗壮，发达，常多分叉。茎直立，单生，基部无叶，秃净，上部具分枝，被柔毛。掌状复叶，通常小叶5，稀3或7（～9）；托叶膜质，大部分抱茎呈鞘状，先端离生部分披针状三角形；叶柄几全部与托叶合生；小叶披针形至线状长圆形，长25～50mm，宽5～16mm，先端锐尖，基部狭楔形，中脉在下面隆起，被柔毛，侧脉多达50对以上，两面均隆起，分叉直伸出叶缘成细锯齿；小叶柄短，不到1mm。头状花序着生先端和上部叶腋，具花20～35；总花梗长1.3（～5）cm，被柔毛；花序下端具1早落的膜质总苞；花长（10～）12～17mm，萼钟形，长6～10mm，

野火球

被长柔毛，脉纹10，萼齿丝状锥尖，比萼筒长2倍；花冠淡红色至紫红色，旗瓣椭圆形，先端钝圆，基部稍窄，几无瓣柄，翼瓣长圆形，下方有一钩状耳，龙骨瓣长圆形，比翼瓣短，先端具小尖喙，基部具长瓣柄；子房狭椭圆形，无毛，具柄，花柱丝状，上部弯成钩状；胚珠5～8。荚果长圆形，长6mm（不包括宿存花柱），宽2.5mm，膜质，棕灰色，有种子（2～）3～6；种子阔卵形，直径1.5mm，榄绿色，平滑。花果期6～10月。

| **生境分布** | 生于林缘、草甸、路边、低湿草地、山坡。以长白山区为主要分布区域，分布于吉林延边、白山、通化、长春、吉林、辽源（东丰）等。

| **资源情况** | 野生资源较丰富。药材主要来源于野生。

| **采收加工** | 秋季采收，除去杂质，晒干。

| **药材性状** | 本品长30～60cm，根多分枝。茎略呈四棱形，表面有细纵纹，质脆，易折断。掌状复叶，托叶膜质，鞘状抱茎。小叶5，多皱缩，卷曲，完整者展平后呈披针形或狭椭圆形，长2.5～4cm，宽0.5～2cm，边缘具细锯齿，两面侧脉隆起，下面中脉有稀疏柔毛，近无柄。有时可见暗紫红色头状花序及线状长圆形荚果。气微，味淡。

| **功能主治** | 苦，平。归肺、心、肝经。清热解毒，镇痛，止咳，散结。用于咳喘，瘰疬，痔疮，皮癣。

| **用法用量** | 内服煎汤，9～15g；或浸酒。外用适量，煎汤洗；或鲜品取汁敷。

豆科 Leguminosae 车轴草属 Trifolium

红车轴草 *Trifolium pratense* L.

| **植物别名** | 红三叶、红花车轴草。

| **药 材 名** | 红车轴草（药用部位：花序及带花枝叶。别名：红三叶草、三叶草、红菽草）。

| **形态特征** | 短期多年生草本，生长期 2 ～ 5（～ 9）年。主根深入土层达 1m。茎粗壮，具纵棱，直立或平卧上升，疏生柔毛或秃净。掌状三出复叶；托叶近卵形，膜质，每侧具脉纹 8 ～ 9，基部抱茎，先端离生部分渐尖，具锥刺状尖头；叶柄较长，茎上部的叶柄短，被伸展毛或秃净；小叶卵状椭圆形至倒卵形，长 1.5 ～ 3.5（～ 5）cm，宽 1 ～ 2cm，先端钝，有时微凹，基部阔楔形，两面疏生褐色长柔毛，叶面上常有 V 形白斑，侧脉约 15 对，呈 20° 角展开在叶缘处分叉隆起，伸出，形成不明显的钝齿；小叶柄短，长约 1.5mm。花序球状或卵状，顶

红车轴草

生；无总花梗或具甚短总花梗，包于顶生叶的托叶内，托叶扩展成焰苞状，具花 30 ~ 70，密集；花长 12 ~ 14（~ 18）mm；几无花梗；萼钟形，被长柔毛，具脉纹 10，萼齿丝状，锥尖，比萼筒长，最下方 1 齿比其余萼齿长 1 倍，萼喉开张，具 1 多毛的加厚环；花冠紫红色至淡红色，旗瓣匙形，先端圆形，微凹缺，基部狭楔形，明显比翼瓣和龙骨瓣长，龙骨瓣稍比翼瓣短；子房椭圆形，花柱丝状细长，胚珠 1 ~ 2。荚果卵形，通常有 1 扁圆形种子。花果期 5 ~ 9 月。

| **生境分布** | 生于草甸、林缘、山坡。以长白山区为主要分布区域，分布于吉林延边、白山、通化、长春、吉林、辽源（东丰）等。吉林各公园、城市绿化带有栽培。

| **资源情况** | 野生资源较丰富。药材主要来源于栽培。

| **采收加工** | 5 ~ 7 月采摘花序或带花嫩枝叶，阴干。

| **药材性状** | 本品花序呈扁球形或不规则球形，直径 2 ~ 3cm，近无总花梗。有大型总苞，总苞卵圆形，有纵脉。花萼钟形，萼齿线状披针形，有长毛。花瓣暗紫红色，具爪。有时花序带有枝叶，三出复叶；托叶卵形，基部抱茎。小叶 3，多卷缩或脱落，完整者展平后呈卵形或长椭圆形，长 2.5 ~ 4cm，宽 1 ~ 2cm，叶面有浅色斑纹。气微，味淡。

| **功能主治** | 甘，平。归肺经。镇痉，止咳平喘。用于哮喘咳嗽，痉挛抽搐。

| **用法用量** | 内服煎汤，15 ~ 30g。外用适量，捣敷；或制成软膏涂敷。

豆科 Leguminosae 车轴草属 Trifolium

白车轴草
Trifolium repens L.

| **植物别名** | 白花车轴草、白三叶草、白三叶。

| **药 材 名** | 三消草（药用部位：全草。别名：螃蟹花、金花草、白三叶）。

| **形态特征** | 短期多年生草本，生长期达 5 年，高 10 ～ 30cm。主根短，侧根和须根发达。茎匍匐蔓生，上部稍上升，节上生根，全株无毛。掌状三出复叶；托叶卵状披针形，膜质，基部抱茎成鞘状，离生部分锐尖；叶柄较长，长 10 ～ 30cm；小叶倒卵形至近圆形，长 8 ～ 20（～ 30）mm，宽 8 ～ 16（～ 25）mm，先端凹头至钝圆，基部楔形渐窄至小叶柄，中脉在下面隆起，侧脉约 13 对，与中脉呈 50° 角展开，两面均隆起，近叶缘分叉并伸达锯齿齿尖；小叶柄长 1.5mm，微被柔毛。花序球形，顶生，直径 15 ～ 40mm；总花梗甚长，比叶柄长近 1 倍，具花 20 ～ 50（～ 80），密集；无总苞；苞片披针形，

白车轴草

膜质，锥尖；花长 7 ～ 12mm；花梗比花萼稍长或与花萼等长，开花立即下垂；萼钟形，具脉纹 10，萼齿 5，披针形，稍不等长，短于萼筒，萼喉开张，无毛；花冠白色、乳黄色或淡红色，具香气。旗瓣椭圆形，比翼瓣和龙骨瓣长近 1 倍，龙骨瓣比翼瓣稍短；子房线状长圆形，花柱比子房略长，胚珠 3 ～ 4。荚果长圆形，种子通常 3；种子阔卵形。花果期 5 ～ 10 月。

| 生境分布 | 生于林缘、路边、山坡、湿润草地、河岸。吉林各地均有分布。吉林绿化草坪有栽培。

| 资源情况 | 野生资源较丰富。药材主要来源于野生。

| 采收加工 | 夏、秋季采收，晒干。

| 药材性状 | 本品主根短，侧根和须根发达。地下茎节明显，上生根，全株无毛。地上茎直径 1 mm，断面白色。叶纸质，卷曲皱缩，叶柄和花梗中空。花序呈乳白色或黄棕色。质脆易碎。气微，味微酸、苦。

| 功能主治 | 甘，平。归心、脾经。清热，凉血，宁心。用于癫痫，痔疮出血。

| 用法用量 | 内服煎汤，15 ～ 30g。外用适量，捣敷。

豆科 Leguminosae 胡卢巴属 *Trigonella*

胡卢巴
Trigonella foenum-graecum Linn.

胡卢巴

| 植物别名 |

香草、香豆、芸香。

| 药 材 名 |

胡芦巴（药用部位：种子）。

| 形态特征 |

一年生草本，高 30 ~ 80cm。主根深达土中
80cm，根系发达。茎直立，圆柱形，多分枝，
微被柔毛。羽状三出复叶；托叶全缘，膜质，
基部与叶柄相连，先端渐尖，被毛；叶柄平
展，长 6 ~ 12mm；小叶长倒卵形、卵形至
长圆状披针形，近等大，长 15 ~ 40mm，
宽 4 ~ 15mm，先端钝，基部楔形，边缘上
半部具三角形尖齿，上面无毛，下面疏被柔
毛，或秃净，侧脉 5 ~ 6 对，不明显；顶生
小叶具较长的小叶柄。花无梗，1 ~ 2 着生
于叶腋，长 13 ~ 18mm；萼筒状，长 7 ~ 8mm，
被长柔毛，萼齿披针形，锥尖，与萼等长；
花冠黄白色或淡黄色，基部稍呈堇青色，旗
瓣长倒卵形，先端深凹，明显比翼瓣和龙骨
瓣长；子房线形，微被柔毛，花柱短，柱头
头状，胚珠多数。荚果圆筒状，长 7 ~ 12cm，
直径 4 ~ 5mm，直或稍弯曲，无毛或微被
柔毛，先端具细长喙，喙长约 2cm（包括子

房上部不育部分），背缝增厚，表面有明显的纵长网纹，有种子 10 ～ 20；种子长圆状卵形，长 3 ～ 5mm，宽 2 ～ 3mm，棕褐色，表面凹凸不平。花期 4 ～ 7 月，果期 7 ～ 9 月。

| 生境分布 | 生于田间、路旁。吉林无野生分布。吉林部分地区有栽培。

| 资源情况 | 吉林有栽培。药材主要来源于栽培。

| 采收加工 | 8 ～ 9 月植株呈现半枯萎状态且下部果荚变黄时，割取地上部分，反复翻打，脱粒，去杂质，晒干。

| 药材性状 | 本品略呈斜方形或矩形，长 3 ～ 4mm，宽 2 ～ 3mm，厚约 2mm。表面黄绿色或黄棕色，平滑，两侧各具 1 深斜沟，相交处有点状种脐。质坚硬，不易破碎。种皮薄，胚乳呈半透明状，具黏性。子叶 2，淡黄色，胚根弯曲，肥大而长。气香，味微苦。

| 功能主治 | 苦，温。归肾经。温肾助阳，祛寒止痛。用于肾阳不足，下元虚冷，小腹冷痛，寒疝腹痛，寒湿脚气。

| 用法用量 | 内服煎汤，5 ～ 10g。

豆科 Leguminosae 野豌豆属 Vicia

山野豌豆
Vicia amoena Fisch. ex DC.

| 植物别名 | 落豆秧、豆蜿蜿。

| 药 材 名 | 透骨草（药用部位：地上部分。别名：落豆秧、山豌豆、山豆苗）。

| 形态特征 | 多年生草本，高 30 ~ 100cm，植株被疏柔毛，稀近无毛。主根粗壮，须根发达。茎具棱，多分枝，细软，斜升或攀缘。偶数羽状复叶，长 5 ~ 12cm，几无柄，先端卷须有 2 ~ 3 分枝；托叶半箭头形，长 0.8 ~ 2cm，边缘有 3 ~ 4 裂齿；小叶 4 ~ 7 对，互生或近对生，椭圆形至卵状披针形，长 1.3 ~ 4cm，宽 0.5 ~ 1.8cm；先端圆，微凹，基部近圆形，上面被贴伏长柔毛，下面粉白色；沿中脉毛被较密，侧脉扇状展开直达叶缘。总状花序通常长于叶；花 10 ~ 20（~ 30）密集着生于花序轴上部；花冠红紫色、蓝紫色或蓝色，花期颜色多变；花萼斜钟状，萼齿近三角形，上萼齿长 0.3 ~ 0.4cm，明显短于

山野豌豆

下萼齿；旗瓣倒卵状圆形，长 1 ~ 1.6cm，宽 0.5 ~ 0.6cm，先端微凹，瓣柄较宽，翼瓣与旗瓣近等长，瓣片斜倒卵形，瓣柄长 0.4 ~ 0.5cm，龙骨瓣短于翼瓣，长 1.1 ~ 1.2cm；子房无毛，胚珠 6，花柱上部四周被毛，子房柄长约 0.4cm。荚果长圆形，长 1.8 ~ 2.8cm，宽 0.4 ~ 0.6cm，两端渐尖，无毛；种子 1 ~ 6，圆形，直径 0.35 ~ 0.4cm，种皮革质，深褐色，具花斑，种脐内凹，黄褐色，长相当于种子周长的 1/3。花期 4 ~ 6 月，果期 7 ~ 10 月。

| 生境分布 | 生于草甸、山坡、灌丛或杂木林中。吉林各地均有分布。

| 资源情况 | 野生资源较丰富。药材主要来源于野生。

| 采收加工 | 夏、秋季采收，除去杂质，晒干。

| 药材性状 | 本品茎呈四棱形；质脆，易折断。叶为双数羽状复叶，多卷曲皱缩，叶轴先端有卷须。残留小花呈蓝色或紫色；偶见荚果，呈棕色或深棕色，内含黑色种子。气微，味淡。

| 功能主治 | 祛风除湿，活血止痛，清热解毒。用于风湿疼痛，筋脉拘挛，阴囊湿疹，跌打损伤，无名肿毒，鼻衄，崩漏。

| 用法用量 | 内服煎汤，5 ~ 15g。外用适量。

豆科 Leguminosae 野豌豆属 Vicia

广布野豌豆

Vicia cracca L.

| **植物别名** | 落豆秧、草藤、灰野豌豆。

| **药 材 名** | 透骨草（药用部位：地上部分。别名：落豆秧、山豌豆、山豆苗）。

| **形态特征** | 多年生草本，高 40 ~ 150cm。根细长，多分枝。茎攀缘或蔓生，有棱，被柔毛。偶数羽状复叶，叶轴先端卷须有 2 ~ 3 分枝；托叶半箭头形或戟形，上部 2 深裂；小叶 5 ~ 12 对互生，线形、长圆状或披针状线形，长 1.1 ~ 3cm，宽 0.2 ~ 0.4cm，先端锐尖或圆形，具短尖头，基部近圆形或近楔形，全缘；叶脉稀疏，呈三出脉状，不甚清晰。总状花序与叶轴近等长，花多数，10 ~ 40 密集一面向着生于总花序轴上部；花萼钟状，萼齿 5，近三角状披针形；花冠紫色、蓝紫色或紫红色，长 0.8 ~ 1.5cm；旗瓣长圆形，中部缢缩，呈提琴形，先端微缺，瓣柄与瓣片近等长；翼瓣与旗瓣近等长，明显长于龙骨

广布野豌豆

瓣，先端钝；子房有柄，胚珠 4 ～ 7，花柱弯与子房连接处呈大于 90° 的夹角，上部四周被毛。荚果长圆形或长圆状菱形，长 2 ～ 2.5cm，宽约 0.5cm，先端有喙，果柄长约 0.3cm；种子 3 ～ 6，扁圆球形，直径约 0.2cm，种皮黑褐色，种脐长相当于种子周长的 1/3。花果期 5 ～ 9 月。

| **生境分布** | 生于林缘、草原、河滩灌丛中。吉林各地均有分布。

| **资源情况** | 野生资源较丰富。药材主要来源于野生。

| **采收加工** | 7 ～ 9 月采收，晒干。

| **功能主治** | 同"山野豌豆"。

| **用法用量** | 同"山野豌豆"。

豆科 Leguminosae 野豌豆属 *Vicia*

蚕豆 *Vicia faba* L.

| **植物别名** | 南豆、胡豆。

| **药 材 名** | 蚕豆（药用部位：种子、茎、叶、花、豆荚）。

| **形态特征** | 一年生草本，高 30 ~ 100（~ 120）cm。主根短粗，多须根，根瘤粉红色，密集。茎粗壮，直立，直径 0.7 ~ 1cm，具四棱，中空、无毛。偶数羽状复叶，叶轴先端卷须短缩为短尖头；托叶戟头形或近三角状卵形，长 1 ~ 2.5cm，宽约 0.5cm，略有锯齿，具深紫色密腺点；小叶通常 1 ~ 3 对，互生，上部小叶可达 4 ~ 5 对，基部较少，小叶椭圆形、长圆形或倒卵形，稀圆形，长 4 ~ 6（~ 10）cm，宽 1.5 ~ 4cm，先端圆钝，具短尖头，基部楔形，全缘，两面均无毛。总状花序腋生，花梗近无；花萼钟形，萼齿披针形，下萼齿较长；花 2 ~ 4（~ 6），呈丛状着生于叶腋，花冠白色，具紫色脉纹及黑色

蚕豆

斑晕，长 2 ~ 3.5cm，旗瓣中部缢缩，基部渐狭，翼瓣短于旗瓣，长于龙骨瓣；雄蕊 2 体（9+1），子房线形无柄，胚珠 2 ~ 4（~ 6），花柱密被白柔毛，先端远轴面有一束髯毛。荚果肥厚，长 5 ~ 10cm，宽 2 ~ 3cm，表皮绿色，被绒毛，内有白色海绵状横隔膜，成熟后表皮变为黑色；种子 2 ~ 4（~ 6），长方状圆形或近长方形，中间内凹，种皮革质，青绿色、灰绿色至棕褐色，稀紫色或黑色，种脐线形，黑色，位于种子一端。花期 4 ~ 5 月，果期 5 ~ 6 月。

| **生境分布** | 生于田间。吉林无野生分布。吉林部分地区有栽培。

| **资源情况** | 吉林有栽培。药材来源于野生。

| **采收加工** | 夏初果实成熟时采割植株，晒干，搓出种子，除去杂质，再将种子、果皮分别晒干。夏季采收嫩茎、叶，晒干。夏季花初开时采摘花，晾干。

| **药材性状** | 本品种子扁矩圆形，长 1.2 ~ 1.5cm，直径约 1cm，厚 7mm。种皮表面浅棕褐色，光滑，有光泽，两面凹陷；种脐位于较大端，褐色或黑褐色。质坚硬，内有子叶 2，肥厚，黄色。气微，味淡，嚼之有豆腥气。

| **功能主治** | 种子，甘，平。归脾、胃、心经。健脾，利湿。用于噎食，水肿，乳痈。茎，苦，温。归脾、大肠经。止血，止泻。用于各种出血，水泻，烫火伤。叶，苦、微甘，温。归肺、心、脾经。止血，解毒。用于肺痨咯血，消化道出血，外伤出血。花，甘，平。归肝、脾经。凉血，止血，降血压。用于咯血，鼻衄，血痢，带下，高血压。豆荚，甘、淡，平。归心、肝经。利尿渗湿，敛疮。用于水肿，肾结石，脚气，小便淋痛，天疱疮，黄水疮。

| **用法用量** | 种子，内服煎汤，30 ~ 60g；或研末；或作食品。外用适量，捣敷；或烧灰敷。茎，内服煎汤，15 ~ 30g；或焙干研末，9g。外用适量，烧灰调敷。叶，内服捣汁，30 ~ 60g。外用适量，捣敷；或研末撒。花，内服煎汤，6 ~ 9g，鲜品 15 ~ 30g；或蒸露。豆荚，内服煎汤，15 ~ 30g。外用适量，炒炭，研细末调敷。

豆科 Leguminosae 野豌豆属 Vicia

东方野豌豆 *Vicia japonica* A. Gray

| **植物别名** | 日本野豌豆。

| **药 材 名** | 东方野豌豆（药用部位：全草）。

| **形态特征** | 多年生草本，高 60 ~ 120cm。茎有棱，匍匐、蔓生或攀缘，被淡黄白色柔毛，后渐脱落。偶数羽状复叶，长 5 ~ 15cm，叶轴先端卷须有 2 ~ 3 分枝；托叶线形或线状披针形，长 0.5 ~ 0.7cm，宽约 0.1cm，具裂齿；小叶 5 ~ 8 对，椭圆形、广椭圆形至长卵状圆形，长 12cm，宽 0.6 ~ 1.4cm，先端圆钝，微凹，有短尖头，基部渐狭，上面绿色无毛，下面微被柔毛，叶脉稀疏，侧脉 7 ~ 9 对。总状花序与叶近等长或略长；被长柔毛，具花 7 ~ 15，一面向排列于花序轴上部，总花梗甚长，小花梗长约 3mm，花冠蓝色或紫色；花萼钟状，外面被长柔毛，萼齿三角状锥形，长 1 ~ 2mm，短于萼筒，旗瓣长

东方野豌豆

圆形，先端微凹，基部圆形，长 1 ~ 1.4cm，翼瓣与旗瓣近等长，龙骨瓣略短；子房线形，长 0.6 ~ 1.2cm，子房柄长约 0.4cm，胚珠 2 ~ 7，花柱急弯，上部四周被毛，柱头头状。荚果近长圆状菱形，长 15 ~ 25mm，先端有喙，长约 0.3cm；种子 1 ~ 3，扁圆球形，直径约 0.3cm，表皮黑褐色，种脐线形。花果期 6 ~ 9 个月。

| 生境分布 |

生于山崖、河谷、坡地林下。以长白山区为主要分布区域，分布于吉林延边、白山、通化、吉林、辽源（东丰）等。

| 资源情况 |

野生资源较少。药材主要来源于野生。

| 采收加工 |

夏、秋季采割，晒干。

| 功能主治 |

散风祛湿，活血止痛。用于风湿痹痛，瘀血肿痛。

豆科 Leguminosae 野豌豆属 Vicia

多茎野豌豆 *Vicia multicaulis* Ledeb.

| **植物别名** | 山落豆秧、豆豌豌。

| **药 材 名** | 多茎野豌豆（药用部位：全草）。

| **形态特征** | 多年生草本，高 10 ~ 50cm。根茎粗壮。茎多分枝，具棱，被微柔毛或近无毛。偶数羽状复叶，先端卷须分枝或单一；托叶半戟形，长 0.3 ~ 0.6cm，脉纹明显；小叶 4 ~ 8 对，长圆形至线形，长 1 ~ 2cm，宽约 0.3cm，具短尖头，基部圆形，全缘，叶脉羽状，十分明显，下面被疏柔毛。总状花序长于叶，具花 14 ~ 15，长 1.3 ~ 1.8cm；花萼钟状，萼齿 5，狭三角形，下萼齿较长，花冠紫色或紫蓝色，旗瓣长圆状倒卵形，中部缢缩，瓣片短于瓣柄，翼瓣及龙骨瓣短于旗瓣；子房线形，具细柄，花柱上部四周被毛。荚果扁，长 3 ~ 3.5cm，先端具喙，表皮棕黄色；种子扁圆，直径 0.3cm，深褐色种脐长相

多茎野豌豆

当于周长的 1/4。花果期 6～9 月。

| **生境分布** | 生于石砾、沙地、草甸、丘陵、灌丛、林缘、草原。分布于吉林白城（通榆、镇赉、洮南、大安）、松原（前郭尔罗斯、长岭）等。

| **资源情况** | 野生资源较丰富。药材主要来源于野生。

| **采收加工** | 夏、秋季采挖，除去杂质，晒干。

| **功能主治** | 辛，平。发汗除湿，活血止痛。用于风湿疼痛，筋骨拘挛，黄疸性肝炎，带下，热疟，阴囊湿疹。

豆科 Leguminosae 野豌豆属 Vicia

头序歪头菜 *Vicia ohwiana Hosokawa*

头序歪头菜

| 植物别名 |

长齿歪头菜、短序歪头菜。

| 药 材 名 |

头序歪头菜（药用部位：全草）。

| 形态特征 |

多年生草本，高70cm，根茎木质化。茎直立，单一或少数分枝，微被柔毛。叶具1对小叶，几无柄，叶轴先端具细短尖头，托叶与小叶同型，卵状披针形，先端锐尖，基部钝圆，呈耳状，全缘。小叶宽卵形至近菱形，长4～7（～10）cm，宽3.5～5（～17）cm，纸质，先端锐尖，基部钝圆至宽楔形，无毛或仅在边缘和脉上披稀疏柔毛。总状花序缩短，生于叶腋，呈头状，花密集，在茎上部常因小叶不发达，花序腋生于托叶，花蓝紫色，花萼钟形，长8～10mm，被披散长柔毛，萼齿锥尖，长3.5～5.5mm，等长或稍长于萼筒，旗瓣长圆状倒卵形，先端钝圆或微凹，长1～1.4cm，翼瓣等长，龙骨瓣较短。荚果斜长圆形，长2.5～3cm，宽约5mm，先端具短喙，无毛，熟后表皮暗棕色。花果期7～9月。

| **生境分布** | 生于向阳山坡、灌丛、草地或林缘。分布于吉林延边、白山、通化等。

| **资源情况** | 野生资源较少。药材主要来源于野生。

| **采收加工** | 夏、秋季采收，洗净，除去杂质，晒干。

| **功能主治** | 补虚调肝，理气止痛，清热利尿。用于劳伤，头昏，体虚浮肿，胃痛；外用于疔疖。

豆科 Leguminosae 野豌豆属 Vicia

大叶野豌豆
Vicia pseudorobus Fisch. ex C. A. Meyer

| 植物别名 | 假香野豌豆。

| 药 材 名 | 大叶野豌豆（药用部位：嫩茎叶）。

| 形态特征 | 多年生草本，高50～150（～200）cm。根茎粗壮、木质化，须根发达，表皮黑褐色或黄褐色。茎直立或攀缘，有棱，绿色或黄色，具黑褐斑，被微柔毛，老时渐脱落。偶数羽状复叶，长2～17cm；先端卷须发达，有2～3分枝，托叶戟形，长0.8～1.5cm，边缘齿裂；小叶2～5对，卵形、椭圆形或长圆状披针形，长（2～）3～6（～10）cm，宽1.2～2.5cm，纸质或革质。先端圆或渐尖，有短尖头，基部圆或宽楔形，叶脉清晰，侧脉与中脉呈60°夹角，直达叶缘呈波形或齿状相联合，下面被疏柔毛。总状花序长于叶，长1.5～4.5cm，花序轴单一，长于叶；花萼斜钟状，萼齿短，短三角形，长1mm；花多，

大叶野豌豆

通常 15 ～ 30，花长 1 ～ 2cm，紫色或蓝紫色，翼瓣、龙骨瓣与旗瓣近等长；子房无毛，胚珠 2 ～ 6，子房柄长，花柱上部四周被毛，柱头头状。荚果长圆形，扁平，长 2 ～ 3cm，宽 0.6 ～ 0.8cm，棕黄色；种子 2 ～ 6，扁圆形，直径约 0.3cm，棕黄色、棕红褐色至褐黄色，种脐灰白色，长相当于种子周长的 1/3。花期 6 ～ 9 月，果期 8 ～ 10 月。

| **生境分布** | 生于林缘、灌丛、山坡、柞林、杂木林的林间草地、林下或路旁等。以长白山区为主要分布区域，分布于吉林延边、白山、通化、长春、吉林、辽源（东丰）、松原（前郭尔罗斯）等。

| **资源情况** | 野生资源较少。药材主要来源于野生。

| **采收加工** | 夏季采收，除去杂质，晒干。

| **功能主治** | 甘、苦，凉。祛风除湿，活血，舒筋，止痛。用于风湿痹痛，闪挫扭伤，无名肿毒，阴囊湿疹。

| **附　　注** | 在 FOC 中，本种的拉丁学名被修订为 *Vicia pseudo-orobus* Fischer & C. A. Meyer。

北野豌豆 *Vicia ramuliflora* (Maxim.) Ohwi

| 植物别名 | 大花豌豆、辽野豌豆、贝加尔野豌豆。

| 药材名 | 北野豌豆（药用部位：全草）。

| 形态特征 | 多年生草本，高40～100cm。根膨大，呈块状，近木质化，直径可达1～2cm，表皮黑褐色或黄褐。茎具棱，通常数茎丛生，被微柔毛或近无毛。偶数羽状复叶，长5～8cm，叶轴先端卷须短缩为短尖头；托叶半箭头形、斜卵形或长圆形，长0.8～1.2（～1.6）cm，宽1～1.3cm；全缘或基部齿蚀状。小叶通常（2～）3（～4）对，长卵状圆形或长卵圆状披针形，长3～8cm，宽1.3～3cm；先端渐尖或长尾尖，基部圆形或楔形；下面沿中脉被毛，全缘，纸质。总状花序腋生，于基部或总花序轴上部有2～3分枝，呈复总状近圆锥花序，长4～5cm，通常短于叶；花萼斜钟状，萼齿三角形，仅

北野豌豆

长 0.1cm，比萼筒短 5 ~ 6 倍；花 4 ~ 9，较稀疏，花冠蓝色、蓝紫色或玫瑰色，稀白色，旗瓣长圆形或长倒卵形，长 1.1 ~ 1.4 (~ 1.8) cm，宽 0.7 ~ 0.8cm，先端圆、微凹，中部缢缩，基部宽楔形，翼瓣与旗瓣近等长，瓣柄与瓣片近等长，龙骨瓣与翼瓣近等长；子房线形，花柱长约 0.5cm，上部四周有毛，胚珠 5 ~ 6，柱头头状，子房柄长约 0.1cm。荚果长圆菱形，长 2.5 ~ 5cm，宽 0.5 ~ 0.7cm，两端渐尖，表皮黄色或干草色；种子 1 ~ 4，椭圆形，直径约 0.5cm，种皮深褐色，种脐长相当于周长的 1/3 或 1/2。花期 6 ~ 8 月，果期 7 ~ 9 月。

| **生境分布** | 生于海拔 700 ~ 1500m 的高山草甸、混交林下、林缘草地或山坡。以长白山区为主要分布区域，分布于吉林延边、白山、通化、吉林、辽源（东丰、东辽）、长春（榆树）等。

| **资源情况** | 野生资源较少。药材主要来源于野生。

| **采收加工** | 夏、秋季采收，晒干。

| **功能主治** | 辛，平。清热解毒，散风祛湿，活血止痛。用于风湿疼痛，筋骨拘挛；外用于湿疹，肿毒。

豆科 Leguminosae 野豌豆属 Vicia

歪头菜
Vicia unijuga A. Br.

歪头菜

植物别名

草豆、两叶豆苗、长齿歪头菜。

药 材 名

歪头菜（药用部位：全草或嫩叶。别名：两叶豆苗、三铃子、草豆）。

形态特征

多年生草本，高（15～）40～100（～180）cm。根茎粗壮，近木质，主根长达8～9cm，直径2.5cm，须根发达，表皮黑褐色。通常数茎丛生，具棱，疏被柔毛，老时渐脱落，茎基部表皮红褐色或紫褐红色。叶轴末端为细刺尖头；偶见卷须，托叶戟形或近披针形，长0.8～2cm，宽3～5mm，边缘有不规则齿蚀状；小叶1对，卵状披针形或近菱形，长（1.5～）3～7（～11）cm，宽1.5～4（～5）cm，先端渐尖，边缘具小齿，基部楔形，两面均疏被微柔毛。总状花序单一，稀有分枝，呈圆锥状复总状花序，明显长于叶，长4.5～7cm；花8～20一面向密集于花序轴上部；花萼紫色，斜钟状或钟状，长约0.4cm，直径0.2～0.3cm，无毛或近无毛，萼齿明显短于萼筒；花冠蓝紫色、紫红色或淡蓝色，长

1 ~ 1.6cm，旗瓣倒提琴形，中部缢缩，先端圆、有凹，长 1.1 ~ 1.5cm，宽 0.8 ~ 1cm，翼瓣先端钝圆，长 1.3 ~ 1.4cm，宽 0.4cm，龙骨瓣短于翼瓣，子房线形，无毛，胚珠 2 ~ 8，具子房柄，花柱上部四周被毛。荚果扁，长圆形，长 2 ~ 3.5cm，宽 0.5 ~ 0.7cm，无毛，表皮棕黄色，近革质，两端渐尖，先端具喙，成熟时腹背开裂，果瓣扭曲；种子 3 ~ 7，扁圆球形，直径 0.2 ~ 0.3cm，种皮黑褐色，革质，种脐长相当于种子周长的 1/4。花期 6 ~ 7 月，果期 8 ~ 9 月。

| 生境分布 | 生于山地、林缘、草原、河滩灌丛中。以长白山区为主要分布区域，分布于吉林延边、白山、通化、长春、吉林、辽源（东丰）等。

| 资源情况 | 野生资源较丰富。药材主要来源于野生。

| 采收加工 | 夏、秋季采挖全草，除去泥土及杂质，晒干。夏季采收叶，晒干或阴干。

| 药材性状 | 本品茎具棱角。托叶半边箭形，小叶 2 片对生，偏向一侧，叶片卵形或菱形，全缘。花蓝紫色，蝶形，排列成倒生总状花序。荚果长椭圆形。气微，味甘。本品叶多卷曲皱缩，叶轴先端有卷须，质脆，易折断，呈浅绿色或黄棕色。气微，味淡。

| 功能主治 | 甘、平。补虚，调肝，理气止痛，清热利尿。用于肝郁气滞，劳伤，头晕。

| 用法用量 | 内服煎汤，9 ~ 15g。外用适量，捣敷。

| 附　　注 | 本种幼苗为山野菜。

豆科 Leguminosae 豇豆属 Vigna

贼小豆
Vigna minima (Roxb.) Ohwi et Ohashi

| 植物别名 | 野小豆、野绿豆。

| 药 材 名 | 贼小豆（药用部位：种子）。

| 形态特征 | 一年生缠绕草本。茎纤细，无毛或被疏毛。羽状复叶具 3 小叶；托叶披针形，长约 4mm，盾状着生，被疏硬毛；小叶的形状和大小变化颇大，卵形、卵状披针形、披针形或线形，长 2.5 ~ 7cm，宽 0.8 ~ 3cm，先端急尖或钝，基部圆形或宽楔形，两面近无毛或被极稀疏的糙伏毛。总状花序柔弱；总花梗远长于叶柄，通常有花 3 ~ 4；小苞片线形或线状披针形；花萼钟状，长约 3mm，具不等大的 5 齿，裂齿被硬缘毛；花冠黄色，旗瓣极外弯，近圆形，长约 1cm，宽约 8mm；龙骨瓣具长而尖的耳。荚果圆柱形，长 3.5 ~ 6.5cm，宽 4mm，无毛，开裂后旋卷；种子 4 ~ 8，长圆形，长约 4mm，宽

贼小豆

约 2mm，深灰色，种脐线形，凸起，长 3mm。花果期 8 ～ 10 月。

| **生境分布** | 生于河岸、荒地、草丛、路边行道树下绿篱、废弃地灌丛、沟边芦苇、紫荆槐下或大豆田空隙处。分布于吉林通化、白山等。

| **资源情况** | 野生资源较少。药材主要来源于野生。

| **采收加工** | 秋季荚果成熟而未开裂时采割植株，晒干并打下种子，除去杂质，晒干。

| **功能主治** | 清热利尿，消肿，行气止痛。用于小便不利，水肿，胸胁胀痛。

豆科 Leguminosae 豇豆属 Vigna

绿豆
Vigna radiata (Linn.) Wilczek

| 药 材 名 | 绿豆（药用部位：种子。别名：青小豆）、绿豆衣（药用部位：种皮）。

| 形态特征 | 一年生直立草本，高 20 ~ 60cm。茎被褐色长硬毛。羽状复叶具 3 小叶；托叶盾状着生，卵形，长 0.8 ~ 1.2cm，具缘毛；小托叶显著，披针形；小叶卵形，长 5 ~ 16cm，宽 3 ~ 12cm，侧生的多少偏斜，全缘，先端渐尖，基部阔楔形或浑圆，两面多少被疏长毛，基部三脉明显；叶柄长 5 ~ 21cm；叶轴长 1.5 ~ 4cm；小叶柄长 3 ~ 6mm。总状花序腋生，有花 4 至数朵，最多可达 25；总花梗长 2.5 ~ 9.5cm；花梗长 2 ~ 3mm；小苞片线状披针形或长圆形，长 4 ~ 7mm，有线条，近宿存；萼管无毛，长 3 ~ 4mm，裂片狭三角形，长 1.5 ~ 4mm，具缘毛，上方的 1 对合生成一先端 2 裂的裂片；旗瓣近方形，长 1.2cm，宽 1.6cm，外面黄绿色，里面有时粉红色，先端微凹，内弯，无毛；翼瓣卵形，黄色；龙骨瓣镰状，绿色而染粉红色，右侧有

绿豆

显著的囊。荚果线状圆柱形，平展，长 4 ~ 9cm，宽 5 ~ 6mm，被淡褐色、散生的长硬毛，种子间多少收缩；种子 8 ~ 14，淡绿色或黄褐色，短圆柱形，长 2.5 ~ 4mm，宽 2.5 ~ 3mm，种脐白色而不凹陷。花期初夏，果期 6 ~ 8 月。

| 生境分布 | 生于田间、菜园等。吉林无野生分布。吉林各地均有栽培，以西部平原地区为主。

| 资源情况 | 吉林西部地区广泛栽培。药材来源于栽培。

| 采收加工 | 绿豆：秋季荚果成熟而未开裂时采收全草，晒干并打下种子，除去杂质，晒干。
绿豆衣：取绿豆发芽后残留的皮壳，晒干而得。

| 药材性状 | 绿豆：本品呈短矩圆形，长 4 ~ 6mm。表面绿黄色或暗绿色，有光泽，种脐位于一侧上端，长约为种子的 1/3，呈白色纵向线形。种皮薄而韧，剥离后露出淡黄绿色或黄白色的种仁，子叶 2，肥厚。质坚硬。
绿豆衣：本品形状极不规则，均自裂口处向内侧反卷。外表面暗棕色，具致密的纹理，种脐呈长圆形槽状，常有残留的黄白色珠柄。内表面光滑，淡棕色。质硬而脆，气味均弱。

| 功能主治 | 绿豆：甘，凉。归心、胃经。清热解毒，化湿利水。用于暑热烦渴，水肿，泻痢，丹毒，痈肿，药物中毒。
绿豆衣：甘，寒。清热解毒，利尿消肿，消暑止渴。用于暑热烦渴，肿胀，痈肿热毒，药物、食物中毒。

| 用法用量 | 绿豆：内服煎汤，15 ~ 30g，大剂量可用 120g；或研末；或生研绞汁。外用适量，研末调敷。
绿豆衣：内服煎汤，3 ~ 9g。

| 附　　注 | （1）绿豆在吉林产出量大，药用历史较久。在《怀德县志》（1929）、《辑安县志》（1931）、《榆树县志》（1943）等十余部地方志中均有关于绿豆的记载。
（2）绿豆已被列入 2019 年版《吉林省中药材标准》第二册。

豆科 Leguminosae 豇豆属 Vigna

赤小豆
Vigna umbellata (Thunb.) Ohwi et Ohashi

| 药 材 名 | 赤小豆（药用部位：种子。别名：赤豆、红豆、红小豆）。

| 形态特征 | 一年生草本。茎纤细，长达 1m，或更长，幼时被黄色长柔毛，老时无毛。羽状复叶具 3 小叶；托叶盾状着生，披针形或卵状披针形，长 10 ~ 15mm，两端渐尖；小托叶钻形，小叶纸质，卵形或披针形，长 10 ~ 13cm，宽（2 ~）5 ~ 7.5cm，先端急尖，基部宽楔形或钝，全缘或微 3 裂，沿两面脉上薄被疏毛，有基出脉 3。总状花序腋生，短，有花 2 ~ 3；苞片披针形；花梗短，着生处有腺体；花黄色，长约 1.8cm，宽约 1.2cm；龙骨瓣右侧具长角状附属体。荚果线状圆柱形，下垂，长 6 ~ 10cm，宽约 5mm，无毛；种子 6 ~ 10，长椭圆形，通常暗红色，有时为褐色、黑色或草黄色，直径 3 ~ 3.5mm，种脐凹陷。花期 5 ~ 8 月。

赤小豆

| **生境分布** | 生于农田、菜园等。吉林无野生分布。吉林各地均有栽培。

| **资源情况** | 吉林广泛栽培。药材来源于栽培。

| **采收加工** | 秋季果实成熟而未开裂时割取地上部分，晒干，打下种子，除去杂质，再晒干。

| **药材性状** | 本品呈圆柱形而略扁，两端稍平截或圆钝，长 5 ~ 7mm，直径 3 ~ 5mm。表面紫红色或暗红棕色。平滑，稍具光泽或无光泽；一侧有线形凸起的种脐，偏向一端，白色，长约为种子长度的 2/3，中央凹陷成纵沟；另一侧有 1 不明显的种脊。质坚硬，不易破碎；剖开后种皮薄而脆，子叶 2，乳白色，肥厚，胚根细长，弯向一端。气微，味微甘，嚼之有豆腥气。以颗粒饱满、色紫红并发暗者为佳。

| **功能主治** | 甘、酸，平。归心、小肠经。利水消肿，解毒排脓。用于水肿胀满，脚气肢肿，黄疸尿赤，风湿热痹，痈肿疮毒，肠痈腹痛。

| **用法用量** | 内服煎汤，9 ~ 30g。外用适量，研末调敷。

| **附　　注** | 吉林民间将赤小豆用于痄腮：取赤小豆约 50 粒研成细粉，用温水调之，加入鸡蛋清调成糊状，将其平摊于布上，敷于患处。凡一切痈疽发背初起，皆可用赤小豆敷之，屡见奇效。

豆科 Leguminosae 豇豆属 Vigna

豇豆
Vigna unguiculata (Linn.) Walp.

豇豆

| 植物别名 |

红豆、饭豆。

| 药材名 |

豇豆（药用部位：种子。别名：腰豆、长豆、茳豆）。

| 形态特征 |

一年生缠绕、草质藤本或近直立草本，有时先端缠绕状。茎近无毛。羽状复叶具3小叶；托叶披针形，长约1cm，着生处下延成一短距，有线纹；小叶卵状菱形，长5～15cm，宽4～6cm，先端急尖，边全缘或近全缘，有时淡紫色，无毛。总状花序腋生，具长梗；花2～6聚生于花序的先端，花梗间常有肉质密腺；花萼浅绿色，钟状，长6～10mm，裂齿披针形；花冠黄白色而略带青紫，长约2cm，各瓣均具瓣柄，旗瓣扁圆形，宽约2cm，先端微凹，基部稍有耳，翼瓣略呈三角形，龙骨瓣稍弯；子房线形，被毛。荚果下垂，直立或斜展，线形，长7.5～70（～90）cm，宽6～10mm，稍肉质而膨胀或坚实，有种子多颗；种子长椭圆形、圆柱形或稍肾形，长6～12mm，黄白色、暗红色或其他颜色。花期5～8月。

| **生境分布** | 生于田间、菜园等。吉林无野生分布。吉林各地均有栽培。

| **资源情况** | 吉林广泛栽培。药材来源于栽培。

| **采收加工** | 秋季荚果成熟而未开裂时采割，晒干并打下种子，除去杂质，晒干。

| **功能主治** | 甘、咸，平。归脾、肾经。健脾利湿，补肾涩精。用于脾胃虚弱，泻痢，吐逆，消渴，遗精，带下，白浊，小便频数。

| **用法用量** | 内服煎汤，30 ~ 60g；或煮食；或研末，6 ~ 9g。外用适量，捣敷。

豆科 Leguminosae 豇豆属 Vigna

短豇豆
Vigna unguiculata (L.) Walp. subsp. *cylindrica* (Linn.) Verdc.

| **植物别名** | 饭豇豆、眉豆、短荚豇豆。

| **药材名** | 短豇豆（药用部位：种子）。

| **形态特征** | 一年生直立草本，高 20 ～ 40cm。茎近无毛。羽状复叶具 3 小叶；托叶披针形，长约 1cm，着生处下延成一短距，有线纹；小叶卵状菱形，长 5 ～ 15cm，宽 4 ～ 6cm，先端急尖，全缘或近全缘，有时淡紫色，无毛。总状花序腋生，具长梗；花 2 ～ 6 聚生于花序的先端，花梗间常有肉质密腺；花萼浅绿色，钟状，长 6 ～ 10mm，裂齿披针形；花冠黄白色而略带青紫，长约 2cm，各瓣均具瓣柄，旗瓣扁圆形，宽约 2cm，先端微凹，基部稍有耳，翼瓣略呈三角形，龙骨瓣稍弯；子房线形，被毛。荚果下垂，直立或斜展，线形，长 10 ～ 16cm，宽 6 ～ 10mm，稍肉质而膨胀或坚实，有种子多颗；种子长椭圆形、

短豇豆

圆柱形或稍肾形，长 6 ~ 12mm，颜色多种。花期 7 ~ 8 月，果期 9 月。

| **生境分布** | 生于田间。吉林无野生分布。吉林各地均有栽培。

| **资源情况** | 吉林广泛栽培。药材主要来源于栽培。

| **采收加工** | 夏末秋初果实成熟时采割植株，晒干，搓出种子，除去杂质，再晒干。

| **功能主治** | 调中益气，健脾益肾。用于脾胃不和，饮食积滞，肾病。

豆科 Leguminosae 紫藤属 Wisteria

紫藤 *Wisteria sinensis* (Sims) Sweet

| 植物别名 | 紫藤萝、白花紫藤。

| 药 材 名 | 紫藤（药用部位：茎皮。别名：招豆藤、朱藤、藤花菜）。

| 形态特征 | 落叶藤本。茎左旋，枝较粗壮，嫩枝被白色柔毛，后秃净；冬芽卵形。奇数羽状复叶，长15～25cm；托叶线形，早落；小叶3～6对，纸质，卵状椭圆形至卵状披针形，上部小叶较大，基部1对最小，长5～8cm，宽2～4cm，先端渐尖至尾尖，基部钝圆或楔形，或歪斜，嫩叶两面被平伏毛，后秃净；小叶柄长3～4mm，被柔毛；小托叶刺毛状，长4～5mm，宿存。总状花序发自去年短枝的腋芽或顶芽，长15～30cm，直径8～10cm，花序轴被白色柔毛；苞片披针形，早落；花长2～2.5cm，芳香；花梗细，长2～3cm；花萼杯状，长5～6mm，宽7～8mm，密被细绢毛，上方2齿甚钝，

紫藤

下方 3 齿卵状三角形；花冠细绢毛，上方 2 齿甚钝，下方 3 齿卵状三角形；花冠紫色，旗瓣圆形，先端略凹陷，花开后反折，基部有 2 胼胝体，翼瓣长圆形，基部圆，龙骨瓣较翼瓣短，阔镰形，子房线形，密被绒毛，花柱无毛，上弯，胚珠 6 ~ 8。荚果倒披针形，长 10 ~ 15cm，宽 1.5 ~ 2cm，密被绒毛，悬垂枝上不脱落，有种子 1 ~ 3；种子褐色，具光泽，圆形，宽 1.5cm，扁平。花期 4 月中旬至 5 月上旬，果期 5 ~ 8 月。

| **生境分布** | 生于山坡、疏林缘、溪谷两旁、空旷草地，也栽培在庭园内。吉林无野生分布。吉林部分地区有栽培。

| **资源情况** | 吉林偶见栽培。药材主要来源于栽培。

| **采收加工** | 夏季采收茎，剥取茎皮，晒干。

| **功能主治** | 甘、苦，微温；有小毒。归肾经。利水，除痹，杀虫。用于浮肿，关节疼痛，肠道寄生虫病。

| **用法用量** | 内服煎汤，9 ~ 15g。

酢浆草科 Oxalidaceae 酢浆草属 Oxalis

山酢浆草
Oxalis acetosella L. subsp. *griffithii* (Edgew. et Hk. f.) Hara

| **植物别名** | 白花酢浆草、截叶酢浆草、大山酢浆草。

| **药 材 名** | 深山酢浆草（药用部位：全草。别名：大酸溜溜、三块瓦）。

| **形态特征** | 多年生草本，高 8 ~ 10cm。根纤细；根茎横生，节间具 1 ~ 2mm 长、褐色或白色的小鳞片和细弱的不定根。茎短缩不明显，基部围以残存覆瓦状排列的鳞片状叶柄基。叶基生；托叶阔卵形，被柔毛或无毛，与叶柄茎部合生；叶柄长 3 ~ 15cm，近基部具关节；小叶 3，小叶倒三角形或宽倒三角形，长 5 ~ 20mm，宽 8 ~ 30mm，先端凹陷，两侧角钝圆，基部楔形，两面被毛或背面无毛，有时两面均无毛。总花梗基生，单花，与叶柄近等长或更长；花梗长 2 ~ 3cm，被柔毛；苞片 2，对生，卵形，长约 3mm，被柔毛；萼片 5，卵状披针形，长 3 ~ 5mm，宽 1 ~ 2mm，先端具短尖，宿存；花瓣 5，白色或稀

山酢浆草

粉红色，倒心形，长为萼片的 1 ~ 2 倍，先端凹陷，基部狭楔形，具白色或带
紫红色脉纹；雄蕊 10，长短互间，花丝纤细，基部合生；子房 5 室，花柱 5，
细长，柱头头状。蒴果椭圆形或近球形，长 3 ~ 4mm；种子卵形，褐色或红棕色，
具纵肋。花期 7 ~ 8 月，果期 8 ~ 9 月。

| 生境分布 | 生于海拔 800 ~ 3000m 的密林、针叶林、阔叶林、杂木林、灌丛或沟谷等阴湿处，
常大面积生长。以长白山区为主要分布区域，分布于吉林延边、白山、通化、吉林、
辽源（东丰）等。

| 资源情况 | 野生资源较少。药材主要来源于野生。

| 采收加工 | 夏、秋季采收，除去泥土及杂质，晒干。

| 功能主治 | 酸、涩，平。清热解毒，舒筋活络，止血止痛。用于目赤红痛，小儿口疮，小儿哮喘，
咳嗽痰喘，泄泻，痢疾，乳腺炎，带状疱疹，劳伤疼痛，麻风，无名肿毒，疥癣，
小儿鹅口疮，烫火伤，蛇咬伤，脱肛，跌打扭伤。

| 附　　注 | 在 FOC 中，本种的拉丁学名被修订为 *Oxalis griffithii* Edgeworth & J. D.
Hooker。

三角酢浆草

酢浆草科 Oxalidaceae 酢浆草属 Oxalis

三角酢浆草
Oxalis acetosella L. subsp. *japonica* Hara

| 植物别名 |

三角叶酢浆草、大山酢浆草、山锄板。

| 药 材 名 |

三角酢浆草（药用部位：全草）。

| 形态特征 |

多年生草本，高 8 ~ 10cm。根纤细；根茎横生，节间具 1 ~ 2mm 长、褐色或白色的小鳞片和细弱的不定根。茎短缩不明显，基部围以残存覆瓦状排列的鳞片状叶柄基。叶基生；托叶阔卵形，被柔毛或无毛，与叶柄茎部合生；叶柄长 3 ~ 15cm，近基部具关节；小叶 3，宽倒三角形，长 5 ~ 20mm，宽 8 ~ 30mm，先端凹陷，两侧角钝圆，基部楔形，两面被毛或背面无毛，有时两面均无毛。总花梗基生，单花，与叶柄近等长或更长；花梗长 2 ~ 3cm，被柔毛；苞片 2，对生，卵形，长约 3mm，被柔毛；萼片 5，卵状披针形，长 3 ~ 5mm，宽 1 ~ 2mm，先端具短尖，宿存；花瓣 5，白色或稀粉红色，倒心形，长为萼片的 1 ~ 2 倍，先端凹陷，基部狭楔形，具白色或带紫红色脉纹；雄蕊 10，长短互间，花丝纤细，基部合生；子房 5 室，花柱 5，细长，柱头头状。蒴果

长圆柱形，长 3 ~ 4mm；种子卵形，褐色或红棕色，具纵肋。花期 7 ~ 8 月，果期 8 ~ 9 月。

| 生境分布 |

生于山地阴湿林下、灌丛或溪流边。多生于腐殖质土较深处或杂木下，常成片生长。以长白山区为主要分布区域，分布于吉林延边、白山、通化、吉林、辽源（东丰）等。

| 资源情况 |

野生资源较少。药材主要来源于野生。

| 采收加工 |

夏、秋季采收，除去泥土及杂质，晒干。

| 功能主治 |

苦，寒；有小毒。活血化瘀，清热解毒，利湿消肿，通淋。用于劳伤疼痛，淋浊带下，麻风，无名肿毒，疮癫，疥癣，小儿鹅口疮，烫火伤，蛇咬伤，脱肛，跌打扭伤。

| 用法用量 |

内服煎汤，3 ~ 9g。外用适量，研末，兑茶油擦；或煎汤洗；或捣敷。

酢浆草 *Oxalis corniculata* L.

| **植物别名** | 山锄板、三叶酸浆。

| **药 材 名** | 酢浆草（药用部位：全草。别名：酸酸草、斑鸠酸、三叶酸）。

| **形态特征** | 多年生草本，高 10 ~ 35cm，全株被柔毛。根茎稍肥厚。茎细弱，多分枝，直立或匍匐，匍匐茎节上生根。叶基生或茎上互生；托叶小，长圆形或卵形，边缘被密长柔毛，基部与叶柄合生，或同一植株下部托叶明显而上部托叶不明显；叶柄长 1 ~ 13cm，基部具关节；小叶 3，无柄，倒心形，长 4 ~ 16mm，宽 4 ~ 22mm，先端凹入，基部宽楔形，两面被柔毛或表面无毛，沿脉被毛较密，边缘具贴伏缘毛。花单生或数朵集为伞形花序状，腋生，总花梗淡红色，与叶近等长；花梗长 4 ~ 15mm，果后延伸；小苞片 2，披针形，长 2.5 ~ 4mm，膜质；萼片 5，披针形或长圆状披针形，长 3 ~ 5mm，背面和边缘

酢浆草

被柔毛，宿存；花瓣 5，黄色，长圆状倒卵形，长 6 ～ 8mm，宽 4 ～ 5mm；雄蕊 10，花丝白色、半透明，有时被疏短柔毛，基部合生，长短互间，长者花药较大且早熟；子房长圆形，5 室，被短伏毛，花柱 5，柱头头状。蒴果长圆柱形，长 1 ～ 2.5cm，5 棱；种子长卵形，长 1 ～ 1.5mm，褐色或红棕色，具横向肋状网纹。花果期 2 ～ 9 月。

| **生境分布** | 生于林下、灌丛、河岸、路旁、农田或住宅附近，常大面积生长。以长白山区为主要分布区域，分布于吉林延边、白山、通化、吉林、辽源（东丰）等。

| **资源情况** | 野生资源较丰富。药材主要来源于野生。

| **采收加工** | 夏、秋季采收，除去杂质，鲜用或晒干。

| **药材性状** | 本品为段片状。茎、枝被疏长毛。叶纸质，皱缩或破碎，棕绿色。花黄色，萼片、花瓣均 5。蒴果近圆柱形，有 5 棱，被柔毛，种子小，扁卵形，褐色。气酸，味咸、酸、涩。

| **功能主治** | 酸，凉。归大肠、小肠经。清热解毒，止咳祛痰，利湿消肿。用于感冒发热，肠炎，泄泻，痢疾，黄疸性肝炎，淋证，尿路感染，结石，神经衰弱，带下，瘾疹，吐血，衄血，咽喉痛，痈疖疔疮，湿疹，脚癣，疥癣，疮癞，痔疾，脱肛，跌打损伤，劳伤，扭伤疼痛，烫火伤，毒蛇咬伤。

| **用法用量** | 内服煎汤，9 ～ 15g，鲜品 30 ～ 60g；或研末；或鲜品绞汁饮。外用适量，煎汤洗；或捣敷；或捣汁涂；或煎汤漱口。

直酢浆草
Oxalis corniculata L. var. *stricta* (L.) Huang et L. R. Xu

| 植物别名 | 酸溜溜。

| 药 材 名 | 直酢浆草（药用部位：全草）。

| 形态特征 | 多年生草本，高 10 ~ 35cm，全株被柔毛。根茎稍肥厚。茎直立，不分枝或少分枝，直立或匍匐，匍匐茎节上生根。叶基生或茎上互生；无托叶或托叶不明显；叶柄长 1 ~ 13cm，基部具关节；小叶 3，无柄，倒心形，长 4 ~ 16mm，宽 4 ~ 22mm，先端凹入，基部宽楔形，两面被柔毛或表面无毛，沿脉被毛较密，边缘具贴伏缘毛。花单生或数朵集为伞形花序状，腋生，总花梗淡红色，与叶近等长；花梗长 4 ~ 15mm，果后延伸；小苞片 2，披针形，长 2.5 ~ 4mm，膜质；萼片 5，披针形或长圆状披针形，长 3 ~ 5mm，背面和边缘被柔毛，宿存；花瓣 5，黄色，长圆状倒卵形，长 6 ~ 8mm，宽 4 ~ 5mm；

直酢浆草

雄蕊 10，花丝白色、半透明，有时被疏短柔毛，基部合生，长短互间，长者花药较大且早熟；子房长圆形，5 室，被短伏毛，花柱 5，柱头头状。蒴果长圆柱形，长 1 ~ 2.5cm，5 棱；种子长卵形，长 1 ~ 1.5mm，褐色或红棕色，具横向肋状网纹。花果期 2 ~ 9 月。

| 生境分布 | 生于林下、沟谷潮湿处、灌丛、河岸、路旁、农田或住宅附近，常大面积生长。以长白山区为主要分布区域，分布于吉林延边、白山、通化、吉林、辽源（东丰）等。

| 资源情况 | 野生资源较少。药材主要来源于野生。

| 采收加工 | 夏、秋季采收，除去泥土及杂质，晒干。

| 功能主治 | 杀虫，止痛，散热，消肿，祛痰。用于淋证，丝虫病；外用于跌打损伤，肿毒，疥癣，烫火伤。

| 附 注 | 在 FOC 中，本种的拉丁学名被修订为 *Oxalis stricta* Linnaeus。

牻牛儿苗科 Geraniaceae 牻牛儿苗属 Erodium

牻牛儿苗 *Erodium stephanianum* Willd.

| **植物别名** | 老牛筋、鹳鹑嘴、老鹳筋。

| **药 材 名** | 老鹳草（药用部位：地上部分。别名：老鸦嘴、贯筋、老贯筋）。

| **形态特征** | 多年生草本，高通常 15 ~ 50cm。根为直根，较粗壮，少分枝。茎多数，仰卧或蔓生，具节，被柔毛。叶对生；托叶三角状披针形，分离，被疏柔毛，边缘具缘毛；基生叶和茎下部叶具长柄，柄长为叶片的 1.5 ~ 2 倍，被开展的长柔毛和倒向短柔毛；叶片卵形或三角状卵形，基部心形，长 5 ~ 10cm，宽 3 ~ 5cm，2 回羽状深裂，小裂片卵状条形，全缘或具疏齿，表面被疏伏毛，背面被疏柔毛，沿脉被毛较密。伞形花序腋生，明显长于叶，总花梗被开展长柔毛和倒向短柔毛，每梗具 2 ~ 5 花；苞片狭披针形，分离；花梗与总花梗相似，等于或稍长于花，花期直立，果期开展，上部向上弯曲；萼片矩圆状卵形，

牻牛儿苗

长 6 ~ 8mm，宽 2 ~ 3mm，先端具长芒，被长糙毛，花瓣紫红色，倒卵形，等于或稍长于萼片，先端圆形或微凹；雄蕊稍长于萼片，花丝紫色，中部以下扩展，被柔毛；雌蕊被糙毛，花柱紫红色。蒴果长约 4cm，密被短糙毛；种子褐色，具斑点。花期 6 ~ 8 月，果期 8 ~ 9 月。

| 生境分布 | 生于山坡、荒地、田野、草地、沟边或路旁等。分布于吉林白城（通榆、镇赉、洮南、大安）、松原（前郭尔罗斯、长岭）、四平（双辽、伊通、公主岭）、吉林（舒兰、蛟河）、长春（九台、农安、榆树、德惠）、延边（汪清、安图、和龙）等。

| 资源情况 | 野生资源较丰富。药材主要来源于野生。

| 采收加工 | 夏、秋季果实将成熟时割取地上部分，去净泥土和杂质，捆成把，晒干。

| 药材性状 | 本品茎长 30 ~ 50cm，直径 0.3 ~ 0.7cm，多分枝，节膨大。表面灰绿色或带紫色，有纵沟纹和稀疏茸毛。质脆，断面黄白色，有的中空。叶对生，具细长叶柄；叶片卷曲皱缩，质脆易碎，完整者为 2 回羽状深裂，裂片披针线形。果实长圆形，长 0.5 ~ 1cm。宿存花柱长 2.5 ~ 4cm，形似鹳喙，有的裂成 5 瓣，呈螺旋形卷曲。气微，味淡。以灰绿色、果实多、无根及泥土者为佳。

| 功能主治 | 辛、苦，平。归肝、肾、脾经。祛风湿，通经络，止泻痢。用于风湿痹痛，麻木拘挛，筋骨酸痛，泄泻痢疾。

| 用法用量 | 内服煎汤，9 ~ 15g；或浸酒；或熬膏。外用适量，捣烂，加酒炒热外敷；或制成软膏涂敷。

牻牛儿苗科 Geraniaceae   老鹳草属 Geranium

粗根老鹳草 *Geranium dahuricum* DC.

| **植物别名** | 长白老鹳草、块根老鹳草。

| **药材名** | 块根老鹳草（药用部位：全草。别名：老官草、老贯草、天罡草）。

| **形态特征** | 多年生草本，高 20 ~ 60cm。根茎短粗，斜生，具簇生纺锤形块根。茎多数，直立，具棱槽，假二叉状分枝，被疏短伏毛或下部近无毛，亦有时全茎被长柔毛或基部具腺毛，叶基生和茎上对生；托叶披针形或卵形，长 6 ~ 8mm，宽 2 ~ 3mm，先端长渐尖，外被疏柔毛；基生叶和茎下部叶具长柄，柄长为叶片的 3 ~ 4 倍，密被短伏毛，向上叶柄渐短，最上部叶几无柄；叶片七角状肾圆形，长 3 ~ 4cm，宽 5 ~ 6cm，掌状 7 深裂近基部，裂片羽状深裂，小裂片披针状条形、全缘，表面被短伏毛，背面被疏柔毛，沿脉被毛较密或仅沿脉被毛。花序腋生和顶生，长于叶，密被倒向短柔毛，总花梗具 2 花；苞片

粗根老鹳草

披针形，长 4 ~ 9mm，宽约 2mm，先端长渐尖；花梗与总梗相似，长约为花的
2 倍，花果期下弯；萼片卵状椭圆形，长 5 ~ 7mm，宽约 3mm，先端具短尖头，
背面和边缘被长柔毛；花瓣紫红色，倒长卵形，长约为萼片的 1.5 倍，先端圆形，
基部楔形，密被白色柔毛；雄蕊稍短于萼片，花丝棕色，下部扩展，被睫毛，
花药棕色；雌蕊密被短伏毛。种子肾形，具密的微凹小点。

| 生境分布 | 生于林缘、灌丛、山地草甸、亚高山草甸等。分布于吉林白山（长白、抚松）、
延边（安图）、通化（通化、集安、梅河口）等。

| 资源情况 | 野生资源较少。药材主要来源于野生。

| 采收加工 | 夏、秋季果实将成熟时采收，
割取地上部分或连根拔起，
除去泥土杂质，晒干。

| 药材性状 | 本品根茎短，下部簇生近纺
锤形的粗根。茎常二歧分枝，
近无毛。叶肾状圆形，掌状 7
深裂几达基部，裂片不规则
羽状分裂。蒴果长 1.2 ~ 2cm，
宿存花柱成熟时 5 裂，向上
反卷。

| 功能主治 | 苦、微辛，平。归脾、膀胱经。
祛风通络，活血，清热利湿。
用于风湿痹痛，肌肤麻木，
筋骨酸楚，跌打损伤。

| 用法用量 | 内服煎汤，9 ~ 15g；或浸酒；
或熬膏。外用适量，捣敷；
或加酒炒热外敷；或制成软
膏涂敷。

| 附　注 | 本种在吉林也作"老鹳草"用。

牻牛儿苗科 Geraniaceae 老鹳草属 Geranium

长白老鹳草

Geranium dahuricum DC. var. *paishanense* (Y. L. Chang) Huang et L. R. Xu

| 植物别名 | 草地老鹳草。

| 药 材 名 | 长白老鹳草（药用部位：全草）。

| 形态特征 | 多年生草本，植株矮小，高 10 ~ 15cm。根茎短粗，斜生，具簇生纺锤形块根。茎多数，直立，具棱槽，假二叉状分枝，被疏短伏毛或下部近无毛，亦有时全茎被长柔毛或基部具腺毛，基生叶不早枯和茎基部仰卧；托叶披针形或卵形，长 6 ~ 8mm，宽 2 ~ 3mm，先端长渐尖，外被疏柔毛；基生叶和茎下部叶具长柄，柄长为叶片的 3 ~ 4 倍，密被短伏毛，向上叶柄渐短，最上部叶几无柄；叶片七角状肾圆形，长 3 ~ 4cm，宽 5 ~ 6cm，掌状 7 深裂近基部，裂片羽状深裂，小裂片披针状条形，全缘，表面被短伏毛，背面被疏柔毛，沿脉被毛较密或仅沿脉被毛。花序腋生和顶生，长于叶，密被倒向

长白老鹳草

短柔毛，总花梗具 2 花；苞片披针形，长 4 ～ 9mm，宽约 2mm，先端长渐尖；花梗与总梗相似，长约为花的 2 倍，花果期下弯；萼片卵状椭圆形，长 5 ～ 7mm，宽约 3mm，先端具短尖头，背面和边缘被长柔毛；花瓣紫红色，倒长卵形，长约为萼片的 1.5 倍，先端圆形，基部楔形，密被白色柔毛；雄蕊稍短于萼片，花丝棕色，下部扩展，被睫毛，花药棕色；雌蕊密被短伏毛。种子肾形，具密的微凹小点。

| **生境分布** | 生于高海拔山地。分布于吉林白山（抚松、长白）、延边（安图）等。

| **资源情况** | 野生资源稀少。药材主要来源于野生。

| **采收加工** | 夏、秋季果实将成熟时，割取地上部分或将全株拔起，去净泥土和杂质，晒干。

| **功能主治** | 微辛，微温。祛风湿，活络，清热止泻，活血强骨。用于风湿关节痛，四肢拘挛，痢疾，泄泻。

牻牛儿苗科 Geraniaceae 老鹳草属 Geranium

东北老鹳草 *Geranium erianthum* DC.

| **植物别名** | 北方老鹳草、大花老鹳草。

| **药 材 名** | 东北老鹳草（药用部位：全草）。

| **形态特征** | 多年生草本，高 30 ~ 60cm。根茎短粗，直生或斜生，上部围以基生托叶，下部具束生、稍肥厚纤维状根。叶基生和茎上互生，有时上部对生；托叶三角状披针形，长 6 ~ 10mm，宽 2 ~ 3mm，先端长渐尖；基生叶具长柄，柄长为叶片的 2 ~ 3 倍，密被倒向糙毛，茎生叶柄向上渐短，最上部叶近无柄；叶片五角状肾圆形，基部心形，长 5 ~ 8cm，宽 8 ~ 14cm，掌状 5 ~ 7 深裂至叶片的 2/3 处，裂片菱形或倒卵状楔形，下部全缘，上部不规则缺刻状深裂或为大牙齿状，表面被疏短伏毛，背面主要沿脉被糙毛。聚伞花序顶生，长于叶，总花梗被糙毛和腺毛，每梗具 2 ~ 3（~ 5）花；苞片钻状，长

东北老鹳草

约 2mm，宽不及 1mm；花梗与总花梗相似，等于或短于花，直生或弯曲，果期
劲直；萼片卵状椭圆形或长卵形，长 7 ~ 8mm，宽约 3mm，先端具短尖头，外
被长糙毛和腺毛；花瓣紫红色，长为萼片的 1.5 倍，先端圆形、微凹，基部宽楔形，
边缘具长糙毛；雄蕊稍长于萼片，花丝棕色，下部扩展，边缘具长糙毛；雌蕊
被短糙毛，花柱分枝棕色。蒴果长约 2.5mm，被短糙毛和腺毛。花期 7 ~ 8 月，
果期 8 ~ 9 月。

| 生境分布 | 生于林下、林缘草地、沟边。分布于吉林延边（安图、和龙、敦化）、白山（长
白、抚松、临江）、通化（柳河、东昌）、辽源（东辽）等。

| 资源情况 | 野生资源较少。药材主要来源于野生。

| 采收加工 | 夏、秋季果实将成熟时，割取地上部分或将全株拔起，去净泥土和杂质，晒干。

| 功能主治 | 苦、辛，平。祛风，活血，通络，清热。用于风寒湿痹，外感表证。

牻牛儿苗科 Geraniaceae 老鹳草属 Geranium

朝鲜老鹳草 *Geranium koreanum* Kom.

| **药 材 名** | 朝鲜老鹳草（药用部位：全草）。

| **形态特征** | 多年生草本，高 30 ~ 50cm。根茎短粗，木质化，下部簇生细纺锤形长根，上部围以基生托叶。茎直立，具棱槽，中部以上假二叉状分枝，被倒向糙毛，近基部常无毛。叶基生和茎上对生；托叶披针形，长 7 ~ 8mm，宽 3 ~ 4mm，先端渐尖，被疏糙毛；基生叶和茎下部叶具长柄，柄长为叶片的 3 ~ 4 倍，被倒向糙毛，近叶片处被毛密集，向上叶柄渐短；叶片五角状肾圆形，长 5 ~ 6cm，宽 8 ~ 9cm，3 ~ 5深裂至 3/5 处，裂片宽楔形，下部全缘，宽楔形，上部牙齿状浅裂，齿端急尖，具不明显尖头，表面被疏伏毛，背面被疏毛或仅沿脉被毛。花序腋生或顶生，二歧聚伞状，长于叶，总花梗被倒向短糙柔毛，具 2 花；苞片钻状，长 6 ~ 8mm，花梗与总花梗相似，长为花的 1.5 ~ 2

朝鲜老鹳草

倍，直立或稍弯曲，果期下折；萼片长卵形或
矩圆状椭圆形，长 8 ～ 10mm，宽 3 ～ 4mm，
先端具长约 2mm 的尖头，外面沿脉被糙毛；花
瓣淡紫色，倒圆卵形，长为萼片的 1.5 ～ 2 倍，
先端圆形，基部楔形，被白色糙毛，雄蕊稍长
于萼片，花丝棕色，下部边缘被长糙毛；雌蕊
被短糙毛，花柱上部棕色。蒴果长约 2cm，被
短糙毛。花期 7 ～ 8 月，果期 8 ～ 9 月。

| 生境分布 |

生于阔叶林下、林间草地。分布于吉林白山、
通化等。

| 资源情况 |

野生资源较少。药材主要来源于野生。

| 采收加工 |

夏、秋季果实将成熟时，割取地上部分或将全
株拔起，去净泥土和杂质，晒干。

| 功能主治 |

苦、辛，平。祛风湿，通络，活血通经，清热止泻。
用于风湿痹痛，肢体麻木，关节不利。

牻牛儿苗科 Geraniaceae 老鹳草属 Geranium

突节老鹳草 *Geranium krameri* Franch. et Sav.

| **植物别名** | 直立老鹳草、突节牻牛苗。

| **药 材 名** | 突节老鹳草（药用部位：全草）。

| **形态特征** | 多年生草本，高 30 ~ 70cm。根茎短粗，直生或斜生，具束生、细长纺锤形块根，上部围以残存基生托叶。茎直立，2 ~ 3 簇生，具棱槽，假二叉状分枝，被倒生糙毛或下部近无毛，节部稍膨大。叶基生和茎上对生；托叶三角状卵形，长 4 ~ 6mm，宽约 2mm；基生叶和茎下部叶具长柄，柄长为叶片的 2 ~ 3 倍，被倒向短伏毛，近叶片处被毛密集；叶片肾圆形，长 4 ~ 6cm，宽 6 ~ 10cm，掌状 5 深裂近基部，裂片狭菱形或楔状倒卵形，下部全缘，上部羽状浅裂至深裂，小裂片卵形或大齿状，表面被疏伏毛，背面主要沿脉被糙毛，最上部的叶近无柄，3 裂，裂片狭小。花序腋生和顶生，长于叶，

突节老鹳草

总花梗被倒向短糙毛，每梗具 2 花；苞片钻状，长 2 ~ 3mm；花梗与总花梗相似，长 6 ~ 8mm，宽约 3mm，先端具短尖头，外被短伏毛；萼片椭圆状卵形，长 6 ~ 9mm，被疏柔毛；花瓣紫红色或苍白色，倒卵形，具深紫色脉纹，长为萼片的 1.5 倍，先端圆形，基部楔形，具簇生白色糙毛；雄蕊与萼片近等长，花丝棕色，下部扩展，具长缘毛；雌蕊被短伏毛，花柱棕色，分枝长达 5mm。蒴果长约 2.5cm，被短糙毛。花期 7 ~ 8 月，果期 8 ~ 9 月。

| **生境分布** | 生于草甸、灌丛、岗地、荒地、路边等。以长白山区为主要分布区域，分布于吉林延边、白山、通化、长春、吉林、辽源（东丰）等。

| **资源情况** | 野生资源较丰富。药材主要来源于野生。

| **采收加工** | 夏、秋季果实将成熟时，割取地上部分或将全株拔起，去净泥土和杂质，晒干。

| **功能主治** | 苦、辛，平。祛风除湿，强筋骨，清热活血，收敛止泻。用于风寒湿痹，筋骨酸软，四肢麻木，陈旧性损伤，腹泻。

牻牛儿苗科　Geraniaceae　老鹳草属　Geranium

毛蕊老鹳草

Geranium platyanthum Duthie

| **药 材 名** | 毛蕊老鹳草（药用部位：全草）。

| **形态特征** | 多年生草本，高 30 ~ 80cm。根茎短粗，直生或斜生，上部围残存基生托叶，下部具束生纤维状肥厚块根或肉质细长块根。茎直立，单一，假二叉状分枝或不分枝，被开展的长糙毛和腺毛或下部无明显腺毛。叶基生和茎上互生；托叶三角状披针形，长 8 ~ 12mm，宽 3 ~ 4mm，外被疏糙毛；基生叶和茎下部叶具长柄，柄长为叶片的 2 ~ 3 倍，密被糙毛，向上叶柄渐短；叶片五角状肾圆形，长 5 ~ 8cm，宽 8 ~ 15cm，掌状 5 裂达叶片中部或稍过之，裂片菱状卵形或楔状倒卵形，下部全缘，上部边缘具不规则牙齿状缺刻，齿端急尖，具不明显短尖头，表面被疏糙伏毛，背面主要沿脉被糙毛。花序通常为伞形聚伞花序，顶生或有时腋生，长于叶，被开展的糙毛和腺

毛蕊老鹳草

毛，总花梗具 2 ~ 4 花；苞片钻状，长 2 ~ 3mm，宽近 1mm；花梗与总花梗相似，长为花的 1.5 ~ 2 倍，稍下弯，果期劲直；萼片长卵形或椭圆状卵形，长 8 ~ 10mm，宽 3 ~ 4mm，先端具短尖头，外被糙毛和开展腺毛；花瓣淡紫红色，宽倒卵形或近圆形，经常向上反折，长 10 ~ 14mm，宽 8 ~ 10mm，具深紫色脉纹，先端呈浅波状，基部具短爪和白色糙毛；雄蕊长为萼片的 1.5 倍，花丝淡紫色，下部扩展，边缘被糙毛，花药紫红色，雌蕊稍短于雄蕊，被糙毛，花柱上部紫红色，花柱分枝长 3 ~ 4mm。蒴果长约 3cm，被开展的短糙毛和腺毛；种子肾圆形，灰褐色，长约 2mm，宽约 1.5mm。花期 6 ~ 7 月，果期 8 ~ 9 月。

| **生境分布** | 生于湿润林缘、山地林下、灌丛或草甸。以长白山区为主要分布区域，分布于吉林延边、白山、通化、长春、吉林、辽源（东丰）、白城（洮南）等。

| **资源情况** | 野生资源较少。药材主要来源于野生。

| **采收加工** | 夏、秋季果实将成熟时，割取地上部分或将全株拔起，去净泥土和杂质，晒干。

| **功能主治** | 微辛，微温。清湿热，疏风通络，强筋健骨，止泻痢。用于风寒湿痹，筋骨酸软，肌肤麻木，肠炎，痢疾，痈疽，跌打损伤。

牻牛儿苗科　Geraniaceae　老鹳草属　Geranium

鼠掌老鹳草 *Geranium sibiricum* L.

| **植物别名** | 老观草、西伯利亚老鹳草。

| **药 材 名** | 鼠掌老鹳草（药用部位：全草）。

| **形态特征** | 一年生或多年生草本，高 30 ~ 70cm。根为直根，有时具不多的分枝。茎纤细，仰卧或近直立，多分枝，具棱槽，被倒向疏柔毛。叶对生；托叶披针形，棕褐色，长 8 ~ 12cm，先端渐尖，基部抱茎，外被倒向长柔毛；基生叶和茎下部叶具长柄，柄长为叶片的 2 ~ 3 倍；下部叶片肾状五角形，基部宽心形，长 3 ~ 6cm，宽 4 ~ 8cm，掌状 5 深裂，裂片倒卵形、菱形或长椭圆形，中部以上齿状羽裂或齿状深缺刻，下部楔形，两面被疏伏毛，背面沿脉被毛较密；上部叶片具短柄，3 ~ 5 裂。总花梗丝状，单生于叶腋，长于叶，被倒向柔毛或伏毛，具 1 花或偶具 2 花；苞片对生，棕褐色、钻状、膜质，

鼠掌老鹳草

生于花梗中部或基部；萼片卵状椭圆形或卵状披针形，长约 5mm，先端急尖，具短尖头，背面沿脉被疏柔毛；花瓣倒卵形，淡紫色或白色，等于或稍长于萼片，先端微凹或缺刻状，基部具短爪；花丝扩大成披针形，具缘毛；花柱不明显，分枝长约 1mm。蒴果长 15 ～ 18mm，被疏柔毛，果柄下垂；种子肾状椭圆形，黑色，长约 2mm，宽约 1mm。花期 6 ～ 7 月，果期 8 ～ 9 月。

| 生境分布 | 生于冷凉潮湿的山地森林带、草甸草原或山地草甸带。在植物群落中作为主要伴生种出现。在草甸草原带，鼠掌老鹳草常出现在阴湿的低地或溪边。以长白山区为主要分布区域，分布于吉林延边、白山、通化、吉林、辽源（东丰）等。

| 资源情况 | 野生资源较丰富。药材主要来源于野生。

| 采收加工 | 夏、秋季果实将成熟时，割取地上部分或将全株拔起，去净泥土和杂质，晒干。

| 药材性状 | 本品茎多分枝，略有倒生毛。叶肾状五角形，掌状 5 深裂，裂片卵状披针形，羽状深裂或齿状深缺刻，有毛。蒴果长 1.5 ～ 2cm，宿存花柱成熟时 5 裂，向上卷曲呈伞形。

| 功能主治 | 苦、辛，平。归脾、膀胱经。祛风除湿，活血通经，清热止泻，收敛。用于风湿关节痛，痉挛麻木，痢疾，泻下，疮口不收。

| 用法用量 | 内服煎汤，9 ～ 15g；或浸酒；或熬膏。外用适量，捣烂，加酒炒热外敷；或制成软膏涂敷。

| 附　注 | 吉林民间称本种为"痢疾草"，用其治疗赤白痢。亦在当地作"老鹳草"用。

线裂老鹳草 *Geranium soboliferum* Kom.

| **植物别名** | 匍枝老鹳草、匍枝牻牛苗、线叶老鹳草。

| **药材名** | 线裂老鹳草（药用部位：全草）。

| **形态特征** | 多年生草本，高 30 ~ 60cm。根茎短粗，木质化，斜生或横生，具簇生细纺锤形块根，上部围以纤维状残存叶柄和托叶。茎多数，直立，具棱角，假二叉状分枝，被倒向疏柔毛或星散柔毛。叶基生和茎上对生；托叶长卵形，长 7 ~ 10mm，宽 4 ~ 5mm；基生叶具长柄，柄长为叶片的 4 ~ 6 倍，被倒向短柔毛，茎下部叶柄长为其叶片的 1 ~ 2 倍，上部叶近无柄；叶片圆肾形，长 5 ~ 6cm，宽 7 ~ 8cm，掌状 5 ~ 7 深裂几达基部，裂片狭菱形，基部楔形，基部以上羽状深裂，小裂片狭披针状条形，急尖，下部小裂片具 1 ~ 2 齿，表面被疏短柔毛，背面边缘和沿脉被糙毛，上部叶片 3 裂。花序腋生和顶生，长于叶，

线裂老鹳草

总花梗密被短伏毛，具 2 花；苞片披针状钻形，长 5 ~ 6mm；花梗与总花梗相似，长为花的 1.5 ~ 2 倍，通常直立或后期叉开成水平状；萼片长卵形，长 7 ~ 8mm，宽 3 ~ 3.5mm，先端具 1 ~ 2mm 细尖头，外被短伏毛；花瓣紫红色，宽倒卵形，长为萼片的 2 倍，先端圆形，基部楔形并密被白色糙毛；雄蕊与萼片近等长，花丝棕色，基部扩展，边缘被缘毛，花药棕色；雌蕊被微柔毛，花柱分枝棕色。蒴果长约 2.5cm，被短柔毛；种子暗褐色，具微凹小点。花期 7 ~ 8 月，果期 8 ~ 9 月。

| **生境分布** | 生于中低山草甸、阔叶林下、沼泽地踏头上、森林地区河谷沼泽化草地上。以长白山区为主要分布区域，分布于吉林延边、白山、通化、吉林、辽源（东丰）等。

| **资源情况** | 野生资源较少。药材主要来源于野生。

| **采收加工** | 夏、秋季果实将成熟时，割取地上部分或将全株拔起，去净泥土和杂质，晒干。

| **功能主治** | 微辛，微温。祛风湿，活血通经，清热止泻，强筋健骨，止泻止痢。用于风湿痹痛，泄泻痢疾，月经不调。

牻牛儿苗科 Geraniaceae 老鹳草属 Geranium

老鹳草 *Geranium wilfordii* Maxim.

老鹳草

| 植物别名 |

老观草、鸭脚草、山黄烟。

| 药 材 名 |

老鹳草（药用部位：全草）。

| 形态特征 |

多年生草本，高 30 ~ 50cm。根茎直生，粗壮，具簇生纤维状细长须根，上部围以残存基生托叶。茎直立，单生，具棱槽，假二叉状分枝，被倒向短柔毛，有时上部混生开展腺毛。叶基生和茎生叶对生；托叶卵状三角形或上部为狭披针形，长 5 ~ 8mm，宽 1 ~ 3mm，基生叶和茎下部叶具长柄，柄长为叶片的 2 ~ 3 倍，被倒向短柔毛，茎上部叶柄渐短或近无柄；基生叶叶片圆肾形，长 3 ~ 5cm，宽 4 ~ 9cm，5 深裂达 2/3 处，裂片倒卵状楔形，下部全缘，上部不规则状齿裂；茎生叶 3 裂至 3/5 处，裂片长卵形或宽楔形，上部齿状浅裂，先端长渐尖，表面被短伏毛，背面沿脉被短糙毛。花序腋生和顶生，稍长于叶，总花梗被倒向短柔毛，有时混生腺毛，每梗具 2 花；苞片钻形，长 3 ~ 4mm；花梗与总花梗相似，长为花的 2 ~ 4 倍，花果期通常直立；萼片长卵形或卵状椭圆形，长

5 ~ 6mm，宽 2 ~ 3mm，先端具细尖头，背面沿脉和边缘被短柔毛，有时混生开展的腺毛；花瓣白色或淡红色，倒卵形，与萼片近等长，内面基部被疏柔毛；雄蕊稍短于萼片，花丝淡棕色，下部扩展，被缘毛；雌蕊被短糙状毛，花柱分枝紫红色。蒴果长约 2cm，被短柔毛和长糙毛。花期 6 ~ 8 月，果期 8 ~ 9 月。

| **生境分布** | 生于山坡、草地、田埂、路边或村庄住宅附近，常成片生长。以长白山区为主要分布区域，分布于吉林延边、白山、通化、吉林、辽源（东丰）等。

| **资源情况** | 野生资源较丰富。药材主要来源于野生。

| **采收加工** | 同"牻牛儿苗"。

| **药材性状** | 本品茎较细，略短。叶片圆肾形，3 或 5 深裂，裂片较宽，边缘具缺刻。果实球形，长 0.3 ~ 0.5cm。花柱长 1 ~ 1.5cm，有的 5 裂向上卷曲成伞形。

| **功能主治** | 同"牻牛儿苗"。

| **用法用量** | 同"牻牛儿苗"。

| **附　　注** | （1）老鹳草在吉林药用历史较久。在《珲春县志》（1931）、《珲春乡土志》（1935）等地方志中均有关于老鹳草的记载。

（2）老鹳草行情平稳，需求有限。吉林老鹳草资源十分丰富，但年产量只有 200t 左右，不足资源储量的百分之一。由于质量较好，所产药材商品多用于出口，很少流向国内药材市场。今后在把握质量的同时，应加大老鹳草的产销数量。

牻牛儿苗科 Geraniaceae 老鹳草属 Geranium

灰背老鹳草 *Geranium wlassowianum* Fisch. ex Link.

| 药 材 名 | 灰背老鹳草（药用部位：全草）。

| 形态特征 | 多年生草本，高 30 ~ 70cm。根茎短粗，木质化，斜生或直生，具簇生纺锤形块根。上部围以残存基生托叶和叶柄，茎 2 ~ 3，直立或基部仰卧，具棱角，假二叉状分枝，被倒向短柔毛。叶基生和茎上对生；托叶三角状披针形或卵状披针形，长 7 ~ 8mm，宽 3 ~ 4mm，先端具芒状长尖头；基生叶具长柄，柄长为叶片的 4 ~ 5 倍，被短柔毛，近叶片处被毛密集，茎下部叶柄稍长于叶片，上部叶柄明显短于叶片；叶片五角状肾圆形，基部浅心形，长 4 ~ 6cm，宽 6 ~ 9cm，5 深裂达中部或稍过之，裂片倒卵状楔形，下部全缘，上部 3 深裂，中间小裂片狭长，3 裂，侧小裂片具 1 ~ 3 牙齿，表面被短伏毛，背面灰白色，沿脉被短糙毛。花序腋生和顶生，稍长于叶，总花梗

灰背老鹳草

被倒向短柔毛，具2花；苞片狭披针形，长6～8mm，宽1～1.5mm；花梗与总花梗相似，通常长为花的1.5～2倍，花期直立或弯曲，果期水平状叉开；萼片长卵形或矩圆状椭圆形，长8～10mm，宽3～4mm，先端具长尖头，密被短柔毛和开展的疏散长柔毛；花瓣淡紫红色，具深紫色脉纹，宽倒卵形，长约为萼片的2倍，先端圆形，基部楔形，被长柔毛；雄蕊稍长于萼片，花丝棕褐色，下部扩展，边缘和基部被长糙毛，花药棕褐色；雌蕊被短糙毛，花柱分枝棕褐色，与花柱近等长。蒴果长约3cm，被短糙毛。花期7～8月，果期8～9月。

| **生境分布** | 生于山地草甸、林缘、河岸湿地或沼泽地。分布于吉林白山（抚松、靖宇）、延边（敦化、汪清、安图）、通化（通化）。

| **资源情况** | 野生资源较少。药材主要来源于野生。

| **采收加工** | 夏、秋季果实将成熟时，割取地上部分或将全株拔起，去净泥土和杂质，晒干。

| **功能主治** | 祛风除湿，活血通经，清热止泻。用于风寒湿痹，四肢拘挛，跌打损伤，泻痢。

牻牛儿苗科 Geraniaceae 天竺葵属 Pelargonium

天竺葵

Pelargonium hortorum Bailey

| **药 材 名** | 石蜡红（药用部位：花。别名：月月红、天竺葵）。

| **形态特征** | 多年生草本，高 30 ~ 60cm。茎直立，基部木质化，上部肉质，多分枝或不分枝，具明显的节，密被短柔毛，具浓烈鱼腥味。叶互生；托叶宽三角形或卵形，长 7 ~ 15mm，被柔毛和腺毛；叶柄长 3 ~ 10cm，被细柔毛和腺毛；叶片圆形或肾形，茎部心形，直径 3 ~ 7cm，边缘波状浅裂，具圆形齿，两面被透明短柔毛，表面叶缘以内有暗红色马蹄形环纹。伞形花序腋生，具多花，总花梗长于叶，被短柔毛；总苞片数枚，宽卵形；花梗 3 ~ 4cm，被柔毛和腺毛，芽期下垂，花期直立；萼片狭披针形，长 8 ~ 10mm，外面密被腺毛和长柔毛，花瓣红色、橙红、粉红或白色，宽倒卵形，长 12 ~ 15mm，宽 6 ~ 8mm，先端圆形，基部具短爪，下面 3 枚通常

天竺葵

较大；子房密被短柔毛。蒴果长约 3cm，被柔毛。花期 5 ~ 7 月，果期 6 ~ 9 月。

| 生境分布 |

生于庭院、花坛等。吉林无野生分布。吉林偶见栽培。

| 资源情况 |

吉林偶见栽培。药材主要来源于栽培。

| 采收加工 |

花盛开时期采收，晒干。

| 功能主治 |

苦、涩，凉。清热解毒。用于中耳炎。

| 用法用量 |

鲜花榨汁滴耳。

| 附　　注 |

本种与近似种马蹄纹天竺葵 *Pelargonium zonale* Aif. 的主要区别为其茎通常单生，仅幼时略被绒毛，花较小。

旱金莲科 Tropaeolaceae 旱金莲属 Tropaeolum

旱金莲 *Tropaeolum majus* L.

| **药材名** | 旱莲花（药用部位：全草。别名：金莲花、吐血丹、荷叶七）。

| **形态特征** | 一年生肉质草本，蔓生，无毛或被疏毛。叶互生；叶柄长 6 ~ 31cm，向上扭曲，盾状，着生于叶片的近中心处；叶片圆形，直径 3 ~ 10cm，有主脉 9，由叶柄着生处向四面放射，边缘为波浪形的浅缺刻，背面通常被疏毛或有乳突点。单花腋生，花柄长 6 ~ 13cm；花黄色、紫色、橘红色或杂色，直径 2.5 ~ 6cm；花托杯状；萼片 5，长椭圆状披针形，长 1.5 ~ 2cm，宽 5 ~ 7mm，基部合生，边缘膜质，其中一片延长成一长距，距长 2.5 ~ 3.5cm，渐尖；花瓣 5，通常圆形，边缘有缺刻，上部 2 片通常全缘，长 2.5 ~ 5cm，宽 1 ~ 1.8cm，着生在距的开口处，下部 3 片基部狭窄成爪，近爪处边缘具睫毛；雄蕊 8，长短互间，分离；子房 3 室，花柱 1，柱头 3 裂，线形。果实

旱金莲

扁球形，成熟时分裂成 3 个具 1 种子的瘦果。花期 6 ～ 10 月，果期 7 ～ 11 月。

| **生境分布** | 生于庭院、公园等。吉林无野生分布。吉林偶见栽培。

| **资源情况** | 吉林偶见栽培。药材主要来源于栽培。

| **采收加工** | 生长旺盛期割取全草，鲜用或晒干。

| **功能主治** | 辛、酸，凉。归心、肾经。清热解毒，凉血止血。用于目赤肿痛，疮疖，吐血，咯血。

| **用法用量** | 内服煎汤，鲜品 15 ～ 30g。外用适量，捣敷；或煎汤洗。

蒺藜科 Zygophyllaceae 白刺属 Nitraria

小果白刺 *Nitraria sibirica* Pall.

| **植物别名** | 酸胖、白刺。

| **药材名** | 卡密（药用部位：果实）。

| **形态特征** | 落叶灌木，高 0.5 ~ 1.5m，弯，多分枝，枝铺散，少直立。小枝灰白色，不孕枝先端刺针状。叶近无柄，在嫩枝上 4 ~ 6 簇生，倒披针形，长 6 ~ 15mm，宽 2 ~ 5mm，先端锐尖或钝，基部渐窄成楔形，无毛或幼时被柔毛。聚伞花序长 1 ~ 3cm，被疏柔毛；萼片 5，绿色；花瓣黄绿色或近白色，矩圆形，长 2 ~ 3mm。果实椭圆形或近球形，两端钝圆，长 6 ~ 8mm，成熟时暗红色；果汁暗蓝色，带紫色，味甜而微咸；果核卵形，先端尖，长 4 ~ 5mm。花期 5 ~ 6 月，果期 7 ~ 8 月。

小果白刺

| 生境分布 | 生于沙地、盐碱地及半荒漠上。吉林松原（乾安）等地有分布。

| 资源情况 | 野生资源稀少。药材主要来源于野生。

| 采收加工 | 秋季果实成熟时采收，除去杂质，晒干。

| 功能主治 | 甘、酸、微咸，温。归肝、脾、肾经。调经活血，消食健胃。用于身体虚弱，气血两亏，脾胃不和，高血压头晕，消化不良，月经不调，腰酸腿痛。

| 用法用量 | 内服煎汤，9 ~ 15g；或入丸、散。

蒺藜科 Zygophyllaceae 蒺藜属 Tribulus

蒺藜
Tribulus terrester L.

| 植物别名 | 朝鲜蔷薇、刺蒺藜、白蒺藜。

| 药 材 名 | 蒺藜(药用部位:果实。别名:刺枣果、硬蒺藜)、蒺藜草(药用部位:地上部分)。

| 形态特征 | 一年生草本。茎平卧,无毛,被长柔毛或长硬毛,枝长20~60cm。偶数羽状复叶,长1.5~5cm;小叶对生,3~8对,矩圆形或斜短圆形,长5~10mm,宽2~5mm,先端锐尖或钝,基部稍偏斜,被柔毛,全缘。花腋生,花梗短于叶,花黄色;萼片5,宿存;花瓣5;雄蕊10,生于花盘基部,基部有鳞片状腺体,子房5棱,柱头5裂,每室3~4胚珠。果实有分果瓣5,硬,长4~6mm,无毛或被毛,中部边缘有锐刺2,下部常有小锐刺2,其余部位常有小瘤体。花期5~8月,果期6~9月。

蒺藜

| **生境分布** | 生于沙丘、荒野、草地或路旁、田间地头。吉林西部地区及珲春、梅河口、靖宇、抚松等地有分布。

| **资源情况** | 野生资源较丰富。药材主要来源于野生。

| **采收加工** | 蒺藜：秋季果实成熟时采割植株，晒干，打下果实，除去杂质，干燥。
蒺藜草：9 月上中旬果实成熟时采割地上部分，除去杂质，晒干。

| **药材性状** | 蒺藜：本品由 5 个分果瓣组成，呈放射状排列，直径 7 ～ 12mm，常裂为单一的分果瓣。分果瓣呈斧状，长 3 ～ 6mm，背部黄绿色，隆起，有纵棱和多数小刺，并有对称的长刺和短刺各 1 对，两侧面粗糙，有网纹，灰白色。质坚硬。气微，味苦、辛。
蒺藜草：本品呈卷折团状。茎呈扁圆柱形，基部多分枝，较完整者数茎水平展

开聚生于一根，长 20 ~ 200cm，直径 0.1 ~ 0.8cm，近中空，灰绿色或灰黄色，被短柔毛，具平行纵棱纹，节部稍膨大，有分枝。叶多脱落、破碎，完整叶片展开为偶数羽状复叶，小叶斜长卵形，长 0.5 ~ 1.7cm，宽 0.1 ~ 0.5cm，背面被密毛。果实脱落，成熟或未成熟，直径 0.7 ~ 1.2cm，由 5 个分果瓣组成，呈放射状排列。分果瓣呈斧状，长 0.3 ~ 0.6cm，背部黄绿色，隆起，有纵棱及多数小刺，并有对称的长刺和短刺各 1 对，分别与相邻者靠接，呈五角星状，分果瓣侧面粗糙，有网纹，灰白色，刺坚硬。体轻。气微，味微苦。

| 功能主治 |　蒺藜：辛、苦，温；有小毒。归肝经。平肝解郁，活血祛风，明目，止痒。用于头痛眩晕，胸胁胀痛，乳癖乳痈，目赤翳障，风疹瘙痒。

蒺藜草：苦、辛，微温。归肝、肺经。平肝解郁，活血祛风，明目，止痒。用于头痛眩晕，胸胁胀痛，乳癖乳痈，目赤翳障，风疹瘙痒。

| **用法用量** | 蒺藜：内服煎汤，6 ~ 9g。

蒺藜草：内服煎汤，5 ~ 10g。

| **附　　注** | （1）蒺藜在吉林药用历史较久。在《吉林志书·吉林分巡道造送会典馆清册》（1902）、《怀德县志》（1929）、《双山县乡土志略》（1930）等地方志中均有关于蒺藜的记载。

（2）蒺藜草已被列入 2019 年版《吉林省中药材标准》第一册。

（3）蒺藜主要用于提取蒺藜皂苷，且用量较大。蒺藜皂苷是当今健美运动员可以使用的非运动禁药激素类的补剂，未来发展前景十分广阔。吉林年产蒺藜约400t。